DU CANADA AU QUÉBEC

HEINZ WEINMANN

Du Canada au Québec

Généalogie d'une histoire

l'HEXAGONE

Éditions de l'HEXAGONE
Une division du groupe
Ville-Marie Littérature
1000, rue Amherst, bureau 102
Montréal, Québec
H2L 3K5
Téléphone: (514) 523-1182
Télécopieur: (514) 282-7530

Maquette de couverture: Jean-Marc Côté

Illustration de couverture:
Bernardino Luini, *Salomé reçoit la tête de saint Jean-Baptiste*

Photocomposition: Composition Technologies 1000 Inc.

Distribution: LES MESSAGERIES ADP
955, rue Amherst
Montréal, Québec
H2L 3K4
Téléphone: (514) 523-1182
Interurbain sans frais: 1 800 361-4806

Dépôt légal: quatrième trimestre 1987
Bibliothèque nationale du Québec
Bibliothèque nationale du Canada

REMERCIEMENTS

Un livre, c'est un carrefour d'autres livres. C'est aussi le point de rencontre de personnes, d'amis qui ont rendu possible le livre.

Tout d'abord Monique, témoin privilégié qui a assisté à toutes les phases de l'élaboration de ce travail: premier «cobaye», c'est sur elle que j'ai «testé» d'abord les différentes versions (trois en tout) de cet ouvrage. Elle a supporté toutes les monomanies et aussi toutes les monotonies de l'écrivant. Avec son sens aigu de la langue française elle a passé au crible chaque phrase, mis le doigt sur toute imprécision, extirpé implacablement les derniers germanismes qui, ici et là, poussaient encore, comme herbes folles.

Jean-Pierre Duquette, «le Canadien» des séminaires de Doctorat à Paris, a fait une première lecture québécoise du texte.

Jean-Louis Bourque en faisant passer ce travail par le crible historique a apporté les précisions qui s'imposaient.

Enfin, je sais gré au Conseil des Arts du Canada qui, grâce à une bourse «Explorations», m'a permis de mener à bien ce travail.

L'homme est pour ainsi dire tout entier dans les langes de son berceau. Il se passe quelque chose d'analogue chez les nations. Les peuples se ressentent toujours de leur origine. Les circonstances qui ont accompagné leur naissance et servi à leur développement influent sur tout le reste de leur carrière. S'il nous était possible de remonter jusqu'aux éléments des sociétés et d'examiner les premiers monuments de leur histoire, je ne doute pas que nous ne puissions y découvrir (...) ce qu'on appelle le caractère national.

Alexis de Tocqueville
De la démocratie en Amérique

Nous ne nous connaissons pas, nous qui cherchons la connaissance (Erkennenden); nous nous ignorons nous-mêmes (...). C'est que, fatalement, nous nous demeurons étrangers à nous-mêmes, nous ne nous comprenons pas, il faut que nous nous confondions avec d'autres, nous sommes éternellement condamnés à subir cette loi: «Chacun est le plus étranger à soi-même». À l'égard de nous-mêmes, nous ne sommes pas de ceux «qui ont la connaissance» (Erkennenden).

Friedrich Nietzsche
Généalogie de la morale

Toutes les cultures, toutes les religions s'édifient autour de ce fondement qu'elles dissimulent, de la même façon que le tombeau s'édifie autour du mort qu'il dissimule.

René Girard
Des choses cachées depuis la fondation du monde

Le sacrifice couvre un très vaste champ psycho-social depuis le sacrifice de la victime jusqu'à l'auto-sacrifice, de l'acte rituel à l'acte sentimental («se sacrifier» pour les siens). C'est un complexe polyfonctionnel, donc central. Le sacrifice est peut-être la plus grande des opérations magiques-religieuses, et on continue à l'exercer collectivement dans le rituel religieux et dans l'imaginaire (cinéma, théâtre, récits, romans) comme dans l'information (c'est la fonction du fait divers); il continue à vivre, s'exprimer, dans les grandes occasions de la vie, comme dans les actes de la morale oblative.

Edgar Morin
Le Vif du sujet

Ie tiens mon âme toujours dans mes mains, et ie suis tout prest à tout moment de la sacrifier à Dieu; trop heureux hélas! de pouvoir faire tant de fois un prêtieux holocauste de moy-mesme.

Paul Le Jeune
Les Relations des Jésuites

Il faut un bouc émissaire. L'histoire est toute remplie de boucs émissaires, je dois, jusqu'à un certain point, servir un peu de bouc émissaire ... et je ne m'en plains pas.

René Lévesque
Ancien Premier ministre du Québec

Avant-propos

Le Québec dans le rétroviseur de son histoire: entre la complexité et la globalité

L'histoire, si elle cherche à arracher le passé de l'oubli, n'éclaire pas moins indirectement le présent. Bien plus, c'est à travers le prisme de ce présent changeant que l'historien réinterprète l'histoire. Cette dernière, comme la psychanalyse, est donc «interminable».

Les ruptures, les changements de régime, les guerres et les révolutions qui déchirent le tissu du présent, plus que les continuités, ouvrent des perspectives nouvelles sur le passé, nous le font voir *autrement*. Ainsi, les modifications internes dans le paysage politique et psychologique du Québec — depuis l'échec du référendum sur la souveraineté-association (1980), entraînant dans son sillage la réorientation du Parti québécois et finalement son échec aux élections de décembre 1985 — nous invitent à jeter un nouveau regard sur son histoire. L'impasse dans laquelle semble acculé aujourd'hui le mouvement souverainiste n'est que le reflet des apories auxquelles historiens et sociologues souverainistes ont réduit l'histoire canado-québécoise.

Ce cul-de-sac s'explique: l'histoire québécoise, plus que celle de n'importe quel autre pays, sert de cheval de bataille, d'exutoire, pour régler les conflits idéologiques découlant de la structure duelle, biethnique, bilingue, de l'ensemble politique englobant canadien dans lequel elle s'insère. Or, pour l'idéologie nationaliste, cette dualité est traîtresse, vicieuse; il faut la rendre vertueuse en la ramenant à l'Un souverain. C'est donc dire que ces historiens ont tendance à voir dans le passé surtout les signes annonciateurs d'un futur glorieux qui promet enfin l'unité trouvée dans une indépendance qui coupe les liens avec l'Autre. Tout logi-

quement, avec l'effondrement, certes provisoire, de l'idée d'indépendance, s'effondre aussi l'histoire concomitante appelée à illustrer cette
idée. Aujourd'hui, l'avenir du Québec passe nécessairement par son histoire, complexe, en dehors des mutilations idéologiques.

Nous n'avons pas l'intention de refaire une autre histoire événementielle, politique ou économique du Québec. Ce que nous proposons, c'est
une histoire des mentalités québécoises. Nous avons voulu savoir
comment la psyché québécoise a été pétrie dans le creuset de son histoire,
quels ont été les stades marquants de son évolution. Ce que nous avons
recherché avant tout, c'est la filiation souvent cachée des mentalités sous
les ruptures et les soubresauts de l'histoire événementielle.

Or, cette filiation, cette généalogie au sens nietzschéen du mot n'est
possible qu'à partir de son lieu d'origine, de son *archè*. Une première
question s'est donc posée à nous: quand commence le Québec? On sait
que cette définition temporelle a été largement occultée par l'obsession de
l'«identité québécoise», surdéterminée spatialement grâce à ses attaches à
la «Terre Québec».

On pourrait presque établir une typologie des historiens québécois
suivant la réponse qu'ils donnent à cette question. Pour les nationalistes
«purs et durs», le Québec, zombie fantômatique, n'existera réellement
que le Grand Soir de son Indépendance; d'autres voient naître le Québec
au lendemain de la Confédération canadienne (1867), d'autres encore, au
moment où la colonie, coupée de sa mère patrie française, se métamorphose tout en se rapetissant en *Province of Quebec*, sous le régime
anglais. Enfin, il est des historiens pour qui la fondation de l'Habitation
de Québec par Champlain (1608) constitue le point zéro, le début absolu
d'un établissement permanent au Québec.

En étudiant de près la geste fondatrice de Champlain, nous nous
rendons vite compte qu'elle vient quatre-vingts ans après une autre, bien
qu'avortée. En effet, Champlain fonde Québec, le *Brief récit* de Jacques
Cartier en main. Il ne cesse d'être hanté par le premier site d'hivernement
de Cartier dans les parages de Stadaconé, avatar amérindien de Québec,
véritable nombril, *omphalos* du pays futur. Or, Cartier, Champlain et
leurs poignées d'hommes ne survivront sur ce nouveau continent que
grâce au *know-how* amérindien. Une généalogie du Québec qui veut
vraiment se comprendre à partir de ses origines ne peut donc faire abstraction du Canada sauvage en interaction permanente, grâce à la traite
des fourrures, avec la colonie française qui s'établit sur les bords du
Saint-Laurent.

Mais, plus globalement, l'aventure coloniale française en Amérique du Nord ne peut se comprendre sans la geste coloniale ibérique dont elle est, au départ, le double mimétique. Le Canada naît comme un fantasme dans la tête de François Ier qui veut aussi son Eldorado, son Cipango au même titre que Charles Quint. Jacques Cartier, tel son illustre prédécesseur Christophe Colomb, est complètement obnubilé par l'or et les pierres précieuses. La généalogie canado-québécoise remonte donc nécessairement à 1492, date fatidique de la découverte du Nouveau Monde, dont elle découle. C'est à partir de ce moment que nous commençons notre enquête généalogique. Elle se met sous le signe de la globalité et de la complexité.

Entreprise *complexe* qui cherche à rendre la complexité de l'Amérique française. Rappelons que *complexe* dérive de *complectere*, *tresser*, *enlacer*. Complexité temporelle d'abord qui tresse ensemble passé et présent. En effet, dans l'histoire des mentalités des Français d'Amérique, le passé le plus lointain enlace le présent le plus proche. Les gestes de la découverte vibrent encore dans les comportements et les attitudes des Québécois d'aujourd'hui.

Le pays que découvre Jacques Cartier n'a pas de point d'ancrage, c'est déjà un «pays incertain» qui flotte vaguement entre le Septentrion et les Florides. Premier avatar du Québec! Au fait, le Malouin malin veut faire accroire à François Ier que le Canada est un pays tropical inondé de soleil, un autre Brésil, une autre Floride. Certes, la mode n'est pas encore aux bains de soleil, mais la chaleur du soleil tropical pour les hommes de la Renaissance avait un prix réel: c'est lui qui faisait croître l'or dans la terre. Donc, plus Cartier faisait «dévier» (ancêtre de la «dérive des continents»!) vers le Sud, plus il avait de chances de trouver de l'or. Fantasme floridien auquel le premier hiver passé en Canada met un terme brutal, mortel. Mais ce fantasme des Florides refoulées ne cesse de hanter les hivers canadiens et québécois. À l'heure des jumbo jets, la Floride n'est qu'à trois heures de Montréal. À ce rythme, le fantasme de Cartier devient facilement réalité.

Le Canada, pays nordique par la force de sa situation géo-politique, ne se consolera jamais vraiment des terres australes accaparées par les «voisins du Sud». Les «démons du Midi» ensorcellent les Français d'Amérique comme un chant de sirènes. Chant doux et cruel. Car le Sud des Amériques recèle les cadavres des fondations coloniales avortées: au Brésil et en Floride où les Français furent sauvagement massacrés par les Portugais et par les Espagnols. Cela n'empêche que Champlain, avant de river les Français sur le rocher de Québec, cherchait lui aussi un site de colonisation plus propice, plus méridional. Ironie de l'histoire: s'il n'avait pas été repoussé par les Amérindiens, il aurait fondé l'empire français à l'endroit même où les Pilgrims débarquèrent quelques années plus tard sur la *Mayflower*...

Cette dérive méridionale finira par pousser les Français d'Amérique jusqu'à l'embouchure du Mississipi. Elle aggravera ainsi la dispersion d'une population déjà clairsemée qui a tendance à *courir* le continent plus qu'à le *tenir*.

Cette complexité temporelle qui nous fait comprendre comment les attitudes, les plis politiques et mentaux du présent sont tressés dans la toile de fond du passé rend possible, du coup, une lecture rétrospective du présent québécois. En faisant ainsi se réfléchir ce présent québécois dans le rétroviseur de son histoire canadienne, nous constaterons que beaucoup de questions pendantes d'aujourd'hui sont déjà nouées dès les premiers temps de la colonie. Nous verrons surtout que la «question du Québec», se posant en des termes hautement complexes, ne saurait recevoir de réponses simples ou simplistes.

Complexité qui a tressé littéralement le Québec au Canada. Il faut donc reconnaître que le Québec, au-delà de ses propres dénégations et des dénis de l'Autre anglais, a déjà été le Canada. La généalogie du Québec passe donc nécessairement par la généalogie du Canada. Cette filiation du Québec doit surtout rendre visibles les articulations, occultées ou refoulées, qui assurent le passage d'un pays, d'un régime politique à un autre. Rappelons que *Québec*, on l'oublie trop souvent, est un mot amérindien qui signifie «passage difficile, détroit». Ce sont justement les passages, les transitions qui restent difficiles, problématiques au Québec, *parce* qu'ils sont du domaine du non-pensé.

Comme pour compliquer encore les données d'un problème déjà complexe au départ, *Québec* désigne *à la fois* un site, une ville, la capitale de l'Ancien Canada et un territoire qui a obtenu son statut administratif après la Conquête, en 1763, grâce à la création de la «Province of Quebec». Il faudra s'interroger par quel biais cette métonymie géo-politique (la partie devenant le tout) a pu se constituer. Mais, tout d'abord, il s'agit de démêler l'écheveau originel qui s'est noué chez Jacques Cartier où la «province» du Canada, qui se trouve dans la région de Québec, et sa capitale Stadaconé/Québec se confondent souvent. Confusion facilement induite puisque le mot amérindien *Canada* signifie lui-même *ville*, *village*. Dans le premier document littéraire français sur le Nouveau Monde, le Canada, la «Province de Québec» et sa capitale Stadaconé/Québec coïncident. Aux origines mêmes du Canada est donc déjà un problème de traduction, de définition. Comment *dé-finir* ce qui est sans limites tel qu'apparaît ce continent aux premiers explorateurs, comment cerner ce qui se tient dans un enlacement complexe?

Cette prospection globale de la colonisation française de l'Amérique nous fait mieux comprendre la fonction unique qui revient à sa capitale Québec, grâce, en partie, à son site singulier. Québec est la seule ville fortifiée de l'Amérique du Nord. Archaïsme moyenâgeux dont se gausseront les voisins du Sud. À tort. Certes, il ne s'agit pas de nier le rôle défensif des murs de la ville de Québec. Mais, dès le geste inaugural de Champlain qui pose les fondations de l'Habitation de Québec, il est évident que ces murs ont pour fin ultime la définition: ils sont le *limes*, la ligne de partage nette qui sépare l'Autre du Même, le Sauvage du Civilisé, le Païen du Chrétien. Cette définition rigoureuse s'impose d'autant plus que le Français, davantage que le voisin anglais, se laisse happer, aspirer facilement par la vie sauvage. La ville de Québec est ce point d'ancrage dur assis sur du roc autour duquel se forme un pays aux alentours flous.

Un *pays* (Québec) et un *territoire* (Canada). Le *pays* par définition est défini, dérivant de *pagus* signifiant à l'origine la *borne* qui limite une terre. Ce pays se formera autour du noyau dur de Québec grâce au soc de l'agriculteur qui le dessinera avec son sillon. «Cultiver la terre», lira-t-on dans les *Relations des Jésuites*, «c'est le métier le plus certain». Seule certitude sur un continent où les limites naturelles font cruellement défaut, où le fleuve Saint-Laurent plutôt que d'arrêter les colons, les attire dans la profondeur des espaces.

Après avoir expliqué la loi de transformation du Canada, qui nous dit comment *Canada*, d'une petite «province» amérindienne, est venu signifier le territoire qui couvre presque tout le Septentrion de l'Amérique, nous allons mettre en évidence les relations complexes entre ce pays, Québec, et ce territoire, Canada. Le Canada et le Québec, dès leur fondation, sont en conflit, sont divisés et, en même temps, inéluctablement liés ensemble quant à leur conception de l'espace, quant à leur façon de l'*habiter*. C'est là leur *double bind* (double lien) au sens premier du mot. Chacun voudrait se *séparer* de l'autre, mais tient et est tenu par les attaches de l'autre. Peut-on séparer, trancher plus de quatre cents ans de relations complexes? Sur l'arrière-fond de ce passé, on comprend mieux la raison d'être de ce monstre logique dont a accouché le Parti québécois lors de son référendum de mai 1980 en renouant (association) ce qui, préalablement, avait été coupé (souveraineté, indépendance).

Le Canada a beau dériver vers les vastitudes de l'Ouest nord-américain, les Canadiens, les coureurs de bois les plus insoucieux de la civilisation française, avec leur «air de liberté» qui frappe tous les voyageurs, ont beau paraître détachés de la mère patrie, ils y sont néanmoins attachés par des liens invisibles mais solides. Liens économiques plutôt que politiques. Dès le XVII⁰ siècle, l'indépendance politique du Canada, comme celle aujourd'hui du Québec, est contrecarrée par la dépendance économique. Un conflit sur la gestion de l'espace canadien, semblable à celui qui met aux prises le Canada et le Québec, divise l'administration locale et celle de la cour de Versailles. La France ne cesse de projeter sur le Canada son double spéculaire, voyant une Nouvelle-France là où un pays tout *autre* est en gestation.

Nous montrerons que la défaite française finale en Amérique du Nord est due en partie à des stratégies opposées et quasi irréconciliables entre le haut commandement français et les soldats canadiens. Ces derniers, habitués à la «petite guerre» amérindienne, profitant au maximum des avantages du terrain, sont mal adaptés aux batailles à grand déploiement régulier sur des «vrais champs» dont rêvent les militaires français. Comme Montcalm avait hâte de sortir ses troupes des murs de Québec pour les aligner en face de Wolfe sur les belles plaines d'Abraham! Sans arbres, sans broussailles, ces plaines sont le champs de bataille idéal pour un Français. Ah, si la conception stratégique canadienne l'avait emporté; si les Canadiens avaient eu voix au chapitre stratégique! La Conquête serait certainement arrivée, mais autrement...

Nous voilà confrontés avec la Conquête de 1759-60 et avec son interprétation. C'est la pierre de touche de l'histoire canadienne. Elle paraît comme le grand partage des eaux idéologiques, comme l'abîme infranchissable qui sépare l'ancien régime français du nouveau régime instauré par le conquérant anglais. Pourtant, les ruptures, encore une fois, ne doivent pas nous cacher les continuités: un pouvoir colonial se substitue à un autre.

Pour retrouver ce fil conducteur qui relie, malgré tout, la colonie française à l'entité politique de l'après-conquête, il faut gratter le palimpseste de l'histoire canadienne afin de le nettoyer des couches interprétatives qui s'y sont superposées. Est-il possible de reconstituer la «scène primitive» canadienne de la conquête, de connaître les réactions immédiates des Canadiens face à la Conquête? Cette «scène primitive» de la défaite a été longuement défigurée, déplacée par l'historiographie nationaliste québécoise. Cette dernière la présente comme la catastrophe initiale du Canada français, l'*apocalypse now* qui plonge un pays, heureux sous la coupe française, dans la sujétion et dans l'humiliation.

Cette première scène telle qu'elle apparaît aux Canadiens français de l'époque constitue donc l'inconscient refoulé par des élaborations conscientes ultérieures, caché par des «souvenirs-écrans» puissants. La Conquête de 1760 est elle-même un «souvenir-écran» qui occulte la véritable défaite, celle des Patriotes de 1837-38.

Pour bien comprendre le jeu de renvoi entre le conscient et l'inconscient, entre refoulement et déplacement, il s'est avéré nécessaire que, dès la Conquête, notre méthode change radicalement afin d'épouser cette situation nouvelle. Nous nous sommes donc livré à une psychanalyse de l'après-défaite dans le but de retrouver les attitudes et mentalités originelles des Canadiens français face à la Conquête. Pour ce faire, nous avons dû retourner jusqu'à l'histoire fondatrice de François-Xavier Garneau, première grande histoire englobant d'une même foulée les deux régimes et qui fixe une fois pour toutes dans l'esprit des Canadiens français et des Québécois la *doxa*, l'image de la conquête comme catastrophe.

Or, la conquête de 1760 n'a pas été ressenti comme une défaite, comme un désastre par les Canadiens de l'époque. L'étude minutieuse de Michel Brunet qui a révélé les réactions des Canadiens après la «défaite» le prouve assez. Les Canadiens vont jusqu'à se convaincre des bienfaits de cette conquête, accrédités dans l'histoire canadienne comme «conquête providentielle». Cette dernière, loin de se limiter, selon la vulgate nationaliste à une fraction de l'élite collaboratrice, touche un corps beaucoup plus large de la population canadienne-française.

Bien plus, le Canadien français réussira parfaitement à se camoufler ou à euphémiser les ruptures entraînées effectivement par la conquête en ayant recours à une fiction, à un mythe diagnostiqué par Freud comme le «roman familial». L'inconscient collectif fonctionne à l'image de celui des individus. Le Canadien, après la Conquête, se sent comme un enfant abandonné par la mère patrie. Des liens que de son côté il n'a jamais coupés l'attachent toujours à cette dernière. Le Canadien, pris depuis toujours dans des «doubles liens», a horreur de la séparation, du «sevrage». Justement, la fiction du «roman familial» permet au sujet de conserver les liens parentaux tout en niant son abandon. Dénégation qui devient possible grâce à l'inversion fantasmatique de la situation parentale réelle. L'enfant abandonné se dit que ses parents biologiques sont de «mauvais parents», des parents d'adoption de basse extraction et que ses «vrais» parents sont d'origine royale. Répudiation et dégradation des premiers parents, idéalisation des nouveaux parents.

En suivant précisément le comportement du «roman familial,» le Canadien, depuis la Conquête, ne cesse de rabaisser sa mère patrie incarnée dans l'imaginaire collectif par la courtisane, la «putain» de Pompadour. Mais c'est surtout la Révolution française qui donnera le prétexte providentiel d'une image réellement dégradée de la France: la réalité vient à la rescousse du fantasme familial. La révolution régicide confirme, après coup, les bienfaits de la conquête anglaise et incite les Canadiens à nouer des liens parentaux avec le roi d'Angleterre, bon roi et bon père. Le roi français est mort, vive le roi anglais!

Évidemment, dans la perspective de l'histoire nationaliste ou protonationaliste qui nous a habitués à voir dans l'Angleterre l'Ennemi, cette réaction des mentalités dans l'après-conquête paraît irrecevable. Mais il suffit de lire l'éloge funèbre que Louis-Joseph Papineau prononce à l'occasion de la mort de George III pour se convaincre de l'idéalisation dont bénéficie le «bon roi» anglais au Canada français. Idéalisation qui va de pair dans ce même discours avec une dégradation diffamatoire de l'ancien régime français qui fait figure de «colonie pénitentiaire».

Mais les données de ce «roman familial», loin d'être fixées une fois pour toutes, sont sujettes aux aléas de l'histoire canadienne. L'évolution des opinions politiques de Papineau rend compte du changement intervenu dans le paysage politique et mental du Canada français depuis les années vingt du XIXe siècle. Évidemment, l'insurrection des Patriotes de 1837-38, dont Papineau est la «tête» et l'âme, constitue *le* moment critique dans cette métamorphose des opinions canadiennes. À ce moment, l'image de l'Angleterre comme puissance tutélaire s'effondre. Elle est honnie et répudiée comme l'ancienne mère française. Sous le coup de la perte d'un autre idéal parental, le Canada français de 1837-41 traversera sa crise de conscience la plus profonde depuis sont existence. Il a vu les siens pendus sur la place publique comme punition du soulèvement de 1838. Plus grave encore, l'Acte d'Union qui minorise les Canadiens français du Bas-Canada en les noyant dans la majorité du Haut-Canada, les confronte avec leur propre disparition comme peuple. Pour nous, la «vraie défaite» du Canada français se situe entre 1837 et 1841.

C'est à ce moment seulement, et *après coup*, que le Canada français, collectivement, prend conscience des conséquences négatives de la conquête de 1760. Ce n'est donc pas un hasard si F.-X. Garneau, qui commence à écrire son *Histoire du Canada* sous le choc des événements de 1837-41, «invente» la défaite de 1760 en la fixant une fois pour toutes dans la conscience des Canadiens français comme une perte. En projetant ainsi la défaite de 1837-41 et l'image négative de l'Angleterre qui s'y associe sur la défaite de 1760, F.-X. Garneau fait *d'emblée* apparaître l'Angleterre en ennemie qui écrase le Canada sous la botte militaire.

Mais cette crise de conscience, profonde certes, est de courte durée. Car le Canadien français connaît déjà le «remède» qui peut l'en guérir. Celui-là même qui l'a fait traverser sa première défaite sans trop de dégâts psychologiques: le «roman familial». Il suffit donc de trouver un autre idéal (parental) qui remplacera les deux premiers, détruits dans des tourmentes politiques. Échaudé par les expériences malheureuses avec ses parents terrestres, le Canadien français se cherche un idéal stable, incorruptible, non soumis aux aléas de l'histoire, de la réalité. Où peut-il se situer sinon dans le ciel?

À ce moment, en effet, le Canadien se tourne vers ses «parents» célestes. Il montre un attachement particulier à sa mère céleste, la Vierge Marie, sa protectrice depuis la première fondation de Montréal, Ville-Marie. Ce qui séduit évidemment le Canadien dans Marie, c'est sa virginité associée à la maternité. Cette virginité est la garantie absolue que cette «bonne mère» ne se dégrade pas en marâtre, en putain, comme c'est arrivé avec ses autres mères.

Cette nouvelle orientation du «roman familial» explique dès lors l'emprise morale du curé sur les Canadiens français, qui, indisciplinés, aux mœurs dissolues jusque-là, étaient loin d'être soumis à son autorité. Cette nouvelle emprise spirituelle s'exprime de façon prémonitoire dans le premier roman du Canada *le Chercheur de trésors*, écrit en 1837. Le roman des origines (roman familial), Marthe Robert a raison, est en même temps l'origine du roman, au Canada français plus qu'ailleurs.

Évidemment, ce nouveau «roman familial» durera tant que se maintiendra la foi dans les parents célestes, la foi tout court. Or, la sécularisation, commencée au Canada français dans les années cinquante de notre siècle, contribuera au lent effritement de ce «roman céleste». Pas d'effondrement abrupt de l'idéal, mais une mise en doute qui provoquera de nouveau une crise d'identité. Encore une fois, le Canadien est en quête d'un autre idéal. Après l'avoir placé pendant plus de cent ans dans l'au-delà, il va le transférer dans l'ici-bas. À la lumière de ces trois échecs affectifs, plutôt que de chercher cet amour loin et haut, c'est-à-dire *ailleurs*, le Canadien français en investira son propre *pays*, le *pagus* de la jeune colonie. Coup de foudre qui lui fait retrouver sa première mère longtemps occultée par de nombreux écrans-souvenir, cette Terre Québec que ses ancêtres ont labourée avec leur soc. Dans la filiation de ce dernier «roman familial», le Canadien français se découvre Québécois.

Enfin, notre généalogie du Canada et du Québec suit dès l'origine un autre fil, certainement le plus caché, mais qui parcourt le Canada et le Québec de part en part: sa tendance sacrificielle. Les travaux de René Girard et de Michel Serres nous ont montré que les fondements des religions et des civilisations recèlent des actes de violence, des assassinats, appelés «meurtres fondateurs». La société, divisée par de multiples conflits, s'unit et se pacifie sur le dos d'un «bouc émissaire» sacrifié. La religion judaïque est fondée sur le meurtre d'Abel par Caïn, Rome sur l'assassinat de Remus par Romulus. Québec, la ville de Québec s'élève également sur les fondements bien dissimulés d'un meurtre.

Ce drame fondateur de Québec, s'il suit le canon universel de la rivalité entre semblables dégagé par René Girard, prend pourtant déjà une coloration locale, typiquement québécoise. En effet, dès 1608, un serrurier nommé Jean Duval ourdit un complot contre Champlain pour «ouvrir» Québec aux ennemis basques et espagnols. Champlain, le futur père fondateur, échappe de justesse à la mort grâce à l'intervention d'un autre serrurier, «bon serrurier», qui dénonce les machinations de Jean Duval. Ce dernier est promptement exécuté et sa tête, plantée au bout d'un piquet, surplombe l'histoire du Canada/Québec.

Dans le scénario fondateur de Québec se joue tout le drame de cette ville, qui se noue autour de la question clef (il s'agit de deux serruriers) de l'ouverture et de la fermeture à l'Autre, à l'Ennemi. La mise à mort du mauvais serrurier, du traître, décide du destin de la ville de Québec comme ville fermée, fortifiée. Mais d'autres traîtres rôdent à l'intérieur des murs de Québec. Comme Jean Duval, ils n'attendent que l'occasion pour livrer la ville à l'«ennemi» qui se présente sans le masque du Semblable: en 1629, à la première prise de Québec, et en 1759, à sa chute finale.

Si Champlain, dès l'origine, démarque bien sa ville de l'Autre, de l'Amérindien, il n'y a, à Québec, de violence que verbale contre les autochtones. Seule la tête d'un Blanc tombe à l'occasion. Fait unique qui contraste avec la prise de possession de l'Amérique par d'autres puissances coloniales. Il n'y a pas *une* «conquête de l'Amérique», comme voudrait nous le faire accroire T. Todorov, mais *des* conquêtes, *des* Amériques. Si l'Espagne donne le modèle radical, unique, de la *Conquista*, ce modèle connaîtra différentes variations atténuées selon l'origine du colonisateur (Angleterre, Portugal).

Or, il y a eu un *autre* modèle qui, hélas, est resté sans imitateurs et que les historiens oublient trop souvent. En effet, la «Conquête du Canada» est une «conquista» qui se déroule à rebours du modèle colonial espagnol. Les Français du Canada n'ont jamais manifesté de *volonté de conquête militaire* de l'Amérindien. Certes, ils vont l'évangéliser. Mais, ce sont eux qui ont été «conquis» par les autochtones, de même que ces derniers ont été séduits par le mode de vie, par les marchandises des Français. Il y a eu un métissage de deux cultures. Tout un pan important de la société française d'Amérique, les coureurs de bois, vit à l'amérindienne, et échappe à la civilisation. Certes, les sociétés autochtones seront finalement «renversées» selon la belle formule de Denys Delâge[1], mais non sans inverser aussi le rôle traditionnel de la victime et du bourreau des autres colonies américaines. Ici, au Canada, ce sont les missionnaires blancs qui *se* sacrifient, victimes plus ou moins consentantes aux mains des Iroquois. Ville-Marie, le futur Montréal, est fondée sous le signe même de l'hospitalité, du sacrifice à l'Autre. Le «mythe» sacrificiel de Dollard des Ormeaux s'élabore dans les parages de Montréal.

Mais tout ce réservoir sacrificiel souterrain, relativement stagnant sous le Régime français, n'alimentera vraiment l'imaginaire collectif du Canada qu'après la conquête. À ce moment, le changement d'allégeance politique modifie les données de la fondation champlainienne de 1608. Un autre meurtre sacrificiel marquera l'avènement du Régime anglais. Cet avènement ne coïncide pas, nous l'avons dit, avec la conquête militaire du Canada, mais plutôt avec la décapitation de Louis XVI en 1793. Moment *décisif*, au sens premier du mot, qui coupe le Canada de ses attaches filiales affectives françaises. Certes, les Canadiens, paradoxalement, commencent à se qualifier de «français», mais seulement parce que l'Autre, le conquérant, parasitairement, accapare son identité canadienne.

À partir de ce meurtre, le Canada (français) se sent autre. Il se détache définitivement de la France. C'est donc depuis 1793 que les éléments sont en place pour que s'élabore le «roman familial». Le Canadien orphelin s'«invente» de nouveaux parents royaux anglais qui n'ont pas perdu la tête.

Mais ce meurtre qui a lieu en France, s'il frappe vivement l'imagination des Canadiens français, ne saurait fonder le Canada de l'après-

---

1. *Denys Delâge, le Pays renversé, Amérindiens et Européens en Amérique du Nord-Est 1600-1664, Montréal,* Boréal Express, 1985.

conquête. Il sera relayé sur le sol canadien par l'exécution de David McLane dont nous expliquerons l'impact psychologique dans le paysage trouble de l'après-conquête.

Chaque nouveau régime politique est ponctué par son «meurtre fondateur». Si l'exécution de McLane scelle finalement la scission du Canada en un Haut-Canada anglais et en un Bas-Canada français, l'insurrection de 1837-38, à son tour, met en cause cette séparation étanche des deux nationalités. Sans aucun doute l'exécution des Patriotes se trouve à la base du régime de l'Union. Mais, dans la perspective sacrificielle, il s'agit d'un meurtre fondateur raté puisqu'il divisera plus le Canada français qu'il ne l'unifiera. C'est la «tête à Papineau» qui est grandement l'enjeu de cette division. Enfin, le métis Louis Riel est le bouc émissaire sacrifié à la Confédération canadienne (1867).

Mais ces divisions devenues flagrantes avec l'insurrection avortée des Patriotes, le Canada français les colmate en recourant à la religion catholique, plus particulièrement à son idée centrale: le sacrifice du Christ. Sacrifice que le haut clergé, dans une méconnaissance totale de l'Évangile, exploitera à des fins politiques. Car il exige que ses ouailles françaises se sacrifient à l'Autre, à l'«ennemi» anglais que l'amour chrétien doit traiter en ami. Le Christ ne s'est-il pas sacrifié à *tous* les autres? Nous verrons que le mouton, symbole clef de la Saint-Jean-Baptiste, véhiculera et exprimera dans toute sa concrétude, l'esprit sacrificiel qui a traversé le Canada français.

Cette exaltation et cette sacralisation du sacrifice connaîtra son envers désacralisé dans le «sacre». On ne manquera pas d'être frappé par cette convergence remarquable des blasphèmes au Canada français vers l'eucharistie qui commémore justement le sacrifice du Christ: hostie (dérivé de *hostia*: victime), Christ, calice, ciboire, sacrifice! sont en effet les sacres les plus «populaires».

D'autre part, le Canada se donnera une cohésion imaginaire en élaborant, dès l'échec de l'insurrection des Patriotes, son mythe national de la Saint-Jean-Baptiste. Nous allons faire ressortir la figuration typiquement canadienne du Baptiseur en la comparant avec l'iconographie traditionnelle du saint depuis la Renaissance.

Au fond, le Canadien français amalgamera de façon originale son «roman familial» (enfant abandonné par ses parents) et la première exécution sacrificielle à frapper son imagination, la décapitation du roi Louis XVI, relayée par la décapitation de David McLane et la pendaison des Patriotes. Saint Jean-Baptiste n'est-il pas sacrifié, décapité par les offices d'une femme lubrique, Salomé, comme le bon roi français a été décapité par cette «putain» de République? Décapitation qui a eu pour résultat que le Canada s'est senti symboliquement et réellement sectionné du tronc français. On ne saurait surestimer la prégnance de la décapitation sur l'imaginaire québécois: des historiens «sérieux» parlent encore aujourd'hui de la défaite comme d'une «décapitation».

Évidemment, le mythe de la Saint-Jean-Baptiste suivra le sort du roman familial. Il s'effritera jusqu'à devenir un rituel creux qui a perdu son pouvoir de conjuration symbolique. Mais surtout, depuis la remarquée attaque d'Olivar Asselin contre le «mouton national» au début du siècle, saint Jean-Baptiste et son mouton sont apparus dans la conscience des Canadiens français comme les symboles concrets de l'*aliénation* (au sens premier de se soumettre à l'*alienus*, à l'autre au point de le devenir) de la race. L'affirmation de soi passe donc nécessairement par une contestation, un rejet de ce mythe de la Saint-Jean-Baptiste. C'est ce qui est arrivé lors de la parade mémorable du 24 juin 1969. Saint Jean-Baptiste est mort au Canada français ce jour-là, comme est mort l'esprit sacrificiel qui a pétri le Canada français, tout en laissant évidemment des séquelles. La «démission» de René Lévesque l'a asssez prouvé.

Dans cette perspective globale de l'évolution des mentalités qui suit le courant de fond sacrificiel, le meurtre de Pierre Laporte et la «crise d'octobre» de 1970 qu'il a déclenchée, prennent tout d'un coup une signification nouvelle. Son sens profond ne se livrera que lorsque saisi dans la série de «meurtres fondateurs» commis depuis l'exécution de Jean Duval en 1608. D'ailleurs la question clef d'il y a plus de 350 ans se pose presque en des termes identiques: faut-il ouvrir ou fermer le pays? Deux «serruriers» s'appelant tous les deux Pierre (*Petrus*, détenteur de la clef), Pierre Laporte et Pierre Trudeau, par une surdétermination onomastique étonnante, se font face. À la faveur du meurtre commis par le Front de Libération du Québec et du climat de panique médiatique qui l'accompagne, Pierre Trudeau *ouvre* finalement le Québec à l'armée.

Préparée par la «révolution tranquille» des années soixante, la fondation *du* Québec se fait dans le tohu-bohu de la crise d'octobre 1970, appuyée par le meurtre d'un ministre, comme la ville *de* Québec a été fondée à l'ombre de la décapitation de Jean Duval.

La boucle est bouclée. À travers le temps, les deux fondations, celle *de* Québec et celle *du* Québec, point de départ et point d'arrivée, s'enlacent dans une étreinte complexe. Complexité qui ne se saisira que dans la globalité de son histoire.

Rosemère (Québec) — Wellfleet (Massachusetts)
Avril 1982 — décembre 1985

Note.

Notre souci ayant été de clarifier des positions souvent brouillées dans l'inter-jeu canado-québécois, de *définir*, au sens premier, les termes flous parce que changeants du scénario sous-jacent à l'histoire canado-québécoise, il a été nécessaire de prendre les précautions terminologiques qui s'imposent.

Pour distinguer les trois Canadas qui se sont succédés dans le temps — le Canada sauvage, le Canada (français) du Régime français et de l'après Conquête (1760), le Canada de la Confédération (1867) — nous avons choisi d'identifier le premier par Kanada, le second par *Canada*, enfin le dernier par Canada.

Le terme «habitant» prenant deux sens spécifiques sur le continent américain, pour éviter encore la confusion, nous avons voulu les coder différemment. L'habitant au sens générique du terme — celui qui fait de ce continent sa demeure, par opposition aux fonctionnaires et aux hivernants de passage — nous y renvoyons sous le nom d'*H*abitant; l'habitant, au sens spécifique, restreint, signifiant l'agriculteur, «paysan» de l'Amérique française, nous le définissons par *habitant* en recourant aux italiques.

Québec, dans le contexte de cette étude, signifie le pays défriché de proche en proche autour de la ville de Québec dès sa fondation en 1608, tandis que Québec désigne la province créée au lendemain de la conquête de 1760 et ses avatars ultérieurs.

PREMIÈRE PARTIE

DÉCOUVERTES

Chapitre I

La découverte de l'Amérique

> *Tout ce avec quoi l'on est familiarisé n'est pas nécessairement connu, surtout lorsqu'il s'agit du Neuf. Si la notion de Front a toujours été maltraitée, celle de Nouveauté n'a pas subi un sort meilleur. Qu'est-ce que ce Nouveau? On le retrouve sous forme de phénomène psychique dans l'amour naissant et dans le sentiment de printemps, et pourtant ce dernier n'a pas trouvé son penseur.*
>
> Ernst Bloch
> *Le Principe Espérance*, I.

À l'Ouest, rien de nouveau

Non, Christophe Colomb n'a pas découvert l'Amérique. C'est plutôt l'Amérique qui a découvert Christophe Colomb. Du Nord jusqu'au Sud, c'est elle qui le commémore comme son découvreur. Même les États-Unis qui parfois se prennent pour l'Amérique fêtent leur «Columbus Day».

L'oeuf de Christophe Colomb est fêlé. Cette histoire de l'oeuf de Colomb qui, comme toute légende, se perd dans les brouillards des histoires anonymes, Colomb serait le premier — s'il pouvait l'entendre — à la dénoncer comme inventée. Car que dit-elle sinon que Colomb a trouvé ce continent *ab ovo*, à neuf dès l'origine? Découverte originelle, mythique, «*ab-origène*».

Colomb, le contraire d'un découvreur, ne cesse de couvrir l'Amérique... des attributs de l'Asie. Les *Indiens* et les *Cannibales*[1] sont quelques-uns des vestiges linguistiques, des défroques et masques qui témoignent de cette comédie ou plutôt de cette tragédie des erreurs que Colomb joua en Amérique, avec l'Amérique. Car jusqu'à la fin de ses jours, le Génois croit avoir été en Asie. Foncièrement, il n'a donc rien appris de l'expérience de ses quatre voyages. Il avait beau fouler quatre fois de ses pieds le sol de l'Amérique, il avait beau toucher de ses doigts — anti-Thomas de la découverte — les plantes et les habitants de ce «Nouveau Monde», Colomb ne cesse de voyager dans l'«Ancien Monde». Marin expérimenté dans l'art nautique qui tire profit comme personne avant lui de la boussole, du sextant, du sablier, de l'observation des astres, trouvant d'emblée la voie maritime vers l'Amérique et surtout son chemin de retour; fin observateur qui repère avec une admirable précision ses positions et décrit avec un luxe de détails non moins admirable les paysages enchanteurs des Antilles, Colomb est perméable aux expériences locales, mais il reste hermétiquement fermé à l'expérience globale: la découverte de l'Amérique.

Christophe Colomb observe, enregistre, dessine des cartes mais à la manière du palimpseste, en surchargeant les mappemondes des cosmographies moyenâgeuses. «Je crois que s'il en est comme me le signifient tous les Indiens (...), c'est bien là l'île de Cipango, dont on conte des choses si merveilleuses et qui, sur les sphères que j'ai vues et sur les peintures de mappemondes, est située en ces parages»[2]. Les qu'en-dira-t-on («on conte») les plus vagues gobés avec crédulité côtoient les observations les plus rigoureusement scientifiques. La nouvelle expérience révolutionnaire ne réussit pas à effacer l'à-peu-près de l'ancienne. Christophe Colomb: homme du Moyen Âge qui ne se résignera jamais à faire table rase de l'«imago mundi» moyenâgeuse.

En effet, malgré ses observations minutieuses, Colomb est resté un «philosophe» qui, dans la lutte entre l'expérience Monde et la «science» des Livres donne raison aux Livres: à Marco Polo et à la Bible, les deux livres-boussole qui guideront sa mission impossible. Ne croit-il pas

1. On sait que *cannibale* dérive de *Caraïbes* (cariba).

2. Christophe Colomb, *la Découverte de l'Amérique, Journal de bord*, Paris, Maspero, 1980, Tome I, p. 81.

trouver, lors de ses explorations, le Phison, ce fleuve du Paradis biblique, auquel les trois lettres du Prêtre Jean (1165) avaient donné tant de publicité au Moyen Âge, fleuve charriant sur toute sa largeur l'or et l'onyx? C'est avec cet or que Colomb se propose de libérer, lors d'une dernière croisade, la Ville Sainte, occupée par les Musulmans.

Le Génois ressemble à ces astronomes de l'Antiquité et du Moyen Âge qui, coûte que coûte, veulent «sauver les apparences» (*salvare apparentias*). Sauver les apparences, à coups de dénégations. Contrairement à un préjugé populaire, magie et autres pratiques préscientifiques n'excluent nullement l'utilisation de méthodes scientifiques. Les astrologues babyloniens ont été de remarquables mathématiciens. Ptolémée lui-même, le modèle de l'aveuglement préscientifique, doit payer par des calculs mathématiques *compliqués* la dénégation de la réalité *simple*. Comme ces hommes de science de l'Antiquité et du Moyen Âge qui ont pratiqué *leur* science sans avoir connu *la* science, Christophe Colomb a découvert l'Amérique sans avoir découvert la découverte.

Ainsi Colomb, l'être le plus lucide, le plus rationnel, fut-il aussi l'homme le plus aveugle, le plus crédule. Les biographes[3] n'ont pas toujours réussi à expliquer ce paradoxe qui saute pourtant aux yeux. Colomb, toute sa vie, situé à la fine pointe de l'avant-garde (il *est* cette avant-garde) est engagé dans des combats d'arrière-garde: désespérément, il tire des lignes défensives pour garder intact le plus longtemps possible «son monde» auquel il a toujours cru. Est-il besoin de rappeler le célèbre serment de Cuba (12 juin 1494), diversement commenté par ses biographes?

En effet, s'il doit se résigner sous les coups de butoir de l'expérience à modifier l'emplacement de l'idéal marcopolien de Cipango, jamais il n'accepte de le sacrifier totalement à ce monstre dévorateur «*Réalité*». Colomb est passé maître de ce *Wunschdenken* (wishful thinking) qui prend ses désirs pour des réalités. Il s'agit ni plus ni moins de prouver avec une déclaration dûment couchée sur papier par le notaire officiel et grâce à un serment prêté par tous les hommes qui «s'entendaient aux choses de la mer» que Cuba *est* une des provinces de Chine, que Cuba, l'île, *est* une terre ferme. «Ceux qui se dédieraient par la suite auront à payer une amende de 10 000 maravedis et, s'ils ne peuvent payer, qu'on

3. S.E. Morison, *Admiral of the Ocean Sea. A Life of Christopher Columbus*, Boston, 2 vol, 1942; S.E. Morison, *Christopher Columbus Mariner*, Londres, 1956; Jacques Heers, *Christophe Colomb*, Paris, Hachette, 1981.

leur donne cent coups de baguette et qu'on leur coupe la langue»[4]. À bon entendeur, salut!

Le châtiment colombien est tout à fait significatif: il menace de «couper la langue» aux marins qui s'aviseraient de parler de peur qu'ils ne se fassent les porte-parole intempestifs d'une expérience, de l'Expérience qui doit être tue, qui doit rester cachée. Christophe Colomb, un crypto-découvreur, qui cache, cèle (en grec, *kryptos*) autant qu'il ne dévoile.

C'est pourquoi, comme l'a bien vu Ernst Bloch, «pour Colomb le nouveau monde était le plus ancien»[5]. Celui-là même qui, grâce à la césure inaugurale de 1492, a permis le partage spatio-temporel entre Ancien et Nouveau d'où découleront tous les conflits futurs entre Anciens et Modernes, ne partage pas lui-même ce hiatus fondateur. Homme ancien, Colomb a certes laissé filtrer *des* expériences nouvelles, a été ouvert aux observations du nouveau, mais n'a jamais accepté pleinement l'idée radicale d'Expérience, l'idée d'observation, l'idée de Nouveauté, de *Novum*, pour user de la catégorie d'Ernst Bloch. Autrement dit, Colomb n'a jamais franchi le pas décisif de la science nouvelle. Mais le pouvait-il en 1492?

Le Génois n'est-il pas un Galilée qui, tout en se servant des instruments de précision de son époque, tout en décrivant minutieusement ses observations, voit la lune avec les yeux d'Aristote, ronde, polie, parfaite, alors qu'elle est trouée de cratères, hérissée de pics de montagne? Colomb est un Galilée qui n'observe pas la lune, qui n'observe pas l'Amérique, parce qu'il observe *trop* (dans le sens premier de l'*observance* quasi-religieuse) l'autorité, l'*auctoritas* de la Bible, de Polo, de Pierre d'Ailly, bref du Livre. L'observation du Nouveau n'a pas encore réussi à déplacer, à effacer l'observance. Obnubilé par l'Orient d'où, depuis l'orée du christianisme vient la lumière, l'éclat de l'or du Paradis et des Rois Mages (*lux ex oriente*), du Cipango marcopolien, Colomb ne voit pas l'aurore nouvelle qui commence à se lever en Occident. Pour Christophe Colomb, à l'Ouest rien de nouveau, parce qu'il entre dans le Nouveau Monde à reculons, avec son regard fixé sur l'Ancien.

---

4. J. Heers, *op. cit.*, p. 361.

5. E. Bloch, *le Principe Espérance*, tome II, Paris, Gallimard, 1982, p. 395. Voir aussi le livre capital de Marthe Robert, *l'Ancien et le Nouveau*, Paris, Grasset, 1963.

La découverte de la découverte

L'histoire dite «nouvelle» a *banalisé* — à la fois fait rentrer dans les rangs du commun et mis au ban — la notion même de découverte qui inaugurera celle de la Nouveauté en la couvrant sous des flux anonymes de capitaux et de marchandises, sous les courbes des fluctuations climatiques[6]. Les nouveaux historiens qui affichent si fièrement la nouveauté (attribuée certes plus souvent par les autres) de leur histoire, ne voient dans le «Nouveau» dans le *Novum* qu'une reconduction de l'Ancien, qu'une continuation de l'Ancien avec d'autres moyens. Déplacement de centres de production et d'activités plutôt que franchissement de seuils liminaires, qui, d'emblée, nous font basculer dans une catégorie autre, catégorie de l'Autre, dans le paradigme — au sens kuhnien — du Nouveau. Mais les historiens ne sont pas seuls en cause. L'Occident dans sa totalité l'est.

Ernst Bloch — ne pas confondre avec l'historien «thaumaturge» Marc Bloch! — avait donc raison: le «Nouveau», le *Novum* est la catégorie la plus impensée de l'Occident. C'est l'inconcevable par excellence. Le Nouveau, trop souvent se dégrade en du déjà-vu, une fois oubliée la découverte, en un repérage du déjà-là. «En effet, dans toute la philosophie judéo-chrétienne, de Philon et Augustin à Hegel, l'*Ultimum* a fait suite à un *Primum* et non à un *Novum*; en conséquence, l'*Ultime* y a fait exclusivement figure de retour d'un élément premier déjà parfait, mais égaré ou désaisi (sic) de soi-même»[7]. En Occident, le phénix renaît toujours éternellement de ses cendres... s'il ne se mord pas simplement la queue. L'Occident ne peut concevoir la nouveauté absolue que dans la destruction totale absolue de l'ancien: *Apocalypse now!*

Dans un tel univers paléo-centrique, est-il étonnant que Colomb, ce *Christoferens* («le porteur du Christ» comme il signait complaisamment), n'ait jamais su voir le nouveau qu'il avait pourtant découvert de ses propres mains, de ses propres yeux? Emprisonné dans toute cette gangue de l'Ancien, il restera à tout jamais aveugle à la découverte de la découverte, à ce sens radicalement nouveau que prennent les mots et les choses

---

6. Fernand Braudel, *la Méditerranée et le Monde méditéranéen à l'époque de Philippe II*, Paris, 1949; Pierre Chaunu, *Séville et l'Atlantique*, Paris, 1959; E. Le Roy Ladurie, *Histoire du climat depuis l'an mil*, Paris, 1967, rééd. Flammarion, 1983. Pour une analyse critique du phénomène «nouvelle histoire», voir Hervé Coutau-Bégarie, *le Phénomène «Nouvelle Histoire», stratégie et idéologie des nouveaux historiens*, Paris, Economica, 1983.

7. Ernst Bloch, *le Principe Espérance*, tome I, Paris, Gallimard, 1976, p. 245.

découverte et *invention* à la suite de son voyage fondateur de 1492. Comme si à la fois la découverte (acte performatif) et la reconnaissance de la découverte (acte cognitif) étaient trop pour un seul homme et pour un seul moment historique, la reconnaissance de la découverte du Nouveau Monde, du Nouveau tout court, a dû être assumée par un *autre* homme, venu sept ou huit ans plus tard sur ces terres foulées déjà par Colomb: Amerigo Vespucci[8].

Dans la première lettre vespuccienne du 28 juillet 1500 à Lorenzo di Pierfrancesco de' Medici, la «découverte» visiblement n'arrive pas encore à se dépêtrer de ses anciennes acceptions. Ou plutôt, Vespucci y fait une distinction capitale qui prouve que, face à la découverte du «Nouveau Monde», le sens premier et faible de *découvrir* (*invenire*), de trouver ou plutôt re-trouver par hasard du déjà-vu, ne suffit plus. Il doit être «maximisé» parce qu'il tombe dans un nouveau paradigme. «Je crois que Votre Magnificence aura entendu parler des terres nouvelles (*nuove terre*) qu'a trouvées (*ha trovato*) l'armada qu'il y a de cela deux ans envoya le Roi du Portugal pour découvrir (*discoprire*) des parties de Guinée. Ce genre de voyage, je ne le nomme pas *découvrir* (discoprire), mais *aller à la découverte* (*andare pel discoperto*) parce que (...) leur navigation s'est effectuée continuellement à vue de terre»[9]. Bien qu'il ne soit pas dit explicitement dans le texte, mais sous-entendu, *découvrir*, la *découverte*, sens nouveau, depuis la découverte de l'Amérique est réservé à la mise à nu, première apparition, épiphanie du nouveau, non encore vu, non encore dit. Ce qui est «découvert» dans cette lettre de 1500, ce n'est pas encore un Nouveau Monde, le monde du Nouveau, autre. Mais ce dernier est en quelque sorte présent dans «l'horizon d'attente» (*Erwartungshorizont*), terme cher à H.R. Jauss et l'esthétique de la réception de l'école de Constance[10].

C'est dans sa lettre à Pietro Sodevini (1504) que, d'entrée de jeu, cet horizon nouveau apparaît dans son épiphanie aurorale, pour laisser luire

---

8. Le témoignage de Vespucci a été contesté par de nombreux historiens zélés qui craignaient, en reconnaissant la reconnaissance de la découverte de Vespucci, enlever la palme de la découverte à C. Colomb. Mais Vespucci a été largement corroboré par l'autorité, entre autres, d'un Alexander von Humboldt. Pour tout ce débat, je renvoie le lecteur à Ch.-A. Julien, *les Voyages de la découverte et les Premiers Établissements (XVe – XVIe siècles)*, Paris, PUF, 1948, pp. 13-14. Les découvertes d'Amerigo Vespucci ont été divulguées par trois lettres de 1500, 1501, 1502 et par la publication du *Mundus Novus*, édité à Augsburg en 1504.

9. *«Il Mondo nuovo» di Amerigo Vespucci*, Serra e Riva Editori, Milano, 1984, p. 73; nous soulignons.

10. Hans Robert Jauss, *Pour une esthétique de la réception*, Paris, Gallimard, 1978.

le *Novum* dans toute sa pureté, nettoyé de ses atavismes et ambiguïtés de l'Ancien qui restaient toujours «collés» au Nouveau. «Revenus de ces nouvelles terres (*novis regionibus*) qu'il convient d'appeler *Nouveau Monde* (*novum mundum appelare licit*) que nous cherchions et nous découvrions (perquisivimus et invenimus) au nom du Roi du Portugal»[11].

Le terme *mundus*, dépouillé de ses anciens relents religieux, où les «mondanités» (*mundanus*) de *ce* monde s'opposent aux affaires de l'Église, de l'*autre* monde, «relève» (*auf-heben*) cette opposition, en la déployant cette fois dans le domaine géographique. En effet, ce monde nouvellement découvert, ce ne sont pas des terres qui contiennent les anciennes, c'est *une* terre, *un* monde à part entière (le singulier est tout à fait significatif), qui, *ex abrupto*, inaugure le Nouveau. C'est un *continent* Nouveau qui ne contient que lui-même.

On le voit, le *Nouveau* est déterminé spatialement et temporellement. D'une part, il repousse les autres continents en se démarquant d'eux dans un ailleurs; d'autre part, la reconnaissance même de la «nouveauté» rejette comme nulle et non avenue, comme fausse, l'opinion des Anciens sur ces régions. «En effet (cette découverte) dépasse l'opinion (*opinio doxa*: ouï-dire) de nos Anciens dont la plupart affirmèrent qu'au-delà de la ligne équinoxiale en se dirigeant vers le sud, il n'y avait pas de terre qui se continue (non esse continentem), mais seulement ce qu'ils appellent l'*Atlantique*; et ceux qui étaient d'avis qu'il y avait un «continent» là-bas (continentem ibi) niaient avec leur raisonnement (rationibus) que cette terre puisse être habitable»[12].

Continent, proche encore de son sens originel de *terre continente*, *continue*, vient d'être investi de son nouveau sens, sens du nouveau en rupture avec l'ancien, avec l'«opinion» des Anciens. Paradoxalement, là où les Anciens plaçaient le Néant, chaos informe terrifiant qu'est l'océan Atlantique, Vespucci voit une possibilité de *continuité* (premier sens de *continens*) de terre habitable, à l'instar des autres continents, Europe, Asie et Afrique. Continuité qui ne s'annonce pas moins par une rupture: ces terres nouvelles coupées de celles connues jusqu'ici, constituent un *continent* qui se tient tout seul, continent autre, nouveau, différent des autres. À la rupture absolue entre Chaos et Cosmos, Néant informe dérangé et Ordre rangé, qui interdisait toute connaissance, toute découverte — comment ce non-créé pourrait-il être vu, entendu? —, se subs-

11. *Op. cit.*, p. 88; l'auteur souligne.

12. *Ibid.*, p. 88.

titue une césure, radicale certes, qui départage l'Ancien et le Nouveau, mais qui n'exclut pas la médiation, le passage de l'un à l'autre.

Précisément, la *découverte*, l'*invention* de la Renaissance ne sont possibles que sur ce nouvel horizon qui sépare non plus Chaos et Cosmos, mais l'Ancien du Nouveau. W.G.L. Randle, dans un petit article incisif a bien fait ressortir ce sens nouveau, le sens du Nouveau de la découverte. «Le mot découverte traduit bien d'une part l'émotion éprouvée devant le nouveau qui bouleverse les idées reçues (…) et l'on y peut déceler d'autre part — ce qui est sans doute plus important — le geste qui doit rendre perceptible à la raison ce qui lui était resté jusqu'alors caché, et intégrer à l'expérience comme ce qui lui était encore étranger»[13]. Le monde, *mundus* du Moyen Âge (et aussi de l'Antiquité gréco-romaine) niait l'idée même de découverte parce que ce monde se présentait sous forme de *orbe*, corps sphérique qui, d'emblée, met le connu, le connaissable sur une seule et même planisphère qui repousse l'inconnaissable, l'océan Atlantique. Raban Maur, dès le IXe siècle, a donné la figuration d'équilibre du monde qui sera celle de tout le Moyen Âge. «L'orbe est ainsi nommé de la rotondité du cercle, parce qu'il est comme une roue (…) car l'océan Atlantique, dont les flots coulent tout alentours du monde, enveloppe de toutes parts, ses régions les plus lointaines. Ce terme (orbe) signifie au point de vue de l'histoire, le monde entier, ou au point de vue de l'allégorie, l'Église universelle»[14]. L'orbe, c'est à la fois monde entier et «tout le monde», monde chrétien créé par Dieu qui ne laisse pas de place pour l'Autre, repoussé dans l'informe océan de la non-création. Comme le notait Thomas d'Aquin «c'est à juste titre que l'on dit que le firmament sépare les eaux des eaux, en ce sens que par eau on désigne la matière informe»[15].

Le Moyen Âge, à la limite, ne reconnaît qu'un seul découvreur, Alexandre le Grand, qui une fois pour toutes a fixé les limites du monde connu, de l'Europe et de l'Asie. Conquête terrestre qui soumet des territoires existants des peuples autres, mais qui laisse intact le grand Autre,

13. «Sur l'idée de la découverte» in *Actes du 5e Colloque International de l'Histoire maritime. Les aspects internationaux de la découverte océanique au XVe et XVIe siècles*, Paris, 1966, éd. Michel Mollat et Paul Adam, p. 17. Voir aussi notamment Michel Mollat, *Explorateurs du XIIIe au XVIe siècles. Essai sur la découverte de l'altérité*, Paris, Lattès, 1984; Daniel Boorstin, *The Discoverers*, New York, Vintage Books, 1983.

14. R. Maur, *De Universo*, in Youssouf Kamal, *Monumenta Cartographica Africae et Aegypti*, tome III, p. 526.

15. Prima pars *Summae Theologiae*, Quaestio LXVIII, art. III, tome V.

cette mer océane informe. La découverte géographique comme d'ailleurs l'invention (*inventio*) de la rhétorique antique ne reconduit que les tropes (ou tropismes) *déjà* vus, *déjà* emmagasinés.

La découverte, l'invention, à la faveur de la découverte du Nouveau, dont le «Nouveau Monde» devient le modèle, bascule dans un nouveau paradigme, paradigme du Nouveau. Or comme l'*invention* (*inventio*) pour les Anciens ressasse les lieux communs, les *mêmes* lieux-dits qu'il s'agissait de re-trouver grâce à des moyens mnémotechniques, la découverte géographique (du nouveau) est impensable, ne peut foncièrement être que re-découverte, rappel de ce qui préalablement avait déjà été découvert. À cet effet, le titre de l'ouvrage de Fracanzio de Montalboddo est tout à fait significatif, *Paesi nuovamente ritrovati*, pourtant publié en 1507, trois ans après le *Mundus novus* d'Amerigo Vespucci. La découverte de l'Amérique par Colomb relève donc de l'*inventio* antique parce qu'elle ne visait qu'à re-trouver des lieux *déjà* repérés sur la carte du Savoir. Le langage apocalyptique, enthousiaste, de la célèbre lettre à la nourrice du prince Don Juan de Castille en 1500, ne doit pas nous donner le change. «Notre Seigneur me fit le messager du nouveau ciel de la nouvelle terre dont il parla par la plume de saint Jean en l'Apocalypse après l'avoir fait par la bouche d'Isaïe et il me montra où ils étaient»[16]. Le Nouveau se conçoit invariablement comme une catastrophe qui détruit complètement l'Ancien, barrant ainsi toute *voie* qui conduirait de l'Ancien au Nouveau.

Or, l'*invention-découverte* renaissante, Bacon l'affirmera avec force dans son *Novum organum scientiarum* (1620) et dans sa *Nouvelle Atlantide* (1627), ouvre résolument de nouveaux horizons, les horizons du nouveau. L'*ars inveniendi* post-colombienne est l'art de l'ingénieur qui, grâce à son *ingenium*, grâce à son raisonnement, *invente* (sens moderne), crée de nouveaux instruments, originaux, inédits[17]. On se souvient combien Galilée fut soucieux de démarquer de l'ancienne la nouvelle signification de «l'invention«. Son télescope, non, il ne l'a pas trouvé par hasard (*invenire*, ancien sens), mais *recherché* par voie de raisonnement «per via di discorso»[18]. «Nous sommes certains que le Hollandais,

---

16. *Op. cit.*, tome II, pp. 165-166.

17. Sur l'«ars inveniendi» de Raymond de Lulle qui se continue chez Bacon et chez Leibniz, voir Ernst Bloch, *op. cit.*, tome II, pp. 246-251.

18. *Il Saggiatore*, Le opera di Galileo Galilei, Edizione Nazionale, Firenze, 1896, tome VI, p. 259.

premier inventeur (sens premier, *inventio*) du télescope, était un simple lunettier qui en maniant des verres de plusieurs sortes, *se trouva par hasard* à regarder à travers deux verres à la fois, l'un convexe et l'autre concave, placés à distance différente de l'oeil»[19].

Christophe Colomb, à l'instar de ce lunettier hollandais, trouve l'Amérique par hasard. Et il emploie son raisonnement (discorso) à nier, à refouler la nouveauté de son invention, à repousser le nouveau paradigme de l'*invention* et de la *découverte*. Il est donc juste qu'un autre que lui ait donné son nom à ce continent; celui qui, le premier, a reconnu sa nouveauté: Amerigo Vespucci.

Baptême de l'Amérique qui est dû encore à un hasard. L'humaniste allemand Martin Waldseemüller, en train d'éditer Ptolémée, tombe par hasard (*invention* ancienne) sur les lettres de Vespucci dont notamment le *Mundus novum*. Sa *cosmographie*, appelée initialement à confirmer, une fois encore, l'image du monde ancien, celle de Ptolémée, s'ouvre tout d'un coup au Nouveau, en accueillant dans son *introduction* les lettres de Vespucci. Et l'auteur allemand Waldseemüller ne manque pas de tirer les conclusions de cette découverte. «Aujourd'hui ces parties de la terre, l'Europe, l'Afrique, et l'Asie, ont été plus complètement explorées, et une quatrième partie a été *découverte* par Amerigo Vesputio, ainsi qu'on le verra plus loin. Et, comme l'Europe et l'Asie ont reçu des noms de femmes, je ne vois aucune raison pour ne pas appeler cette autre partie Amerigê, c'est-à-dire terre d'Amerigo, ou America, d'après l'homme sagace qui *l'a découverte*»[20].

Pour Waldseemüller, aucun doute, c'est Amerigo Vespucci qui a découvert l'Amérique, même si Christophe Colomb l'a trouvée. Le Génois n'est même pas nommé, tellement l'acte cognitif, la reconnaissance de la découverte prime ici sur le geste performatif, frappé quasiment d'inexistence. Il est intéressant de noter que l'histoire de la découverte de l'Amérique, allant en chemin inverse, annulera de plus en plus l'acte cognitif de Vespucci pour fêter avec Colomb une découverte qu'il n'avait même pas encore découverte.

19. *L'Essayeur de Galilée*, traduction et introduction de Christiane Chauviré, Les Presses de l'université de Besançon, 1979, p. 164; nous soulignons.

20. Cit. d'après Jacques Heers, *op. cit.*, p. 370; nous soulignons.

N'est pas découvreur qui veut: guide du «parfait» découvreur

Il doit être clair dès à présent que la *découverte* n'est pas une notion «innocente» mais plutôt complexe, surdéterminée par de nombreuses alluvions cognitives, politico-économiques, évangéliques et surtout par un européo-centrisme sans vergogne. «L'européo-centrisme, dira justement Pierre Chaunu, est total, sans complexe et inconscient»[21]. En effet, la *découverte* ne se fera qu'à l'intérieur de paramètres spatio-temporels bien déterminés. Évidemment, le premier prérequis, condition *sine qua non* de la découverte, c'est qu'elle tombe dans le champ de l'Occident. La découverte se fait à partir du point de vue exclusif de l'Occident. Ce dernier est le *sujet* observant, agissant, conquérant qui donne à la fois *son* histoire et *son* existence à l'*objet* (peu importe qu'il s'agisse d'humains) découverts. Ainsi l'histoire de l'Amérique commence en 1492, même si les «Indiens» ont habité ce continent depuis des milliers d'années. C'est le sens profond de l'oeuf de Colomb. La découverte se veut un début absolu qui nie tous les antécédents historiques et culturels.

La Chine des Mings, un siècle avant Vasco de Gama, avait beau sillonner tout l'océan Indien, l'amiral Cheng Ho, au début du XVe siècle, avait beau conduire jusqu'à Calicut (Inde) et Aden (Arabie) sept expéditions dont la première comportait 317 navires, une véritable Armada à côté des trois misérables caravelles colombiennes; le Maghrébin Ibn Battûta (1304-1362), pendant trente ans avait beau «découvrir» Sumatra et Canton en Chine, ces découvertes, telles des records de sportifs exécutés dans de mauvaises conditions, n'ont jamais été «homologuées»; ces découvertes sont viciées au départ, au point de départ: elles commençaient ailleurs qu'en Occident[22].

Mais il ne suffit pas, pour prétendre au titre de découvreur, d'avoir levé l'ancre et hissé les voiles à partir d'un port occidental. Ce serait oublier le paramètre «temps» qui implacablement élimine tout candidat intempestif voulant prendre rang *avant* son temps, avant *le* temps. Le temps de la découverte: la «Renaissance-Découverte»[23], les XIVe et XVe siècles. Arrivez quatre cents ans plus tôt, avant le début des compétitions

---

21. P. Chaunu, *l'Expansion européenne du XIIIe au XVIe siècles*, PUF, 1969, p. 240.

22. A cet effet, *l'Atlas de la découverte du monde*, de G. Chaliand et Jean-Pierre Rageau, Fayard/Boréal Express, 1985, constitue une petite «révolution» parce qu'il corrige ce vice initial de l'européo-centrisme, à la base de la découverte.

23. P. Chaunu, *op. cit.*, p. 241.

et vous verrez que les jeux sont faits... sans vous! C'est ce qui est arrivé aux Vikings qui ont découvert Vinland, *leur* Amérique, en 986 et qui, pendant plus de trois cents ans, n'ont cessé de l'explorer, de l'habiter. Si leur point de départ (l'Europe) qualifie les Vikings pour être homologués découvreurs de l'Amérique, un mauvais chronométrage (quatre cents ans trop tôt!), par contre, fera annuler ou mettre en doute leur découverte même, pourtant réelle. L'oeuf de Colomb, inexorablement, fait table rase de tout prétendant autre que Christophe Colomb, venu d'ailleurs, avant lui.

Pourtant, ces deux paramètres spatio-temporels ne suffisent nullement pour faire accréditer définitivement l'exploit du futur découvreur devant le tribunal de l'Histoire. En effet, ce dernier ne manquera pas de favoriser le candidat fondateur et il n'hésitera pas à effacer des registres de la découverte tout candidat découvreur qui porte ombrage à un père fondateur d'une colonie. C'est évidemment la postérité, rétrospectivement, qui invente son père fondateur en fonction des succès qu'a connus sa descendance. Ici comme ailleurs, la fin, les fins justifient toujours les débuts. Les débuts-découvertes ne comptent vraiment que s'ils ont une suite... coloniale. Dans ce sens, la circumnavigation du monde de 1084 jours de Magellan a été une exception; pure découverte, sans lendemains coloniaux immédiats.

Mais, partout ailleurs, la *lex dura* du fondateur extirpe d'une main de fer le découvreur solitaire qui ne peut compter ni sur l'assistance de son pays de départ, ni sur le coup de piston du pays d'arrivée. En effet, quelle mémoire historique voudra s'encombrer des pêcheurs français qui hantent les côtes *canadiennes* depuis 1504, première date qui *atteste* officiellement leur présence à Terre-Neuve[24]? Même une transaction de l'Abbaye de Beauport-en-Kérity, datée de 1514, laisse supposer que les pêcheurs français seraient venus dans les parages terre-neuviens dès 1454. Quarante ans avant Colomb? Éliminés d'office!

L'exemple des pêcheurs français, en passant, nous fait entrevoir un autre «créneau» qui favorise largement la cause du «premier» explorateur. En effet, si l'histoire prête volontiers sa grosse caisse de résonance aux exploits des découvreurs envoyés en mission officielle par des rois et des reines, elle a tendance à mettre la pédale douce sur les découvertes issues d'initiatives privées ou personnelles. Et puis, les pêcheurs français res-

24. H.P. Biggar, *The Precursors of Jacques Cartier, 1497-1534*, Ottawa, Publication des Archives Canadiennes, 1911, (traduction française 1913), p. XXII.

teront à tout jamais des pêcheurs entachés du péché originel devant l'histoire: celui d'être des illettrés, des analphabètes. L'histoire s'écrit à partir d'écrivants pour d'autres écrivants que lisent des écrivants... La boucle de l'histoire se boucle dans les livres, dans les bibliothèques. «Nous aperçumes un grand navire qui était de la Rochelle, qui avait passé de nuit le Havre de Brest où il pensait aller faire sa pêche; et il ne savait pas où il était»[25]. Qui d'autre qu'un «lettré», Jacques Cartier en l'occurrence, pouvait prêter vie à ces pêcheurs anonymes qui accueillent ce «découvreur du Canada» sur le territoire même qu'il est censé avoir découvert?

L'Histoire est dure pour les candidats découvreurs, pêcheurs illettrés, sans aucun doute les premiers dans l'ordre chronologique, donc les vrais découvreurs du Septentrion de l'Amérique, parce qu'elle n'a d'yeux et d'oreilles que pour les écrivants. Ce témoignage cartiérien sur la préséance de la découverte des pêcheurs, loin de se tourner contre son auteur et le rayer de la carte, bien au contraire, confirme les exploits du «premier» découvreur du Canada: Cartier a *vu* dès son arrivée en Canada des pêcheurs rochelais, preuve qu'il y a vraiment été!

L'Histoire voue un tel culte aveugle à ses découvreurs écrivants qu'elle ne prend pas la peine de vérifier s'ils ont tenu eux-mêmes leur plume ou si d'autres ont écrit à leur place. Que Rusticello ait rédigé le récit de Marco Polo, qu'un autre que Cartier, Jean Poulet probablement, ait écrit le *Brief Récit*, n'a jamais fait douter les historiens de l'authenticité de ces histoires. Bien au contraire, quatre yeux ne voient-ils pas mieux que deux! L'histoire traditionnelle ne prêtait qu'aux riches.

Heureusement, un jour, la «nouvelle histoire» rachète cette *massa damnata* d'illettrés sans nom que l'histoire officielle laissait croupir dans les limbes de l'inexistence. Enfin Fernand Braudel vint... Peut-être un «nouvel historien» prendra-t-il pitié de ces vaisseaux fantômes, des pêcheurs terre-neuviens, pour les rapatrier au royaume des vivants. Il suffirait d'éplucher quelques registres d'embarquement, de relever des actes de naissance et de vérifier des courbes climatiques... Cet historien existe: Charles de la Morandière, *Histoire de la pêche française de la morue dans l'Amérique septentrionale des origines à 1789*[26].

25. Jacques Cartier, Premier Voyage, 1534, in *Voyages au Canada*, éd. Ch.-A. Julien et alii, Paris, F. Maspero, 1981, pp. 121-122.

26. Charles de la Morandière, *Histoire de la pêche française dans l'Amérique septentrionale des origines à 1789*, Paris, G.P. Maisonneuve et Larose, 1962-1966, 3 vol.

Verrazano, découvreur surdoué qui échoue

Mais, reconnaissons-le, les pêcheurs français du début du XVIe siècle ne sont pas encore trop mal lotis en comparaison des infortunes du grand découvreur-explorateur qu'a été Giovanni Verrazano. Financé par les banquiers lyonnais — le «crédit lyonnais» —, patronné par François Ier, Verrazano appareille en 1524 pour le voyage qui lui fera longer la côte nord-américaine, de Cap Fear (34e parallèle) jusqu'à la Baie de Fundy: il est à la fois le découvreur des États-Unis *et* du Canada. Dix ans avant Cartier et soixante ans avant Raleigh (1585). C'est évidemment trop!

De plus, il nous a laissé une carte géographique qui trace avec une précision remarquable les côtes nord-américaines en baptisant généreusement les havres de noms propres français. C'est là une première nord-américaine. Verrazano découvre, entre autres, les sites actuels de New York sur l'Hudson. «Au bout de cent lieux, nous découvrîmes un endroit fort agréable situé entre deux petites collines. Cette terre fut appelée Angoûlême»[27]. Long Island, les Brooklyn Hights se dessinent dans les brumes de l'histoire française. Hélas pas pour longtemps. Parmi les dizaines de noms que Verrazano donne aux sites et ports de la côte nord-américaine, l'*Acadie* est le seul que l'histoire va retenir. «Nous parvîmes, après cinquante lieux, à une autre terre qui semblait beaucoup plus belle et couverte d'immenses forêts... que nous nommâmes *Arcadie* en raison de la beauté de ses arbres»[28]. Les paradis antiques et bibliques, nous le verrons plus loin, se signalent toujours par leurs arbres. L'*Arcadie*, paradis des bergers grecs («et in arcadia ego»), flottera longtemps sans appartenance géographique précise le long des côtes canado-américaines avant de désigner, chez Champlain sous le terme d'*Acadie*, les provinces maritimes du *Canada*.

Et surtout, dernier atout non négligeable de Verrazano, il a rédigé lui-même son récit de voyage de ses propres mains. Ce n'est pas un récit de voyage comme les autres. Il est en effet d'une importance épistémologique capitale. Car, mieux encore que Vespucci, Verrazano reconnaît la continentalité des terres d'Amérique et rejette de façon définitive dans le domaine des fables et de la fiction l'idée du passage entre l'«Océan occidental» et l'«Océan oriental».

27. Le voyage de Giovanni Da Verrazano à la «Francesca» in *Voyages au Canada*, *op. cit.*, p. 86.
28. *Ibid.*, pp. 82 et 85.

Si j'estimais, en effet pour certains motifs, devoir trouver cette terre (Cathay), je pensais qu'elle offrait un détroit permettant de passer dans l'océan oriental. C'était l'opinion universellement admise par les Anciens que notre océan occidental ne faisait qu'un avec l'océan oriental des Indes, sans aucun continent interposé. Aristote, notamment, se range à cet avis, en s'appuyant sur diverses analogies, mais son opinion est rejetée par les Modernes et apparaît fausse à l'expérience. Une terre ignorée des Anciens a été découverte de nos jours. Un autre monde, distinct de celui qu'ils ont connu, apparaît avec évidence: il est plus grand que notre Europe, que l'Afrique et presque l'Asie si nous considérons attentivement son étendue.[29]

Vingt ans après le *Mundus novus* de Vespucci, Verrazano, comme personne avant lui, articule l'Ancien et le Nouveau, répudie la philosophie livresque d'Aristote au nom de l'expérience des Modernes, la *sienne*, confirme le caractère *distinct, autre*, de cette terre nouvelle et enfin accrédite la vastitude de ce continent, comparée à celle de l'Asie et de l'Europe. Qui a dit mieux?

Comment alors expliquer les infortunes de ce découvreur, au dossier impeccable, dont l'histoire n'a jamais daigné prendre note? Car ne répond-il pas à *tous* les paramètres de la découverte définis plus haut? Il est parti sous les yeux du célèbre Jean Ango de Dieppe, giron de l'Europe, a bien chronométré son moment de départ, au milieu de la «Renaissance-Découverte»; il a fait ce voyage non seulement pour l'entreprise privée, mais patronné par le Roi de France; rédigé de sa main le récit de voyage dans lequel il reconnaît, par surcroît, la continentalité des terres nouvelles: que peut-on demander de plus d'un découvreur? Verrazano, «gentilhomme de la découverte» comme l'appelle justement S.E. Morison[30], se distingue de la masse des découvreurs par son éducation et sa culture générale, par sa connaissance approfondie des sciences, notamment des mathématiques comme le témoigne la fin de son récit de voyage.

Le nom de ce surdoué véritable, surdiplômé de la découverte, pourquoi ne sonne-t-il pas comme celui de Colomb, de Cartier et de Drake? Pourquoi reste-t-il toujours «à découvrir»?

C'est qu'il a un défaut — un seul, mais il est majeur —, que ses nombreuses qualités et qualifications ne semblent pas pouvoir contrebalancer.

---

29. *Ibid.*, pp. 102-103.

30. S.E. Morisson, *The European Discovery of America, The Northern Voyages A.D. 500-1600*, New York, Oxford University Press, 1971, p. 282.

Italien au service du roi de France? Colomb et Cabot, Italiens eux-aussi, ont servi également des rois étrangers, ce qui ne les a pas déchus, bien au contraire, de leur titre de «découvreur». Non, Verrazano a fait l'impardonnable, véritable péché contre le Saint-Esprit de la découverte nord-américaine: il a précédé d'au moins soixante ans la tribu des découvreurs anglais, les Raleigh (1585), les Gosnold (1602), les Hudson (1609), qui ne commencent à faire leur apparition qu'à la fin du XVIe siècle; mais surtout sa «précipitation» crée une rupture du Même, laissant infiltrer une nationalité Autre entre ces découvreurs anglais et les pères fondateurs anglais de la Nouvelle-Angleterre, les célèbres «Pilgrim Fathers» qui débarquèrent en 1620, près d'un siècle après Verrazano.

Or, l'aire de fondement des nations, à la fois son temps et son espace, doit être «dépolluée» de toute présence de l'Autre, puisqu'elle doit s'appuyer sur le roc du Même. Nous préciserons les conditions qui entourent ces fondations dans notre deuxième partie. Soulignons seulement que les découvertes ne sont pas, comme on pourrait le croire, des notions de géographie ou d'histoire *pure* qui tiennent compte *objectivement* de l'ordre chronologique et de l'importance géographique, épistémologique respective des explorations. Les «découvertes», ce sont les armes stratégiques avec lesquelles les nations (découvertes et découvrantes) se battent pour gagner la bataille décisive de leur fondation. La *découverte*, comprise qu'elle est dans un contexte national (pour ne pas dire nationaliste) et politique, s'éclaire rétrospectivement à partir du moment (lieu et temps) fondateur.

Nous avons insisté sur Verrazano parce que son exemple illustre, au-delà de tout doute, qu'une découverte qui ne se situe pas dans la droite ligne d'une fondation nationale — la meilleure découverte, la plus sûre est elle-même une fondation — aura beau être enregistrée par des spécialistes de l'exploration, elle ne pourra jamais devenir d'Histoire, c'est-à-dire entrer dans l'imaginaire, dans le *mythe* d'une nation. Mais si la présence de ce navigateur gentilhomme dérangeait seulement les Anglais!

En effet, non seulement Verrazano interrompt la généalogie des découvertes anglaises qui *doivent* mener en droite ligne à la fondation des États-Unis, mais il précède aussi de dix ans les découvertes *canadiennes* du Français Jacques Cartier. Là également, il est en porte-à-faux: parce qu'il découvre cette partie de la côte de l'Amérique qui tombera sous la coupe anglo-saxonne et s'apprête à découvrir le *Canada* (ses explorations côtières s'arrêtent avant la Baie de Fundy), la Nouvelle-Angleterre voit en lui un «corps étranger» dont il s'agit de se débarrasser, la Nouvelle-

France un rival intempestif qui risque de porter ombrage à la primauté de Cartier.

De toutes façons, la France ne tire par profit des découvertes de Verrazano, ne les muant pas en fondations. C'est que ces explorations n'auraient pu survenir à un pire moment de l'histoire de France. François Ier est accaparé par sa campagne d'Italie. Après la débâcle de Pavie, en février 1524, le roi de France, constitué prisonnier pendant 13 mois, perd de vue les vastes horizons auxquels il avait voulu ouvrir la France. Dix ans s'écouleront avant la prochaine découverte: celle de Jacques Cartier.

Par une étrange ironie du sort, la fin de la vie de Giovanni Verrazano s'accorde avec l'infortune de ses découvertes. Lors d'un troisième voyage au service de Jean Ango et de Philippe de Chabot, Verrazano en débarquant sur une île antillaise tombe sous la dent des cannibales, de ces redoutables Caribes que Colomb rencontre le premier. Coupé en morceaux, ingéré, totalement assimilé à l'Histoire des autres, il ne laissera plus aucune trace. Pas de crypte, pas de tombe, apanage des fondations. Ni vu ni connu. Au fait, Verrazano a-t-il jamais existé? «Questo infelice fine hebbe questo valente gentilhuomo», termine les *Navigations et Voyages* de G.B. Ramusio. Une fin à l'image de ses débuts.

Cabot, découvreur sous-doué qui réussit

L'exemple de John Cabot, à l'inverse de celui de Verrazano, prouve que la plupart des titres du «parfait» découvreur peuvent faire défaut, à condition que ce dernier soit porteur de la carte de crédit, carte maîtresse d'une volonté d'affirmation nationale. Nous reviendrons plus loin sur le problème particulier de la rivalité franco-anglaise que pose l'apparition de John Cabot sur le continent américain.

Génois comme Christophe Colomb, naturalisé citoyen de la République de Venise, Giovanni Caboto offre dès 1495 ses services au roi d'Angleterre Henri VII, comme l'avait d'ailleurs fait Christophe Colomb quelques années plus tôt. Trois ans après la découverte de l'Amérique, Henri VII se mord les doigts d'avoir repoussé les bons offices des frères Colomb; il s'empresse donc d'accepter ceux de cet autre Génois providentiel qui frappe à ses portes. L'ambassadeur espagnol, dans une missive envoyée en janvier 1496 au roi Ferdinand, accrédite la filiation colombienne en disant de Cabot «uno como Colón»[31]. Un homme de l'étoffe de Colomb. John Cabot, le Colomb de l'Amérique du Nord, de l'Amérique anglaise, celui qui tout d'abord assure la primauté et l'homogénéité de l'espace et du temps anglo-saxon nord-américain. C'est pourquoi sa découverte n'aura pas de peine à se faire homologuer par les historiens anglo-américains les plus sérieux.

Certes, Cabot choisit bien ses coordonnées spatio-temporelles: il part de Bristol, avant la fin du XVᵉ siècle. Par contre, il ne laisse aucune relation de son périple, ce qui plonge son premier voyage dans un brouillard existentiel dont aucun des rares témoignages historiques n'arrive à le sortir: à savoir quatre lettres de marchands ou d'ambassadeurs qui en font mention[32]. En effet, aucune d'elles ne nous renseigne sur le trajet exact du voyage cabotien, sur ses points de chute. Le célèbre «landfall» (lieu de débarquement) de John Cabot que les historiens anglo-saxons fixent avec une rare unanimité un 24 juin et, avec une précision scientifique, sur une latitude de 51° 37' Nord — tombant dans les parages de Cap Degrat (Terre-Neuve) — a pu s'accréditer comme «fait historique» à la faveur d'une inscription sur une carte, fabriquée par le fils de Cabot, Sébastien Cabot, en 1544, plus de quarante ans après la «découverte» du père, John Cabot.

Or les historiens anglo-saxons qui se respectent, dont notamment Henry Harrisse, orfèvre en matière de découverte[33], ont dénoncé Sébastien comme un des «plus grands menteurs de l'histoire de la découverte»[34]. Un autre historien anglo-saxon l'a qualifié euphémiquement de «sphynx de l'histoire américaine»[35]. Quel Oedipe donnera enfin le coup de grâce à ce monstre menteur? Mais l'histoire nationale américaine a besoin de ce «mentir» qui, par la force des choses, devient «mentir vrai».

En effet, on s'étonnera toujours que des historiens anglo-saxons «sérieux», lorsqu'il s'agit d'invoquer le moment fatidique où le premier Anglais (Cabot s'est fait naturaliser anglais!) pose les pieds sur la terre nord-américaine, perdent pied pour donner libre cours à leur imagination. L'histoire se mue tout d'un coup en un roman d'aventure de «cap» et

31. S.E. Morison, *ibid.*, p. 159.

32. Pour la bibliographie de ces lettres, voir S.E. Morison, *op. cit.*, pp. 192-193.

33. Voir notamment H. Harrisse, *The Discovery of North America. A Critical Documentary and Historical Investigation*, Londres, Stevens and Son, 1892.

34. S.E. Morison, *op. cit.*, p. 195.

35. *Id.*

d'épée. Le temps, l'ambiance, tout y est. On s'y croirait! «C'est la Saint-Jean-Baptiste, le 24 juin, et aussi le solstice d'été, une date que personne n'oubliera pas de sitôt, [surtout pas les Canadiens français!] et de bon augure pour le reste du voyage. Une grande île émergeait de la mer à quinze milles vers le Nord...»[36] La date est de bon augure. Il faudrait plutôt lire: la date a été interpolée, inventée *après coup*, pour justifier le succès de la découverte cabotienne. Ce sont encore les fondements qui téléguident les débuts de l'exploration, grâce à une grande boucle «herméneutique» de plus de cent vingt ans, à supposer que l'Amérique anglo-saxonne ait été fondée en 1620.

Pas besoin de cacher son jeu, donc pas besoin de se masquer, les historiens anglo-saxons jouant à visage découvert. Ils avouent franchement que *leur* histoire est faite de toutes pièces. «Celui qui lit ce que je viens d'écrire trouve probablement que j'ai inventé beaucoup — et je bats ma coulpe avec joie (I cheerfully plead guilty)»[37]. Aucun remords, encore moins de mauvaise conscience: la Clio américaine les inspire, ils écrivent sous sa dictée, *au nom* de la nation américaine. Tout, alors, même les procédés les plus anti-historiques — inventions, extrapolations — est permis pour arriver à cette fin. La finalité, les fondements de l'histoire nationale surplombent inexorablement ces débuts, ces découvertes. Autrement Cabot, le découvreur le plus inconsistant, le plus irréel, n'aurait jamais pu devenir le «Christophe Colomb» de l'Amérique anglaise qui à la fois commence à zéro et donne la concrétude — l'oeuf de Cabot! — à cette partie du continent; et, d'autre part, Verrazano, le découvreur le plus consistant, le plus réel n'aurait pu être frappé d'inexistence... comme si de rien n'avait été.

---

36. *Ibid.*, p. 172.
37. *Ibid.*, p. 174.

Chapitre II

De Vinland en *Canada*

Les Vikings, vrais et faux

Par un concours de circonstances tout à fait extraordinaire, les trois explorateurs qui se disputent avec divers succès la palme de la découverte de l'Amérique du Nord, le Viking Leif, fils d'Éric le Rouge, John Cabot et Jacques Cartier, abordent tous les trois le continent américain au même endroit, aux parages de Cap Degrat (Terre-Neuve) à l'entrée du détroit de Belle-Ile. Comme si les courants profonds de l'Histoire ou tout simplement les vents et les courants maritimes avaient fait dériver les trois explorateurs vers ce point précis afin que *toute* découverte de l'Amérique septentrionale, à trois reprises, commence sur le *même* roc terre-neuvien. *Terra Nova*, plus qu'un lieu géographique circonscrit, longtemps reste synonyme de nouveau monde. Ce roc, en déclenchant la rivalité mimétique, la lutte pour le même objet, aurait pu facilement devenir la pomme de discorde des trois explorateurs et des trois nations qu'ils représentent, n'eût été ce décalage temporel considérable qui les isolait bien chronologiquement: un demi-millénaire entre les Vikings et John Cabot, une quarantaine d'années entre ce dernier et Jacques Cartier. Raison de plus donc d'étudier pour les comparer les conditions dans lesquelles ce même roc a été découvert. Il a été question de Cabot. Restent Cartier et les Vikings.

Une généalogie de l'histoire canadienne qui passerait sous silence les découvertes vikings équivaudrait à la négation même de la généalogie: négation de la quête de l'origine, de la quête des fondements. Or les Vikings ont été les premiers explorateurs européens (si on veut faire abstraction du voyage «littéraire» de saint Brendan) sur ce continent, précédant le «découvreur» du continent américain et celui du *Canada* de plus de cinq cents ans. Leur précocité risque de menacer *tous* les explorateurs fondateurs, arrivés forcément après eux: Colomb, Cabot, Cartier (les «trois C»). Pas pour longtemps, puisque l'histoire officielle, pour garder intacts les œufs des «trois C» renaissants met en doute les explorations de ces découvreurs moyenâgeux qui ont sillonné les mers nordiques sans boussole.

On s'en doute, la cause viking se porte d'autant plus mal qu'elle n'a été plaidée par aucune cause nationale: pas de descendants vikings en Amérique, qui aient pu se réclamer d'eux comme de leurs pères fondateurs. La colonie nord-américaine des Vikings, après plusieurs siècles d'habitation, a dû être abandonnée. En fondation, il n'y a que les succès qui comptent.

Mais reconnaissons que l'Amérique anglo-saxonne, bien loin de fermer les yeux aux découvertes des Vikings, en a fait une promotion publicitaire sans vergogne, comme s'il s'était agi là d'un produit autochtone. Après tout, l'œuf de Colomb ne valait pas toutes ces précautions idolâtres. Puisque ces premiers ancêtres blancs — au fond ils sont de même souche, les Danois étant venus jadis en Angleterre! — ont foulé de leurs pieds les terres du Cape Cod, du Maine, on peut se l'avouer maintenant: Christophe Colomb n'a jamais marché sur le continent nord-américain.

En effet l'Amérique s'enthousiasme tellement pour sa généalogie viking que, pris d'une véritable «vikinomanie», dès le milieu du XIXe siècle, tout Américain qui se respecte généalogiquement trouve sa pierre runique si possible dans son propre jardin. Ainsi le personnage de James Russel Lowell, Parson Wilbur, déchiffre sa pierre runique, lisant «ici Bjarua Grímolfsson a bu la première fois nuage-frère»[1]. Tout Américain pas «dans les nuages» comprend du premier coup que le Viking Bjarua a fumé sa première pipe dans le jardin de Wilbur.

Que dire de cette pierre de Kensington, trouvée en 1898 par un paysan américain d'origine suédoise (!) en plein Minnesota? Bien des historiens

---

1. S.E. Morison, *op. cit.*, p. 37.

sérieux l'on gobée, dont hélas aussi le grand historien québécois qui a exploré de façon si méticuleuse les fondements du Canada «historique» commençant en 1524 avec Verrazano: Marcel Trudel[2]. Évidemment, cette pierre ne peut être qu'un faux, qu'un *fake*: le bon sens devrait nous dire que des marins ne se perdent jamais à plus de 2 000 milles à l'intérieur des terres. Comme le note Morison non sans humour, «si vous déterrez un vase grec reposant sur un bottin téléphonique, il n'est pas besoin de perdre son temps pour prouver que le vase est d'origine»[3].

Enfin, les universitaires américains se sont mis de la partie et ont publié la «Vinland Map», éditée, à grand renfort publicitaire, par l'Université de Yale en 1965[4]. Comme la plupart des faussaires, ceux de la carte de Vinland se sont trahis par un excès de zèle, visant à surpasser en précision les modèles existants. Surtout, la carte avait le défaut majeur de dessiner les contours du Groenland, de le présenter comme une île. Or, c'est seulement sa circumnavigation, pas entreprise avant le XIXe siècle, qui établit véritablement l'insularité du Groenland. Donc des Modernes n'ont pu s'empêcher de projeter leur «science» sur le savoir archaïque des Vikings[5].

Cartier imaginaire, Viking réel

Même si face à leurs ancêtres vikings, les Américains anglo-saxons sont passés du détachement critique à l'idolâtrie la plus aveugle, à aucun moment ils n'ont mis en doute leur existence. À preuve le chapitre solide que le spécialiste américain des découvertes — le biographe de Christophe Colomb qui, loup de mer, a refait ses voyages sur son bateau —

2. Marcel Trudel, *Histoire de la Nouvelle France* I. *Les vaines tentatives* 1524-1603, Montréal, Fides, 1963, p. 12.

3. *Ibid.*, p. 76.

4. R.A. Skelton, Th. E. Marston et George D. Painter, *The Vinland Map and the Tartar Relation*, Yale, 1965.

5. On ne manquera pas d'être étonné du crédit qu'ont donné des historiens français comme E. Le Roy Ladurie à l'«énigme» de la «Vinland Map», même s'ils restent généralement sceptiques à son égard. Cf. Le Roy Ladurie, *Histoire du climat depuis l'an mil*, *op. cit.*, tome II, pp. 44-45.

consacre aux Norsemen et à Vinland[6]. Pour une fois, Colomb et les Vikings découvreurs de l'Amérique font bon ménage. Or, à l'opposé des Américains, les Canadiens (français) restent complètement indifférents[7] à ces premiers découvreurs et habitants qui ont foulé pourtant *leur* territoire, les terres que Jacques Cartier a découvertes. Est-ce pour protéger la découverte de Jacques Cartier, découvreur officiel du Canada français, que ce dernier couvre ainsi les premiers exploits des Vikings, des «souvenirs-couvercles» (*Deckerinnerungen*) cartiériens pour parler comme Freud? Pourtant, le Canada français aurait tout intérêt à découvrir le monde viking parce qu'il risque de lui faire découvrir une partie de lui-même.

En effet, la découverte et la première colonisation de l'Amérique ne se déroulent-elles pas dans des conditions semblables à celles du Malouin? Surtout, la fin de la colonisation viking n'est-elle pas une répétition générale de la fin des tentatives d'implantation de Cartier? Bien plus, les sagas vinlandaises peuvent donner crédit ou infirmer certains passages concernant le rapport avec les autochtones, où la mauvaise foi, le parti pris de Cartier est trop criant. On pourrait même aller plus loin et, par une comparaison serrée des deux écrits (les trois récits des voyages de Cartier et la *Graenlendinga Saga*, qui contient les «Vinland Saga»), repérer le terrain d'entente qui, à cinq cents ans de distance, les réunit. On verrait alors que les points de contact sont plus nombreux que les points de dissension. Du coup, les dires de Cartier, corroborés ainsi par une source historique sérieuse, indépendante, pourraient enfin être élevés au statut de vérités historiques. Plus, Cartier lui-même pourrait devenir un personnage historique réel, sortir enfin des limbes dans lesquels il traîne depuis l'échec de son troisième voyage. Les *Graenlendinga Saga* authentifieraient et le *Brief Récit* du Malouin et la personne même de Cartier.

Car, à part les Canadiens français qui inébranlablement postulent que Cartier est *leur* découvreur — c'est lui qui assure nécessairement la découverte (1534) et la fondation du *Canada* par Champlain (1608) — aucun historien n'a jamais pu vraiment «prouver» que *ce* Cartier qui a

---

6. Sur les Vikings, voir notamment l'ouvrage de Gwyn Jones, *The Norse Atlantic Saga*, 1964 rééd. New York, Oxford University Press, 1986, et du même auteur, *A History of The Vikings*, Oxford University Press, 1968, rééd. 1984; H. Holand, *Explorations in America before Columbus*, New York, 1958 et F. Pohl, *la Découverte de l'Amérique par les Vikings*, Paris, 1954. Nous citerons les «Sagas vinlandaises» d'après *The Vinland Sagas, The Norse Discovery of America*, éd. et trad. par Magnus Magnusson et Hermann Palsson, Penguin Book, 1965.

7. Les quelques références sporadiques aux Vikings chez Trudel, *op. cit.*, pp. 9, 10, 11-13, 15, 23, 31, 76.

voyagé trois fois en *Canada* a vraiment existé. Les malheurs du Malouin commencent dès les débuts, dès sa naissance: il ne nous reste aucun acte de baptême qui attesterait la naissance de Cartier, les registres paroissiaux de la période où devait tomber cette naissance entre 1472 et 1491 ayant mystérieusement disparu (par la main des «traîtres» anglais?).

Pour aggraver le cas, l'Histoire ne nous a laissé aucun portrait du pilote Malouin, portrait authentique d'époque, car les faux en circulation ne manquent pas. C'est surtout la lithographie de Théophile Hamel qui s'est imprimée dans l'imagination des Canadiens et des Français. À force de voir son effigie reproduite sur les timbres et les monnaies, cette image prend un air de réalité et, du coup, fait oublier qu'elle a été dessinée d'après une copie du XIXe siècle.

Naissance, mort, les deux preuves principales de l'existence

Évidemment les historiens n'ont pas manqué de fouiller les restes de la tombe de Cartier (plus chanceux que Verrazano, il a une tombe!) à Saint-Malo: mais un crâne humain portant les marques de scorbut ne saurait guère constituer un signe particulier de l'existence de Cartier. Beaucoup de marins de la Renaissance souffraient de scorbut. Certes, la signature de Cartier se trouve en bas de documents notariaux (actes de baptême, etc.). Cela prouve certes qu'*un* Jacques Cartier a vécu à Saint-Malo, mais rien ne nous permet d'inférer automatiquement que ce personnage privé est le même que le capitaine du voyage de 1534.

Bien sûr, en dernier recours, on se tourne vers les trois récits de voyage du Malouin. Vont-ils donner des assises réelles, historiques, au découvreur du Canada? Hélas non. Car aucun manuscrit de la main de Cartier ne nous est parvenu. Oublions le premier voyage, connu jusqu'en 1867 par la seule version italienne colportée par Ramusio dans ses *Navigationi et Viaggi...* (1556). Ainsi le premier récit de voyage de Cartier, celui qui relate la découverte du Kanada, est une traduction de l'italien. Par une étrange ironie du sort, le premier écrit sur le *Canada* est déjà placé sous le signe de la traduction ce qui, par la suite, nous le verrons, sera le sort du *Canada*.

Le récit du deuxième voyage connaîtra une meilleure fortune parce qu'il est publié une première fois en France, donc en français, dès 1545, plus de dix ans après le voyage. Trois manuscrits de ce *Brief Récit* ont été conservés à la Bibliothèque nationale de Paris. Hélas aucun n'est de la main de Cartier. Car il a été établi hors de tout doute, par le grand archiviste canadien (anglais) qui a déniché la quasi totalité des documents historiques existant sur Cartier et son monde, que le Malouin n'a jamais été l'auteur de ces récits[8]. Jean Poulet aurait été le Rusticello, l'historiographe de Cartier, ce qui n'est pas sûr. Le *Brief Récit* est donc loin de trancher la question de la paternité des récits cartiériens. Et le troisième récit n'est guère d'un meilleur secours pour la résoudre. Incomplet, il est publié par Richard Hakluyt, cet Anglais passionné des découvertes et de la géographie, en 1600, peut-être d'après des originaux français de 1583. Encore une fois, le troisième voyage de Cartier est le résultat d'une traduction... de l'anglais. Quelle prémonition!

L'historiographie récente a pris enfin acte de l'indigence, sinon de la quasi inexistence du personnage biographique «Cartier», et a cessé d'écrire des biographies, ou plutôt des hagiographies. Un des derniers livres sur Cartier paru à l'occasion du quatre cent-cinquantième anniversaire de la «découverte du Canada», *le Monde de Jacques Cartier*[9], en dit long quant au changement d'optique intervenu face à Cartier. La vie de Cartier se résume en trois chétives pages, le reste étant consacré «au monde de Jacques Cartier». Monde plus certain que la biographie — écrite nulle part — du Malouin.

Après tout, le grand contemporain de Cartier, Rabelais, qui selon certains auteurs aurait connu le Malouin et se serait inspiré de Cartier pour son Jamet Brayer[10], n'avait peut-être pas tout à fait tort de classer Jacques Cartier parmi les voyageurs «imaginaires» comme Marco Polo et Pedro Alvarez, qui, selon lui, n'ont fait de voyages que dans leur chambre... Cartier aurait fait son voyage par Ouï-dire.

> Pour lors tenait (Ouï-dire) une mappemonde et le leur exposait sommairement par petits aphorismes et y devenaient clercs et savants en peu d'heures et parlaient de choses prodigieuses élégamment et par bonne mémoire, pour la centième partie desquelles savoir ne suffirait la vie d'homme: des Pyramides de Nil et Babylone, des Troglodytes... des

8. H.P. Biggar, *A Collection of Documents relating to Jacques Cartier and the Sieur de Roberval*, Ottawa, 1930. Pour la paternité des relations de voyage de Cartier, H.P. Biggar, *The Early Trading Companies of New France. A Contribution to the History of Commerce and Discovery in North America*, University of Toronto, 1901, pp. 215-216.

9. *Le Monde de Jacques Cartier*, sous la direction de F. Braudel, Libre Expression, Montréal, Berger/Levrault, Paris, 1984.

10. Voir notamment A. Lefranc, *les Navigations de Pantagruel, étude sur la géographie rabelaisienne*, Paris, 1905, Slatkine Reprints, 1967. Pour une analyse critique de toute la question, Ch.-A. Julien, *op. cit.*, pp. 351-360.

Blemmies... De tous les diables et tout par Ouï-dire... et ne sais combien d'autres modernes historiens (Jacques Cartier est parmi le lot) cachés derrière une pièce de tapisserie, en tapinois, écrivant de belles besognes et tout par Ouï-dire[11].

Ouï-dire est un monstre tout en bouche et oreilles, à la gueule grande ouverte, pourvu de plusieurs langues, langue de vipère fendue en deux: elle symbolise bien les différentes versions contradictoires que Ouï-dire fait circuler sur un même sujet. Comme si cette monstruosité ne suffisait pas, Ouï-dire est aveugle et paralytique. Il ne voit pas, il ne bouge pas de sa chambre. Pire que l'aveugle et le paralytique, Ouï-dire, même s'il voyage, ne voit pas. Par un paradoxe savoureux, celui qui n'a voyagé qu'en suivant la boussole de son imagination, Rabelais, accuse Cartier de ne pas s'être cantonné à l'intérieur de son «expérience» vécue.

C'est un fait, Cartier, contrairement à ce qu'il prétend dans l'«Envoi à François Premier»[12], n'a pas toujours écouté sa propre expérience. Il s'est laissé séduire par les roucoulements de la sirène du Ouï-dire. «De plus, *il dit* (Donnacona, le seigneur indien que Cartier se propose d'emmener en France), avoir vu d'autres pays, où les gens ne mangent point, et n'ont point de fondements, et ne digèrent point, mais font seulement eau par la verge. De plus, il dit avoir été dans un autre pays de Pëcquenyans (Pigmées?), et dans un autre où les gens n'ont qu'une jambe, et autres merveilles, longues à raconter»[13]. Comment en effet un homme d'expérience qui se fait un point d'honneur de vérifier les dires des autres, peut donner crédit à ces fables moyenâgeuses, au point de les insérer toutes crues dans son *Brief Récit*? Selon la mentalité préscientifique qui prévaut encore ici, là où on flairait le merveilleux, l'or ne pouvait jamais être bien loin. «Car il (Donnacona) nous a certifié avoir été à la terre du Saguenay où il a infinité d'or, rubis et autres richesses, et où les hommes sont blancs comme en France, et vêtus de drap de laine»[14].

Par un étrange, quasi merveilleux détour de l'histoire, les deux découvertes du Kanada — celle des Vikings et celle de Cartier — se rencontrent ici grâce au relais du ouï-dire, des légendes amérindiennes. Qui sont ces hommes blancs, ressemblant aux Français, vêtus non de peaux comme

11. Rabelais, *le Cinquième Livre*, éd. de la Pléiade, p. 844. Orthographe modernisée.
12. Jacques Cartier, in *Voyages au Canada*, op. cit., p. 159.
13. *Ibid.*, p. 234.
14. *Id.*

des sauvages, mais de tissus, de draps de laine? Des pêcheurs français qui auraient précédé Cartier? Non, car ces hommes blancs ne sont pas des nomades qui ne font que passer, mais ils sont installés à demeure dans ces régions. Comment ne pas penser aux Vikings qui ont habité ce pays pendant près de quatre cents ans?

Le merveilleux unipède, sorti du bestiaire moyenâgeux, chez Cartier et chez les Vikings, annonce la bonté, la richesse du pays. «Un matin Kalsefni et ses hommes virent scintiller près de la clairière... ce devait être un Unipède»[15]. L'unipède fantastique, comme chez Cartier, fait scintiller l'or, bien que les Vikings aient été plus fascinés par la matière grasse que par les matières précieuses. «Nous avons trouvé là un pays riche, il y a beaucoup de graisse autour de mes entrailles»[16] s'exclame Thorval après avoir été blessé par l'unipède.

Curieux: au point le plus faible de son récit, là où le maillon le plus faible risque de faire éclater la chaîne de raisonnement de la relation cartiérienne, le «chaînon manquant» de la découverte du *Canada,* à savoir les découvertes des Vikings, s'offre à Cartier pour renforcer la chaîne incertaine de son récit. Comme si la découverte du *Canada* ne pouvait se faire qu'*ab ovo.* L'œuf des Vikings, moins célèbre que celui de Colomb, existe. Le merveilleux dans ce passage, ce n'est pas comme on l'a toujours dit, l'or et les pierres du Saguenay, mais la présence anonyme de ces Vikings qui accueillent le Malouin grâce au relais des légendes amérindiennes. Éblouis par l'or, ils ne les identifient pas sous leurs oripaux sauvages. Pourtant ce sont les récits des Vikings qui peuvent tirer les relations cartiériennes de leur statut ontologique douteux.

L'œuf des Vikings: quand des raisins ébranlent des fondements solides

Mais le statut des sagas islandaises elles-mêmes, qui racontent les découvertes vinlandaises, est-il suffisamment assuré pour étayer les récits de Cartier? N'est-ce pas simplement déplacer le problème et faire raconter l'histoire par un sourd (les Vikings), au lieu d'un aveugle paralytique (Cartier, tout au moins pour Rabelais)?

Non, car grâce aux sagas islandaises, nos foyers du récit de la découverte de l'Amérique se multiplient et, partant, nos points de comparaison.

15. *The Norse Discovery of America*, op. cit., p. 101.

16. *Ibid.*, p. 102.

D'autant plus que les sagas islandaises relatent déjà la découverte du *Canada* dans deux versions qui sont loin de se confondre: la *Graenlendinga saga*, la plus ancienne, et la *Saga d'Éric*. La première a été écrite avant 1200, donc environ deux cents ans après les événements de la découverte. Le décalage est grand, mais il est plus que probable, sinon certain, que ce manuscrit est lui-même la copie d'un original perdu, plus près de la source des faits relatés. Si des saint Thomas de la découverte ont vu là suffisamment de preuves pour mettre en doute le témoignage viking, ce ne fut pas étrangement, pour le réfuter en bloc, mais pour mettre en doute les seules parties qui relatent la colonisation vinlandaise, et non celles où il est question de celle du Groenland. Est réfuté et réfutable ce qui entre en conflit, en rivalité avec la découverte future, la «vraie», du continent par les «trois C» (Colomb, Cabot, Cartier).

Heureusement, la cause viking américaine a, plus que ces témoignages textuels, plus que des «poésies» à opposer aux doutes et aux sarcasmes des saint Thomas historiens. Ne médisons pas de la «poésie», de la littérature! Elle peut être une pièce à conviction plus solide que n'importe quel document réel, sociologique, lorsqu'il s'agit d'explorer — comme nous le ferons dans notre troisième partie (Décapitations) — les soubassements inconscients d'un peuple. Mais nous n'en sommes pas encore là!

Il s'agit pour l'instant de trouver la preuve irréfutable de la présence viking en *Canada*. Cette preuve existe depuis que le Dr Helge Ingstad a mis à jour, après d'immenses recherches archéologiques, à l'Anse-aux-Meadows (Terre-Neuve, non loin de Belle-Isle), une colonie vinlandaise de sept maisons dont un bâtiment central d'environ 25 mètres de long et 20 mètres de large[17]. L'Anse-aux-Meadows, c'est le Qûmran (où furent trouvés les manuscrits de la mer Morte) de l'Atlantique Nord. Les découvertes archéologiques du Dr Ingstad donnent un fondement inébranlable à la découverte et surtout à l'habitation permanente de l'Amérique par les Vikings dès les débuts du premier millénaire.

Pourtant, aussitôt, d'autres saint Thomas, souvent les mieux intentionnés (qui soupçonnera M. Magnusson et Herman Pálsson de vouloir couper l'herbe, ou les vignes, sous le pied des Vikings?), mettent en doute le bien-fondé de ces fondements. Grâce à un argument de poids: «Ces raisins sauvages n'ont jamais poussé au Nord de la baie Passama-

---

17. Le premier rapport du Dr Ingstad date de 1964, *National Geographic CXXVI*, no 5, nov. 1964.

quoddy entre le Maine et le Nouveau-Brunswick»[18]. Les raisins n'ayant jamais poussé à Terre-Neuve, les Vikings n'ont jamais pu établir les fondements en Terre-Neuve; tel est à peu près le raisonnement de ces historiens. La non-existence des raisins met en cause l'existence de la seule colonie viking qui prouve au-delà de tout doute la présence des Vikings en Amérique.

Certes, les raisins sauvages ont joué un rôle décisif dans la colonisation de l'Amérique du Nord par les Vikings. Le nom du pays découvert — Vinland — dérive de ce plant méridional qui n'a pu manquer d'émerveiller les Nordiques venus d'Islande et du Groenland. Le Vinland caractérisé par sa flore spécifique[19] est démarqué des deux autres «pays» de la colonie viking nord-américaine: du Helluland (littéralement «pays des rochers») qui coïncide avec notre terre de Baffin et du Markland («pays des forêts») situé entre Helluland et Vinland, qui correspond à la côte sud du Labrador. Les Vikings — au goût culinaire plus fruste que les Français et, partant, moins «civilisés» — se mettent à raffoler de ce millésime précolombien, provenant de leurs propres cuvées. Bien plus, les Vikings pensent déjà à l'exportation! Ils se construisent ce qu'on peut appeler des «bateaux-citernes» pour ramener ce «bon vin» au Groenland. «Leif dit à ses hommes: il nous reste deux tâches à accomplir: ramasser des grappes de raisin et puis couper des arbres et en charger des bateaux. Ce qui fut fait. On dit que le bateau fut rempli de grappes (…). Le printemps venu, ils appareillèrent et prirent le vent»[20].

Inutile de dire qu'aucun palais français ne se laissera jamais torturer par ce tord-boyaux vinlandais. Certes, Cartier lors de son trajet entre Stadaconé (le futur Québec) et Hochelaga (le futur Montréal) est enchanté, lui aussi, par la présence prometteuse de ces vignes sauvages croûlant sous leurs grappes. «Nous trouvâmes à voir tant de vignes chargées de raisins, le long du fleuve, qu'il semble qu'elles aient été plantées de main d'homme plutôt qu'autrement; mais parce qu'elles ne sont ni cultivées ni taillées, les raisins ne sont ni aussi doux ni aussi gros que les nôtres»[21]. La comparaison de ces plants sauvages avec la vigne cultivée en France disqualifiera pour toujours les premiers. Ils seront juste assez bons pour les «Sauvages». Paradoxalement, les «Sauvages» (aux palais moins «sau-

18. *The Norse Discovery of America*, *op. cit.*, p. 9.

19. «Leif baptisait le pays d'après ses qualités naturelles et l'appelait Vinland», op. cit., p. 58.

20. *op. cit.*, pp. 57, 58.

21. *op. cit.*, p. 190.

vages» que les Français ne l'auraient cru) ne toucheront jamais aux crus autochtones sauvages! Joseph François Lafitau leur en fait presque grief; tout au moins, il s'étonne que les Sauvages ne soient pas tentés par la boisson dionysiaque. «La vigne vient partout en Amérique; mais les Sauvages ne la cultivent nulle part et ils ignorent le secret d'en faire le vin(...) En Canada le grain en est fort petit et fort acide dans sa plus grande maturité»[22].

Bien avant Lafitau, Marc Lescarbot, le premier historien de la Nouvelle-France, ne pouvant comprendre, lui non plus, que les Sauvages n'aient jamais goûté à la grappe dionysiaque, la leur donne à manger presque de force. «On les (Sauvages) voulut faire manger du raisin mais l'ayant en la bouche, ils le crachoient (...) tant ce peuple est ignorant de la meilleure chose que Dieu ait donné à l'homme après le pain»[23]. Le vin, boisson dionysiaque, certes! Mais, on le voit clairement, pour Lescarbot comme pour les misssionnaires qui apportent la culture et le culte chrétiens, le vin symbolise surtout la boisson eucharistique.

Donc les Vikings, convertis tout récemment au christianisme (l'Islande embrasse le christianisme en l'an mil), ne crachent ni les raisins ni le vin qu'ils en distillent. On peut se demander par quelle aberration les historiens ont pu nier le fait que les Vikings ont trouvé des vignes dans un pays à délimitation floue, appelé justement Vinland. On nie l'évidence pour prouver l'impossible. Évidemment, avec la découverte du site archéologique de l'Anse-aux-Meadows, la question de la fondation de la colonie a été soumise à une alternative tragique: *ou bien* l'Anse-aux-Meadows est le lieu où Leif Ericson, fils d'Éric Le Rouge, fonde la colonie vinlandaise; *ou bien* on reconnaît que Vinland (littéralement «le pays des vignes») est voué au culte de la vigne sauvage, alors l'Anse-aux-Meadows, vu sa nordicité, s'élimine d'elle-même comme site fondateur du Vinland.

Pour sortir de ce dilemme inacceptable et absurde, les historiens ont commencé par triturer le sens des mots jusqu'à les fausser complètement. Si *vínber*, le terme islandais de raisin, signifiait autre chose que raisin? Si Vinland dérivait non de *vín* (vin), mais de *vin* (il suffit d'omettre l'accent) signifiant «oasis, pays fertile»? Reste malgré tout la présence des raisins

22. Joseph-François Lafitau, *Moeurs des Sauvages américains comparées aux moeurs des premiers temps*, Maspero, 1983, tome I, p. 250.

23. Marc Lescarbot, *Histoire de la Nouvelle France suivie des Muses de la Nouvelle France, (1609)*, Paris, éd. Tross, 1866, tome II, pp. 536-537.

dans la description de Vinland des sagas islandaises. La question de la *vínber* fait même perdre le sens critique, pourtant si assuré d'habitude, à S.F. Morison. Car il gobe l'explication de son collègue botaniste de Harvard, M. L. Fernald, voulant que la *vínber* ne soit nulle autre que la «*wineberry*»: la groseille ou l'airelle (*cranberry, canneberge* au Québec). Leif Ericson, de la cour du roi Olaf, n'aurait pu faire la différence entre cette décoction et le jus de raisin? Quiconque a jamais goûté des airelles (canneberges) sur le continent américain doit savoir qu'elles sont absolument sèches et ne contiennent pas de *jus* comme des raisins, sans parler de leur morphologie, toute différente de la vigne...

Évidemment, les historiens qui suivent ce raisonnement tordu s'en tirent en ajoutant que Vinland a été appelé Vinland juste pour la «frime». «De même que le père Éric a mis le vert dans «Groenland» (*Greenland* en Islandais et en anglais, «terre verte») afin d'attirer les colons, Leif a mis le vin dans Vinland»[24].

Il s'agit évidemment d'un faux problème. Le chemin des sciences humaines (et des sciences) est hérissé de faux problèmes, de ces sphinx monstrueux. Or le «problème» de la *vínber* s'évanouit dès qu'on le situe dans son juste contexte, qui est celui de l'évolution climatique depuis l'an mil. Le livre admirable — certes un peu rébarbatif, de prime abord, avec ses courbes et statistiques — d'Emmanuel Le Roy Ladurie, *Histoire du climat depuis l'an mil*, tranche, une fois pour toutes, la question de la *vínber* et, partant, du *Vinland*. «Pour le Moyen Âge, nous possédons maintenant (...) des quasi-certitudes: oui, il y a bien eu un «petit optimum» *médiéval* (chaleurs comparables à celles des «bonnes» années 1900-1950, voire un peu plus tièdes encore). Ce petit optimum (...) s'étend de 800 à 1200 de notre ère environ. Il favorise à coup sûr la colonisation du Groenland et des Alpes»[25]. Optimum climatique qui est suivi, après le XIIIe siècle, par un «petit âge glaciaire» qui fait chuter sensiblement les moyennes climatiques. Toute la colonisation du Groenland et du Vinland se dessine dans ces courbes climatiques.

Ce qui a fourvoyé la plupart des historiens du Vinland, c'est d'avoir postulé le climat comme un invariant, d'avoir projeté *nos* conditions climatiques sur celles qui prévalaient au Groenland et au Vinland en l'an mil. Or le petit optimum qui coïncide précisément avec la colonisation du Vinland (Leif Ericson explore le Vinland en 1001) est justement le facteur

24. S.E. Morison, *The European Discovery...*, *op. cit.*, p. 52.
25. *Op. cit.*, tome II, p. 124.

déterminant qui *permet*, qui cause cette colonisation. Il suffit que les moyennes de température baissent d'un ou de deux degrés pour que les conditions de vie du Groenland, et conséquemment celles du Vinland, deviennent carrément insupportables. La survie du Vinland reste liée à la terre mère, le Groenland. Or nous savons que la dernière visite par un évêque norvégien de son diocèse groenlandais remonte à 1372. Depuis, le Groenland et, partant, le Vinland disparaissent de l'horizon européen. Le climat qui se refroidit inexorablement explique beaucoup de choses, mais pas tout. Car c'est sûrement la grande peste de 1319 qui a donné le coup de grâce à la colonie du Groenland, avant-poste du Vinland.

La «nouvelle histoire», sans l'avoir fait exprès, sauve l'existence même du Vinland en nous assurant que, grâce au «petit optimum» climatique dont bénéficiait alors l'hémisphère nord, des raisins *pouvaient* bien pousser sur le site fondateur de Leif à l'Anse-aux-Meadows. Le Vinland, échoué lamentablement sur les récifs de l'«ancienne histoire», appelle ainsi à la rescousse la «nouvelle histoire». Cette dernière, pour ce sauvetage, mérite enfin son nom: elle rend possible la première nouveauté de l'Amérique et du *Canada* avant la lettre, celle du Vinland.

Vinland-Canada: *les «vaines tentatives», comment passer de la découverte à la fondation*

Nouveauté qui, par une sorte de précession de l'histoire officielle de la découverte, joue pour un cercle d'invités, de «spécialistes», ce que les découvreurs historiques, Colomb et Cartier, exécuteront soi-disant pour la «première fois», en «eurovision» ou même en «mondovision». Ainsi les sagas islandaises ont connu *leur* Colomb et *leur* Amerigo Vespucci, l'un ayant découvert l'Amérique par hasard, l'autre de propos délibéré. Plutôt, le *même* Leif, selon les deux versions des sagas vinlandaises, est présenté à tour de rôle comme un Colomb et comme un Vespucci. Dans la *Graenlendinga Saga*, Leif redécouvre les nouvelles terres, suite à la prospection de Bjarne Herjolfsson, premier découvreur de l'Amérique. Leif entreprend une recherche méthodique de ces terres et comme Vespucci il connaît le vrai but de sa quête. «Les gens pensaient qu'il (Bjarne) manquait beaucoup de curiosité, puisqu'il ne pouvait rien raconter sur ces pays et on le critiquait pour cela... On parlait beaucoup de la découverte des *nouveaux pays*»[26]. Dans la *Saga d'Éric*, Leif, Colomb avant la lettre, trouve (*invenire*) l'Amérique sans l'avoir recherchée. «Leif connut beaucoup de difficultés en mer et il tomba finalement sur des terres dont l'existence n'avait jamais été soupçonnée»[27].

Mais, surtout, les Vikings de l'Amérique répètent (sens théâtral) un scénario, un spectacle que Jacques Cartier découvreur du *Canada*, sans le savoir, répète (sens itératif) après eux. Scénarios tellement semblables qu'ils courent, forcément, au même dénouement: à l'échec de la colonisation.

Certes, il ne faut pas non plus passer sous silence les différences entre les deux tentatives de colonisation. Cartier est en mission officielle, tandis que les Vikings ne font que suivre leur boussole personnelle. D'autre part, les Vikings réussissent malgré tout à s'implanter plusieurs siècles, tandis que Cartier a de la peine à rester deux hivers successifs. Le climat s'étant refroidi depuis le XIIIe siècle, Cartier et son équipage tombent donc en plein dans le «petit âge glaciaire»; ils ne sauraient résister à la morsure de ce froid «canadien». Ah, si Cartier avait pu lire les sagas islandaises, il aurait peut-être pu apprendre de cette première expérience *canadienne*! Mais il est vrai qu'on n'apprend rien de l'Histoire...

La place nous manque ici pour brosser le tableau comparatif complet de deux tentatives d'implantation dans un même pays: Vinland qui cinq cents ans après devient *Canada*. Que quelque traits généraux en tiennent lieu!

Évidemment, même si Cartier, à cinq cents ans de différence, voit essentiellement le même paysage, il le voit autrement, teinté par le code culturel français. Nous avons déjà rencontré un exemple de cette différence dans la façon dont les Vikings et les Français perçoivent le raisin.

Malgré toutes ces différences culturelles, on s'étonne que les Vikings et Cartier, finalement, jettent le *même* regard sur les autochtones. Le nom qu'ils leur donnent témoigne de cette convergence des deux visions. En effet, les Vikings qualifient les Amérindiens de *skraelings* «misérables», «pauvres diables». Même définition chez Cartier. «Ces gens, lisons-nous chez Cartier, se peuvent appeler sauvages, car ce sont les plus pauvres gens qui puissent être au monde (...) ils sont tout nus, sauf une petite

26. *Op. cit.*, p. 54; nous soulignons.
27. *Ibid.*

peau dont ils couvrent leur nature»[28]. Nous sommes en 1534 et c'est la première fois que le mot *sauvage*, destiné à une postérité mouvementée, est utilisé en français dans son acception moderne, spécifique: *salvatici*, être «misérables», qui, moins bien lotis que les bêtes, parce que nus, parcourent les forêts.

Ce qui est remarquable, c'est que les Vikings — qui n'arrivent pas sur cette nouvelle terre comme Colomb et Cartier, en tant que hérauts et missionnaires d'une civilisation consciente de sa propre valeur — adoptent d'emblée la même attitude méprisante de colonisateur qui regarde l'Autre de haut et le traite — racisme oblige! — en sous-homme, en animal[29]. Car on aurait pu croire que la proximité relative de ces deux civilisations — la société viking étant toujours dans l'âge de bronze, tandis que les Amérindiens sont bloqués dans le néolithique — aurait pu favoriser leur rencontre. Bien au contraire, on dirait qu'elle exacerbe les animosités, les haines, les rivalités.

Depuis René Girard, nous savons pourquoi. Si le désir mimétique rapproche ceux qui se distinguent par une émulation effrénée, une rivalité meurtrière sépare ensuite ceux qui sont les plus proches: la gémellité de Castor et de Pollux pousse les deux semblables à s'éliminer l'un l'autre. Narcisse, semblable à lui-même, sans le savoir s'élimine lui-même. Ce qui est vrai des personnages bibliques, mythiques ou romanesques l'est aussi des êtres réels, des politiciens, des fondateurs de villes, des colonisateurs. Ainsi la première rencontre entre Vikings et Skraelings se solde d'emblée par une série d'assassinats sauvages qui n'ont rien à voir avec le rituel ordonné du meurtre fondateur. «Thorvald et ses hommes divisaient leurs forces et capturaient tous les (Skraelings) sauf un qui réussit à s'échapper dans son bateau. Ils tuaient les huit autres...»[30].

Tandis que la première rencontre entre Jacques Cartier et les Sauvages se fait sans heurt, *grâce* au double tampon de deux révolutions — révolution du fer et de l'arme à feu, pour ne parler que des armes — qui s'interposent entre eux. Les premières peurs apaisées — l'écart culturel insufflait aux Amérindiens un respect quasi religieux —, la joie éclate. «Ils (Sauvages) montrèrent une grande et merveilleuse joie d'avoir lesdits objets... dansant et faisant plusieurs cérémonies, en jetant de l'eau de mer

---

28. *Op. cit.*, p. 145.

29. À propos de la fondation de Québec (1608) nous reviendrons sur la relation intime qui existe entre racisme et fondation des villes, empires et colonies.

30. *Op. cit.*, p. 60.

sur leurs têtes avec leurs mains»[31]. Cette liesse débridée des autochtones accueille généralement les découvreurs, observateurs non engagés sur le terrain. Nous sommes justement au premier voyage d'exploration de Cartier. Attendons les deux autres où s'affirme une volonté plus ferme d'implantation, de fondation, et nous verrons les rires de part et d'autre se changer en grincements de dents, en cris de haine et de guerre. Attendons surtout la fondation de Québec[32].

Les Vikings du Vinland par des meurtres, par des enlèvements d'enfants, par un troc inique qui désavantage les Scraelings, déclenchent une violence qui ne cesse de proliférer et qu'ils n'arrivent plus à endiguer. Tout comme Cartier qui se rend bientôt coupable des mêmes crimes: enlèvements d'enfants, de chefs, bris de parole, assassinats[33]. Thévet, certes pas le témoin le plus fiable, parle même de tortures et de massacres gra-

---

31. *Op. cit.*, pp. 140-141.

32. On nous objectera évidemment que la rencontre entre Cortez et les Aztèques du Mexique, qui s'est faite sensiblement selon les mêmes conditions de départ, a donné des résultats tout autres. Or, les conditions de départ lors de la rencontre des deux civilisations ne sont pas les mêmes dans le cas de Cartier et dans celui de Cortez. En effet, Cortez et ses trois cents fantassins ne se trouvent pas en face d'une société «sauvage», mais rencontrent une civilisation hautement développée, à l'architecture grandiose, avec des palais, des lieux de culte, des marchés, des parcs et même des zoos. Tout comme en Europe. Tout comme en Espagne. Mieux qu'en Europe, parce que plus beau, plus riche.

Donc, au premier contact, c'est l'éblouissement, la fascination devant le Même, rehaussé d'un supplément d'exotisme. Pour expliquer ce spectacle enchanteur, Cortez ne manque jamais de le comparer à ce qui lui est le plus proche: les plus belles villes espagnoles ou italiennes: Séville, Grenade, Venise... «La grandeur et la magnificence de cette ville (Mexico) me surprirent; elle est plus grande et plus forte que Grenade; elle contient autant et d'aussi beaux édifices et une population bien plus considérable que Grenade» (Hernan Cortez, *la Conquête du Mexique*, Maspero, 1979, Deuxième lettre, pp. 66-67.) Identité des architectures, des constitutions politiques, identité aussi des moeurs. «Les moeurs en général y ont un très grand rapport avec les moeurs d'Espagne» (*ibid.*, p. 104).

Or devant cette fascination du Même, il faut réagir vite et violemment, car autrement l'Autre risque de nous happer, de nous assimiler. Il faut affirmer l'Altérité de l'Autre pour affirmer notre identité propre. Faire ressortir ce qui différencie plutôt que ce qui assimile. Les zones de différences, heureusement, ne manquent pas; elles sautent aux yeux: cannibalisme, homosexualité, absence d'écriture alphabétique, absence d'un «vrai Dieu». *Donc* ces êtres merveilleux, adulés au premier contact, ce sont *tout de même* des barbares. «Comme on y remarque à peu près le *même* ordre et le *même* ensemble, on est frappé continuellement de la civilisation étonnante d'une *nation barbare*, séparée de toutes les nations policées et si éloignée de la connaissance du vrai Dieu» (*Ibid*, p. 104; nous soulignons). Contradiction insoutenable, il faut la réduire à son plus petit dénominateur, différencier au maximum Espagnols et «Indiens». Ce sont des bêtes, moins que des bêtes. «Ils (les Espagnols) les (les Indiens) ont traités je ne dis comme des bêtes (plût à Dieu qu'ils les eussent traités et considérés comme des bêtes) mais pire que des bêtes et moins que du fumier» (Bartholomé de Las Casas, *Très brève relation de la destruction des Indes*, Maspero, 1979, p. 52). Des déchets dont il faut se débarrasser au plus vite. C'est sous le signe du Même que l'Histoire connaît son premier génocide..., en attendant son deuxième... Nous allons revenir, à propos de la fondation de Québec, sur cette violence fondatrice qui caractérise *toute* fondation, même si elle se classe parmi les plus «tranquilles» comme celle de Québec.

33. *Ibid.*, p. 187.

tuits[34]. Une petite «légende noire», qui n'a jamais été vraiment éclairée dans ses fondements — puisqu'aussitôt blanchie, par les hagiographes pieux de Jacques Cartier — , existe même au *Canada*: les découvreurs, et surtout les pré-fondateurs, ont besoin de mains propres et de vestes blanches.

Ainsi, à peine débarqués, les Vikings sont obligés de se retrancher derrière des fortifications improvisées pour se protéger contre les assauts des Skraelings. Thorvald dit: «Nous allons monter un fort (...) et nous défendre le mieux que nous pouvons»[35]. Les jours des Vikings en Vinland, bien que plus nombreux que ceux de Cartier, sont comptés. Ils n'ont pas compris, pas plus que ce dernier, que la survie sur ce rude continent nord-américain passe nécessairement par une cohabitation, une symbiose avec les autochtones. «Karlsefni et ses hommes réalisèrent maintenant que bien que le pays fût excellent, ils ne pourraient jamais vivre là en sécurité ou sans peur à cause de la menace des autochtones. Alors ils s'apprêtèrent à quitter ces lieux et à rentrer chez eux»[36]. Les Vikings auraient dû chercher d'autant plus cette convivialité avec les autochtones qu'ils ne pouvaient compenser, comme Cartier, leur infériorité numérique par une force de frappe redoutable, l'arme à feu, dont l'effet psychologique dépasse le pouvoir de destruction réel.

Les Skraelings ne se laissent donc pas impressionner par les haches de guerre des Vikings, trop semblables à leurs propres armes. «Un des Skraelings ramassa une hache (viking) et l'examinant un moment la lança vers l'ennemi le plus proche qui tomba raide mort»[37]. Les Vikings, pas plus que Jacques Cartier, n'arrivent à contrôler, à dominer la «tourbe» (turba), le tourbillon sauvage. «Mais alors Karlsefni vit un grand nombre de bateaux venant du sud, se divisant comme un torrent»[38].

D'autre part, la femme joue un rôle considérable dans l'établissement de Vinland. Égale à l'homme selon le droit islandais, elle participe tout naturellement aux explorations vinlandaises. Comment ne pas penser à toutes ces amazones qui présideront, certes sous des auspices plus chrétiennes et plus charitables, à la fondation de Ville-Marie (Montréal)?

---

34. A. Thévet, *les Singularitez de la France antarctique, autrement nommée Amérique*, Paris, 1557, pp. 422-423.

35. *The Norse Discovery...*, pp. 60-61.

36. *Op. cit.*, p. 100.

37. *Ibid.*, p. 67.

38. *Ibid.*, p. 99.

Voyez cette redoutable Freydis, Penthésilée nordique, qui vainc là où les guerriers battent en retraite. En effet, devant la masse écrasante des Skraelings, les vaillants Vikings prennent la fuite. Alors Freydis sort de sa retraite et crie aux guerriers vikings «pourquoi fuyez-vous devant des misérables natures, vous, hommes courageux? Vous devriez les abattre comme du bétail. Si j'avais des armes, je me battrais mieux que vous»[39]. Et Freydis s'empare d'une épée. «Lorsque les Skraelings foncèrent sur elle, elle sortit un sein de sa robe et le coupa avec son épée. Les Skraelings furent tellement effrayés par ce spectacle qu'ils se réfugiaient dans leurs bateaux et prenaient la fuite»[40].

Freydis, la première amazone à avoir foulé la terre d'Amérique. Si les amazones virginales de Ville-Marie se tournent charitablement vers l'Autre, en fondant des hôpitaux, des orphelinats, la redoutable Freydis fait refluer sur les fondements mêmes de sa colonie une agressivité, une violence qu'elle n'a pas su diriger plus longtemps contre l'Autre, contre les Skraelings. Freydis va faire trembler jusqu'en leurs bases les fondements déjà fragiles de cette société vinlandaise. En effet, elle ourdit le complot de tuer les deux frères Helgi et Finnbogi avec qui elle devait partager les profits de l'expédition vinlandaise. Toutes les sociétés ne se fondent-elles pas sur l'assassinat d'un Même?

Romulus tue son frère Remus, Caïn tue Abel. Ce sont là des meurtres fondateurs. Or, dans notre cas, il s'agit de tout autre chose: ce ne sont pas les deux frères qui, dans une émulation fratricide, donnent la mort à l'Autre pour ne conserver (aufheben) qu'un seul Même dans toute sa pureté. Ici, c'est l'Autre, la femme qui, d'un seul coup, extirpe non seulement les deux frères, mais *tous* les hommes. «Freidys fit tuer l'un après l'autre (les deux frères) alors qu'ils sortaient de la maison. *Tous les hommes* ont été tués de cette manière»[41]. Si la violence de Freydis s'était arrêtée sur ces meurtres d'hommes, elle aurait pu fonder à la rigueur une société matriarcale d'amazones. Mais sa violence aveugle n'a eu de cesse qu'après avoir aussi tué *toutes* les femmes. «Et bientôt (après le meurtre des hommes), il ne restait que les femmes; mais personne ne voulut les tuer. Freydis dit: donnez-moi une hache. Ce qui fut fait et c'est elle qui tua les femmes, toutes les cinq»[42].

39. *Ibid.*, p. 100.

40. *Id.*

41. *Ibid.*, p. 69; nous soulignons.

42. *Ibid.*, p. 69.

C'est cette tuerie sauvage de Freydis qui sonne le glas de la colonisation vinlandaise. Violence sauvage, proliférante, parce qu'aucun meurtre fondateur, unique, n'a su l'arrêter. C'est là essentiellement la fonction du meurtre fondateur: unir sur une victime sacrificielle, choisie à l'intérieur du groupe, une société qui autrement s'entre-déchirerait, s'entre-tuerait. Comme enivrée, enragée par la boisson dionysiaque, qui a donné son nom au pays, Freydis la Bacchante mine définitivement les espoirs d'une habitation permanente en Vinland.

Et les Européens oublieront pendant plus d'un demi-millénaire jusqu'au souvenir du Vinland et des premiers habitants blancs de l'Amérique. Colomb a-t-il eu connaissance des Vikings? Une note de la main de Colomb, citée par son fils Fernando dans la biographie de son père, le laisse penser. Elle dit que Colomb serait allé à Thulé (Islande) en 1477. La filiation qu'elle ouvre est tentante. Elle fermerait la boucle entre la découverte du Vinland et celle de l'Amérique, comme les légendes indiennes ont fermé la boucle entre la découverte du Vinland et celle du *Canada*.

Cette découverte du *Canada*, malgré tous les précurseurs qu'il a eus, malgré son statut personnel mal assuré, c'est Cartier qui l'entreprend officiellement, au nom des Canadiens français.

Chapitre III

Jacques Cartier
découvreur du *Canada*... malgré tout

*O mon pays, ce fut dans cette aube de gloire
que s'ouvrit le premier feuillet de ton histoire!*

Louis Fréchette
La Légende d'un peuple

Jacques Cartier: point zéro du Canada français

Contre vents et marées de l'histoire, Jacques Cartier restera le découvreur du *Canada* pour les Français installés sur les bords du Saint-Laurent. Des Vikings, des morutiers malouins, des Corte Real, de John Cabot et même de Verrazano, les Français du Canada n'ont cure. La fondation de leur pays exige un début absolu, une virginité de son passé antérieur. Or, par une sorte de clivage originel — qui s'accentuera au fil de l'histoire du Canada français —, découverte originelle et fondation, exploration et colonisation du pays des *Canadiens* ne coïncident pas. Un hiatus de plus de soixante-dix ans sépare les deux moments décisifs de la geste canadienne française: sa découverte et sa fondation.

L'expérience de Christophe Colomb nous montre assez qu'il ne s'agit pas là d'une fatalité de l'histoire. Le Génois est à la fois le découvreur *et* le fondateur des Indes Occidentales. Dès son deuxième voyage (1493-1496), la colonisation de l'Inde Occidentale va bon train. Jacques Cartier, après l'échec de sa tentative de colonisation, devra se contenter du seul titre de *découvreur*. Titre hélas encore âprement contesté par les derniers venus en Canada: les Anglais.

Jacques Cartier, pomme de discorde entre historiens canadiens français et canadiens anglais. On dirait que la guerre de Sept Ans se perpétue entre ces deux nations par Jacques Cartier interposé. Pourquoi pensez-vous que H.P. Biggar, avec une minutie apparemment toute objective, a fait sortir des limbes de l'histoire *les Précurseurs de Jacques Cartier*[1]? Et pourquoi W.F. Ganong se passionne-t-il pour ces anciens portulans et cartes dressés *avant* 1534, avant l'arrivée de Jacques Cartier[2]? Il s'agit bien évidemment de couper l'herbe sous le pied des Français canadiens pour donner au Canada anglais un fondement inébranlable, puisqu'antérieur à celui du Canada français. L'antériorité de la découverte, après coup, justifie la solidité du fondement.

Nous le savons déjà, John Cabot est ce Christophe Colomb tout désigné pour devenir le découvreur du Canada, Génois lui-aussi. Car c'est sur le territoire du Canada qu'il prend pied en 1497. Les Canadiens anglais, on dirait, le savent encore mieux que les Américains. Même si l'endroit de la découverte cabotienne (faut-il dire cabotine?) reste incertain, ces historiens, sans sourciller, le désignent du doigt: c'est l'extrême pointe du Cap Breton. Aucun doute non plus pour les Canadiens anglais que le «Cap Breton» a été baptisé ainsi, non d'après les Bretons de la «petite Bretagne», mais d'après ceux de la Grande-Bretagne, les Britanniques. Il n'y a pas de quoi s'étonner, puisque ces derniers poussent leur zèle fondateur du Canada jusqu'à préciser l'heure de la découverte cabotienne (nous sommes en 1497, ne l'oublions pas!). «Ce fut *environ* cinq heures du matin un samedi du 24 juin»[3]. On saura gré à Biggar de cette petite marge d'incertitude («environ») qui rend l'heure tout à fait vraisemblable!

Comme par hasard, Giovanni Caboto arrive en Canada le jour même de la future fête des Canadiens français: la Saint-Jean-Baptiste. Même si Giovanni («Jean» en français) Caboto est aussi voué à Jean le Baptiseur,

1. H.P. Biggar, *The Precursors...*, *op.cit.*

2. W.F. Ganong, *Crucial Maps in the Early Cartography and Place Nomenclature of the Atlantic Coast of Canada*, rééd. University of Toronto Press, 1964.

3. Biggar, *op. cit.*, p. X.

la machination de l'historien canadien-anglais n'est que trop évidente: confisquer d'avance l'espace et le temps mythique des deux héros fondateurs du Canada français: Jacques Cartier et saint Jean-Baptiste.

L'historien canadien-français, on l'aura compris, au contraire de l'Anglais, fait tout pour minimiser, voire effacer, les découvertes pré-cartiériennes. Même si l'historien qui se respecte ne va pas aussi vite en besogne que J.-D. Beaudoin qui déclare: «Sébastien Cabot — Jean Cabot = zéro»[4], l'historiographie canadienne-française arrive généralement au même résultat. Aussi Lionel Groulx, un des hagiographes de Jacques Cartier, s'interroge-t-il sur «cette extraordinaire réputation (des Cabot) sans qu'on puisse voir pleinement sur quoi la *fonder*»[5]. Bien évidemment, il s'agit de réduire à néant ces prétentions des Canadiens anglais pré-cartiériens. Si Groulx n'accuse pas les Cabot (ils sont *deux*, Jean et Sébastien, comme les Corte Real ont été deux), surtout Sébastien, d'avoir été sciemment un «menteur» ou un «mystificateur»[6], il lui reproche cette «singulière tournure d'esprit qu'il sait surtout ce qu'il ne sait point et ne sait point du tout ce qu'il devrait savoir»[7]. Bref, les Cabot, c'est du vent...zéro.

Cartier au futur antérieur

Jacques Cartier: point zéro de l'histoire canadienne-française. Mais, paradoxalement, il n'entre pas sur un terrain vierge. Il foule un terrain déjà travaillé par des centaines de charrues et de plumes. Français, à peine débarqué sur le sol *canadien*, il est embarqué dans la geste canadienne-française. En effet, par une lecture à rebours de l'histoire du Canada français, Jacques Cartier, après coup, devient la figure héraldique du colon-agriculteur et du missionnaire, projection comme nous le verrons de l'*imago* canadienne-française du XIXe siècle. Il s'agit encore, d'emblée, de nier le clivage qui apparaît en *Canada* entre la découverte et la colonisation. Cartier, à l'instar de Christophe Colomb, est le premier découvreur *et* le premier colonisateur du *Canada*, malgré l'échec évident

---

4. *Le Canada français*, 1888, tome I, p. 66.

5. Lionel Groulx, *la Découverte du Canada. Jacques Cartier*, Montréal, Granger Frères, 1934, p. 88; nous soulignons.

6. *Ibid.*, p. 94.

7. *Id.*

de son implantation. «La rencontre rare, en Cartier, c'est de trouver dans le même homme le découvreur et le colonisateur. Ce qui l'a frappé plus que tout le reste, en notre pays, c'en est sa prédestination agricole»[8]. Même si aucune charrue n'a égratigné le sol *canadien* avant 1620, Lionel Groulx voit Cartier maniant la hache et le soc, défrichant et labourant le sol *canadien*. «Quelle consigne, quelle valeur de symbole que cet outil de paysan (la charrue) au travail!»[9]. Certes, lors de son troisième voyage, Cartier montre quelques velléités d'agriculture mais qui disparaîssent au moment même où il trouve ce qu'il vient chercher en *Canada*: l'or et les diamants de Cathay. Le marin explorateur-prospecteur avait mieux à faire que de trimbaler des charrues... et à «voiturer» des missionnaires.

Bien qu'il n'ait jamais eu de prêtres à bord de ses bateaux, sa vocation missionnaire n'a jamais fait l'ombre d'un doute pour les poètes et historiens du Canada français du XIXe siècle. Jacques Cartier *est* lui-même ce missionnaire. Ainsi Fréchette chante en Cartier l'«apôtre» prédestiné à semer la bonne parole dans les terres sauvages kanadiennes.

> C'est Cartier, c'est le chef de la France indiqué;
> C'est l'apôtre nouveau par le destin marqué
> Pour aller, en dépit de l'Océan qui gronde,
> Porter le verbe saint à l'autre bout du monde!
> Un éclair brille au front de ce prédestiné[10].

Et Adolphe Poisson, «barde des Bois-Francs», n'y va pas par quatre chemins pour faire du Malouin un saint Jean-Baptiste moderne avant la lettre, établissant une filiation entre les deux mythes fondateurs du Canada français qui naîtront, nous verrons dans quelles conditions, tous les deux au XIXe siècle: Jacques Cartier et saint Jean-Baptiste.

> Il sera de la foi le précurseur superbé,
> Le moderne Saint-Jean, et l'écho de ce verbe,
> Sur ces bords étonnés à jamais planera[11].

8. Lionel Goulx, *Notre maître le passé*, Granger Frères, 1936, rééd. Stanké 10/10, 1977, tome I, p. 16.

9. *Ibid.*, p. 16.

10. Louis Fréchette, *la Légende d'un peuple*, Québec, 1890.

11. Cité d'après André Berthiaume, *la Découverte ambiguë: essai sur les récits de voyage de Jacques Cartier et leur fortune littéraire*, Montréal, P. Tisseyre, 1976, p. 166.

Dans cette perspective eschatologique de la découverte *canadienne*, on comprendra que les historiens hagiographes retiendront du *Brief Récit* précisément les deux scènes qui montrent Jacques Cartier dans la pose de l'évangélisateur. Celle de l'érection de la croix à Gaspé le 24 juillet 1534, moment décisif de la prise de possession du territoire au nom du Roi de France et du crucifié devant les «Sauvages» ébahis. «Et nous plantâmes cette croix sur ladite pointe devant eux (les Sauvages) qui regardaient la faire et planter. Et après qu'elle fut élevée en l'air, nous nous mîmes tous à genoux les mains jointes, en adorant celle-ci devant eux et leur fîmes signe et leur montrant le ciel, que par elle était notre rédemption, ce dont ils montrèrent beaucoup d'étonnement, en tournant autour de cette croix et en la regardant»[12].

La simple vision de la croix convertira les «Sauvages» au christianisme. Ne manifestent-ils pas déjà les premiers signes d'étonnement, d'adoration? Décidément, les «Sauvages» sont «faciles à convertir»[13]. Les premiers missionnaires, les Biard, les Brébeuf, les Lejeune déchanteront vite. L'évangélisation du Canada «sauvage» s'avère être pendant longtemps une «mission impossible».

Deuxième scène qui retient l'attention des hagiographes de Jacques Cartier, c'est le moment où le capitaine, d'habitude terre-à-terre, se mue en «roi thaumaturge» céleste qui guérit les «scrofuleux», les aveugles et les borgnes. «Alors le capitaine commença à lui (le «roi et seigneur» d'Hochelaga) frotter les bras et les jambes, avec les mains (...) et tout incontinent, furent amenés audit capitaine plusieurs malades comme aveugles, borgnes, boiteux, impotents (...) les asseyant et couchant près dudit capitaine pour qu'il les touche tellement qu'il semblait que Dieu fut descendu là pour les guérir»[14]. Suit la lecture du début de l'Évangile de saint Jean «Au commencement était le verbe...». Le verbe de Dieu, sans aucun truchement missionnaire, opérera la conversion des «Sauvages». Ces derniers pendant les cérémonies ne montrent-ils pas une «joie extrême»[15]? La récolte aux vignobles du seigneur sera prometteuse...

Bien évidemment, le chanoine Groulx ne manque pas de commenter en dithyrambes et superlatifs cette scène qui touche son coeur de prêtre. «Je cherche, en toutes les histoires coloniales, une page qui dépasse

---

12. Jacques Cartier, *op. cit.*, pp. 147-148.

13. *Ibid.*, p. 142.

14. *Ibid.*, pp. 201-202.

15. *Ibid.*, p. 203.

celle-ci. Au commencement était le verbe! Ce pourrait être l'épigraphe de notre histoire... Est-ce trop affirmer que de faire de Cartier le premier missionnaire de la Nouvelle-France?»[16].

En effet, c'est trop affirmer! Car le zèle missionnaire que prêtent à Jacques Cartier ses hagiographes canadiens-français laisse beaucoup à désirer. Dans un sens, on lui saura gré de ne pas avoir eu recours au brutal *Requerimiento* des Espagnols[17]. Le contraire d'un zélote, Jacques Cartier se distingue plutôt par son laxisme missionnaire. Les faits parlent un tout autre langage que les mises en scène et les déclarations officielles qui s'adressent à la galerie. Les deux «Sauvages» embarqués, le 23 juillet 1534, treize mois après retournent en Kanada sans avoir reçu le baptême, bien qu'ils l'aient réclamé à plusieurs reprises[18]. Les trois «Sauvages» enlevés et emmenés de force en France (les fins évidemment justifient les moyens!) n'ont été baptisés qu'en 1539[19].

Ce manque de prosélytisme de la part de Cartier contraste évidemment avec la proclamation grandiloquente de l'*Envoi* au deuxième voyage qui fixe comme but de la colonisation *canadienne* l'«augmentation future de notre très sainte foi»[20]. Il n'en fallut pas plus pour que certains critiques (pas seulement anglo-saxons) considèrent l'*Envoi* comme un «morceau plaqué», au «style ampoulé»[21], encore moins du cru du capitaine malouin que le *Brief Récit* lui-même, empreint d'un pragmatisme prosaïque.

---

16. Lionel Groulx, *Notre maître le passé*, op. cit., p. 18.

17. Lettre en espagnol d'un texte qui revendique la souveraineté sur les terres et les peuples nouvellement conquis grâce au don que le pape en a fait à l'Empereur d'Espagne. Bartolomé de Las Casas a bien énoncé l'alternative cruelle du *Requerimiento*: «Préparez-vous à obéir à un roi étranger que vous n'avez jamais vu ni connu. Sinon, sachez que nous allons vous mettre en pièces». *Très brève relation de la destruction des Indes*, op. cit., p. 1.

18. H.P. Biggar, *A Collection of Documents Relating to Jacques Cartier and the Sieur de Roberval*, op. cit., p. 157; Ch.-A. Julien, *les Voyages de la découverte...*, op. cit., p. 137.

19. «Ce jour Nostre Dame XXVme de mars l'an mil centz trante ouict (1539 selon notre calendrier) furent baptizez troys saulvaiges hommes des partiees de Canada, prins audict pays par honnest Jacques Cartier...», Biggar, *A collection...*, op. cit., p. 82.

20. Jacques Cartier, op. cit., p. 161.

21. Ch.-A. Julien, op. cit., p. 137.

Quête du passage vers l'Orient mythique: Lachine

Loin donc d'avoir présidé à la «découverte» du *Canada*, la mission spirituelle est un pis-aller qui doit consoler de l'échec de la mission «matérielle» originelle: celle de trouver le *passage* vers l'Orient, vers les Cathay et Cipango mythiques. Eldorado oriental, aux maisons et palais «couverts d'or fin»[22].

Le *Canada*, comme déjà l'Amérique pour Christophe Colomb, est un obstacle continental sur lequel échoue lamentablement le rêve marco polien de l'île dorée. Cartier, comme Colomb, avant lui, s'accroche obstinément à l'insularité des «Terres neuves» à découvrir. «Succinte narration, de la navigation faicte es *ysles* de Canada, Hochelaga et Saguenay et autres...» est le sous-titre même du *Brief Récit*. Insularité est quasi synonyme d'or. Ainsi, les lettres patentes du roi et l'octroi d'argent pour le premier voyage, portent tout naturellement à déduire de l'insularité la présence de l'or, comme si l'une appelait nécessairement l'autre. Jacques Cartier doit «faire le voyage de ce royaume es Terres Neufves pour descouvrir certaines ysles et autre riches choses»[23]. L'île de Cipango décrite par Marco Polo est l'emblème de toutes les îles aurifères qui foisonnent dans l'imagination de l'homme renaissant. «Et vous dis donc qu'ils (les habitants de Cipago) ont tant d'or que c'est chose merveilleuse»[24].

Jacques Cartier, au cours de son deuxième voyage, cherche donc inlassablement le *passage* vers l'Orient. Le pays démuni qu'il trouve, le Kanada, habité non d'une race de seigneurs résidant dans des châteaux, mais de sauvages qui «couchent sur des écorces de bois étendues sur la terre»[25], ne saurait être qu'un lieu de transit qui doit le mener vers l'Orient rêvé. Toute embouchure, tout fleuve, toute baie deviendra une promesse qui débouchera peut-être sur le pays fantasmagorique. «Le cap de ladite terre du sud fut nommé *Cap d'Espérance* (Pointe Miscou) à cause de l'espoir que nous avions d'y trouver un passage»[26].

L'espoir luit comme un brin de paille...

---

22. Marco Polo, *le Devisement du monde*, Paris, Maspero, 1980, tome II, p. 397.

23. H.P. Biggar, *A Collection...*, *op. cit.*, tome II, p. 397.

24. Marco Polo, *op. cit.*, tome II, p. 397.

25. Jacques Cartier, *op. cit.*, p. 199.

26. *Ibid.*, p. 138.

Quel espoir déçu à chaque fois que la baie reste close, lorsqu'elle ne débouche point! Non, ce n'est pas encore Cipango, Cathay, peut-être la prochaine... «Et le lendemain au matin (...) heure à laquelle nous trouvâmes le fond de ladite baie, dont nous fûmes dolents et marris... Et voyant qu'il n'y avait aucun passage, nous commençâmes à nous en retourner»[27]. «Dolents» et «marris», y a-t-il termes plus forts pour exprimer la douleur corporelle et morale? Finalement, la Chine mythique de Cartier échoue dans la réalité des rapides le Lachine, tout près de Montréal.

Non, Jacques Cartier n'a pas *voulu* découvrir le Canada, pas plus que Christophe Colomb n'a voulu découvrir l'Amérique. L'Amérique, le *Canada* se sont imposés en deçà de leur quête. Jacques Cartier rêve le *Canada* en îles, tout en trouées, en passages, en embouchures, débouchant sur un Ailleurs. Moins lucide que son prédécesseur Jean Verrazano — et surtout moins porté, quoiqu'il en dise dans l'*Envoi* du second voyage, à écouter les leçons de l'*expérience* —, Jacques Cartier résiste à la continentalité du *Canada*, de l'Amérique.

Le grand mérite de Verrazano, cet Italien au service du Roi de France, c'est d'avoir, un des premiers, reconnu, dix ans avant les «découvertes» de Cartier, la *continentalité* de cette terre nord-américaine. Terre qui ne fait pas seulement écran à d'autres continents, terre qui ne renvoie pas ailleurs, continent qui littéralement «se tient ensemble», qui a sa propre valeur. En 1524, une fois pour toutes, Verrazano est revenu de Cathay en Amérique, tandis que Cartier, en 1535, vogue encore vers l'Orient.

---

27. *Ibid.*, p. 141.

Chapitre IV

Le *Canada*: du paradis subtropical à l'enfer polaire

Les nouveaux horizons et les horizons du nouveau

Justement, Jacques Cartier n'a pas su accomplir pour la France ce que Christophe Colomb, inconsciemment, a fait pour le monde ibérique: saisir et *réorienter*, en la détournant d'Orient en Occident, l'imagination de ses compatriotes. Sa célèbre *Epistola* de 1493 — écrite avant le débarquement, «scoop» publicitaire génial — annonce à un large public lettré la richesse des pays découverts. «Fleuves nombreux... dont la plupart charrient de l'or... leurs Altesses peuvent voir que je leur donnerai de l'or...»[1]. Il ne s'agit donc pas seulement de promesses vagues faites sur un avenir incertain. Tout le monde, lors des entrées «royales» de Colomb à Barcelone et à Séville, peut voir, toucher du doigt cet or, ces «Indiens», ces perroquets. Les imaginations s'enfièvrent. Fièvre communiquée par les nombreuses rééditions (une vingtaine) qu'a connue cette première lettre ouverte publique, diffusée par la nouvelle presse d'imprimerie. Si les découvertes de la Renaissance sont plus connues que celles des Vikings, c'est qu'elles ont profité d'une publicité rendue possible par l'invention de Gutenberg.

---

1. Christophe Colomb, *op. cit.*, tome II, pp. 47 et 53.

Une fois l'imagination focalisée sur ces terres prometteuses, il suffit simplement de montrer que ces pays se situent ailleurs, non en Orient mais à l'Ouest. C'est ce qu'a fait, nous l'avons vu, Amerigo Vespucci. Le retentissement du *Mundus Novus*, publié d'abord en 1504, dépasse de loin celui de l'*Epistola* de Colomb. En témoignent les nombreuses rééditions et les traductions qui se chiffrent à 50 pour la seule première moitié du XVIe siècle. Christophe Colomb et Amerigo Vespucci ont prouvé au monde ibérique que les Indes Occidentales valent bien les Indes Orientales[2].

Or, si la France s'ouvre sur les «nouveaux horizons»[3], comme l'a admirablement montré Geoffroy Atkinson, elle reste obstinément fermée aux horizons *du* Nouveau. Pourtant la lettre d'Amerigo Vespucci, «le Nouveau Monde», est connue en France, puisque de 1515 à 1517 elle connaît six éditions. Bien plus, la célèbre mappemonde de Waldseemüller, qui met l'Amérique sur les cartes du monde, n'est-elle pas fabriquée à Saint-Dié en territoire français? En effet, le cartographe allemand est engagé par René II, duc de Bar et de Lorraine. C'est ce dernier d'ailleurs, passionné des découvertes, qui fait connaître à Waldseemüller la célèbre lettre de Vespucci à Pier Soderini[4]. Mais Saint-Dié, en marge du royaume de France, trait d'union entre la France et l'Empire germanique, suivant de près les publications des grandes imprimeries de Strasbourg[5], est loin de refléter l'état des mentalités prévalant dans l'«Hexagone».

Ouverte pourtant par ses côtes et par ses ports sur les mers, la France reste généralement repliée sur le continent, fermée sur elle-même. C'est qu'elle n'a jamais connu, comme le monde ibérique, italien et germanique, l'électrochoc, la «fièvre du nouveau» qui s'est répandue par contagion à la vitesse d'une épidémie. Plus que d'autres nations, la France reste prisonnière de l'Ancien. Aucun Ramusio, aucun Hakluyt n'a jamais recueilli en France les récits de voyages de ses marins, encore moins ceux des autres nations. Sans Ramusio, même le premier récit de voyage de

---

2. Pour l'interaction entre le livre imprimé et les découvertes, Jean Denizet, «le Livre imprimé en France aux XVe et XVIe siècles», dans *Actes du 5e Colloque International de l'Histoire maritime*, *op. cit.*, pp. 31 à 37.

3. Geoffroy Atkinson, *les Nouveaux Horizons de la Renaissance*, Paris, Droz, 1935.

4. Jacques de Mahieu, *l'Imposture de Christophe Colomb*, Paris, Copernic, 1979.

5. Justement, en 1507, la lettre de Vespucci est imprimée et mise en vente à Strasbourg.

Cartier et la relation de Verrazano seraient tombés dans les «oubliettes» de l'histoire.

D'autre part, le répertoire bibliographique de Geoffroy Atkinson prouve bien cette résistance au changement en France où l'Ancien hésite à faire place au Nouveau[6]. Parmi les 524 livres publiés entre 1481 et 1610, consacrés à la géographie et aux découvertes, seulement 125 traitent du «monde nouveau»; la majorité, donc quatre fois plus, parlent de sujets se situant dans l'Ancien Monde, dans la zone méditéranéenne surtout: Égypte, Turquie («le Grand Turc» passionne), Rhodes, Jérusalem.

Ainsi, 1545 aurait pu marquer une date importante dans la littérature géographique française: le premier livre français écrit par un Français traitant de la découverte du Nouveau Monde, du *Canada* plus précisément, voit le jour cette année-là. Il s'agit de la publication du *Brief récit et succinte narration de la navigation faictes es ysles Canada, Hochelaga et Saguenay et autres* (...) de Jacques Cartier. Jusque là, la France, à la remorque du monde ibérique, s'est contentée de traduire des oeuvres originales espagnoles et portugaises. Or, l'année 1545 n'a pas pu devenir pour la France ce qu'ont été ailleurs l'année 1493 (publication de l'*Epistola*) et l'année 1504 (publication du *Mundus Novus* de Vespucci), pivots qui ont révolutionné l'image du monde, en «orientant» les regards français vers les horizons du nouveau, de l'Occident.

La publication du livre de Cartier passe totalement inaperçue. Loin donc d'avoir le sort du «best-seller» de Vespucci, il ne connaît qu'une seule réédition... en 1598. Forcément, le second voyage fait le bilan d'un échec. Pas d'or, pas d'épices, pas d'entrée royale spectaculaire à Paris où Cartier aurait déployé les richesses du Nouveau Monde. Le voyage se termine en queue de poisson: les morues puantes de Terre-Neuve, on en connaît l'odeur depuis belle lurette. Le Ca-*nada*: *nada*, rien. Le jeu de mots qui, nous le verrons, intriguera bien des voyageurs, trouve sa justification dans ce voyage de Cartier.

La France, et partant la Nouvelle-France, parce qu'elles n'ont jamais connu de succès éclatants d'implantation et d'exploration coloniales, ne subiront jamais cette «mutation dimensionnelle» dont parle P. Chaunu justement à propos du deuxième voyage de Christophe Colomb[7]: des trois navires avec ses 87 hommes en 1492, on passe à dix-sept bateaux avec

6. G. Atkinson, *la Littérature géographique française de la Renaissance*, Répertoire bibliographique, Paris, 1927.

7. P. Chaunu, *l'Expansion européenne du XIIIe au XVIe siècles, op. cit.*, p. 210.

1 500 hommes, tandis que la France en reste aux trois navires du deuxième voyage cartiérien. En Espagne, les volontaires se bousculent aux portillons, alors qu'en France, pour son troisième voyage, Cartier doit recruter ses colons parmi les prisonniers tellement le *Canada*, le Nouveau Monde, y rencontrent de résistances. L'immigration française en Nouvelle-France, en l'espace de quarante ans, n'aura même pas atteint les 1 500 hommes que Christophe Colomb réunit en une seule année[8].

Un pays incertain: où situer le Canada?

Puisque le *Brief Récit* tombe à plat — écrit dans un style «plat» — et qu'aucune autre relation de voyage électrisante n'éveille la curiosité des Français pour le *Canada*, ce dernier, jusqu'au milieu du XVIe siècle, sera défini par l'Espagne et le Portugal plutôt comme une «carte du tendre» fantasmique que d'après ses propres données géographiques. En effet, le *Canada* sort difficilement des limbes de cette géographie variable qui fait de lui une annexe des Indes Occidentales parce que les Français eux-mêmes (les rares au courant!) projettent sur le *Canada* leur désir inassouvi des Indes Occidentales. François Ier, par mimétisme, épouse la geste ibérique.

On comprend alors mieux pourquoi la découverte du *Canada* se fait sous l'oeil vigilant des ambassadeurs espagnols et portugais dont les espions signalent tout mouvement de bateaux, tout particulièrement ceux destinés au Nouveau Monde. Ainsi, vu d'Espagne et du Portugal (ce sont ces deux pays qui imposent alors leur vision du monde), le *Canada* tantôt se situe près du Pérou, et donc près des mines d'or mythiques[9], tantôt est pris même pour le Brésil. Car dans l'esprit de l'ambassadeur espagnol en France, il ne fait pas de doute que les bateaux de ce capitaine Cartier «qui

8. L'immigration de France en *Canada* de 1608 à 1660 se chiffre à 1 260 personnes.

9. «D'aucuns disaient que du port de Canada, on pouvait atteindre le Pérou», Biggar, *Documents...*, *op. cit.*, p. 463.

appareillent pour leur troisième voyage ne sauraient avoir d'autre destination que les Indes Occidentales»[10].

On le voit bien, le *Canada* n'a pas encore trouvé sa place géographique réelle. C'est un pays incertain: il ressemble à ces îles (c'est encore une île) fantômes, telles cette «Île de Brésil» ou l'Île de Saint-Brendan qui ne cessent de changer de place suivant les fantasmes des cartographes.

Le *Canada* justement est un fantasme. Fantasme du roi François Ier. Pays grâce auquel il cherche à déjouer les traités — notamment celui de Tordesillas — qui, une fois pour toutes, ont partagé le Nouveau Monde entre l'Espagne et le Portugal. Le *Canada* est le «cheval de Troie» sous la couverture duquel François Ier espère pénétrer dans le Nouveau Monde surveillé par les chiens de garde ibériques. Pays évidemment chaud, subtropical, le *Canada* fait partie («une certaine partie» — donc pays incertain) des Indes Occidentales, mais, n'étant pas *habité* par les Espagnols, il peut tomber sous la coupe française. Car, ne l'oublions pas, c'est à propos du *Canada* que François Ier formule son célèbre mot à propos du «Testament d'Adam». Nous le connaissons grâce à une lettre du cardinal de Tolède à l'Empereur d'Espagne. «Il (François Ier) envoie ces bateaux (ceux de Cartier) non pas pour faire la guerre ni pour contrevenir à la paix et à l'amitié qui le lie à Votre Majesté mais que le soleil le chauffe (tanbien le calentava) aussi bien que les autres et qu'il désirerait fort voir le testament d'Adam pour voir comment il a partagé le monde, d'où ressortait clairement sa détermination et sa volonté...»[11]. Avec le *Canada*, commence à zéro, après Adam, le partage du monde entre la France et les autres nations. Grâce à ces subtilités et à ces arguties *canadiennes*, François Ier, sans coup férir, s'empare d'une portion des Indes Occidentales, prend sa place au soleil. Il suffit simplement de prouver maintenant que le soleil chauffe le *Canada* comme il chauffe le Brésil et tous les

10. «Les bateaux qui appareillent en France actuellement (1540) ne ressemblent pas à ces bateaux de corsaires (français) qui guettent les navires de Votre Majesté (Charles Quint) venant des Indes(...) mais il s'agit de huit bâtiments sous l'ordre d'un capitaine (Cartier); et ils (l'équipage) disaient que leur but était de découvrir une certaine partie (en çierta parte) des Indes de Votre Majesté et de s'y implanter...»
Plus loin, l'ambassadeur de l'Empereur au Portugal «précise», «j'écris à Votre Excellence que cette flotte (armada) part pour le Brésil».; Biggar, *Documents...*, *op. cit.*, p. 113.

11. Lettre du 27 janvier 1541, *Documents...*, *op. cit.*, p. 190. Nous avons adopté dans l'ensemble la traduction de Ch.-A. Julien (*op. cit.*, pp. 145-146) qui a corrigé, de façon décisive, celle devenue «historique» de La Roncière, *Histoire de la Marine française*, III, Paris, Plon, 1923, p. 300. Nous avons, par contre, traduit littéralement «le calentava» par «chauffer» et non «luire», car, nous le verrons, ce sont les qualités calorifères (pays chaud) plus que la lumière du Soleil qui importent à François Ier.

autres pays des Indes Occidentales. Jacques Cartier, de son deuxième voyage, doit ramener cette preuve.

La dérive des continents: comment «chauffer» le Canada?

C'est dans cette perspective climatique seulement que l'on comprend l'omniprésence du soleil dans l'*Envoi au roi* au début du deuxième voyage cartiérien. Le soleil est, en effet, partout. Naturellement c'est un message publicitaire qui renvoie au roi sa propre théorie du soleil d'Adam «démocratique», chauffant *toute* la terre sans s'embarrasser des lignes de partage des traités papaux. «Le soleil qui est la vie et la connaissance et sans lequel nul ne peut fructifier ni générer en lieu et place par lesquels mouvements et déclinaisons, *toutes* créatures étant sur terre, en quelque lieu et place qu'elle puissent être, en ont eu ou en peuvent avoir, en l'an dudit soleil qui est de trois cent soixante-cinq jours et six heures de vue oculaire les uns que les autres»[12]. Le soleil est principe de vie et principe de connaissance, de vérité. Il chasse la mort de même qu'il chasse l'hérésie et l'erreur qui installent sur terre le règne du prince des Ténèbres. Thème qui sera amplement développé dans la deuxième partie de l'*Envoi*.

Par une justice distributive qui jure avec l'injustice du traité de Tordesillas, le soleil se montre à *tous*, à des moments différents certes, mais avec partout la même «durée»: il brille tous les jours pendant les 365 jours de l'année. Bien sûr, il ne s'agit pas de nier qu'il ne chauffe pas également tous les points de la terre. Il est des contrées qui sont plus privilégiées que d'autres par le soleil, «mais il suffit qu'il soit de cette sorte de telle température pour que *toute* la terre soit, ou puisse être habitée en quelque zone, climat ou parallèle que ce soit»[13]. Contrairement aux dires des philosophes, *toutes* les terres sont habitables: la zone torride, et les zones arctique et antarctique. La chaleur excessive ni le froid extrême ne sauraient empêcher l'homme d'habiter ces régions. Au cas donc où le *Canada* s'avérerait un pays plus froid — dans la pire des hypothèses qu'il faut nier le plus longtemps possible —, il serait malgré tout habitable grâce à ce soleil qui dispense partout suffisamment de chaleur pour que

---

12. *Op. cit.*, pp. 157-158; nous soulignons.

13. *Ibid.*, p. 158; nous soulignons.

l'homme puisse vivre, pas seulement survivre. L'optimisme brille de tous ses feux.

Et le récit proprement dit de Cartier (car il est à peu près sûr que l'*Envoi* n'est pas de Cartier) réflète cet optimisme rayonnant. Évidemment, Cartier fait briller le soleil longtemps et intensément, tellement qu'il transforme le *Canada* en pays non seulement subtropical, mais carrément tropical. Le *Canada* vaut bien un bain de soleil! Aucun des nombreux commentateurs de Cartier n'a été frappé par sa ruse: il fait dériver le Canada vers le sud, vers le Brésil. Cartier est le premier tenant de la «dérive des continents».

On a remarqué que le nom du Brésil apparaît quatre fois dans la relation de Cartier. Pris au piège par l'illusion réaliste, la plupart des commentateurs ont vu là la preuve que Cartier a fait effectivement un séjour au Brésil. Peu nous chaut! Ce qui est absolument sûr, c'est que Cartier compare la végétation du *Canada* à celle du Brésil. «Nous commençâmes à trouver les terres labourées et belles, grandes campagnes, pleines de blé de leur terre, qui est le mil du Brésil, aussi gros, ou plus, que des pois, dont ils vivent, comme nous faisons du froment»[14]. Le *Canada* peut s'enorgueillir d'une végétation luxuriante, d'une flore qui ressemble à celle du Brésil. Bien plus, la taille des plantes, des fruits et légumes dépasse celle du Brésil. Voyez ce «blé canadien», plus gros même que le mil brésilien, de la grosseur de nos petits (il faudrait dire gros) pois. Naturellement, nous savons aujourd'hui que Cartier décrit pour la première fois dans la langue française le «blé d'Inde» (on a gardé ce terme au Canada français, «maïs» en hexagonal).

Or il est important de comprendre l'erreur de Cartier. Ce dernier ne compare pas deux espèces différentes, mais une *même* espèce (*le* blé) qui pousse plus gros au *Canada* qu'au Brésil. Par une sorte de syllogisme, Cartier veut convaincre son lecteur français de la chaleur, du climat tropical des deux pays comparés: à végétation égale, climat identique. «Ils cultivent leur blé qu'ils appellent *ozisy* lequel est gros comme pois; ce *même* blé croît aussi au Brésil. Pareillement, ils ont beaucoup de *gros* melons et concombres, courges, pois et fèves de toutes couleurs, non de la sorte des nôtres»[15].

Le tabac dont Cartier est le premier Français (que de premières au *Canada*!) à expérimenter les effets (bien avant le Dom Juan de Molière,

14. *Ibid.*, p. 197.

15. *Ibid.*, pp. 213-214; nous soulignons.

dont on fait tant de cas) sert aussi d'arme dans cette stratégie climatique cartiérienne qui vise à faire dévier le *Canada* vers les tropiques. Écran de fumée? Voire! Les fumeurs français se réjouissent de voir s'allumer la première «gauloise papier maïs». «Ils (les Indiens) mettent un charbon de feu dessus, et sucent par l'autre bout. Tant qu'ils s'emplissent le corps de fumée, tellement qu'elle leur sort par la bouche et par les narines comme un *tuyau de cheminée*. Et ils disent que cela les tient sain et *chaudement*; (…) nous avons expérimenté ladite fumée. Après avoir mis celle-ci dans notre bouche, il semble y avoir mis de la *poudre de poivre* tant elle est chaude»[16]. Il est intéressant de noter que la première expérience de la fumée de cigarette fait penser à la chaleur de l'âtre plus qu'à la pollution de la cheminée (fumer comme une cheminée!). Restant sur le même registre calorifique, Cartier assimile le tabac au poivre qui chauffe («hot» en anglais), épice venant des pays chauds, tropicaux, et que tous les découvreurs convoitent.

Le Canada*: un paradis*

Non content de cette dérive continentale, qui met le *Canada* aux mêmes latitudes que le Brésil, Cartier n'hésite pas à faire du *Canada* un paradis, *le* paradis. *Paradis* vient du Persan, remontant lui-même à l'Avastique, *pairidaēza* qui veut dire «enclos de seigneur, parc»[17]. Pays de l'éternel printemps, autosuffisant (le premier pays autonome!) et autosatisfaisant parce qu'il ne connaît ni le désir ni le besoin, satisfait avant même qu'il ne s'éveille.

Or, avant de pénétrer dans ce «parc Canada» paradisiaque, Cartier doit franchir sa barrière redoutable, repoussante. Il doit passer outre aux apparences terrifiantes, «pierres et rochers effroyables et mal rabotées; car en toute ladite côte du Nord je n'y vis une charretée de terre»[18]. On aura reconnu la côte Nord qui a comme seule végétation mousses et «petits bois avortés». «Enfin, j'estime plutôt que c'est la terre que Dieu donna à Caïn»[19]. Bien sûr, nous sommes en dehors de la clôture du paradis. Caïn n'est-il pas le premier fils conçu et né dans le péché, *en*

16. *Ibid.*, p. 124; nous soulignons.
17. Voir Ernst Borneman, *le Patriarcat*, Paris, PUF, 1975, pp. 25-27.
18. *Ibid.*, p. 122.
19. *Ibid.*, p. 122.

dehors du paradis? «Yahvé Dieu le (l'homme) renvoya du jardin d'Éden pour cultiver le sol, d'où il avait été pris» (Genèse, 3,23).

Caïn est le premier paysan post-paradisiaque, incarnation de la parole de Yahvé: «Maudit soit le sol à cause de toi… ce sont des épines et des chardons qu'il fera germer pour toi» (Genèse, 3,17-18). Abel fut berger tandis que Caïn cultivait le sol. Mais comme s'il ne suffisait pas de la première malédiction (péché originel) Caïn en ajoute une deuxième, le meurtre de son frère berger. «Maintenant donc, maudit sois-tu de par le sol… Lorsque tu cultiveras le sol, il ne te donnera plus sa vigueur» (Genèse, 4,11-12).

Or, à l'opposé de la terre des Caïnides, descendants de Caïn, qui doivent travailler un sol maigre pour gagner leur pain à la sueur de leur front, le paradis offre généreusement fruits et baies sur ses arbres et ses buissons. Il suffit de les cueillir: la Nature «travaille» pour l'homme. Au fur et à mesure que Cartier pénètre dans le pays, il découvre les indices de cette nature paradisiaque autosuffisante qui comble les mortels de ses bienfaits. «Les terres où il n'y a pas de bois sont fort belles et toutes pleines de pois, groseilles blanches et rouges, fraises, framboises et blé sauvage, comme du seigle, *qui semble y avoir été semé et labouré.* C'est une terre de la meilleure température qu'il semble possible de voir, et de grande chaleur»[20]. Chaleur subtropicale, sinon tropicale; nature paradisiaque qui offre gratuitement le pain sans qu'il doive être gagné, sans effusion de sueur: tels sont invariablement les deux *leitmotive* par lesquels Cartier présente le *Canada* au Roi de France. Les superlatifs pleuvent. Comment décrire autrement le paradis sinon en maximisant tout ce qu'on a vu jusqu'ici? «Leur terre (aux Indiens) est d'une chaleur plus tempérée que la terre d'Espagne, et la plus belle qu'il soit possible de voir (…) et il n'y a de petit lieu vide de bois, même sur le sable, qui ne soit plein de blé sauvage, qui a l'épi comme seigle et le grain comme l'avoine; et de pois aussi *gros que si on les avait semés et labourés*»[21]. Jusqu'aux vignes déjà évoquées à propos du Vinland qui entrent dans la même stratégie autosuffisante paradisiaque, tellement «chargées de raisins (…) qu'il semble qu'elles y aient été plantées de main d'homme plutôt qu'autrement»[22]. D'ailleurs, les Vikings ne louent-ils pas le nouveau pays découvert pour

---

20. *Ibid.*, p. 135; nous soulignons.

21. *Ibid.*, pp. 142-143.

22. *Id.*

les mêmes qualités autoproductives? Les Vikings, comme Cartier, font grand cas de ce «blé qui pousse tout seul»[23].

Un «guide Michelin» pour l'Eldorado

Mais Cartier, loin de se satisfaire de la beauté luxuriante de la nature paradisiaque, poussé par l'aiguillon de la curiosité, cherche autre chose, au-delà. Le romantisme qui se repaît gratuitement de la nature, c'est pour plus tard. La nature avant tout est utile, sert. La chaleur du pays, sa végétation quasi tropicale sont, pour les contemporains de Cartier, *indice* avant tout, indice de la présence *possible* de l'or. Car, ne l'oublions pas, Cartier comme Colomb croit que l'or «pousse», naît dans la terre de façon organique. «Le coton pousse sur cette île» lit-on chez Colomb, «l'or y naît»[24]. Suivant la même logique syllogistique par laquelle Cartier inférait de la même végétation au même climat, Cartier et Colomb vont conclure maintenant de la chaleur à la présence de l'or. «*De cette chaleur* que, dit l'amiral, il souffrait en cet endroit, il *déduisait* que, dans ces Indes et par là où ils allaient, *il devait y avoir beaucoup d'or*»[25]. Car selon les conceptions d'alors, l'or se purifie de ses impuretés sous l'effet consumant du feu solaire. L'or *est* le soleil de la terre, le soleil l'or du ciel. C'est ainsi que Colomb glosa le *Livre des Rois*, livre très «aurifère». L'or est concocté «dans des fours où les impuretés sont consommées et où tout est purifié par le feu; et il ne reste plus que de l'or pur»[26].

On sait que par une surdétermination prégnante, la quête de l'or et celle du paradis coïncident chez Colomb. Le paradis est le premier pays producteur d'or. C'est bien connu à l'époque. Tout lecteur de l'Ancien Testament — livre de chevet de Colomb — le sait. «Un fleuve sortait d'Éden pour arroser le jardin et de là se divisait pour former quatre bras. Le nom du premier Pichôn; c'est lui qui contourne tout le pays Hawila, où il y a de l'or, et l'or de ce pays est bon» (Genèse, 2,10-12).

Un peu comme nos «guides Michelin» qui distribuent des étoiles et des fourchettes selon le mérite des qualités «tastées», le paradis se recom-

---

23. *Op. cit.*, p. 86. Comme l'a montré S.E. Morison *op. cit.*, p. 52, il s'agit du «blé sauvage» appelé *vild hvede* en Irlande. Peter Kalm, en trouve encore en 1749, lors de son voyage en *Canada*.

24. *Op. cit.*, tome I, p. 63.

25. *Op. cit.*, tome I, p. 110.

26. Jacques Heers, *Christophe Colomb*, *op. cit.*, p. 457.

mande par des indices qui immanquablement le localisent. Le paradis, c'est un «trois étoiles» puisque trois indices coordonnés doivent être réunis pour situer le Paradis terrestre. Le premier, le climat; le deuxième, le fleuve; et, enfin, le troisième qui est son élévation. Car comment aurait-il pu survivre au déluge s'il n'était pas situé sur une montagne? Pas de montagne abrupte sauvage, mais une rondeur douce de la forme d'un mamelon. Souvenir archétypal du sein maternel. «Je ne conçois pas que le paradis terrestre ait la forme d'une montagne abrupte (...) mais bien qu'il est sur ce sommet (...) qui figure le mamelon de la poire... Ce sont là de grands indices du paradis terrestre, car la situation est conforme à l'opinion qu'en ont lesdits saints et savants théologiens»[27].

Certes, Cartier n'est pas mu par la foi aveugle de Colomb, mais il n'en est pas moins sensible aux critères bibliques qui sont «grands indices du paradis terrestre». C'est pourquoi il monte considérablement la température du *Canada pour* trouver l'or. Car son roi François Ier est malgré tout inquiet: si le *Canada* est situé trop au nord, il est sûr que son sous-sol ne contiendra pas le métal précieux. Un entretien avec l'ambassadeur d'Espagne laisse filtrer cette inquiétude. François Ier cite l'exemple de la Hongrie où l'on a trouvé «de l'or pur» bien qu'étant pays plus froid que le *Canada* «étant situé encore plus au nord»[28]. L'ambassadeur espagnol, tournant le couteau dans la plaie climatique du roi de France, répond froidement que «c'était une chose rare et un grand miracle et pas de règle générale»[29]. Donc Cartier, pour apaiser les angoisses de son roi, a intérêt à monter le «thermomètre» au *Canada*.

Autre indice: la «fécondité du grand fleuve»[30] qui sort de *Canada*, tel ce Pichôn jaillissant du Paradis et qui promet à sa source de l'or. Mais au fur et à mesure que Cartier explore le Saint-Laurent — car c'est lui, ce «grand fleuve» pas encore baptisé — le pays aurifère se déplace vers le Saguenay, image à la fois de Cipango et du Paradis.

27. C. Colomb, *op. cit.*,, tome II, p. 151.

28. Biggar, *Documents, op. cit.*, p. 79.

29. *Ibid.*

30. *Envoi, op. cit.*, p. 161.

Au milieu de l'enfer polaire brûlant, l'arbre de vie

C'est évidemment la venue du premier hiver *canadien* qui fait que s'effondrent d'un coup tous les châteaux en Espagne climatiques et paradisiaques. Le paradis tropical rêvé du *Canada* se métamorphose en un enfer polaire brûlant de froidure. Il est intéressant de noter que le récit cartiérien garde strictement la chronologie du vécu, ne laissant intervenir à aucun moment la prescience qu'a le narrateur du dénouement tragique de l'aventure *canadienne*; comme s'il s'accrochait jusqu'au dernier moment à l'utopie du *Canada* pays subtropical. Ce beau rêve méridional, juste avant la venue des hivers, tel une belle fleur à la fin de l'automne, éclôt une dernière fois. C'est le chant du cygne du *Canada* subtropical. Il reste l'espoir de la Floride toute proche... 2 000 kilomètres de distance: trois heures de vol en Boeing 747: la banlieue de Montréal... «Il y a une rivière qui va vers le Sud-Ouest (...) jusqu'à une terre où il n'y a jamais de glace ni de neige (...) quand nous leur (Indiens) avons demandé s'il y avait de l'or et du cuivre, ils nous ont dit que non. J'estime, d'après leurs dires, que ledit lieu se trouve vers la Floride, d'après ce qu'ils montrent par leurs signes et marques»[31]. Les signes et les gesticulations des Sauvages nous montrent «clairement», confirmant par leur imprécision ce que précisément Cartier veut croire, que ce paradis floridien ne saurait être bien loin. Dommage que, malgré sa chaleur, il ne produise pas d'or. Mais ces «Sauvages» racontent bien des fables. Il suffit d'y aller et de creuser...

Ce que Cartier et les siens découvrent brutalement, cet hiver 1535-1536, c'est la nordicité du pays obstinément refoulée jusqu'à maintenant. Depuis la mi-novembre jusqu'à la mi-avril, les navires de Cartier sont continuellement «enfermés dans les glaces, lesquelles avaient plus de deux brasses (3,5 mètres) d'épaisseur»[32]. La neige atteint quatre pieds de hauteur. Inutile de dire que les «breuvages étaient tous gelés dans les futailles»[33]. On dirait que l'hiver *canadien*, pour réveiller Cartier une fois pour toutes de son rêve floridien, a montré les dents. Cet hiver 1535-1536, le froid est mordant et la neige abondante.

Se confirme finalement, après coup, la première intuition cartiérienne, aux abords du *Canada*: ces terres sont celles des Caïnides. «Caïn

31. *Ibid.*, p. 225.
32. *Ibid.*, p. 228.
33. *Ibid.*, p. 229.

se retira loin de la face de Yahvé et il habita au pays de Nod» (Genèse, 4, 16). Pays de Nod, pays du No(r)d. Le premier hiver *canadien* est un hiver caïnidien au pays du No(r)d. Il arrive tel une malédiction: celle d'Adam et d'Ève exclus du paradis floridien auto-suffisant, celle de Caïn, après son meurtre fratricide, appelé à devenir nomade comme le *Canadien* errant, courant les bois.

D'autant plus que Cartier et son équipage sont frappés d'une «grosse maladie» mystérieuse. Dans les sociétés traditionnelles — Cartier en fait partie —, la maladie, plus qu'un mal corporel, est le signe indubitable d'un «mal» spirituel, d'un péché. «La maladie commença parmi nous, d'une étrange sorte, et la plus inconnue; car les uns perdaient leurs forces et les jambes devenaient grosses et enflées, et les nerfs étirés et noircis comme du charbon». La médecine de l'époque a atteint ses limites, comme la nôtre devant le cancer. Le capitaine a beau pratiquer les premières autopsies «sauvages» d'Amérique du Nord, la cause de la mystérieuse maladie ne se laisse pas traquer dans les entrailles des cadavres. Il ne reste qu'un «remède»: s'agenouiller et implorer la Vierge, la future patronne de Ville-Marie (Montréal). «Notre capitaine, voyant la pitié et la maladie ainsi en mouvement, fit mettre le monde en prière et oraison, et fit porter une image et souvenirs de la Vierge Marie contre un arbre»[34].

Christophe Colomb et ses hommes, bénis pourtant par le climat paradisiaque dont Cartier a toujours rêvé, sont frappés eux-aussi d'une maladie mystérieuse, appelée «morbum gallicum» («mal français» que les Français «traduiront» par «mal italien») une fois importée en Europe, dissimulant ainsi son origine américaine: la syphilis[35]. Rassurons-nous, bien qu'appelée «mal français», ce n'est pas la même maladie qui s'abat sur l'équipage de Cartier. Non, lorsqu'on prie la Vierge, ce n'est pas possible... D'ailleurs le flegmatique Malouin ne mentionne nulle part que sa libido aurait été excitée par une Sauvagesse. La censure? Voyons!

34. *Ibid.*, p. 226.

35. S.E. Morison, dans *Christopher Columbus Mariner*, op. cit., consacre tout un chapitre, «The Sinister Shephard», à l'épopée de cette maladie. Car comme l'explique le long poème épique de Girolamo Francastro sur l'origine de la syphilis, les dieux (encore les dieux!) auraient affligé le genre humain de cette maladie parce qu'un berger appelé Syphilis, les aurait insultés. Voir là-dessus J. Heers, *op. cit.*, pp. 537-540. On le sait, l'origine américaine de la syphilis a donné lieu à des polémiques où les nationalismes exacerbés ont tenu plus de place que les arguments scientifiques. Pour une vision épidémiologique qui passe au crible scientifique toutes les grandes maladies contagieuses de l'humanité, voir J. Ruffié et J.C. Sournia, *les Épidémies dans l'histoire de l'homme*, Paris, Flammarion, 1984, pp. 173-194.

La «merveilleuse» maladie de Cartier qui s'attrappe seule n'est nulle autre, on l'aura reconnue, que le scorbut. Nous avons évoqué celle de Colomb, non pour faire une plaisanterie scabreuse, mais parce qu'à l'instar de celle de Cartier elle se guérit grâce au même remède. Les premiers Espagnols, comme les premiers Français, découvrent finalement l'arbre de vie, après avoir mangé de l'arbre de la connaissance (du pays). Tout se tient: ce sont les «Sauvages», nus tels Adam et Ève, qui initient les Européens à la connaissance de l'arbre de vie. Le paradis se trouverait malgré tout à l'ouest de l'Éden?

En effet, les Espagnols mangent de ce «bois indien» appelé Guarynaras et sont guéris. De même, les Français, tous condamnés à mort, sont sauvés par les «rameaux d'or» de l'arbre de vie que les Indiens d'Amérique appellent «annedda». «Alors donc Agaya envoya deux femmes avec notre capitaine, pour en guérir, lesquelles en apportèrent neuf ou dix rameaux; et ils nous montrèrent qu'il fallait piler l'écorce et les feuilles dudit bois, et mettre le tout à bouillir dans l'eau; puis boire de cette eau (…) et que de toutes les maladies le dit arbre guérissait»[36]. Aucun doute, il s'agit de l'épinette blanche du Canada. Elle s'avère être une véritable panacée.

Est-ce exagéré de faire remonter à la première ingestion de cette boisson le changement humoral que subissent les Français une fois sur le sol américain? Car le *Canadien* troque le vin, la «boisson-totem» française (comme Roland Barthes l'appelle joliment), que Cartier offre encore fièrement aux Sauvages avant qu'il ne gèle, contre la «bière», dorénavant la boisson des *Canadiens*, obtenue par décoction et par fermentation. Les premiers Français, au contraire des premiers Vikings foulant le sol de Vinland consacré à Bacchus (Cartier n'a-t-il pas baptisé l'île d'Orléans d'île de Bacchus?), se mettaient aussitôt sous l'égide de Gambrinus, dieu de la bière. En suivant Barthes jusqu'au bout, on pourrait trouver une autre raison, plus profonde, sous-jacente à cette mutation dans la boisson-totem. Elle est justement reliée aux Sauvages. En effet, comme il le note: le vin «sous sa forme rouge (…) a pour très vieille hypostase le sang, le liquide dense et vital»[37]. Ne serait-ce pas pour se démarquer de cette boisson «crue», humorale, qui rappelle le sang, la «barbarie» des Sauvages, que les *Canadiens* optent pour une boisson

---

36. *Ibid.*, p. 230. Voir Jacques Rousseau, «l'Annedda et l'arbre de vie», R.H.A.F., VIII.2, sept. 1954.

37. R. Barthes, *Mythologies*, Paris, Seuil, «Points», p. 74.

«cuite», médicinale, offerte paradoxalement par les Sauvages? Je laisse à
d'autres le soin de pousser plus loin ces questions, notamment aux
grandes brasseries québécoises, les Molson, Labatt, etc., qui ont finalement fait de l'or avec cette boisson dorée qui chatouille si agréablement
les gosiers *canadiens*.

La duplicité du Canada

Champlain, de façon un peu plus «scientifique», poursuit les observations de son prédécesseur en *Canada* sur cette maladie mystérieuse. Il
note qu'elle pourrait bien être provoquée par les vapeurs pestilentielles
qui émanent de cette terre *canadienne*. «L'yver aussi en est en partie
cause, qui resserre la chaleur naturelle qui cause plus grande corruption
de sang: et aussi terre quand elle est ouverte il en sort de certaines vapeurs
qui y sont encloses lesquelles infectent l'air»[38]. D'où viennent ces
vapeurs? Certainement pas du paradis! De l'enfer? Comme l'a admirablement montré Alain Corbin[39], le méphitisme — vapeur délétère sortie
du sein de la terre — n'a cessé de hanter l'imaginaire occidental jusqu'au
milieu du XIXe siècle. Champlain appelle justement cette maladie «mal
de terre».

Champlain se souvenant du *Brief récit* est en quête du remède miracle
qui guérit le «mal de terre» *canadien*. «C'estoit un de sa race (Indien) qui
avoit trouvé l'herbe appelée Aneda que Iaques Quartier a dict avoir tant
de puissance contre la maladie appelée scorbut qui tourmente ces gens
aussi bien que les nostres lorsqu'ils yveirnent en Canada»[40]. Depuis
Cartier, soixante-dix ans se sont écoulés; la médecine a fait des progrès.
La «maladie de terre» est identifiée, ses causes commencent à être
connues: maladie de mer plutôt que de terre. Aucune malédiction particulière ne pèse sur le Septentrion en général, sur le *Canada* en particulier.
C'est rassurant!

Ce qui l'est moins, c'est que, par une inversion étrange, Champlain,
s'il connaît la maladie, ses causes, ne trouve plus son remède, l'arbre de
vie, parce qu'il le prend pour une herbe médicinale. Cartier n'a-t-il pas

38. S. Champlain, Voyages de Champlain in *Oeuvres de Champlain*, Montréal, Éditions du Jour, 1973, p. 319.

39. Alain Corbin, *le Miasme et la Jonquille*, Paris, Aubier, 1982.

40. *Op. cit.*, pp. 198-199.

parlé de «décoction»? L'arbre de vie en *Canada*, espoir fugitif d'un paradis, à peine trouvé, est aussitôt perdu. Mieux valait encore comme Jacques Cartier ne pas savoir, ne pas connaître la maladie, et trouver quasi miraculeusement le remède. La connaissance, le désir de connaître: une maladie qui ne connaît pas son remède?

Champlain, le plus *Canadien* des explorateurs, pour avoir hiverné en *Canada* deux années de suite (1604-1606) avant de devenir son fondateur, est aussi le premier à avoir découvert la duplicité de ce pays. En effet, il n'y a pas un *Canada*, mais deux, divisés, coupés en deux par le contraste tranché de deux saisons qui y règnent. «Il étoit mal aisé de recognoistre ce pays sans y avoir yverné, car y arrivant en été tout y est fort aggreable, à cause des bois, beaux pays et bonne pescherie de poisson de plusieurs sortes que nous y trouvasmes. Il y a six mois d'yver en ce pays»[41]. Chaque fin de l'hiver, un *autre* pays, méconnaissable, différent du premier sort des limbes neigeux. Tant qu'on n'a pas «reconnu» *ce* pays — gouverné par le «père Grisard», comme Marc Lescarbot appelle l'hiver — et son vrai visage *double*, le *Canada* nous échappe. L'hiver *canadien*, un rite de passage qui, de gré ou de force doit initier le «candidat» à la duplicité climatique de ce pays. Le premier hiver a été si dur physiquement, mais surtout psychologiquement pour Cartier, parce qu'il ne s'attendait pas à pareil dénouement glacial, et qu'il n'a pas voulu démordre de son fantasme hyperboréen. Nous reviendrons dans notre prochaine partie sur le rôle que joue le climat dans la définition du *Canadien*.

On s'en doute, ce premier hiver *canadien* décrit dans la littérature française a un effet désastreux, parce qu'il fixe dans l'opinion française, une fois pour toutes, l'image de l'hiver comme une catastrophe surnaturelle décimant la plupart des hommes: la survie est nécessairement miraculeuse. Il est difficile d'évaluer aujourd'hui l'impact précis qu'a eu le *Brief Récit* sur l'opinion française d'antan. Mais il est absolument certain qu'il a eu un effet anti-publicitaire et démobilisateur sur la politique de colonisation française à peine démarrée. Dieu merci qu'il n'a connu qu'une seule édition! Quel lecteur français pouvait être intéressé par l'hécatombe hivernale *canadienne*? Mieux vaut oublier! Car quel «émigrant» français, après avoir eu vent de ces histoires d'horreur en pays de *Canada*, a encore envie de troquer la «doulce France» pour «un pays sans bon sens», anthropophage, laissant périr les siens dans son froid mordant et brûlant?

---

41. *Ibid.*, p. 191.

Tous les propagandistes de l'immigration, après, auront beau faire, ils ne pourront effacer de l'imagination française l'image qu'a laissée ce récit de Cartier. Rabelais, on s'en souvient, par une hyperbole dont il a le secret, note dans son *Quart-Livre* que le froid est si intense en *Canada* que les mots gèlent, et dégèlent seulement au printemps. Rabelais pense moins à l'idée d'«enregistrement» grâce à l'effet du froid — idée qui aurait ravi McLuhan, Canadien propulsé dans la «Galaxie Gutenberg» —, mais plutôt à la stagnation, à l'arrêt de *toute* communication. Après Cartier, après Rabelais, les propagandistes auront beau louer la «bonté» du froid *canadien*, ses effets bénéfiques pour la santé, ils seront considérés comme des imposteurs qui font de la publicité frauduleuse. Forcément, de toute une série d'images sur un sujet, c'est toujours la première qui est la plus prégnante. La première image du *Canada*, c'est celle que Cartier, tragique martyr du premier hiver *canadien*, a imprimée dans les esprits français.

À bon entendeur, salut! Le *Canada*, ce n'est pas une partie de plaisir, mais un chemin de croix climatique duquel sort grandi qui survit. En effet, le froid *canadien* est loin de refroidir le zèle de ces grandes femmes mystiques et des missionnaires-martyrs qui viennent illuminer et chauffer de leur foi un pays dont le soleil — Cartier l'a dit dans son *Envoi* — a été «obnubilé», éteint par les méchants hérétiques. Cartier donne déjà, d'emblée, la nouvelle orientation post-hivernale à son troisième voyage.

Chapitre V

Le premier abandon du *Canada*

Tout ce qui brille n'est pas or

Ce n'est évidemment pas l'année suivante que Cartier récidive. Quatre années s'écoulent pour guérir les plaies et faire oublier. Après l'échec du dernier voyage, pour ce troisième la sublimation freudienne joue à plein. À défaut de biens matériels à exploiter, d'or à convertir en argent, il y a tous ces Sauvages à convertir, à ramener du royaume des Ténèbres à celui de la Lumière, de Satan à la Foi. La mission spirituelle, comme si souvent dans l'histoire ultérieure du Canada français, devient l'exutoire d'une mission matérielle impossible. Le Mémoire de François Ier fixant les objectifs de ce troisième voyage ne laisse guère de doute sur cette mission compensatoire, à défaut d'or et d'argent. Le «Grand Roy François (…) ne craint point d'entrer en nouvelle dépense, pour établir la Religion chrestienne dans un pays de sauvages (…) et où il sçavoit bien qu'il n'y avoit point de mines d'or et d'argent, ny autre gain à espérer, que la conquestes d'infinies âmes pour Dieu et leur délivrance de la domination et tyrannie du Démon infernal»[1].

Mais François Ier se ravise à la dernière minute. Il y a encore mieux à faire que de convertir les Sauvages. Il se souvient qu'il a préconisé tout récemment — mais sa politique coloniale est loin d'être cohérente —

1. Biggar, *Documents…, op. cit.*, pp. 70-71.

contre le Portugal et l'Espagne une théorie avant-gardiste de la colonisation. Selon cette dernière, la simple découverte des terres ne donne pas automatiquement un droit de propriété sur elles. Il ne suffit plus de découvrir, il faut *fonder* des colonies. C'est le roi de France, dont le royaume depuis plus de quarante ans que l'Amérique existe n'a jamais réussi à dépasser le cap de la découverte, qui préconise cette politique de colonisation! La situation ne manque pas de comique. Comme François Ier l'explique sentencieusement à l'ambassadeur espagnol qui l'a compris depuis belle lurette, «passer et découvrir avec les yeux, ce n'est pas prendre possession»[2]. Il en est du colonialisme comme de l'amour platonique: les yeux n'ont jamais «nourri» son homme ni la découverte fondé une colonie. Dans la logique de sa propre théorie, pour damer le pion aux Portugais et aux Espagnols, il ne suffit plus de découvrir platoniquement avec ses yeux, il faut «prendre possession», des mains et des pieds, fonder une colonie. C'est pourquoi finalement Cartier, porteur de la première mission religieuse, a été désavoué par la pirouette du Roi de France. Ce dernier confie le haut commandement de ce voyage au Sieur de Roberval. Un soldat, fût-il protestant comme Roberval, vaut mieux qu'un marin pour jeter les bases d'une colonie.

On n'est pas étonné d'apprendre que la coordination entre le marin découvreur et le soldat fondateur, spécialiste en fortifications, ne se fait pas, laissant présager la future tension dans la colonie entre un élément instable et vagabond, «aquatique», qui n'arrive pas à se fixer (pêcheurs, marchands, coureurs de bois, missionnaires), et un élément stable, enraciné (*habitants*, paysans). Manque de coordination: le terme est faible. Jacques Cartier précède Roberval d'une année, ce dernier étant occupé à renflouer ses caisses en piratant — avec la bénédiction du Roi — les bateaux anglais sur les côtes bretonnes.

Mais Jacques Cartier a beau faire l'éloge de la beauté du paysage et de la fertilité des terres, il ne pense qu'au sous-sol, aux mines et aux modes d'enrichissement rapides. Il n'a pas encore renoncé à son vieux rêve d'or: gagner le gros lot à la première loterie *canadienne*. Bien sûr, il voudrait coûte que coûte toucher à ce royaume du Saguenay, nouveau Cipango *canadien*. Mais ce projet échoue sur les écueils des rapides de Lachine.

Tant pis pour le Saguenay! Il se souvient de son «Guide Michelin» du parfait chercheur de trésors de la Renaissance. Certes, le soleil ne chauffe pas la terre *canadienne* suffisamment pour qu'elle produise de l'or. Mais

---

2. *Ibid.*, pp. 170-171.

sait-on jamais… en prenant les autres indices des gisements d'or paradisiaques: fleuves et montagnes. Et voilà qu'un jour, en remuant le sol
canadien, Cartier s'écrie *Eurêka*! Il a trouvé cet or, comme par hasard sur
une élévation près d'une source d'eau.

> Sur cette haute falaise, nous trouvâmes une bonne quantité de pierres que
> nous estimions être des diamants. De l'autre côté de ladite montagne et au
> pied de celle-ci qui est vers la grande rivière (Saint-Laurent) se trouve une
> belle mine… et le sable sur lequel nous marchions est terre de mine
> parfaite, prête à mettre au fourneau. Et sur le bord de l'eau nous trouvâmes
> certaines feuilles d'un or fin aussi épaisses que l'ongle. Et à l'ouest de
> ladite rivière (Saint-Laurent) il y a (…) plus beaux arbres (…) Et en
> quelques endroits, nous avons trouvé des pierres comme les plus beaux
> diamants, polis et aussi magnifiquement taillés qu'il soit possible à
> l'homme de voir; et lorsque le soleil jette ses rayons sur eux, ils luisent
> comme si c'était des étincelles de feu»[3].

Voilà les «grands indices du paradis terrestre», pour parler avec Christophe Colomb. C'est le *locus amœnus* paradisiaque parfait: les beaux
arbres, le fleuve, la montagne et évidemment l'or et les diamants qui
brillent de tous leurs éclats comme si quelque diamantaire anonyme les
avait taillés.

Eurêka! Cartier ayant trouvé son trésor, oublie en effet les projets
royaux d'un établissement permanent en *Canada*. Il a accompli ce qu'il
considère sa *mission* et, ni vu ni connu, il déguerpit. Cela lui évite de
passer un troisième hiver en *Canada*. Le récit du troisième voyage cartiérien étant incomplet, nous n'avons pas de témoignages sur le second
hiver.

Cartier le découvreur part au moment même — c'est le printemps —
où Roberval le colonisateur arrive. Situation paradigmatique du *Canada*
futur: les découvreurs ne font que se croiser, les découvreurs-éclaireurs,
pris au vertige de leur découverte et de leur désir d'expansion, ne savent
pas consolider leurs explorations exténuantes en fondation tenable et con-
solidable. Les bateaux des deux Français se croisent à Saint-Jean-de-
Terre-Neuve. Jacques Cartier, avec ses navires chargés de richesses à
couler bas, a hâte de rentrer en France, porter la bonne nouvelle. La
France a enfin son Christophe Colomb, ses Indes Occidentales. Cartier
prend tout de même le temps de soumettre son or à l'expertise de

---

3. *Ibid.*, pp. 253-254.

l'homme de science amateur qu'est Roberval. «On fit l'essai de cette mine (d'or) et elle fut trouvée bonne»[4]. Mais le jugement que Roberval passe sur Cartier et son espèce est dur et irrévocable. Cartier: un chercheur de trésors ambitieux qui veut dorer son blason vite et à peu de frais. «Cartier et ses gens, remplis d'ambition et parce qu'ils voulaient avoir toute la gloire d'avoir fait la découverte de ces parties (or et diamants) se sauvèrent secrètement de nous la nuit suivante, et sans prendre congé partirent incontinent pour se rendre en Bretagne»[5]. Cartier file... à la française, «takes French leave» comme disent les Anglais...

Hélas, le rêve de l'âge d'or en *Canada* n'a duré que le temps d'une traversée atlantique. Les essais faits en France par des spécialistes moins amateurs que Roberval prouvent que les «diamants» sont du mica, l'«or» de la pyrite de fer. Le glas qui sonne alors la fin de l'âge d'or *canadien*, de l'enrichissement instantané, annonce du même coup les durs temps de l'âge de fer: défrichage et labourage. Certes, les *Canadiens* (marchands, et coureurs de bois) sauront faire reculer l'échéance de cette heure en allant en quête d'autres trésors, toisons d'or du *Canada*: les pelleteries.

Mais on dirait que le rêve d'or cartiérien n'est pas mort définitivement. Dans le feu de l'essai scientifique décisif, il s'est réfugié dans l'inconscient *canadien*, se perpétuant jusqu'à nos jours dans l'imaginaire québécois. En effet, dans tout québécois sommeille un chercheur de trésors. Le premier roman de la littérature canadienne française ne s'intitule-t-il pas déjà justement *le Chercheur de trésors*? Les Québécois sont des joueurs invétérés qui espèrent toujours comme Cartier gagner le «gros lot». Goût du jeu qui s'est renforcé au contact des Sauvages, eux-aussi (Cartier le note dans ses relations), joueurs passionnés. Les loteries fédérales et provinciales, loteries olympiques ou mini-loto, bingos des sous-sols d'églises ou du stade olympique de Montréal, tous les moyens sont bons aux yeux de ces Jacques Cartier modernes pour trouver instantanément leur trésor. Mieux vaut le rêve d'une richesse incertaine mais quasi illimitée que la certitude du gain quotidien sûr.

Toute une fantasmatique *canadienne* préfère suivre cette «voie royale» du rêve plutôt que d'emprunter les chemins cahoteux de la réalité. Jusqu'au «rêve d'Empire», jusqu'au «rêve de nation» qui se ressourcent

---

4. Le voyage de Roberval au Canada, in *Voyages au Canada, op. cit.*, p. 265.

5. *Ibid.*, p. 265.

dans cette fantasmatique où l'utopie l'emporte sur les possibilités de réalisation[6].

Les milieux officiels ont beau faire contre mauvaise fortune bon cœur, sublimer, compenser les échecs matériels par la conversion des âmes sauvages, la «dernière découverte» est un dur coup porté aux velléités colonisatrices françaises jamais affirmées en volontés. Quoiqu'en disent les documents français officiels, le Pérou et le Mexique restent, pour les pays colonisateurs, l'«étalon or» d'une «bonne» colonie, d'un «bon pays». Comme le note Charlevoix dans son *Journal*, «l'éclat de l'or et de l'argent du Mexique et du Pérou éblouit tellement les yeux de l'Europe tout entière qu'un pays qui ne produisoit pas ces métaux précieux étoit regardé comme un mauvais pays»[7].

L'abandon du Canada

Depuis cette «découverte», un dicton fait fortune à la cour de France — autant s'enrichir de mots —: «voilà un diamant de Canada!»[8]. Le Français se moque de s'être laissé prendre aux faux éclats de cet or et de ces diamants *canadiens*. Le *Canada*, du coup, devient le symbole des apparences trompeuses, de la duplicité. Les sceptiques qui enfanteront Descartes ne se laissent prendre qu'une fois. En effet, ce pays dans lequel ils ont mis de si hauts espoirs, ils le rabaissent maintenant suivant un pendule qui bat entre l'amour-passion le plus enflammé («tu es mon trésor»), et l'indifférence la plus froide («tu ne vaux plus rien, va-t-en!»). Le *Canada*, du jour au lendemain, devient un «mauvais pays». Le *Canada* vaut-il une messe, fût-elle basse?

Pendant tout le temps de la colonisation, cette question, humiliante aux yeux des *Canadiens*, du coût et du rapport de la colonie pour la mère patrie, reste posée. Certes Champlain, le père-fondateur, aura le mot consolateur, «que le salut d'une seule âme valoit mieux que la conquête d'un empire»[9], mais qui ne fait que perpétuer les mécanismes compensatoires.

---

6. Sur cet aspect du rêve, voir Susan Mann Trofimenkoff, *The Dream of Nation*, Toronto, Gage, 1983. Trad. française, *Visions nationales du Québec*, Montréal, Éd. du Trécarré, 1986.

7. Pierre-François Xavier de Charlevoix in *Histoire et Description de la Nouvelle-France*, Paris, 1744, tome III, p. 85.

8. André Thévet, *Singularitez...*, *op. cit.*, p. 430. Voir aussi Ch.-A. Julien, *op. cit.*, p. 161.

9. *Op. cit.*, tome I, p. 197.

Car, pour beaucoup de Français, le scintillement des glaces et des neiges bien réel ne fait que rappeler les éclats trompeurs des faux diamants. Ainsi, le *Canada* a pu devenir synonyme de «quelques arpents de neige» sans valeur. Car inconsciemment se perpétue en France, après les tentatives avortées d'implantation au Mexique et en Floride, le rêve d'une colonie (sub)tropicale, des «Indes Galantes» au climat tempéré, aux plantations exotiques, d'une *vraie* colonie. «Je voudrais que le Canada fût au fond de la mer Glaciale, même avec les révérends frères jésuites de Québec, et que nous fussions occupés à la Louisiane, à planter du cacao, de l'indigo, du tabac et des mûriers au lieu de payer tous les ans quatre millions pour nos nez à nos ennemis Anglais qui entendent mieux la marine et le commerce que messieurs les Parisiens»[10]. Certes, Voltaire exprime une opinion radicale. Mais cela n'empêche qu'il dit tout haut — en caricaturant — ce que d'autres Français pensent dans leur for intérieur. Lors de la Conquête de 1760, n'est-il pas question de mettre la Guadeloupe en balance avec le *Canada*?

L'abandon du *Canada*, un véritable «don» pour la France, comme Voltaire le précise dans sa célèbre lettre à Choiseul: «Je suis comme le public. J'aime beaucoup mieux la paix que le Canada, et je crois que la France peut être heureuse sans Québec (la ville). Vous nous donnez précisément ce dont nous avons besoin»[11]. Voltaire se fait le porte-parole du «public». Inutile de dire que dans l'imaginaire *canadien* Voltaire deviendra l'ennemi, la France qui sans motif rejette son enfant. Voltaire n'aura jamais de statue au Canada/Québec.

Les rapports entre la France et la Nouvelle-France (sans parler de ceux entre la France et le Québec) sont tissés de cet espoir déçu, de ces amours bafouées, de ces diamants qui brillent au loin mais qui se révèlent faux lorsque regardés de près. De faux diamants? Attendez! La France rendra bien la fausse monnaie aux fausses pièces d'or de sa colonie. Les cartes de jeux et les chiffons de papier que la métropole émettra dans sa colonie et dont elle refusera d'honorer le paiement intégral, ce sont autant de chèques sans provisions.

Les gestes les plus (f)utiles des peuples — faux diamants, cartes de jeux — sont enregistrés dans leur inconscient collectif et puis un jour, mine de rien, le refoulé vient à la surface. On fait l'addition, on fait les comptes et, en passant à la caisse, on découvre avec stupeur que les

---

10. Voltaire, «Essais sur les moeurs». *Oeuvres complètes*, éd. Moland, 1877-1883, XII, p. 409.

11. Voltaire à Choiseul, lettre du 6 septembre 1762.

crédits d'amour et d'affection sont épuisés. Tant pis pour les Français qui ne sauront distinguer le vrai du faux, la vraie richesse du *Canada* du clinquant, du toc de ses apparences. Superficiels, les Français dans leur découverte *canadienne* s'en tiendront à la surface. Ils auront de la difficulté à reconnaître dorénavant les *Canadiens*, pourtant leurs «cousins», puisque ces derniers ont mis bien à l'abri des regards d'autrui l'or de leurs sentiments au plus profond d'eux-mêmes. Gare aux Jacques Cartier pressés, ils ne sauront pas que le silence est d'or.

Ainsi se termine la découverte officielle du *Canada*, sans qu'elle débouche sur un établissement, une fondation permanente. Le Septentrion de l'Amérique tombe à nouveau dans l'oubli. L'Europe le laisse retourner dans son sommeil millénaire. Certes, les pêcheurs rochelois, malouins et basques continuent à fréquenter les côtes du *Canada*, comme ils l'ont fait avant la venue de Jacques Cartier, en attendant qu'un vrai fondateur moins pressé que le navigateur malouin ne vienne, prenant le temps de vivre au rythme de l'espace et du temps de ce nouveau continent. Cet homme sera Samuel de Champlain.

DEUXIÈME PARTIE

FONDATIONS

Ne pas reconnaître le caractère fondateur du meurtre, soit en niant que les pères aient tué, soit en condamnant les coupables dans le but de démontrer sa propre innocence, c'est réaccomplir le geste fondateur, c'est perpétuer le fondement qui est occultation de la vérité.

René Girard
Des choses cachées depuis la fondation du monde

On est à même d'apprécier les talents du fondateur, et la réussite de son ouvrage, qui a des succès plus ou moins brillants, suivant que celui-ci, en la fondant, développa plus de sagesse et d'habileté. L'une et l'autre se reconnaissent au choix du lieu où il assoit sa ville et à la nature des lois qu'il lui donne.

Machiavel
Discours sur la première décade de Tite-Live

A. Québec: ville française d'Amérique et son destin unique

Chapitre I

Les îles infortunées:
de la périphérie au centre

L'isole di Fortuna a ora vedetis.

Le Tasse
Jérusalem délivrée

Les démons du Midi canadien

Le *Canada*, contrairement à l'Amérique espagnole, n'est pas né d'un seul élan fondateur. Certes, après coup, la fondation de Québec (1608) prend un air irrévocable. Elle a, en fait, la fragilité de tous les autres établissements français précédents qui, pour telle ou telle raison, doivent être abandonnés. Stadaconé/Québec ne s'impose pas d'emblée comme site fondateur, même si Cartier s'y installe durant tout un hiver.

Avant de prendre pied en amont de cette bouche fluviale qui pénètre jusqu'à l'intérieur du continent, les Français sont attirés d'abord par la périphérie, le littoral, plus précisément par sa pointe extrême: l'Acadie. Tout, du point de vue géographique, milite en faveur de cet emplacement, tant que l'horizon de conscience des colons reste aimanté par leur pays d'origine. Proue pointée vers l'Europe, l'Acadie s'impose: par sa proximité relative avec les vieux pays, ses ports protégés, ses terres fertiles, ses eaux poissonneuses... Et puis, son nom séduisait autant que ses paysages: Acadie ne dérive-t-il pas d'*Arcadie*, paradis bucolique grec, introduit dans la toponymie américaine, nous l'avons vu, par Verrazano?

Les mots impriment leur réalité aux choses. Marc Lescarbot, le premier historien et chantre de la Nouvelle-France, laquelle, ne l'oublions pas, se confond à son époque avec l'Acadie, n'hésite pas à voir en elle le Paradis terrestre. «Le Paradis terrestre n'eust sceu estre plus agreable que ce sejour», écrit-il, enthousiaste, à son correspondant européen[1].

Comme d'ailleurs Champlain, il est de cette expédition de colonisation, entreprise par le baron de Poutrincourt, qui, dès le mois de mars 1604, part vers les côtes acadiennes en quête d'un lieu d'établissement permanent. Champlain, étant déjà venu sur les rives laurentiennes lors du voyage de Pont-Gravé, en 1603, a certes repéré Stadaconé/Québec, mais il ne le retient pas comme site possible d'une habitation. À l'instar de Lescarbot, il se laisse séduire par le lieu imaginaire plus que par l'emplacement. Sans aucun doute, l'Acadie est plus proche du passage vers la Chine[2] que les Canadas, situés à l'intérieur des terres. Ce passage, on doit pouvoir l'atteindre en suivant simplement le littoral atlantique. «Ce seroit un grand bien qui pourroit trouver à la coste de la Floride quelque passage qui allast donner proche du sisdit grand lac, où l'eau est sallée, tant pour la navigation des vaisseaux, lesquels ne seroient subjects à tant de perils comme ils sont en Canadas, que pour l'accourcissement du chemin en plus de trois cens lieues»[3]. Anachronique, Champlain qui, au tout début du XVIIe siècle, pourtant cartographe et dessinateur, va à Québec et se laisse guider par la géographie fantasmatique? Que penser alors de Chateaubriand, qui, deux cents ans plus tard, est en quête du même passage[4]?

Même si Champlain, une fois fondateur de la Nouvelle-France, dit pis que pendre de la colonie acadienne, il l'endosse néanmoins, dans un premier temps sans réserves, au détriment de la voie d'eau laurentienne. Pas plus qu'il ne s'objecte à ce que de Monts jette les fondations de leur établissement sur une île: l'île Sainte-Croix. «N'ayant trouvé lieu plus propre que ceste isle, nous commençames à faire une barricade sur un petit islet un peu séparé de l'isle»[5].

1. Lettre du 22 août 1606, citée d'après M. Trudel, *Histoire de la Nouvelle-France*, tome II, Le comptoir (1604-1627), Montréal, Fides, 1966, p. 57.

2. *Les Voyages de Champlain*, op. cit., tome I, p. 153.

3. Cité d'après M. Trudel, *Histoire de la Nouvelle-France*, tome I, *les Vaines tentatives* (1524-1603), Fides, 1963, p. 266.

4. Voir Michel Mollat, «le Mirage de l'Asie», in *le Monde de Jacques Cartier. L'aventure au XVIe siècle*, op. cit., pp. 45-57. Pour l'Amérique de la fin du XVIIIe siècle, François René de Chateaubriand, *Mémoires d'outre-tombe*, Pléiade, tome I, p. 187.

5. Champlain, op. cit., tome I, p. 174.

En effet, quel lieu plus *idéal* qu'une île pour l'emplacement d'une colonie? Protection naturelle contre l'ennemi, certes. Mais avant tout, c'est cette généalogie insulaire prestigieuse qui fascine: des Îles Fortunées jusqu'à Île de Saint-Brendan, le Paradis terrestre est situé sur une île. Or, les Français n'ont jamais trouvé que des îles infortunées: Villegagnon, dans la baie de Rio de Janeiro, La Roche qui, dès 1598, installe une colonie sur l'Île de Sable au large de la Nouvelle-Écosse. La légende colportée entre autres par Charlevoix voulait que La Roche ait abandonné cette colonie à son triste sort pendant cinq ans. Or, Marcel Trudel a pu démontrer de façon convaincante qu'il a suffi que les approvisionnements européens de cette île soient suspendus une seule année pour que les habitants, poussés par la famine, s'entretuent. Le bateau de ravitaillement du printemps 1603 trouve onze survivants. C'est que les îles, trop fidèles à leur étymologie, *isolent* bien. Or, les colons ont besoin des contacts avec les indigènes, de leur «know-how», aussi néolithique fût-il, pour survivre dans ces climats nordiques. L'hivernement sur l'Île Sainte-Croix s'avère être encore un désastre pour les Français: parmi les quatre-vingts membres de la colonie, trente-six sont emportés par la maladie, dix seulement restent en santé. Le printemps venu, pas étonnant que la colonie acadienne se porte vers la terre ferme, en quête d'une autre habitation, aux assises — Champlain parlera d'«assiettes»[6] — plus solides.

Port-Royal sera ce nouveau lieu. Mais en 1605 il est loin d'être considéré comme un lieu permanent de colonisation. Pourquoi s'obstiner dans ces parages nordiques? Rien n'empêche les compagnons de Monts et de Champlain de se laisser encore ensorceler par les démons du Midi. L'Espagne, par le traité de Vervins (1598), n'avait-elle pas renoncé à la ligne de démarcation de 1493, en concédant à la France les territoires d'une «ligne d'amitié» passant par les Îles Canaries? Certes, les Anglais ont pris pied en Virginie, mais les premiers pèlerins du *Mayflower* doivent attendre encore pendant quinze ans dans les limbes de l'Histoire avant d'entreprendre leur voyage fondateur (1620). Des territoires inhabités (les indigènes ne comptent pas!) du Nord de la Nouvelle-Écosse jusqu'en Floride: tout un littoral de plus de 2 000 kilomètres à explorer! Les Français y repéreront bien un site pour «provigner» la Nouvelle-France.

6. *Ibid.*, p. 225.

Deux années de suite, Champlain part faire «de nouvelles descouvertures vers la Floride»[7], trouver, comme le dira Marc Lescarbot, «un autre port en pays plus chaud et plus au su»[8]. Étrange coïncidence, par deux fois, Champlain s'avance aux lieux mêmes qu'éliront les «Pilgrims» anglais comme point de chute de leur colonisation: la baie de Plymouth. Pour un peu, les Français, avant les Anglais, l'auraient choisi comme site fondateur de la Nouvelle-France. «Ce seroit un lieu fort propre pour y bastir et jetter les fondements d'une république»[9].

Fondements fragiles, sinon inexistants. Car cette nouvelle république, Champlain le sait depuis qu'il fréquente ce continent, doit nécessairement se bâtir sur les fondements de la société indigène. La survie de cette poignée de colons français dépend nécessairement de l'amitié des «bons sauvages». La fragilité de leurs positions, leur infériorité numérique, interdisent aux Français toute velléité de conquête militaire, même tout sentiment d'animosité trop affiché à l'égard des Amérindiens. Ce sont eux qui font la loi, les traitent en amis, le rejettent en ennemis.

Voilà qu'en ce mois d'octobre 1606, quatre Français restés pendant la nuit sur la terre «achever une fournée de pain»[10] sont attaqués par quatre cents Amérindiens. Trois Français meurent sur place, un autre, grièvement blessé, peut être rapatrié sur le bateau ancré dans la baie. Les Français, même armés de mousquets, devront battre en retraite. Frustration suprême, ils ne peuvent pas étancher leur soif de vengeance, embarquer, en guise de représailles, quelques «sauvages».

> Nous résolûmes cependant d'avoir quelques sauvages de ce lieu pour les amener en nostre habitation et leur faire moudre du blé à un moulin à bras, pour punition de l'assacinat qu'ils avoient commis en la personne de cinq ou six de nos gens; mais que cela se peust faire les armes en la main, il estoit fort malaysé, d'autant quant alloit à eux en délibération de se battre, ils prenoient la fuite et s'en alloient dans les bois où on ne les pouvoit attraper.[11]

Cette attaque indienne de la baie de Cape Cod fixe définitivement le centre de gravité de la colonisation française. Les Français se replient

7. *Ibid.*, p. 226.

8. M. Trudel, *op. cit.*, tome II, p. 40.

9. Champlain, *op. cit.*, p. 251.

10. *Ibid.*, p. 253.

11. *Ibid.*, p. 257.

alors au nord du 45ᵉ parallèle. Dépités, ils regagnent leur habitation de Port-Royal. Les Pilgrims anglais, quatorze ans plus tard, prendront pied ferme sur un rocher, Plymouth Rock, fondement inébranlable, point d'appui qui tiendra en équilibre la vaste «république» que Champlain rêvait d'y fonder.

Retirés dans leur Port-Royal, les Français pourtant ne cessent de convoiter ce «Sud» qui, du Brésil en passant par la Floride jusqu'à Cape Cod, leur a été arraché par des ennemis farouches qui n'admettent pas de rivaux. Même une fois plus solidement installés dans la vallée du Saint-Laurent, ils lorgnent encore sur Manhatte, devenue New York, que Verrazano avait découverte lors de son périple américain de 1524. Hélas, plusieurs tentatives ou velléités d'acquérir par achat ou par les armes ce port qui commande l'Hudson, ouvert hiver et été à la navigation, furent vouées à l'échec. Le rêve des «Florides ensoleillées» reste donc intact. Les Québécois, quatre cents ans plus tard, se laissent encore bercer par ce vieux rêve...

Port-Royal: le site où les Français ont jeté les premières bases d'une «république» en Amérique, le nom à lui seul suggère une enclave protégée dans une mer continentale hostile au premier abord. Or, Poutrincourt, Champlain, de Monts, qui ont oeuvré à l'établissement d'une colonie en Acadie, se rendent vite compte de la précarité du site, trop exposé à tout venant. Des Hollandais conduits par un «traître» français, mais aussi des contrebandiers français, envahissent la chasse-gardée française sous le monopole de Monts et s'emparent des pelleteries. Pis, les Anglais, par une Charte royale de 1606, (fondant la Plymouth Company), revendiquent les territoires situés entre le 38ᵉ et le 45ᵉ parallèles, comprenant donc aussi l'habitation de Port-Royal. Si les Français restent velléitaires dans leurs tentatives de conquête du Sud de l'Amérique, les Anglais, dès le début de leur colonie, n'hésitent pas à montrer les dents pour s'emparer de l'Acadie, qu'ils considèrent comme une prolongation naturelle de la Nouvelle-Angleterre. Les Français, cette même année 1606, comme pour confirmer les revendications anglaises, abandonnent pour un temps (jusqu'en 1608), faute de moyens financiers, l'habitation de Port-Royal.

L'Acadie restera la pomme de discorde entre la France et l'Angleterre. Au gré des guerres et des traités, elle passera tout à tour dans le camp anglais et dans le camp français. En effet, on l'oublie parfois, dès 1613 l'Acadie connaît un premier «dérangement», répétition générale sur une petite échelle du Grand Dérangement de 1755. En deux expéditions, l'Anglais Argall, venu de l'établissement virginien florissant — une «méga-colonie», avec sa population de 2 000 personnes, à côté des 107 âmes de la Nouvelle-France — embarque tous les colons français de Port-Royal et détruit rageusement les habitations afin d'effacer toute trace française. Les Anglais veulent recommencer la colonie acadienne au point zéro: pour cela, il fallait déloger le rival, l'ennemi. Mais les Français, s'ils ont déjà fondé une autre habitation à Québec, s'obstinent à hanter cette presqu'île pointée vers l'Europe.

Divisions, antagonismes, bicéphalité

Les Français d'Amérique ne se rendent-ils pas compte qu'en maintenant cette tête de pont acadienne, ils divisent dangereusement leurs forces déjà très éparpillées? En effet, la division des forces et la dispersion géographique sont quelques-uns des facteurs qui, ajoutés à l'infériorité numérique, expliquent la lenteur de la naissance de la Nouvelle-France.

Divisions, antagonismes entre ceux qui, déjà entrés dans l'horizon du nouveau pays, promeuvent l'habitation, la colonisation de la Nouvelle-France — les de Monts, Champlain, Poutrincourt — et les marchands français qui, mentalement et financièrement, sont restés sur l'ancien continent, ne pensent qu'au profit immédiat de la traite sans tenir compte des frais «improductifs» de la colonisation. Mais, comme s'il ne suffisait pas de cette division, il y a en plus une «sub-division» entre les marchands des différents ports français qui se traitent en ennemis: les marchands de Rouen et de Saint-Malo sont en conflit d'intérêts avec ceux de La Rochelle. Conflit aiguisé encore par l'antagonisme religieux entre protestants et catholiques, La Rochelle étant une ville-forte protestante, Rouen et Saint-Malo d'allégeance catholique. La Nouvelle-France, à ses débuts, connaît même une petite guerre de religion (Marcel Trudel n'hésite pas à parler de «guerre civile»[12]) qui oppose le protestant Guillaume de Caën obtenant le monopole de la traite en Nouvelle-France à l'«establishment» religieux des Récollets. Le père Le Baillif n'écrit-il pas une diatribe contre ce huguenot détenant le monopole du Saint-Laurent? Pour la première fois, — à la faveur de cette querelle —, la Nouvelle-France s'incarne, devenant une *personne* à part entière qui s'adresse à la France: *Plainte de la Nouvelle-France dicte Canada, À la France sa Germaine*

---

12. M. Trudel, *op. cit.*, tome II, p. 278.

(1622). Guillaume de Caën, suppôt de l'antéchrist, y est traité de tous les noms. «Pirate devenu marchand du sang des pauvres marchands de ton Royaume»[13], il a menacé de «fers et de chaisnes» les pauvres prêtres. Un autre Récollet, Le Caron, monte carrément un «dossier noir» contre Guillaume de Caën, ramassis de clichés et de préjugés racistes contre les huguenots. Les protestants seront finalement bannis de la Nouvelle-France, interdiction qui crée l'espace religieux homogène dont est issu finalement le Canada français.

Cette brèche colmatée, d'autres antagonismes apparaissent, foisonnent. Les marchands de Saint-Malo se considérant comme les descendants directs de Jacques Cartier refusent obstinément de reconnaître le monopole de traité de Monts et de Champlain, et réclament le «trafic libre». Dans un factum virulent, daté de 1613, ils accusent Champlain de vouloir profiter pour lui-même des «descouvertures» faites par *leurs* ancêtres. «Pour la vérification de ce, chacun peult recognoistre par les histoires que dès l'an mil cinq cens quatre ce pays descouvert par les Normans et Bretons faisant leur pescheries, environ dudit pays»[14]. Plus encore, pour bien réduire à néant les revendications de l'ennemi intérieur, Champlain en l'occurence, les marchands malouins ne se font pas scrupule de reconnaître la priorité et la préséance de la découverte par l'ennemi extérieur: l'Angleterre et le Portugal. «En l'an mil cinq cens sept Sebastien Cabot au nom du roy d'Angleterre en descouvrit une partie et Jaspar Colteler (Gaspar Corte Real), Portugais, en descouvrit le reste»[15].

Nous avons vu sur quoi sont basés les revendications cabotiennes et corteréaliennes. Mais mieux vaut reconnaître les revendications de l'ennemi extérieur que de céder au rival intérieur. Logique absurde dont s'inspira aussi plus tard le Québec. Comme si elle était engrammée depuis les débuts de la colonie...

Enfin, deux modes de production antagonistes président, nous le verrons plus loin, à la genèse de deux pays irréconciliables: le *Canada* né grâce à la traite des fourrures — pays illimité, point civilisé, silloné seulement de nomades, coureurs de bois et «voyageurs» — s'oppose au *Québec* sédentaire habité de paysans qui défrichent, manient le soc, appelés ici à juste titre *habitants*. Opposition qui doit être maintenue par

---

13. *Ibid.*, p. 285.

14. *Nouveaux Documents sur Champlain et son époque*, Publications des Archives publiques du Canada, no 15, Ottawa, 1967, p. 246.

15. *Ibid.*, p. 346.

la force parce qu'elle en recèle une autre plus fondamentale qui, dans la Nouvelle-France, risque de s'estomper, de s'effacer par un processus d'assimilation si on n'y prend garde: l'opposition entre le sauvage et le civilisé. Car il faut empêcher coûte que coûte que le civilisé ne s'ensauvage ou, du moins, faire en sorte que ces demi-civilisés que sont les coureurs de bois restent intégrés aux circuits commerciaux afin qu'ils n'échappent pas totalement à l'emprise de l'État.

Dans un pays nourri de tant d'antagonismes, il aurait été étonnant que ces divisions ne s'expriment pas dans la structure même des institutions. En effet, tout naturellement, la Nouvelle-France s'est acheminée vers une forme de gouvernement qui incarne le pouvoir dans *deux* têtes — un gouvernement bicéphale —, celle du gouverneur et celle de l'intendant. L'intention initiale certes est excellente: éviter par un contrôle mutuel des deux fonctions l'excès de pouvoir de l'un ou de l'autre. Mais les attributions du gouverneur et de l'intendant n'ayant pas été assez précisément délimitées, cette bicéphalité *canadienne* donne lieu à beaucoup de querelles de préséance, aggravant encore les divisions naturelles déjà fortes. S'ajoute à ce conflit intérieur, institutionnalisé en quelque sorte, la rivalité sourde déjà mentionnée entre marchands et colonisateurs, mettant aux prises de forces *endogènes*, qui travaillent dans et pour le nouveau pays, avec des forces *exogènes*, situées au dehors, en France, et incarnées au sommet par la royauté, oeuvrant pour leur bénéfice.

Ces deux forces, certes, sont caractéristiques de *toute* colonie. La colonie, précisément, c'est un pays où les forces exogènes priment sur les forces endogènes. Or, le *Canada* en aucun moment n'a *relevé* (aufheben) de façon décisive, comme d'autres colonies l'ont fait, notamment la Nouvelle-Angleterre, tous ces antagonismes. Bien au contraire, au cours de son histoire, il ne cessera de les exacerber, de les multiplier, de les intérioriser. Si bien que très tôt, dès le régime colonial, ce pays établira une structure autant institutionnelle que mentale qui relève de la *double contrainte (double bind)*, telle que définie par G. Bateson, un Anglais, justement venu sur cette terre d'Amérique, partagé entre l'Ancien et le Nouveau Monde, divisé entre le monde primitif (que Margaret Mead, sa femme, vient de lui révéler) et celui de la cybernétique shannonienne.

Après cette prospection qui nous a fait entrevoir quelques-uns des symptômes du «mal *canadien*» sur lesquels nous reviendrons (bicéphalité, double bind, dispersion géographique, etc.), nous retournons au début du XVIIᵉ siècle pour assister à l'acte fondateur qui jette les bases à la fois d'une ville et d'un pays: Québec. Mais, comme si cette confusion entre une ville et un pays ne suffisait pas, il y en a une autre qui, très tôt, s'y greffe. *Canada*, pour Jacques Cartier, est synonyme de Stadaconé/ Québec. Nous sommes en pleine confusion sémantique et idéologique.

Canada-Québec: *la confusion originelle*

Les débuts de la Nouvelle-France sont plongés dans la confusion, le chaos, le tohu-bohu originel duquel 450 ans d'histoire n'ont pas suffi à l'arracher. Dieu et la kyrielle de saints (la Vierge Marie et saint Joseph, notamment) qui y ont présidé n'ont pas réussi à faire le travail de partage, de séparation, qui caractérise toute *Genèse*, toute fondation civique et politique: celle d'Athènes, celle de Rome[16]. Quoi d'étonnant qu'aujourd'hui le Canada et le Québec nagent toujours dans la *même* confusion toponymique? J'ai essayé de démêler l'écheveau de laine canadienne et québécoise moins «pure» que d'aucuns voudraient le croire...

Commençons par le commencement, c'est-à-dire par ce qui selon tout Québécois vient en premier: le *Québec*. Surprise, déception! Certes, le Québec a un début respectable qui remonte loin dans le temps. Selon les standards historiques nord-américains, on n'hésitera pas à le qualifier d'*antédiluvien*. Mais, hélas, ce *début* ne coïncide pas avec l'*origine* du nouveau pays découvert par Jacques Cartier au nom de François Ier.

En effet, Jacques Cartier n'est pas venu au *Québec*, ni à Québec. J'ai lu et relu son *Brief récit* (même les manuscrits à la Bibliothèque Nationale de Paris) pour être sûr qu'une main traîtresse (anglaise ou fédéraliste) n'aurait pas biffé ce mot *Kébec* pour l'éliminer de la première geste fondatrice. Non, il n'y figure pas! L'acte de baptême de *Québec* suit de 76 ans celui du *Canada*. *So what*! Les voyageurs français au *Canada* ne sont-ils pas quasi unanimes pour faire remonter l'origine du mot *Canada* à une visite hypothétique des Espagnols «qui ont découvert les premiers le Canada, qu'ils lui donnèrent en même temps le nom de Capo Di Nada, qui veut dire *Cap de rien*»[17]. Voilà pour les souverainistes!

Ce même auteur, selon une justice distributive avant la lettre (nous sommes en 1753!), explique sur le même mode badin, l'étymologie de *Québec*. Certes, il la fait remonter à Jacques Cartier, mais il donne par contre un poids de plume (mieux que *rien*) à un acte fondateur qui devrait

---

16. Pour la fondation de Rome, voir Michel Serres, *Rome, le livre des fondations*, Grasset, 1983.

17. Bacqueville de la Potherie, *Histoire de l'Amérique septentrionale*, tome I, Paris, 1753, p. 201.

être lourd de sens. «Les Normans qui étoient avec Jacques Cartier, aper-
cevant au bout de l'Isle Orléans, dans le Sud-Ouest, au cap fort élevé qui
avançoit dans le fleuve, s'écriront *Quel Bec*, qu'à la suite du temps le nom
de *Québec* lui *est resté*»[18]. Et, de la Potherie d'ajouter, «je ne suis pas
garant (…) de cette étymologie». Ces pitreries étymologiques nous
prouvent malgré tout que l'origine de la toponymie du pays ne *pouvait*
être que «blanche», civilisée.

Laissons-là *les* histoires et revenons à l'*H*istoire! Le nom de Québec,
de même que celui de Trois-Rivières, se trouvent pour la première fois sur
une carte, celle de Levasseur, datée de 1601. On peut penser qu'elle
reflète le voyage de François Pont-Gravé, qui vint dans les parages de
Québec en 1599. Mais c'est sans doute à Champlain que nous devons la
première apparition du mot *Québec* dans la littérature. «Nous vinsmes
mouiller l'ancre à Québec qui est destroict de laditte rivière de Canadas,
qui a quelque trois cens pas de large»[19]. Ainsi, Champlain est effectivement le baptiseur de Québec et partant du Québec, un saint Jean-
Baptiste avant la lettre. Québec fut baptisée le 22 juin 1603 sur les fonts
baptismaux de la rivière de Canada, devenue le Saint-Laurent. Si
Champlain avait attendu deux jours de plus, le baptême *de* Québec aurait
coïncidé avec la fête nationale *du* Québec: la Saint-Jean-Baptiste
(24 juin).

Puisque le Québec est baptisé dans les eaux de la rivière de Canadas,
on doit en conclure, rien que sur la foi du texte de Champlain, que
«Canada» précède «Québec». Qu'on ne se méprenne pas sur mes intentions: je ne veux sous aucun prétexte abuser de l'Histoire pour apporter de
l'eau (baptismale) ni au moulin fédéral ni à la souveraineté du Québec,
car je sais que dans l'un et dans l'autre camp il y a des meuniers zélés qui
moudent bien leur grain en bonne fleur de farine, les uns ajoutant un zeste
de fleur de lys, les autres un brin de feuille d'érable. Mais au fond, c'est
la même farine, les uns et les autres ne connaissant bien que *leur* histoire.

Donc Jacques Cartier vient au Kanada. *Kanada*, un terme huron-
iroquois qui signifie *ville*, *village*. Bien évidemment, il s'agit d'une
réalité iroquoise, les Iroquois occupant, du temps de Cartier, les rives du
Saint-Laurent entre Québec et Montréal. Kanada est une petite province
amérindienne limitée à l'Est par Grosse-Île et à l'Ouest par une ligne
située entre Québec et Trois-Rivières. Or, dans le *Brief récit* de Jacques

18. *Ibid.*

19. Champlain, *op. cit.*, p. 89.

Cartier, le Kanada n'est pas au point: le même terme «Kanada» flotte continuellement entre la référence géographique, territoriale («province de Canada») et la désignation générique d'une *ville*, le mot Kanada, signifiant justement *ville, village*. Ville qui n'est nulle autre que Stadaconé, voulant dire, selon les différents truchements: *aile*, vu la forme ailée de son emplacement géographique, ou bien *roc-debout*: le rocher sur lequel est bâti Stadaconé, site de la future ville de Québec. Donc, par une sorte de confusion originelle opérée par les premiers visiteurs officiels, Kanada, Stadaconé et Québec coïncident; le pays, la province et sa capitale.

Dans le passage suivant, les Québécois reconnaîtront bien la géographie des alentours de Québec. «Nous partîmes de ladite île pour aller en amont dudit fleuve (Saint-laurent); et nous arrivâmes à quatorze isles, qui étaient distantes de ladite île aux Coudres de sept à huit lieux, qui est le commencement de la *terre* et *province* du Canada»[20]. Sans aucun doute, Kanada est ici un pays, une territorialité géographiquement délimitée. À peine quelques pages plus loin, Kanada désigne sous le même nom la ville de *Stadaconé*, siège du «seigneur» amérindien Donnacona. «Le seigneur Donnacona pria le capitaine, le lendemain d'aller le voir au Canada, ce que le capitaine lui promit»[21].

Métonymie poétique et métonymie politique

Certes, W.F. Ganong a tenté d'expliquer cette confusion par une sorte d'illusion d'optique dans l'esprit de Cartier[22]. Or, Roberval fit la même confusion, elle ne saurait donc être réduite à la perception d'une *seule* personne. Partagée par plusieurs, elle prend le poids d'une réalité. «Le général susdit (Roberval), aussitôt son arrivée, fit bâtir un joli fort à l'Ouest du Canada, lequel était beau à voir et d'une grande force, situé sur une montagne»[23]. «À l'Ouest du Canada», Roberval veut dire évidemment à l'Ouest de Stadaconé, sis sur une «montagne».

20. Deuxième voyage, J. Cartier, *op. cit.*, p. 178; nous soulignons.

21. *Idem*, p. 209; nous soulignons.

22. *Crucial Maps in The Early Cartography and Place Nomenclatures of The Atlantic Coast of Canada, op. cit.*, pp. 308-309.

23. «Voyage de Roberval au Canada», in *Voyages au Canada, op. cit.*, p. 266.

En fait, ce que nous avons appelé «confusion» d'une ville et d'une province est, dans une première approximation, la loi génétique sous-jacente à cette colonie qui produit la Nouvelle-France et, après la conquête de 1760, le Québec. À y regarder de plus près, cette loi de production relève de la métonymie, la partie, la ville, exprimant le tout, la totalité (pays, province). Kanada est d'abord une ville, Stadaconé, qui *est* en même temps une province amérindienne parmi d'autres (Hochelaga, Saguenay, etc.), laquelle province devient finalement le tout, le continent entier de l'Amérique septentrionale subsumant les différentes parties.

Deux raisons se tenant étroitement expliquent cette métonymie comme loi de production du *Canada*, lequel se différencie par là des autres colonies nord-américaines. Contrairement à son voisin du sud, le *Canada*, malgré ou plutôt à cause de sa tendance à la dispersion, ne connaît qu'*un* centre de décision: Québec, l'ancien Stadaconé/Canada. Certes, Montréal, l'ancienne Hochelaga, sa rivale farouche déjà depuis les temps de Jacques Cartier, lui porte ombrage en tentant d'introduire, selon le principe de la bicephalité, une bi-centralité. Or le *Canada* étant un pays au tracé incertain aux frontières floues, quasi inexistantes, il fallut, pour s'y repérer, se référer à *un* centre, à un point d'ancrage dans une mer continentale à la dérive. Le centre (Québec) définit, exprime l'ensemble qu'est le *Canada*.

La métonymie comme loi de production est si bien ancrée dans les mentalités *canadiennes* que, lorsqu'après la conquête de 1760, l'Anglais crée la «Province of Quebec», cette territorialité cette fois géographiquement bien définie portera le nom de sa capitale: Québec. Québec comme jadis Kanada est à la fois une réalité géo-politique et un centre de décision urbain. La partie (la ville), rédution administrative, définit encore métonymiquement et toponymiquement le tout (le pays, la province.)

Si la métonymie fait merveille en poétique, en politique elle est l'indice de rapports difficiles, de distorsions entre les parties et le tout, enfin entre le centre et la périphérie. Ces distorsions, qui ont commencé à se faire dès l'origine de la Nouvelle-France, se perpétuent bien au-delà de la Confédération canadienne (1867). En effet, aujourd'hui, au Canada moderne comme déjà à la naissance de la Nouvelle-France, il s'agit de savoir comment un centre dur — Québec pour la Nouvelle-France, Ottawa pour la Confédération canadienne — peut se relier à un ensemble flou, à une périphérie peu définie. Comme l'avait déjà si bien noté en termes organicistes l'historien américain Parkman, le *Canada*, «la

Nouvelle-France n'était rien qu'une tête»[24] ou selon la traduction libre de
Guy Frégault, «une tête énorme sur un corps débile»[25]. Comment cette
tête hypertrophiée va-t-elle pouvoir «marcher» sur ces membres débiles?
Le *Canada*, un géant aux pieds d'argile...

L'«État» entre la périphérie et le centre

De toute évidence, ce qui fait défaut au *Canada*, c'est cette interaction constante qui a présidé à la naissance des États-nations modernes
(Angleterre, France, etc.) entre, d'une part, un centre de décision administratif qui, grâce à des agents intermédiaires, transmet et fait exécuter
lois et ordonnances, et d'autre part, les frontières, cette périphérie qui
renvoie par «feed-back» l'écho de ces ordonnances au centre[26]. En
Canada, les arrêtés royaux, les ordonnances des intendants se perdent
dans les espaces déserts...

Comme l'écrit un officier français désabusé envoyé en 1702 à Michillimakinac, centre de traite des Grands-Lacs, afin de mettre en application
la politique draconienne du gouverneur de Caillières contre la contrebande de la fourrure: «C'est très bien et honorable pour moi, Monsieur,
d'être chargé par vos ordres, mais c'est aussi très ennuyeux de n'avoir
que de l'encre et du papier comme moyens pour les faire respecter»[27]. Le
bras de l'exécutif de l'État n'est pas assez long pour atteindre les agglomérations, les points de traite le moindrement éloignés. En dehors des
centres urbains — Québec, Montréal, Trois-Rivières — et des zones
d'habitation relativement denses les entourant, les ordres de l'État, pour
les désigner ainsi d'un terme générique, sont placés d'office par eux-
mêmes «*hors-la-loi*». Le *Canada* ne possédant donc pas comme d'autres
colonies en voie de formation politique (son voisin du Sud, par exemple)
d'espace *contraignant* à l'intérieur duquel les règles du jeu, les lois de
l'État, doivent nécessairement — sous peine de sanctions — être appli-
quées, la gestation du *Canada* comme être politique et étatique s'en

24. Parkman, «New France was all head», in *Pioneers of France in The New World*, p. XX.

25. Guy Frégault, *la Civilisation de la Nouvelle-France*, 1713-1744, Montréal, 1944.

26. Voir là-dessus Joseph R. Strayer, *les Origines médiévales de l'État moderne*, Payot, 1979 et
Bertrand Badie, *Culture et Politique*, Economica, 1983.

27. Cité d'après W.J. Eccles, *The Canadian Frontier*, 1534-1760, Toronto, Holt, Rinehart and
Winston, 1969, p. 128.

trouve fortement retardée, carencée. Carence dont héritera aussi le Québec en fin de compte. Ce *limes* — cette frontière naturelle ou civique à l'intérieur de laquelle se constitue l'espace homogène de l'État qui englobe *tous* les citoyens — faisant défaut en *Canada*, il s'y crée de vastes zones de vancance de pouvoir, où des individus peuvent s'échapper impunément, sans avoir à craindre la vindicte de l'État. Très tôt, grâce à la course des bois — la traite des fourrures servant de prétexte légitime — l'esquive du pouvoir devient une pratique courante des *Canadiens*.

L'air de liberté des Canadiens

Si des historiens ont fait état de l'«esprit d'indiscipline» en Nouvelle-France[28], cette indiscipline ne se manifesta jamais comme révolte séditieuse, dirigée *directement* contre l'autorité royale, mais plutôt comme un mouvement de retrait, qui se met à l'abri du pouvoir en le fuyant. Les seuls rassemblement séditieux que connut la Nouvelle-France — cinq en tout — ne furent pas causés par des «raisons d'État», mais par des raisons alimentaires: le prix du pain trop élevé[29].

Cette raréfaction du pouvoir dans la vie quotidienne des *Canadiens* trouve son expressions pratique dans cet «air de liberté» qui caractérise le *Canadien*, plus particulièrement l'*habitant*, le paysan *canadien*. Tous les voyageurs en Nouvelle-France n'ont pas manqué d'être frappés par la vie aisée, libre de l'*habitant*, non entravé par la présence inquisitrice de l'État. Il ne connaît ni taille, ni gabelle, ni quasiment de taxes, puisque les cens et rentes qu'il doit à son seigneur ne s'élèvent qu'au dixième de ses revenus. Le système seigneurial *canadien* a été empreint de cet air de liberté, une fois déraciné du sol français. L'habitant *canadien* est un petit seigneur, un «noble» comparé au paysan français saigné à blanc par les taxes et les dîmes. «Sans mentir, les paysans y vivent plus commodément qu'une infinité de gentilshommes en France. Quand je dis paysans je me trompe, il faut dire habitants. Car ce titre de paysan n'est pas plus reçu ici qu'en Espagne, soit parce qu'ils ne paient ni sel, ni taille, qu'ils ont la liberté de chasser et de pêcher ou qu'enfin leur vie les met en parallèle des

---

28. Robert-Lionel Séguin, «l'Esprit d'indépendance en Nouvelle-France et au Québec au XVIIe et XVIIIe siècles, *l'Académie des sciences d'Outre-Mer*, Tome XXXIII, no 4, 1973, pp. 573-589.

29. Voir Vaudreuil au Conseil de la marine, Québec, 17 oct. 1717, Archives Nationales, vol. 38, pp. 123-124.

nobles (...). La plupart de ces habitants sont des gens libres qui ont passé de France au Canada avec un peu d'argent pour s'établir»[30].

À n'en pas douter, c'est l'existence de ces vastes territoires, s'étendant à l'Ouest du Saint-Laurent jusqu'aux Grand-Lacs, Pays d'en haut, «Far West» canadien immédiatement présent dans la conscience des habitants, qui, finalement, tempère, amortit le centralisme français (politique, administratif) en terre *canadienne*. Une pression trop forte de ce centre sur les habitants, une présence trop sensible, trop contraignante de l'État dans la vie quotidienne des citoyens risquait toujours de chasser ces derniers dans ces zones sauvages, lointaines, hors de la juridiction civilisée, civile[31].

Les frontières poreuses, quasi inexistantes du *Canada* civilisé —frontières géographiques, mais aussi frontières anthopologiques — tiennent en échec, par une sorte d'auto-régulation, le pouvoir central, pour empêcher que le *Canada* civilisé ne soit happé, aspiré par les territorialités du Kanada sauvage, il fallut, paradoxalement, que la force de rétention du centre s'exerce le moins possible.

«L'État sans moi», répond le Canadien

«L'État c'est moi» de Louis XIV, en traversant l'Atlantique, s'évide de son sens dans la sylve et la flore laurentiennes. La devise du Roi-Soleil (même s'il ne l'a jamais prononcée!) se transforme dans les froidures du *Canada* en «l'État sans moi». En effet, ce «moi» de l'État n'a de signification que dans un pays où les effets de sa présence se font sentir, directement ou par médiation, à travers ses fondés de pouvoir. Déjà, le

---

30. Lahontan, *Nouveaux Voyages en Amérique septentrionale*, L'Hexagone, Montréal, 1983, pp. 66-67; nous soulignons.
Voir aussi F.-X. de Charlevoix: «On prétend qu'ils (les *Canadiens*) sont mauvais Valets; c'est qu'ils ont le coeur trop haut, et qu'ils aiment trop leur *liberté*, pour vouloir s'assujettir à servir. D'ailleurs ils sont forts bons maîtres». *Journal d'un voyage fait par ordre du roi dans l'Amérique septentrionale*, in *Histoire et Description générale de la Nouvelle-France*, Paris, 1744, tome III, p. 174.
Par contraste, le séjour d'Elisabeth Bégon en France au milieu du XVIIIe siècle révèle comment un seigneur *canadien* vivant confortablement en Nouvelle-France et de retour en France perd cette «aisance de la vie» qu'elle connaît au *Canada*. «Encore faut-il que le Bon Dieu bénisse les vignes d'une façon bien particulière et, si je suis dans un beau pays pour le climat, j'y trouve aussi bien de la différence pour l'aisance de la vie. Quelle différence, cher fils, de celle que je mène aujourd'hui à celle que je menais, il y a quatre ans!» Correspondance d'Elisabeth Bégon (1748-1753), *Lettres au cher fils*, éd. Nicole Deschamps, Montréal, HMH, 1972, p. 212.

31. Voir pour le rapport entre civilisation et civilité, J. Starobinski, «le Mot civilisation», in *le Temps de la réflexion*, Gallimard, 1983, pp. 13-51.

gouverneur-général, représentant immédiat du roi en Nouvelle-France, par le temps que prennent les ordres royaux à traverser l'océan, par l'isolement du port de Québec enfermé dans les glaces pendant six mois, doit interpréter, en les adaptant à la situation locale, les paroles du Roi pour leur donner un sens. L'autorité royale est donc minée subrepticement par ce décalage temporel considérable, plus considérable qu'en Nouvelle-Angleterre dont les ports sont navigables en toute saison. Entre l'émission des ordres royaux et leur exécution, jusqu'à huit mois pouvaient s'écouler. Entre-temps, la scène *canadienne* évoluait, lui opposant un démenti, une fin de non-recevoir.

Cette grande distance, ou plutôt ce grand décalage du pouvoir français par rapport à la scène *canadienne* — plus grand que celui des colonies anglaises du Sud — fait entre autres que les *Canadiens* n'ont jamais éprouvé le besoin de s'en distancier. Ils avaient suffisamment de jeu. Jusqu'aux gouverneurs-généraux qui — au contraire de ce qui se passait en France — *devaient* prendre leurs distances à l'égard des ordres du roi. En Nouvelle-France, le pouvoir royal se relativisant dans ses espaces, cesse d'être absolu. Car obéir, dans la situation de pouvoir *canadienne*, signifie parfois *devoir* désobéir au souverain.

Ainsi, le gouverneur Denonville se fait rabrouer en 1687 *parce qu'il* a obéi aveuglément à un ordre de Louis XIV; il n'a pas pensé l'actualiser, l'adapter à l'état présent des choses. «Ce n'est point désobéir au souverain, que d'interpréter ses volontés, et de faire ce qu'il feroit lui-même, s'il étoit instruit de l'état présent des choses. Cela est surtout vrai dans une colonie éloignée, où un Gouverneur Général peut supposer que son Maître n'exige pas de lui-même déférence aveugle, et où il doit sçavoir que c'est à lui à concilier l'intérêt de l'État, et la gloire du Prince, avec les instructions qu'il reçoit»[32]. Le gouverneur étant plus «instruit» que le roi, grâce à ce supplément d'informations que lui donne sa présence en terre *canadienne*, il se crée en *Canada* un «pouvoir parallèle». Non pas en rupture avec l'autorité royale, mais en dérive temporelle et spatiale lente par rapport à elle. Dérive qui distend lentement et quasi imperceptiblement les liens entre les deux pays. Car il n'est pas besoin de rompre avec le souverain, de désobéir à ses ordres, pour être autonome, souverain. Aucun Thomas Paine n'écrira donc jamais de «Common Sense»

---

32. Cité par Charlevoix, *Histoire et Description générale de la Nouvelle-France*, *op. cit.*, tome I, p. 522.

en *Canada*[33]. La souveraineté *canadienne* n'est pas tant conférée par des titres politiques officiels, qu'extorquée, arrachée par la souveraineté suprême d'un espace et d'un temps (un climat aussi) *autres*. C'est tout ce temps et cet espace, décalés par rapport à ceux de la France, qui font entendre, par dérision, l'écho de cet «État c'est moi». Au *Canada*, il arrive aux ordres du gouverneur ce qui est déjà arrivé aux ordres royaux: ils doivent composer avec l'espace *autre*, quasi illimité, différent de celui clos, de Québec, espace dans lequel ils s'exténuent et perdent leur efficacité.

Colonisation à la française et à l'anglaise

Mais souveraineté de l'espace ne signifie pas souveraineté sur l'espace. Si, en *Canada*, la conformation de l'espace géographique et la constitution d'un espace politique s'excluent mutuellement, c'est que, précisément, cet espace, se creusant vers l'Ouest, attire des personnes qui se désolidarisent du mode d'appropriation de l'espace cultivé soumis au soc et investi par le représentant du roi, des personnes qui se laissent absorber par un espace sauvage qui les domine plus qu'elles ne le dominent.

La dispersion et l'atomisation individuelle (pour des raisons qui restent à développer plus en détail) — même à l'intérieur des zones cultivées le long du Saint-Laurent, en *Canada* — empêcheront pendant longtemps la création d'un espace politique concentré, balayé par les lignes de force du centre. Le *Canadien*, contrairement à l'Américain, n'est pas originellement un *zoon politikon*, un animal politique: il ne s'installe pas en *Canada* avec l'intention farouche de s'organiser en société, d'y fonder un État. Il y vient en marchand, en cultivateur, en soldat, en fille du Roy. Il devient cet être politique, seulement à partir du moment où son vainqueur anglais, dès 1763, lui coupe son *hinterland* et le confine à un territoire délimité à l'intérieur duquel il *devra* se définir collectivement et politiquement s'il veut survivre en tant qu'entité nationale.

Par contraste, les Anglais qui débarquent en 1620 dans la baie de Cape Cod se resserrent aussitôt collectivement en *Common Wealth*, gouvernement, proto-État. «Le premier soin des émigrants (Pilgrims) est donc

---

33. *Le Sens commun*, célèbre pamphlet de Th. Paine, publié en 1776, qui appelle à la rupture des liens «filiaux» avec la mère patrie et précipite la Révolution américaine.

de s'organiser en société», note Tocqueville qui a fait la généalogie de la société américaine[34]. Ils passent un «contrat social» (Rousseau n'est même pas encore né!) qui lie tous les membres en un corps politique. La formule du contrat de ce premier noyau fondateur de la société américaine révèle à elle seule le dessein politique de ses membres. «Nous concourons dans ces présentes, par consentement mutuel et solennel, et devant Dieu, de nous former en *corps politique*, dans le but de nous *gouverner* et de travailler à l'accomplissement de nos desseins»[35].

En effet, l'Anglais de la Nouvelle-Angleterre ne se laisse pas happer, dominer par l'espace sauvage comme le *Canadien*, étant matériellement bloqué le long de la côte par les Appalaches. Il organise cet espace à l'image de ce premier espace politique qu'il vient de créer. On voit ainsi naître en Nouvelle-Angleterre un «monde de champs et de barrières»[36] qui délimite les nouveaux citoyens nettement de la nature sauvage (Indiens, forêts), en les inscrivant rigoureusement à l'intérieur de ces limites définies par le corps politique. Le gouverneur Bradford, dès 1631, ne se plaint-il pas déjà de la dispersion relative de la population que provoque l'introduction du cheptel dont les pâturages grandissants ont tendance à éloigner les paysans du centre des villages? «Personne, aujourd'hui, ne pense pouvoir vivre sans bétail et sans de grands pâturages où le garder et tout le monde voudrait agrandir leur nombre. À la suite de quoi les paysans se sont éparpillés partout dans la Baie (Plymouth Colonie), et la ville dans laquelle ils vivaient resserrés (compactly) jusqu'à maintenant est devenue très clairsemée et dans peu de temps désolée»[37]. Si Bradford avait pu voir l'état de dispersion du *Canada* en 1631, il se serait peut-être consolé en se disant que ce qui est extrême dispersion en Nouvelle-Angleterre est extrême concentration au *Canada* et, inversement, la dispersion du *Canada* lui serait parue comme un dépeuplement, pis, un déni évident de vie collective dans un «Common Wealth».

C'est donc au contact de ce vainqueur anglais, animal politique par excellence, que le *Canadien* apprendra à se définir collectivement, politiquement. Nous verrons dans quelles conditions. Mais revenons à

34. Alexis de Tocqueville, *De la démocratie en Amérique*, Gallimard, 1951, p. 34.

35. N. Morton, New England's Memorial, cité d'après A. de Tocqueville, *op. cit.*, p. 34; nous soulignons.

36. William Cronon, *Changes in the Land; Indians, Colonists and The Ecology of New England*, New York, Hill and Wang, 1984, pp. 127-156. Et Denys Delâge, *le Pays renversé*, Boréal Express, 1985.

37. Bradford, *Pleymouth Plantation*, cité d'après W. Cronon, *op. cit.*, p. 141.

Stadaconé/Québec où commence à se former le «centre» de la Nouvelle-France.

Chapitre II

Une archéologie
de la fortification québécoise

Pourquoi faudrait-il que je m'attende à trouver des senti-
nelles encore en train de se relever sur les murs de Ninive
qui sont depuis longtemps enterrés aux yeux du monde!
Quelle chose ennuyeuse qu'un mur!

Henry Thoreau
Un Yankee au Canada

Un Américain à Québec

Il ne saurait y avoir plus grand contraste entre l'éparpillement géographique de *Canada* et la concentration de sa capitale: Québec. Québec
peut se flatter d'être la seule ville fortifiée d'Amérique du Nord. Un atavisme moyenâgeux? L'Américain Henry Thoreau qui quitta son
«Walden» en 1850 pour se rendre au *Canada* n'a que des sarcasmes pour
les murs de Québec. «De pareils ouvrages nous replongent dans le Moyen
Âge, le siège de Jérusalem, le temps de saint Jean-d'Acre et des pirates»[1].
Pour se mettre en accord avec l'esprit des lieux, Thoreau lit
Joinville. S'il concède que l'Amérique anglaise n'a pas lésiné sur les clô-

---

1. Henry D. Thoreau, *Un Yankee au Canada*, Montréal, Les Éditions de l'Homme, 1962,
p. 115.

tures des champs, il attribue généreusement la palme ès fortifications à Québec. «En fait, ce sont les seuls murs remarquables que nous avons en Amérique du Nord»[2]. De quoi Thoreau se moque-t-il? Ériger des murs et ériger des clôtures, n'est-ce-pas faire preuve de la même mentalité défensive? Aucunement; aucun lien possible, à part les apparences trompeuses, entre les deux activités. L'Américain, en dressant des barrières entre les champs de culture et l'inculture (pâturages et Indiens qui d'ailleurs vagabondent comme des animaux), quadrille de proche en proche tout un pays, le prend «agri-culturellement» d'assaut. Attitude mordante, agressive. Tandis que pour fortifier une ville, au contraire, on se met dans un état de défense, de retranchement. Contre quel ennemi Québec se défend-il ainsi? Contre les Iroquois? Ils ne commencent pas avant 1641 leurs attaques concertées contre les Français. Contre les Anglais? En 1608, ils viennent d'échouer en Virginie.

Les Québécois ne se défendent pas contre *un* ennemi particulier, mais contre *l'*Ennemi. Il n'a pas de visage, c'est ce qui le rend si inquiétant: tout ce continent, ces innombrables tribus sauvages, ces forêts impénétrables. Réflexe de minoritaire donc qui n'arrive pas sur cette terre en conquérant. En 1627, ils sont cent sept. Mais le nombre n'explique par nécessairement tout. C'est l'attitude, la mentalité de départ avec laquelle on aborde le Nouveau Monde qui compte. Cortez avec sa poignée d'hommes a soumis un empire entier...

Thoreau, en Yankee de 1850, si différent pourtant des autres Yankees, qui a tout fait pour s'ensauvager dans ses forêts de Concord, ne pouvait comprendre pourquoi Québec *devait* se fortifier.

Une paléontologie des fortifications de Québec

L'histoire de la fortification de Québec débute comme de raison avec Jacques Cartier, même s'il n'est pas son fondateur. Mais il inaugure la position de repli que les Français prendront pour leur Habitation future dans ces parages. Jacques Cartier, lors de son second voyage, cherche un lieu d'ancrage propice pour ses bateaux qui doivent y passer l'hiver. Le Malouin choisit son site non en fondateur de colonie mais en marin. Il faut mettre à l'abri les bateaux, pour, le printemps venu, filer... à la française. «Et nous remontâmes le fleuve sur environ dix lieux, côtoyant

2. *Ibid.*, p. 111.

ladite isle (l'Île d'Orléans), et au bout de celle-ci nous trouvâmes une fourche d'eau, fort belle et plaisante où il y a une petite rivière et un havre de barre, avec deux brasses de fond, que nous jugeâmes propice pour mettre nosdits navires en sûreté. Nous nommâmes ledit lieu *Sainte-Croix* car nous y arrivâmes ce jour-là»[3]. Des généralités sur le paysage, mais des précisions remarquables pour la navigation.

La «fourche d'eau» en question est l'embouchure de la rivière Saint-Charles (nommée Sainte-Croix par Cartier) qui conflue avec le Saint-Laurent. Le Malouin jette l'ancre en amont de cette rivière. En face, sur l'actuel site de Québec, Stadaconé, perchée sur son rocher[4]. Les précisions géographiques de Cartier laissent encore à désirer. «Auprès de ce lieu (lieu d'ancrage), il y a un peuple dont est seigneur ledit Donnacona, et là se trouve sa demeure, laquelle se nomme Stadaconé, qui est aussi bonne terre qu'il soit possible de voir»[5]. Site enviable, terre fertile, «bien fructifiante, pleine de très beaux arbres, de la même nature et sorte qu'en France»[6]. Un coin de France!

Mais n'oublions pas, nous l'avons vu, que Cartier ne vient pas en colon. La terre ne l'intéresse pas. Ce sont les pierres... précieuses...

Pas de velléité de conquête donc. Cartier et les siens s'installent *à côté*, «auprès» de Stadaconé pour profiter parasitairement du troc, mais aussi pour *connaître*. Chez les Français d'Amérique, le «connaître» l'emportera toujours sur le «conquérir» pour employer les termes de T. Todorov[7]. Cartier est le premier Français à nous brosser un tableau des moeurs «sauvages américains». Il inaugure ainsi une tradition d'anthropologie française qui puise ses données au *Canada* et qui atteint son apogée avec Lafitau.

Cartier fut reçu à bras ouverts par les Iroquois qui hantaient alors la vallée du Saint-Laurent. Mais les choses commencent à se gâter au moment où il dévoile son intention de pousser une petite pointe à Hochelaga (le futur Montréal). Bien que les habitants des deux villes fussent de la même race iroquoienne, il régnait une rivalité âpre entre les

3. Jacques Cartier, *op. cit.*, p. 181.

4. On pense que le village de Stadaconé a dû être situé, en termes modernes, «entre le château de Frontenac et le parc des Champs de batailles», M. Trudel, *op. cit.*, p. 92, qui se fie lui-même à l'autorité de Wintemberg.

5. *Ibid.*, p. 181.

6. *Ibid.*

7. Tzvetan Todorov, *la Conquête de l'Amérique. La question de l'autre*, Seuil, 1982, pp. 191-246.

deux villes. Rivalité qui s'explique par la situation géographique des deux agglomérations. Quoique moins importante qu'Hochelaga (le sachem de Stadaconé payait ses tributs à celui d'Hochelaga), Stadaconé, par sa position stratégique en aval sur le Saint-Laurent, contrôlait le trafic de la voie laurentienne où les pêcheurs européens circulaient bien avant Cartier. Quoi qu'en pense l'abbé Groulx[8], Québec et Montréal hériteront de cette *même* rivalité provoquée par leur site respectif, mais exacerbée ensuite par des facteurs spécifiques sur lesquels nous reviendrons.

Au retour d'Hochelaga, rien ne va plus. Cartier trouve ses compagnons qu'il avait laissés près de Stadaconé, barricadés dans un fort construit à la hâte. «Et nous trouvâmes que les maîtres et mariniers, qui étaient demeurés, avaient fait un fort devant lesdits navires, *tout clos*, avec de grosses pièces de bois, planté debout, jointes les unes aux autres, et tout autour garnies d'artillerie et bien en ordre *pour se défendre contre tout le pays*»[9]. Pris de panique, les Français se retranchent, se coupent hermétiquement (Hermès étant à la fois le Dieu de la communication et de l'incommunication) de l'Autre. Le texte le dit assez: ils ne se défendent pas contre cet ennemi spécifique qui les harcèle mais *contre tout le pays*. Menace sourde où se conjuguent l'altérité des codes de ces peuples, à double fond, donc traîtres[10], l'inhospitalité de la nature, l'hiver prochain qui s'annonce. Puisque c'est *tout* le pays qui s'est ligué contre les Français, il convient de renforcer encore plus les lignes de défense, de les rendre encore plus impénétrables à l'ennemi rampant autour. «Voyant leur malice (Indiens), et craignant qu'ils n'imaginent quelque trahison et viennent, avec un amas de gens, nous courir sus, le capitaine fit renforcer le fort, tout autour, de gros fossés larges et profonds, avec une porte à pont-levis, et renforts de pans de bois, en travers des premiers»[11].

8. Lionel Groulx, *la Découverte du Canada. Jacques Cartier*, op, cit., «Des facétieux feront remonter jusque-là (rivalité entre Stadaconé et Hochelaga) l'origine des vieilles rivalités entre Québec et Montréal»; *ibid.*, p. 186.

9. *Ibid.*, p. 208; nous soulignons.

10. «Le capitaine leur répondit qu'ils (Donnacona, Taignoagny et dom Agaya) n'étaient que traîtres et méchants», *ibid.*, p. 217.

11. *Ibid.*, p. 216.

Une conquête à rebours: l'ombilic de Québec contre la tourbe sauvage

Douves, pont-levis: on le voit, le modèle de cette fortification est la ville forte du Moyen Âge, dont notamment Saint-Malo, ville fermée hermétiquement aux étrangers à partir du couvre-feu, grâce à ses chiens féroces, «dogues d'Angleterre», qu'on lâchait en dehors des enceintes[12]. Comme si ces précautions ne suffisaient pas, on monte la garde, on fait le guet nuit et jour. Fantasme paranoïdes de l'ennemi aux aguets, prêt à vous conquérir? Aucunement. Les peurs sont fondées. En *Canada*, la «conquête de l'Amérique», à tout moment, peut aller à rebours, du moins jusqu'au traité de paix avec les Iroquois en 1701: les Amérindiens dominent le terrain par leur nombre et leur stratégie de «petite guerre» adaptée à la géographie du pays.

Cartier, conquérant conquis, un moment, fait figure de Moctezuma, battu en brèche par les Iroquois. La comparaison évidemment a une faille: les Iroquois, même s'ils attaquent, ne font que défendre *leur* pays; tandis que les Français, les «robes noires» missionnaires, les marchands, les colons, les coureurs de bois — tout en s'offusquant de l'agressivité des Iroquois et en se complaisant dans des postures de martyrs assaillis — sont les premiers «conquérants» de ce pays, aussi paisible et spirituelle que soit leur mission. Les revendications des Iroquois sont ainsi plus que légitimes lorsqu'ils affirment que «celles-ci (les terres) leur appartiennent et que leurs ancêtres y ont toujours demeuré comme en leur habitation de droit et d'élection»[13].

Contre l'animosité des Amérindiens, aucun fort ne résiste. Général Hiver, nous l'avons vu, s'est mis aussi de l'offensive. Le premier site d'habitation des Français doit être abandonné. Trop proche de Stadaconé, il ne convient pas comme lieu fondateur. Cela n'empêche qu'il devient pour les *Canadiens* du XIXe siècle, qui commencent à «se souvenir de leur origine française», le point zéro, point de référence invisible, mais mythique, à partir duquel *leur* histoire a débuté. Les historiens, fiévreusement, vont en quête de ce site inaugural de/du Québec[14]. Hélas, l'archéologie de cet ombilic mythique de/du Québec reste aussi incertaine,

---

12. *Le Monde de Jacques Cartier, op. cit.*, p. 218.

13. Marie Morin, in «Annales de l'Hôtel-Dieu de Montréal», Mémoires de la Société historique de Montréal, Montréal, 1921, p. 158.

14. Voir N.E. Dionne, *la «Petite Hermine» de Jacques Cartier*, Québec, 1913, qui a fait le point sur la question.

aussi hypothétique que celle de Stadaconé. D'ailleurs, il est anonyme, car il ne fut jamais baptisé. Déjà Champlain n'en trouve presque plus de vestiges. Malgré tout, il fallut rendre visible ce point invisible grâce au monument en l'honneur de Jacques Cartier (et de Jean de Brébeuf, fondateur de la mission des Jésuites en 1625) que la Société Saint-Jean-Baptiste inaugura dans un élan patriotique le 24 juin 1889.

On comprend donc que, cinq ans après, lorsque Jacques Cartier revient en Canada, il s'installe *ailleurs*. Il a si peu d'attachements affectifs pour le site de son premier hivernement qu'il le salue à peine au passage et ne le désigne que génériquement, pas sa position géographique, «havre de Sainte-Croix»[15]. Les pèlerinages, c'est pour plus tard. Échaudé, ou plutôt refroidi par son expérience malheureuse avec les habitants de Stadaconé, capitale du Kanada, Cartier met de la distance entre lui et les Amérindiens. Le conflit avec ces derniers ne s'était-il pas envenimé *parce que* le havre de Sainte-Croix était trop près de Stadaconé? Son deuxième site de colonisation, Cartier le choisit cette fois beaucoup plus à l'Ouest de Stadaconé, à l'extrême pointe occidentale du Cap-aux-Diamants (de leur *faux* éclat demeure au moins un *vrai* lieu géographique), Stadaconé étant situé à la pointe opposée du cap, faisant face à l'Île d'Orléans. Il ne saurait être plus loin, tout en étant encore trop proche!

Lors de ce troisième voyage, Cartier regarde le paysage laurentien non plus en marin, mais en colon et en stratège. En effet, son site de colonisation, il l'élit sur le Saint-Laurent à l'embouchure de la rivière du Cap-Rouge. Perché ainsi sur les falaises, il contrôle la circulation sur le Saint-Laurent, tout comme Stadaconé, la ville rivale. Décidément, les Français ne cessent d'observer, d'imiter les indigènes. En peu de temps, ils acquerront par mimétisme une expérience du terrain que les Amérindiens ont mis des millénaires à faire leur. *Charlebourg-Royal*, ainsi s'appelle ce nouveau site fondateur, le deuxième donc, en l'honneur d'un des fils de François Ier. À lire la relation de Cartier, ce fut un enchantement paradisiaque. Abondance, fertilité, variété des espèces, tout y est. Les superlatifs fusent de partout. «Il y a une grande quantité de chênes, les plus beaux que j'ai vus de ma vie, lesquels étaient tellement chargés de glands qu'il semblait qu'ils allaient se rompre»[16]. Le gland du chêne («l'autre» gland en tire son origine), depuis l'Antiquité a été l'emblème

15. *Op. cit.*, p. 249.
16. *Ibid.*, p. 252.

de la fertilité, du *locus amoenus*, du paradis[17]. Comme par hasard, on y trouve aussi le fameux *annedda*, l'arbre de connaissance de vie et de mort en Kanada, «lequel a la plus excellente vertu de tous les arbres du monde»[18]. C'est l'Arbre.

Cette description paradisiaque adressée à la Galerie Royale ne doit pas nous tromper sur l'état d'esprit des habitants de Stadaconé. Cartier ne récidive-t-il pas en se rendant de nouveau à Hochelaga, ennemie de Stadaconé? De retour à Charlebourg-Royal, il trouve le fort dans le même état de siège que cinq ans auparavant. La distance qu'il pensa mettre entre le fort français et Stadaconé ne fut pas suffisante. Nous voilà tout surpris d'apprendre qu'au paradis, on s'arme, on se barricade, on craint un ennemi! L'ennemi, encore une fois, c'est la foule en effervescence, inquiétante, incontrôlable. Masse indistincte, que les Romains appelèrent la *turba*[19] et qui évoque, bien sûr, la supériorité numérique. Cette masse marche-t-elle, autre «forêt de Dunsinan», sur Charlebourg-Royal? Il est simplement question d'un attroupement à Stadaconé. «Notre capitaine ayant été averti par quelques-uns de nos hommes, lesquels avaient été à Stadaconé pour les voir, qu'il y avait un *nombre considérable* de gens du pays assemblés, fit mettre toute chose en bon ordre dans notre forteresse»[20]. À la pagaille, au désordre «sauvage» extérieur s'oppose le bon ordre intérieur, assuré par les enceintes de la forteresse. Conséquence immédiate des fantasmes paranoïdes qui s'emparent de nouveau des Français, hérissés définitivement contre l'ennemi: les codes et gestes conventionnels s'effondrent. L'ennemi, lorsqu'il manifeste sa joie, ne cache-t-il pas sous cette apparence trompeuse, extériorité sauvage, une intériorité qui signifie le contraire: la haine de l'assassin? «Il faut se garder de toutes ces belles cérémonies et joyeusetés, car s'ils s'étaient crus plus forts que nous, ils auraient fait de leur mieux pour nous tuer»[21]. La duplicité de l'Indien, ses «menteries», son «masque» impénétrable recelant des fourberies innombrables, ces traits stéréotypés des «sauvages américains» commencent à se cristalliser, comme on le voit, pour la première fois chez Cartier.

17. H. Levin, *The Myth of The Golden Age in The Renaissance*, Indiana University Press, 1969.

18. *Op. cit.*, p. 252.

19. Michel Serres, *Rome, op. cit.*, «la Duplicité agitée», pp. 233-263.

20. *Op. cit.*, p. 259; nous soulignons.

21. *Ibid.*, p. 259.

Les murs de Québec: un «limes» mythique ou les Croisés d'Amérique

Mais, plus important, tout le drame offensif/défensif entre Français et Amérindiens auquel nous avons assisté à Charlebourg-Royal donne en raccourci les raisons qui, dans l'histoire *canadienne*, ont milité puissamment pour la fortification de Québec. Le Yankee Thoreau, descendant de puritains, devrait pourtant y être sensible.

Contre la sauvagerie rôdante, désordonnée, le nombre incalculable, la masse incontrôlable; contre le danger de contagion, attrait que pourra exercer et qu'exercera effectivement, nous le verrons, cette vie sauvage sur les Français; bref, contre l'ennemi extérieur, il faut dresser à la fois une ligne de défense et un cordon sanitaire qui garde intactes dans leur «pureté» les valeurs morales, religieuses, les institutions françaises. Certes, Thoreau a probablement raison lorsqu'il affirme que les fortifications lors même de la fondation de Québec avaient déjà un air d'antiquité qui faisait penser à un autre époque. «Ceux qui les premiers ont construit ce fort venus de la vieille France, chargés du souvenir et de la tradition de l'époque et des coutumes féodales, étaient incontestablement en retard sur leur âge»[22]. En effet, c'est le moment où, en Europe, les villes fortes firent raser les remparts, n'offrant plus de défense adéquate à l'artillerie moderne.

Les fortifications de Québec, en premier lieu, n'ont pas tant un rôle stratégique, réel, que psychologique, voire même mythique. Les ramparts de Charlebourg-Royal comme ceux de Québec ne résistent pas à l'assaut de l'ennemi réel. Cartier doit céder la place puisqu'il «n'avait pu avec sa *petite bande* résister aux sauvages qui *rôdaient* journellement et l'incommodaient fort»[23]. Québec doit être cédée aux Anglais dès 1629, à peine fondée. Cette fonction de la fortification mythique, nous la trouvons déjà dans le Charlebourg-Royal de Jacques Cartier, malgré sa surdétermination militaire.

Limes (frontière) qui tranche nettement, qui départage, dans un pays ne connaissant pas de limites, le Gentil du Chrétien, le Français du Kanadien/*Canadien*, le Civilisé du Sauvage, les institutions françaises des assemblées de sauvages, bref l'Autre du Même.

Québec, en retard sur les autres villes américaines et même européennes? Oui, puisque le *mythe* est toujours «en retard» sur la *réalité*.

---

22. Thoreau, *op. cit.*, p. 120.
23. *Le Voyage de Roberval au Canada, op. cit.*, p. 265; nous soulignons.

Québec en effet rappelle le «siège de Jérusalem». Thoreau a raison. «Le Canada à ses débuts vit dans la ferveur de la conquête spirituelle des Gentils, animé de l'ardent désir et zèle de voir ceste Nouvelle-France (...) conquise à nostre Seigneur»[24].

Résurgence de l'esprit des croisades, quatre cents ans plus tard. Cette croisade se fera à l'échelle non collective, mais individuelle, missionnaire. Sauf que, la croisade *canadienne* inverse, pour ainsi dire, les données de celles du Moyen Âge. La croisade *canadienne* ne s'appuie pas sur de vastes bassins de recrutement — toute l'Europe chrétienne en somme y participait — pour prendre comme objet de sa conquête une ville, mais, au contraire, part d'*une* seule ville fortifiée pour conquérir un pays d'infidèles qui dépasse largement les dimensions de l'Europe chrétienne des croisades. La folie de Dieu aux dimensions d'un continent! Dans le domaine religieux, plus que dans celui de la stratégie militaire, il faut empêcher coûte que coûte que la conquête se fasse à rebours: il faut créer une aire de ressourcement pur, où les missionnaires, soldats de Dieu, contaminés par leur contact avec les hérésies païennes du pays, puissent se «dépolluer», se recentrer. Le sacré est au prix de cette séparation nette du non-sacré, du profane[25].

Les murs du temple (*templum*), comme les murs de Québec, ont cette fonction séparatrice, discriminatoire, radicale, mythique. Séparer le sacré du profane, le Même de l'Autre.

Évidemment, le protestant Thoreau bute littéralement sur cette fonction mythique des murs de Québec. Pragmatique, il se demande *à quoi servent* ces remparts de pierre. En 1850, plus à rien. Mais ils ont *déjà* servi. Si l'Anglais de la Nouvelle-Angleterre n'a jamais érigé nulle part de remparts comme ceux de Québec, c'est qu'ils auraient été un luxe dérisoire dans le pays du puritanisme. Chaque puritain n'a-t-il pas intériorisé cette fonction discriminatoire du mythe et du sacré? Chaque individu de la Nouvelle-Angleterre ne porte-t-il pas en lui-même ce rempart qui départage le pur de l'impur, le sacré du non sacré? À côté de ces forteresses individuelles d'une étanchéité sans faille, les murs de Québec paraissent très poreux. Bien des microbes et des parasites du pays y pénètrent. Tant mieux: la résistance «immunologique» des habitants aug-

---

24. Biard, *The Jesuit Relations, 1611-1616*, Thwaites éd., tome III, p. 35.

25. On renvoie aux classiques de Mircea Eliade, *le Mythe de l'éternel retour*, Gallimard, 1969 et Roger Caillois, *l'Homme et le Sacré*, Gallimard, 1950.

mente, à condition de contrôler et de doser les entrées du pays et les sorties en *Canada*.

Non, ce ne sont pas des puritains qui font la loi dans ces murs. Pas d'expulsion, à peine des exécutions capitales, jamais de chasse aux sorcières, ni de «lettres écarlates» cousues sur la robe des femmes adultères comme à Salem et à Boston. Mieux vaut alors des murs archaïques en pierres et en mortier que ces forteresses invisibles derrière lesquelles se retranchent le fanatisme religieux et l'auto-suffisance individuelle et nationale. Exemple de cette supériorité hautaine, voyez comment, d'une chiquenaude, Thoreau, rabâchant les éternels lieux communs sur le *Canada*, rejette tout le système de valeurs *canadien* qui, il va sans dire, ne se compare pas à celui des Américains. «Il était évident que, à cause du système féodal et du gouvernement aristocratique, un citoyen ordinaire ne valait pas tant au Canada qu'aux États-Unis; et si votre richesse, en quelque sorte, était faite de virilité, d'originalité et d'indépendance, il valait mieux que vous demeuriez dans ce dernier pays»[26].

Les fondations branlantes de la forteresse du traître Cartier

Si les murs de Québec ne sont pas encore érigés, si Québec n'existe pas encore, l'esprit qui présidera à sa fortification flotte dans l'air depuis 1534. Cartier, à Charlebourg-Royal, a vécu ce qu'on pourrait appeler les «prémisses» ou les prémices de la fortification qui, non loin de là, s'appellera Québec. Il doit abandonner son deuxième site d'implantation qui, bien sûr fortifié, ne saura résister à l'hostilité des sauvages. «C'était là la cause qui le portait à revenir en France»[27]. C'est tout au moins la raison que Cartier donne à Roberval qui l'exhorte de rester en Kanada. Rien n'y fait. Cartier est le premier traître à la cause du *Canada*. Les historiens québécois relèvent à peine, s'ils ne l'excusent pas, cette indiscipline grave, cette félonie de Cartier[28]. Geste inaugural, négatif, donc invisible en *Canada*, qui est aussi celui de tous les traîtres qui seront légion au *Canada* et au Québec.

---

26. Thoreau, *op. cit.*, p. 121.

27. *Le Voyage de Roberval au Canada*, *op. cit.*, p. 265.

28. Voir Lionel Groulx, *la Découverte du Canada*, *op. cit.*, p. 254. Le Français Ch.-A. Julien s'étonne avec raison de l'«absolution générale» que le chanoine Groulx passe à Cartier à propos de cet incident, *op. cit.*, p. 159.

Cartier, il est vrai, s'en tire encore à peu de frais parce que son manque de loyauté envers son roi n'est pas dirigé *contre* lui; c'est là le vrai sens de la trahison, prestation de service à un autre souverain, étranger, ennemi. Tout simplement, plutôt que son devoir d'État — ce qu'on appellera sous peu la *raison d'État* —, il suit la voie de son salut personnel, individuel; et il file à la française, mieux, à la *canadienne*, comme tant de *Canadiens* après Cartier fuiront le pays établi sous l'autorité «étatique» du roi pour n'écouter que leurs pulsions, pour mener une vie sans entraves, libre.

Mais la figure du traître — nous y reviendrons — a tendance d'abord à se glisser subrepticement dans les moeurs *canadiennes* à la faveur de la contrebande de la traite avec les Anglais, puis à s'affirmer, une fois que le *Canada*, après la Conquête, placé sous l'autorité d'un roi étranger, commence à affirmer sa nationalité propre. Le *Canadien*, enserré dans un *double bind* inextricable, sera écartelé entre deux allégeances qui s'excluent l'une l'autre, comme la loyauté et la trahison. Il est bon, même nécessaire, de pouvoir «oublier» *une* des allégeances. La conscience s'en porte d'autant mieux!

C'est donc tout naturellement que Roberval, même s'il opte pour le site fortifié par Cartier «proche et un peu à l'Ouest du Canada» (c'est-à-dire Stadaconé)[29], le débaptise. L'oeuvre d'un fuyard déloyal, premier «coureur de bois», ne constitue pas un fondement bien solide pour une nouvelle colonie. D'ailleurs, la forteresse vide de Cartier n'a guère survécu au départ de son ingénieur-architecte. En effet, Roberval dit qu'il «fit bâtir un joli fort»[30]. Soit que Cartier lui-même, en partant, ait fait raser les murs de sa forteresse, soit que ses ennemis de la ville rivale, Stadaconé, s'en soient chargés.

Troisième essai de fondation d'un pays qui commence encore au point zéro. De nouveaux murs, une nouvelle forteresse sont à ériger. Cette forteresse «aux grosses tours» impressionnantes, Roberval l'appelle France-Roy, comme pour signifier, en regard de la vilenie du marin malouin, son attachement indéfectible à la couronne et à la mère patrie. Même s'il bâtit les murs de sa forteresse afin de «pouvoir résister à l'attaque des ennemis»[31] iroquois extérieurs, Roberval, le protestant, commence peut-être à soupçonner qu'il existe aussi un ennemi intérieur plus

29. *Op. cit.*, p. 266.
30. *Ibid.*, p. 266.
31. *Id.*

sournois contre lequel aucun fort ne protège: la haine intestine, la division, la rivalité des clans.

Décidément, les Français ne sauraient profiter d'aucun élan acquis. Ce troisième hivernement des Français en Kanada est en fait comme leur premier, puisqu'ils ne bénéficient pas de l'expérience acquise. Pas d'*anneda* donc: l'arbre de la connaissance en Kanada a été de nouveau perdu. Si Roberval ne se plaint pas des attaques des Kanadiens de Stadaconé, c'est qu'il ne les a pas attaqués le premier[32], ou bien qu'ils ont été impressionnés par le nombre plus respectable des colons (ils sont deux cents). Par contre, sa forteresse, pas assez calfeutrée, cède à l'assaut de l'hiver. Cinquante colons succombent. La forteresse vide de France-Roy, abandonnée par Roberval, s'écroule lentement, rongée par le temps et par l'oubli. C'est normal: en fondation, seuls le premier geste, le premier sillon comptent. Aucun archéologue français ni québécois n'ira donc en quête des fondations de Charlebourg-Royal ou de France-Roy.

Champlain: la filiation secrète entre Stadaconé et Québec

Encore moins Champlain qui, dès 1608, revient dans les parages du Saint-Laurent avec Pont-Gravé pour prendre en charge le monopole de la traite concédé à Pierre Du Gua de Monts. La traite des fourrures ayant pris un essor considérable, éclipsant la pêche, des territoires de chasse de plus en plus étendus ont été nécessaires pour fournir à la demande en peaux de castor. L'Acadie maritime, en plus d'être trop exposée à l'ennemi, sans *hinterland*, est vite parue étriquée, trop fermée sur elle-même, pour devenir le comptoir de traite de la Nouvelle-France.

Champlain avait déjà repéré la position stratégique de Québec, dès 1603. Son site géographique, bien sûr, mais aussi ses nouvelles conditions d'habitation. En effet, en 1603 — mais déjà bien avant cette date —, le paysage laurentien a connu une révolution. Léo-Paul Desrosiers n'hésite pas à parler de «cataclysme»[33]. Quel contraste entre le voyage de Cartier et celui de Champlain! Des bras tendus, des cris de joie (au début!) lors du voyage du premier; une terre désolée, où a disparu qua-

---

32. Roberval les voit d'un assez bon oeil. «Ils sont blancs, mais sont tout nus: et s'ils étaient vêtus à la façon de nos Français, ils seraient aussi blancs et auraient aussi bon air», *ibid.*, p. 269.

33. L.P. Desrosiers, *l'Iroquoisie*, tome I, Montréal, Les Études de l'institut d'Histoire de l'Amérique française, 1947, p. 26.

siment toute trace humaine, pour le voyage de Champlain. «Toutes les bourgades soit ouvertes, soit palissadées sont disparues; il ne reste rien ni de celles de la région de Québec, ni de celles de la région de Montréal. La vallée du Saint-Laurent est morte, dépeuplée»[34]. Les Iroquois, habitants d'Hochelaga et de Stadaconé, sédentaires et agriculteurs — au cours d'une guerre sanglante dont, hélas, il ne nous reste aucun témoignage direct —, ont été refoulés de la vallée du Saint-Laurent par les Montagnais-Algonquins, chasseurs nomades, qui les ont chassé de leur site traditionnel. Ces ennemis des Iroquois deviendront donc les amis des Français. Les Français, en contractant l'amitié de ces chasseurs, s'attirent par ricochet la haine des Iroquois. Les guerres iroquoises ont leur origine dans cette préhistoire de Québec.

Des amis «sauvages» ont disposé — tout au moins pour un temps — des anciens ennemis des Français contre lesquels Cartier et Roberval avaient érigé leur place forte. Stadaconé ayant disparu, plus de contrainte quant au choix de leur site fondateur. Mais pourquoi les Français n'ont-ils rien à craindre des Algonquins? Étant des chasseurs nomades, ils n'ont pas de la territorialité un sens aussi strict que les Iroquois agriculteurs. Si les missionnaires et les gouverneurs ont déployé tant de zèle pour arrêter, sédentariser toutes les tribus nomades, ils ont probablement oublié que ce fut grâce à la présence précisément de ces nomades chasseurs dans les parages du Kanada que les colons français ont pu si facilement prendre pied. Certes, les missionnaires français ont valorisé la Huronie agricole, la considérant comme «la noblesse du pays»[35]. En effet, les Hurons habitaient loin, sur les bords du lac Huron, leur territoire d'implantation n'entrant pas directement en rivalité avec celui des Français. C'est donc grâce à ces nomades et à leur sens très souple de la territorialité que Champlain et ses hommes, sans cessions de terres, troc ou acte de ventes — ce à quoi les Anglais de la Nouvelle-Angleterre devront consentir, étant en contact avec des tribus agricultrices —, ont pu «prendre possession» du pays.

Prendre possession d'abord du site de Stadaconé, la ville étant disparue. La filiation entre Stadaconé ou Stadaca, comme Cartier l'écrit, et Québec se fait sans conquête, sans effusion de sang, sans la destruction des murs d'une ville. Tout simplement un lieu-dit géographique amérindien, signifiant *rétrécissement, passage difficile, détroit*, prend la

---

34. *Id.*

35. Gabriel Sagard, *Histoire du Canada et Voyages que les Frères Mineurs Récollets y ont faicts pour la Conversion des Infidelles*, 1636, cité d'après éd. Tross, Paris, 1866, tome II, p. 367.

relève du site où, soixante ans plus tôt, dominait la ville iroquoise de Stadaconé: «Stadaca, que maintenant nous appelons Québec», lit-on chez
Champlain[36].

Ce transfert linguistique paisible qui semble aller de soi, troquant un
terme amérindien contre un autre — et non un amérindien contre un
français —, est significatif à plus d'un titre. Québec, contrairement à la
plupart des autres villes fondatrices — Rome, Athènes, Mexico —, contrairement à ce qui se passe dans tout processus «normal» de fondation[37],
ne repose pas sur la crypte d'ennemis assassinés parce qu'*aborigènes*[38].

Québec: un site «rétréci» qui contrôle les flux

Québec n'est pas une ville érigée sur les murs rasés, sur les débris
d'une autre ville. Québec, tout d'abord, comme l'indique son nom, c'est
un site géographique privilégié dans la vallée du Saint-Laurent. Rocher,
muni d'une pointe qui avance loin dans le fleuve et ainsi *le rétrécit*
(signification première de Québec), contrôlant la circulation fluviale des
deux rives laurentiennes à partir d'un lieu unique. La position stratégique
du site Québec/«rétrécissement» le prédestine à ce que sera la fonction
d'abord de l'*Habitation*, puis de la ville érigées à cet endroit: resserrer,
cerner de plus près les rives d'un fleuve, qui, partout ailleurs, a tendance à
aller à la dé-rive, à perte de vue; régler, contrôler et, si possible, arrêter
les flux (aquatiques, humains et marchands) qui entrent dans le pays et
qui en ressortent. Fonction de rétention et de conversion donc. Freiner et
retenir ce qui, autrement, tel un tourbillon laminaire, s'éparpillerait dans
un pays sans rives. Convertir (le *Canada* sera le pays de la «conversion»)
les valeurs sauvages (pelleteries, incroyances) en leurs «équivalents»
européens, par définition supérieurs (armes, outils, foi chrétienne).
Centre de conversion, plaque tournante, Québec, tout en contrôlant les
mouvements d'entrée et de sortie du pays, input et output, veille à ce que
les deux, tout en se croisant, ne se mélangent pas, ne se confondent pas.
C'est là la fonction discriminatoire, séparatrice et donc identificatrice qui,
nous l'avons vu, dès le temps de Cartier, avait été assumée par les murs

---

36. *Op. cit.*, p. 307.

37. René Girard, *Des choses cachées depuis la fondation du monde*, Paris, Grasset, 1981.

38. Les «Aborigènes» sont les premiers habitants qu'Enée, l'ancêtre du fondateur de Rome, vainc
et assimile grâce à une alliance. Voir Tite-Live, *Histoire romaine*, livre I, chap. I.

des forteresses érigées dans les parages de Stadaconé. Les murs de l'Habitation de Québec, en plus de leur simple rôle défensif, grâce à la clôture, doivent créer une intériorité artificielle nettement définie, délimitée, contre une extériorité sauvage illimitée. Ils sont le *critère* (au sens premier de *krinein*), le *crible* qui arrête, élimine, les tourbillons laminaires de la *tourbe* sauvage.

Même si Champlain, dès la «tabagie» de Tadoussac, en 1603, a fait des nouveaux habitants du Saint-Laurent — Algonquins et Montagnais —, ses alliés, des alliés qui, loin de le repousser, l'appellent instamment au pays[39]; même s'il n'a plus d'ennemis immédiats comme Cartier et Roberval, il fait fortifier son Habitation, dès son arrivée, à Québec, le 3 juillet. C'est que l'esprit du lieu signifiant *rétrécissement* préside à la ville future. Ce lieu de resserrement, ce «détroit» laurentien impose sa contrainte à l'Habitation que Champlain va fonder à cet endroit. En effet, si nous comparons les plans laissés par Champlain avec ceux des premières habitations acadiennes de Sainte-Croix et de Port-Royal, nous sommes frappés par l'extrême *resserrement* des constructions de l'Habitation québécoise, compacité fermée qui contraste avec la relative ouverture et la dispersion des bâtiments de Port-Royal, mais surtout de Sainte-Croix. L'Habitation champlainienne de Québec, fondation de la capitale *canadienne*, ne forme qu'un seul bloc tellement ramassé, resserré sur lui-même qu'il réduit presque à néant toute intériorité. Les Français, en élisant la vallée du Saint-Laurent comme pays de colonisation, vaste territoire aux ouvertures successives qui mènent jusqu'aux Grands-Lacs, paradoxalement, mais tout aussi logiquement, se créent une Habitation exiguë, compacte, ne laissant guère de place pour se retourner. Cette Habitation de Québec n'est-elle pas l'envers spatial du territoire inhabitable que les Français se proposent de peupler?

A l'extension excessive quasi illimitée du pays, l'Habitation de Québec oppose en effet un resserrement excessif, une réduction maximale dans l'espace, rétrécissement, resserrement qui seuls garantissent une protection, certes, mais surtout la possibilité d'une définition, c'est-à-dire une limitation à l'intérieur d'un pays qui envahit tout de sa mauvaise extériorité illimitée, de son altérité sauvage.

---

39. Le Sagamo de Tadoussac ne lui a-t-il pas assuré qu'«ils estoient fort aise que sa ditte Maieste-le roi de France- peuplast leur Terre, et fist la guerre à leurs ennemis»? Champlain, *op. cit.*, p. 71.

La question de Québec: sa définition. Pour une sémianalyse de Québec

Ce n'est donc pas d'hier, depuis le début du XIXe siècle ou des années soixante avec ce qu'on a appelé la «Révolution tranquille», que la question de l'identité, de la définition du Québec s'est posée. La définition de Québec, au contraire, est bien la première «interrogation», la plus archaïque des questions que se posent les habitants de ce site rétréci. Tout naturellement alors, le pays formé autour du noyau de Québec, parce que clairement défini, ne cessera de faire progresser, de proche en proche, la délimitation-définition du *Canada* afin de l'arracher à la confusion des langues, des cultes païens, mais aussi des sites géographiques les plus informes, parce que non soumis à l'agriculture.

La gravure que Champlain nous a laissée (il fut un graveur honorable) de l'Habitation de Québec illustre à merveille comment une intériorité radicale se définit, se délimite afin de se protéger contre une extériorité radicale. D'ailleurs, la légende même qui explique la fonction des différents bâtiments suit une courbe qui va de l'intérieur vers l'extérieur.

Sont nommés d'abord les corps de bâtiments avec l'usage qui en est fait (magasins, forge, logis de Champlain, etc.). La porte de l'Habitation et le pont-levis marquent les limites qui départagent l'intériorité — symbolisée par les trois foyers fumants — et l'extérieur. La porte ne donne pas sur l'extérieur, porte qui défend l'entrée parce qu'elle ne s'ouvre pas directement sur l'extérieur, mais sur toute une batterie de systèmes défensifs: fossées, éperons, plate-formes pour placer les canons. Et puis, évidemment, le plus important: les murs de l'Habitation de Québec semblent tellement aller de soi qu'ils ne figurent même pas sur la légende.

Extra muros, se succèdent les jardins de Champlain — dessinés, soit dit en passant, à la française —, la place sur les bords du Saint-Laurent, et enfin la légende se termine sur cette «Grande rivière», extrémité la plus éloignée. Mais, chose remarquable, la seule brèche laissée béante dans les murs et dans le système de défense de Québec ouvre sur le Saint-Laurent, seule voie de communication de l'Habitation. D'ailleurs, les canons ne sont-ils pas tous tournés vers la terre qui entoure le site de Québec? Cette terre est la véritable extériorité contre laquelle les premiers Québécois se protègent: désert innommable, aucune légende en effet n'y figure (le Saint-Laurent est aussi extérieur, mais il est nommable, parce

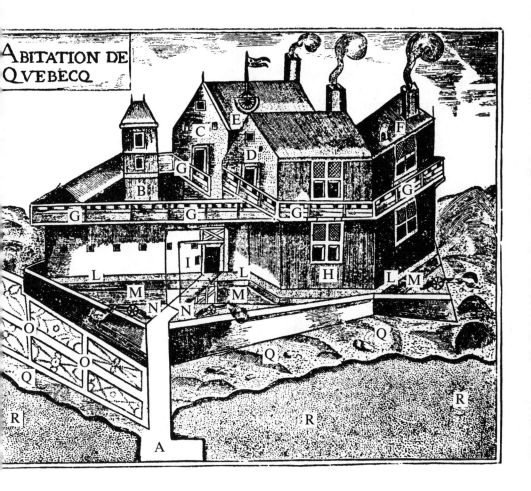

A Le magazin.
B Colombier.
C Corps de logis où font nos armes, & pour loger les ouuriers.
D Autre corps de logis pour les ouuriers.
E Cadran.
F Autre corps de logis où eft la forge, & artifans logés.
G Galleries tout au tour des logemens.

H Logis du fieur de Champlain.
I La porte de l'habitation, où il y a pont-leuis.
L Promenoir autour de l'habitation contenant 10. pieds de large iufques fur le bort du foffé.
M Foffés tout autour de l'habitation.

N Plattes formes, en façon de tenailles pour mettre le canon.
O Iardin du fieur de Champlain.
P La cuifine.
Q Place deuant l'habitation fur le bord de la riuiere.
R La grande riuiere de fainct Lorens.

que baptisé), chaos informe, sauvage[40]. Les éperons — selon la description de Champlain, «il y en avait plusieurs pointes»[41] — mordent littéralement dans le non-être existentiel, non pour le conquérir, mais pour
le repousser, le tenir à l'écart. C'est donc finalement cette extériorité
désertique, envahissante, qui comprime, resserre ainsi l'Habitation de
Québec, la réduisant à une *pure intériorité*: ni cour, ni place ou bâtiment
public, lieux de rassemblement où les différents ordres de personnes
auraient pu se rencontrer, n'ont été aménagés. Tous sont logés dans trois
maisons, habitations individuelles, privées, tellement serrées les unes
contre les autres, qu'elles ne forment qu'un seul bloc, corps de logis.
N'oublions pas de mentionner, pour y revenir plus loin, la présence du
cadran (E), Chronos dominant cette première Habitation, comme il
réglera la vie des Habitants.

Québec: l'idéal de l'habitation française

L'Habitation de Québec, en germe, donne le schéma, le modèle idéal
de l'habitation française en Amérique du Nord et, par là, prescrit le mode
d'habitation de cette figure *canadienne* autochtone appelé «Habitant»,
sur laquelle nous reviendrons. Idéal de repli sur les valeurs françaises, de
la clôture protectrice, de la réduction (la petitesse chérie), de la maison et
du foyer, symboles du bien-être et de l'intériorité privée, familiale. On se
souvient que Du Bellay, entre autres, les a exprimées dans ses *Regrets*,
notamment dans son célèbre «Heureux, qui comme Ulysse...»

> Quand reverrais-je, hélas, de mon *petit village*
> *Fumer la cheminée*, et en quelle saison
> Reverrai-je le *clos* de ma *pauvre maison*
> Qui m'est une *province*, et beaucoup davantage?

Site idéal; cité idéale en *Canada*, en Amérique — Thoreau ne s'y est
pas trompé —, parce qu'elle crée et maintient *intra muros* un îlot de
francité domestique, familiale et institutionnelle. Les Anglais, venant

---

40. Évidemment, la «cuisine», on objectera, n'obéit pas à ce partage rigoureux entre l'intérieur et
l'extérieur. Outre qu'elle n'est pas représentée dans le dessin, la cuisine, par l'approvisionnement en
nourriture qui nécessairement vient par delà les murs (jardin, pêche, chasse), plus que les autres lieux
du bâtiment, est tributaire de l'extérieur.

41. Champlain, *op. cit.*, p. 303.

pourtant d'une île, nulle part en Amérique n'ont conservé, fossile du vieux monde, de l'Europe «aux anciens parapets», une petite Angleterre réduite en une *seule* cité. Québec, cité idéale en Amérique, non pas parce que son mode de construction serait adapté aux exigences géographiques ou climatiques de ce continent, mais bien plus parce qu'elle s'est construite contre la nature kanadienne, américaine ensuite, parce que son idéal québécois — à savoir le resserrement compact, sans faille — est battu en brèche partout ailleurs.

Québec, c'est la conjonction, le mariage intime d'une mentalité française et d'un site. Sans cette mentalité de la clôture, de l'habitation protégée qui accompagne les Français au-delà de la traversée atlantique, Québec resterait soit un site géographique naturel ou, ce qui est plus probable, un site quelconque où *n'importe quelle* autre ville ouverte canadienne, américaine se serait développée: Montréal, Boston, Philadelphie...

Cependant, l'idéal du resserrement des Français est loin d'être assez enraciné, assez fort pour résister aux sollicitations du pays, aux débauches spatiales du Kanada sauvage, de l'Amérique. Il fallait *ce* site rétréci québécois pour ancrer, ensemencer, une fois pour toutes, la velléité de resserrement des Français afin de la muer en une volonté de prise, de saisie d'un continent qui va ailleurs à vau-l'eau.

Chapitre III

Et Québec fut fondé...

Québec, tu es roc, et sur ce roc je bâtirai ma ville

Volonté d'ancrage, d'enracinement qui est signifiée par l'emplacement précis où se fait la fondation de Québec. Québec, c'est un site géographique général, rétrécissement qui englobe nécessairement les deux rives du Saint-Laurent, mais c'est aussi un site *précis* au sens originel et quasi anatomique du terme, de découpé nettement[1]. «Québec est basty sur le roc»[2]. Dureté du roc (même s'il est friable) qui démarque le lieu de la fondation de Québec, de la douceur floue du paysage fluviatile environnant. Et puis, la pierre, le roc n'est-ce pas la matière idéale, fondement solide, parce qu'inébranlable, sur lequel tant de cités et d'institutions ont été érigées. «Tu es Pierre, et sur cette pierre je bâtirai mon Église». Jusqu'à «Plymouth Rock», lieu d'implantation des Pilgrims américains au Massachusetts...

On aura compris: ce n'est pas la pierre élémentaire qui constitue la fondation des cités et des empires, c'est la «pierre vive», *Petrus*, mais aussi tous les «génies du lieu» qui avaient déjà hanté le site fondateur bien

---

1. Voir, sur la genèse des notions de *précision* et d'*exactitude*, notre article «Galileo Galilei: de la précision à l'exactitude», in *Études françaises*, 19, p. 2.

2. Pierre Boucher, *Histoire véritable et naturelle des moeurs et productions du pays de la Nouvelle France vulgairement dit le Canada*, rééd. Société Historique de Boucherville, 1964, p. 13.

avant qu'un personnage ne se l'approprie par un geste définitif, irrévocable. Or, Québec est fondé *précisément* sur l'emplacement du village
iroquois disparu de Stadaconé. Cartier et Roberval, tenus en échec par la
présence inquiétante de Stadaconé, ont dû décaler leur forteresse par
rapport au village amérindien. Maintenant que le site est libre, Champlain
peut asseoir son Habitation sur les fondations, certes invisibles, mais
combien présentes de Stadaconé. Car Québec est bâti sur le roc même de
Stadaconé, nom de ville signifiant précisément «Roc-Debout». C'est ce
roc mythique iroquois, invisible, et toutes les âmes qui l'ont habité, qui
viennent hanter les murs et les maisons de Québec. Stadaconé est le
refoulé de Québec. «Refoulé», *das Verdrängte*, au sens strictement
freudien. Car le refoulement, selon Freud, n'est-ce pas, avant tout, un
«défaut de traduction»[3]? Le problème de la traduction, question irrésolue,
à jamais ouverte, plane sur la fondation de Québec comme pour présager
les défauts de traduction entre le futur Canada et le Québec, le Canada
étant le refoulé tacite, non *durch-gearbeitet* du Québec.

Québec entre la précision et l'exactitude

Québec, c'est le lieu rétréci qui ne traduit pas Stadaconé, réalité
amérindienne; qui n'a pas réussi à l'inclure dans la geste même de sa
fondation. En effet, Champlain, comme il l'a déjà amplement illustré
dans sa gravure, exclut de l'Habitation de Québec toute Altérité, toute
Nature sauvage. Même le jardin est rejeté *extra muros*. C'est dire la radi-
calité de ce mouvement d'expulsion. Il n'est donc pas étonnant que Stadaconé ne soit même pas nommé dans le récit qui narre la fondation de
Québec et dit en toutes lettres ce que la gravure avait laissé entendre de
façon implicite.

Cette narration de la fondation, à l'instar de l'illustration de l'Habitation, suit un vecteur qui va de l'intérieur vers l'extérieur. Tout d'abord,
il fallait s'assurer que le roc — donc l'intériorité la plus radicale, sur
laquelle Champlain allait fonder Québec — soit expurgé de toute alluvion
étrangère, autre. *Simila similibus* (le même, s'associant au même), le
principe de la production mythique est aussi à la base de Québec. Si le
site de Stadaconé est physiquement tout proche de celui de l'Habitation, à
tel point que les deux ont le même emplacement géographique, Cham-

---

3. Voir là-dessus S. Felman, *la Folie et la Chose littéraire*, Paris, Seuil, 1978, p. 18.

plain, par un étrange refoulement de l'Altérité, ne le voit pas, étant plus sensible à la proximité mythique du Même: sol du premier site d'hivernement de Cartier sur la rivière Saint-Charles (Sainte-Croix selon la toponymie cartiérienne).

Certes, on dira à la défense de Champlain: n'ayant pas *vu* de ses yeux Stadaconé — devenu un site anonyme — comment pouvait-il le nommer dans son récit? Mais la première forteresse de Cartier n'a-t-elle pas subi le même sort que Stadaconé: avalés tous les deux par *Chronos* et par la Nature? Des deux filiations possibles pour Québec, toutes les deux matériellement invisibles, Champlain choisit celle réellement la plus lointaine, mais mythiquement et ethniquement la plus proche.

Toutes les deux, il les «voit» à travers la présence du récit de Jacques Cartier. Car c'est en effet avec un livre, sur un livre que se fonde Québec: le *Brief Récit* de Jacques Cartier. *Brief récit* en main, Champlain va en quête du lieu *exact* du premier hivernement du Malouin. «Ce fut ce qui m'en fit faire *exacte* recherche pour en lever le soubçon et doubte à beaucoup»[4]. Nous passons de la *précision* à l'*exactitude*: Québec est située *précisément* à l'endroit où fut sis Stadaconé, mais il est *exactement* au point mythique de la première forteresse de Cartier. Même les fondations mythiques ont horreur de l'à-peu-près, comme la nature a «horreur du vide». Il est remarquable que Champlain, dès 1608, utilise ici pour repérer le site de Cartier le terme *exact* dans son sens moderne, scientifique, de calcul mathématique, vulgarisé par Galilée, notamment à partir de son *Il Saggiatore* (l'Essayeur), alors que le *Dom Juan* de Molière ne connaît encore que son acceptation préscientifique avec son fameux «Va, va le ciel n'est pas si exact que tu penses» (*Dom Juan*, V, 4). Le ciel n'est pas si exigeant, comme un *exactor*, percepteur d'impôts qui demande implacablement son dû. Mais, loin d'être complètement absent, le sens archaïque d'*exact* qui dérive du latin *exigere* voulant dire «chasser quelqu'un», «le chasser d'une place occupée», d'une «fonction»[5], sous-tend la recherche en apparence purement «scientifique» de Champlain. En effet, ce dernier, en élaborant une filiation directe avec Jacques Cartier, n'expulse-t-il pas, ne refoule-t-il pas jusqu'au nom de Stadaconé aussitôt homologué en Québec? «Stadaca, que maintenant nous appelons

---

4. Champlain, *op. cit.*, p. 309.

5. Voir Cicéron, «Tarquinio exacto...», *De Republica*, 1-40 et «tum exacti in exsilium innocente», (puis les innocents chassés, envoyés en exil), *ibid*.

Québecq»[6]. Stadaca est un non-lieu, il n'a aucune raison d'être. Seul son fantôme hantera dorénavant les murs de Québec...

Stadaconé, il faut le remplacer par le site cartiérien de Sainte-Croix, que Champlain situe fictivement à Québec afin d'en faire son fondement mythique. Quelques lignes donc après avoir refoulé Stadaconé (le mot et la chose), le fondateur de Québec, par un mouvement inverse, transfère Sainte-Croix à Québec afin de faire coïncider les deux lieux éloignés physiquement. Refoulement de Stadaconé, alors que Québec se trouve sur le site même de Stadaconé; substitution de Québec à Sainte-Croix qui est pourtant à l'écart de Québec. Le «lieu de Saincte-Croix appelé maintenant Québecq où il (Cartier) laissa ses vaisseaux, et y fit édifier son habitation»[7].

Habitation: le mot magique, qui connaîtra une fortune inespérée au Canada, est lâché. C'est évidemment à ce titre que se fait, en dernier ressort, la filiation entre les deux lieux qui ne coïncident pas, Sainte-Croix et Québec: tous les deux, en effet, sont marqués par les signes distinctifs de l'Habitation. Champlain, lors de sa recherche archéologique sur la rivière Saint-Croix/Saint-Charles (évidemment aucune fouille archéologique n'est faite dans les soubassements de Québec en quête des traces fragiles de Stadaconé), exhume tous les vestiges qui prouvent hors de tout doute que ce site avait déjà été *habité*. «Un quart du Norouest de nostre habitation, ce fut le lieu où Iacques Quartier yverna d'autant qu'il y a encores à une lieu dans la rivière des vestiges comme d'une *cheminée*, dont on a trouvé le *fondement* et apparence d'y avoir eu des *fossez* autour de leur logement, qui estoit *petit*. Nous trouvasmes aussi de grandes pièces de bois escarrées, vermoulues, et quelque trois ou quatre *balles de canons*. Toutes ces choses monstrent évidemment que ç'a esté une *habitation*, laquelle a estée *fondée* par des Chrestiens»[8].

Nous trouvons à l'état de délabrement, mais toujours identifiables, tous les signes sémiotiques de l'Habitation de Québec que nous avions relevés lors de l'analyse du dessin de Champlain: petitesse et compacité du lieu d'habitation, étanchéité et clôture sur l'extérieur, système défensif impressionnant (fossés, murs en bois dont témoignent les grandes «pièces de bois escarrées», munitions), intériorité protégée, symbolisée, comme dans l'Habitation de Québec, par le foyer, la cheminée. Ce sont là les

---

6. Champlain, *op. cit.*, p. 307.

7. *Ibid.*, p. 308.

8. *Ibid.*, pp. 304-305; nous soulignons.

indices irréfutables de l'habitation «fondée par les chrestiens». C'est en effet ce christianisme, en l'absence de toute relique chrétienne (croix, chapelle, etc.), qui constitue le centre invisible, rayonnant, et qui subsume tous les signes matériels évoqués dans le récit ou dessinés dans la gravure.

Élimination de l'Autre

Le christianisme est aussi le noyau dur, le pivot de l'Habitation, à partir duquel s'enclenche, dans le récit de Champlain, le mouvement de rejet, de répulsion de tout ce qui doit rester extériorité: l'Autre, le non-chrétien, le Sauvage. Mouvement conventionnel pour l'époque, admirablement analysé par Michel de Certeau dans son *Écriture de l'histoire*[9]. Mais ce qui est remarquable dans le texte de Champlain, c'est la dureté, sans compromis, et la violence avec lesquelles s'opère le rejet de l'Autre au moment même de la fondation de Québec. On a pu dire de Champlain qu'il fut «ni un tortionnaire ni un saint»[10] et qu'il se situait, en ce qui concerne les préjugés à l'égard des sauvages, «dans la bonne moyenne»[11].

Certes, Champlain, dès son arrivée au pays, a d'emblée adopté le mode de vie des sauvages (utilisation du canot d'écorce et des raquettes, dont il donne une des premières descriptions, recours au troc, mode d'échange des Amérindiens, etc.), mais, lorsque vient l'instant de fonder l'Habitation, toutes ces complicités vagabondes avec les sauvages sont comme effacées, refoulées. L'Habitation de Québec est le repoussoir de toute velléité nomade.

Avant même de parler de l'Autre, une dernière précaution s'impose. Il faut creuser un ultime fossé défensif, qui sépare la culture du Chrétien de l'inculture du Sauvage. «Pendant que les Charpentiers, scieurs d'aix et autres ouvriers travailloient à nostre logement, je fis mettre tout le reste à deffricher au tour de l'habitation, afin de faire des jardinages pour semer des grains et grennes pour y voir comme le tout succéderoit (réussirait, *to succeed*, anglais), d'autant que la terre paroissoit fort bonne»[12].

---

9. *L'Écriture de l'histoire*, Paris, Gallimard, 1975. Voir notamment le chapitre «Ethno-Graphie, l'oralité, ou L'espace de l'autre: Léry», pp. 215-248.

10. François-Marc Gagnon, *les Hommes dits sauvages*, Montréal, Libre Expression, 1984, p. 15.

11. *Ibid.*, p. 16.

12. Champlain, *op. cit.*, p. 309.

Le jardin, nous l'avons vu sur la gravure, est le glacis de l'Habitation fortifiée, ligne défensive la plus avancée qui permet de reconnaître l'ennemi, de le discriminer. Le jardin lui-même ne figure-t-il pas une intériorité dans cette extériorité autre? Tout d'abord par son étymologie: le jardin[13] suivant sa racine étymologique et son être même est clôturé. C'est l'intimité du foyer, de la maisonnée qui se continue dans la «nature», une nature *domestiquée*, au sens premier du terme. Suivant son destin domestique, le jardin expulse évidemment l'emblème et le milieu favorisé de la «sauvagerie»: les arbres, la forêt. Car le «sauvage» n'est-il pas l'homme des forêts, *silvaticus*? Cette coupe à blanc autour de l'Habitation et l'établissement du jardin, au-delà de leurs buts utilitaires, ont donc pour fonction essentielle la constitution d'un *limes*, d'un cordon sanitaire qui préviennent la contagion du foyer chrétien, *cultivé*, jardiné par la forêt sauvage (c'est un pléonasme!), inculte parce que sans culte, non chrétienne.

Ces précautions épidémiques, sanitaires, prises, il peut être seulement question de ces non-habitants, qui figurent la région la plus extérieure, la plus éloignée de l'Habitation: les Sauvages. «Cependant quantité des sauvages estoient *cabanés* proche de nous qui faisoient pesche d'anguille (...)»[14]. Proximité physique qui explique et justifie précisément tout ce système multiple de défenses militaires et sanitaires. Les sauvages, on le voit, n'*habitent* pas, ils «cabanent» comme tous les nomades dans des tentes de fortune. Ils sont incultes, sauvages, vivant de la chasse et de la pêche, d'abord parce qu'ils ne cultivent pas la terre. Mais aussi et avant tout parce qu'ils n'ont pas de culte, ne connaissent pas de Dieu, ne sont gouvernés par aucune loi. S'ils ont un culte, c'est celui de l'Autre, du Diable. C'est le règne non pas de la négation de Dieu, celui de l'hérésie (le négateur dans sa ferveur d'apostat, malgré tout, connaît et reconnaît Dieu); mais celui, amorphe, chaotique, du néant, du vide religieux et ontologique. À cause de l'état d'inculture générale (étant des nomades et des incroyants) dans lequel ils croupissent, ces êtres sont déchus de leurs titres de noblesse, d'êtres humains. En un mot, ce sont des «bestes bruttes». La fondation de Québec nous aura valu — de la main de l'un des Français les plus ouverts à la condition amérindienne, un Français qui a respecté scrupuleusement tous les contrats et conventions conclus avec les

---

13. Au Moyen Âge, *gart*, *gardinium*, d'après le latin «hortus gardinus», signifie «jardin entouré d'une clôture», dérivant du gothique *garda*, *clôture*, donnant en allemand *Garten*, en anglais *garden*.

14. Champlain, *op. cit.*, p. 310.

Amérindiens, qui a été aimé, admiré par ces derniers — un des textes les plus racistes, sinon le plus raciste de toute la littérature française de la colonisation du *Canada*.

Violence fondatrice

Le racisme[15] fonctionne universellement comme un disjoncteur qui rabaisse l'Autre, le bestialise pour pouvoir ensuite l'exclure, l'éliminer, le porter au-delà du seuil (*limen*) du foyer d'habitation du Même, de l'intériorité protégée. La fondation du IIIe Reich, «nouveau millénium», suit le même canon discriminatoire, typique de *toute* fondation. Un Autre, qui fut d'abord le Même ou risquait de le devenir (le Juif allemand s'étant quasiment assimilé aux autochtones depuis mille ans de co-existence, fut discriminé, marqué par le port obligatoire de la croix de David), est rabaissé au niveau de la bestialité. C'est là la fonction du racisme. Ce dernier trouve dans le Sauvage un objet idéal: pas besoin d'arguties pour l'inférioriser. C'*est* une bête.

Les Allemands comme les Français d'Amérique se considèrent comme des habitants qui demeurent réellement, qui ont «toujours» demeuré dans le pays, tandis que les Juifs sont des nomades apatrides, qui «cabanent» tels des sauvages, sans foyer central (l'État d'Israël n'existait pas encore), sans maisonnée. Apatrides, ils circulent librement et sauvagement (le «Juif errant»), comme l'argent qu'ils brassent[16]. Ce sont donc des «bestes bruttes», des non-humains, pis, des vermines! Il faut prendre des précautions sanitaires drastiques pour éviter la contagion du noble, de l'humain, du surhumain, par cette sous-humanité bestiale. Voici le discours raciste, dépouillé de ses masques hypocrites, poussé dans ses derniers retranchements. Or, la violence fondatrice, invariablement, dévoile l'abjection du racisme parce que ce dernier s'y manifeste dans toute sa bestialité.

Si la violence fondatrice champlainienne et nazie suit une même chaîne de raisonnement, leur finalité cependant est *toute* différente. En effet, ce qui les distingue, mais cette différence est *incommensurable*: la violence de Champlain reste verbale, celle des nazis, emportés par un

---

15. Christian Delacampagne, *l'Invention du racisme*, Paris, Fayard, 1983.
16. André Glucksmann, *les Maîtres Penseurs*, Paris, Grasset, 1977.

paroxysme tourbillonnaire, passe aux actes, élimine massivement, collectivement. C'est le génocide.

Évidemment, on doit faire la même analyse pour la fondation de
l'Empire des Espagnols au Mexique. Discrimination du Même et de
l'Autre. Car, on ne le dit pas assez, les Espagnols se sentaient au départ
proches des Indiens. Ils créent l'Autre, pour pouvoir le rabaisser, le faire
déchoir de son titre d'homme; le déclarer animal, l'éliminer massivement. Le premier génocide a lieu en Amérique...

Le défaut foncier du livre de Todorov, *la Conquête de l'Amérique*, est
évidemment de ne pas avoir discerné ce «paradigme fondateur» sous-
jacent à la conquête et à la fondation de la Nouvelle-Espagne. La «sémio-
logie dialogique» dégage certes les codes différents des deux sociétés qui
se rencontrent, mais n'explique aucunement la *violence fondatrice*, élimi-
natoire, qui accompagne la conquête. Violence qui se manifeste même
chez les moins violents par nature, dans ce passage de Champlain qui suit
immédiatement le récit de la fondation de Québec.

> ... Cependant quantité de Sauvages estoient *cabanés proche de nous*,
> qui faisoient pesche d'anguilles qui commencent à venir comme au 15. de
> Septembre, & finit au 15. Octobre.
> (...)
> Quand leurs anguilles leur faillent ils ont recours à chasser aux Eslans
> & autres bestes sauvages, qu'ils peuvent trouver en attendant le printemps,
> où i'eu moyen de les entretenir de plusieurs choses. Le consideray fort par-
> ticulierement leurs coustumes.
> Tous ces peuples patissent tant, que quelquesfois ils sont contraincts de
> vivre de certains coquillages, & manger leurs chiens & peaux dequoy ils se
> couvrent contre le froid. Ie tiens que qui leur monstreroit à vivre, & leur
> enseigneroit le *labourage des terres*, & autres choses, ils apprendroient à
> propos sur ce qu'on leur demande. Ils ont une *meschanceté* en eux, qui est
> d'user de vengeance, & d'estre *grands menteurs*, gens ausquels il ne se
> faut pas trop asseurer, sinon avec *raison*, & *la force en main*. Ils pro-
> mettent assez, mais ils tiennent peu. Ce sont gens dont la pluspart *n'ont
> point de loy*, selon que i'ay peu voir, avec tout plain d'autres, *fauces
> croyances*. Ie leur demanday de quelle sorte de ceremonies ils usoient à
> prier leur Dieu, ils me dirent qu'ils n'en usoient point d'autres, sinon qu'un
> chacun le prioit en son coeur, *comme il vouloit*. Voila pourquoy il n'y a
> *aucune loy parmy eux*, & ne sçavent que c'est d'adorer & prier Dieu,
> *vivans comme bestes bruttes*, & croy que bien tost, ils seroient *reduits bons
> Chrestiens* si *on habitoit* leur terre, ce qu'ils desirent la pluspart. Ils ont
> parmy eux quelques sauvages qu'ils appellent Pillotois, qu'ils croient
> *parler au Diable* visiblement, leur disant ce qu'il faut qu'ils facent, tant
> pour la guerre que pour autres choses, & s'ils leur commandoit qu'ils
> allassent mettre en execution quelque entreprinse, ils obeiroient aussitost à

son commandement: Comme aussi ils croyent que tous les songes qu'ils font, sont veritables: & de fait, il y en a beaucoup qui disent avoir veu & songé choses qui adviennent ou adviendront. Mais pour en parler avec verité, ce sont *visions Diabolique* qui les trompe et seduit. Voilà tout ce que j'ay peu apprendre de leur *croyance bestialle*.[17]

Il est bon de souligner que Champlain reprend ici en ses grandes lignes la description qu'il fit des Sauvages en 1603, lors de son premier contact avec eux à Tadoussac, à l'occasion de la célèbre «tabagie». Mais le ton a changé, et le mode du discours aussi. Au dialogue *avec* les Sauvages a succédé le monologue *sur* les Sauvages; la joie, la liesse[18], qui mêlaient innocemment Français et Sauvages, font place à la tristesse suite à la révélation de la chute ignomineuse de l'Autre. La fondation de Québec aura été à ce prix. Il a fallu que l'Autre tombe, pour que Québec puisse s'élever.

Toute fondation — René Girard et Michel Serres l'ont montré[19] — est accompagnée d'une violence fondatrice qui vise avant tout à éliminer le Même, la gémellité mimétique, fusionnelle. Une intériorité se divise et détache d'elle, rejette en dehors de soi cet autre de Soi. À ce titre, Adam et Ève, et non Caïn et Abel comme le laisse penser R. Girard, incarnent la première violence fondatrice. Voulant être identiques à Dieu — *eritis sicut Dei* — aiguillonnés par un désir mimétique sans borne, voulant *se* connaître et en même temps connaître Dieu, Adam et Ève reconnaissent leur différence (sexuelle, ils se voient nus) et leur différence d'avec Dieu (ils ne partagent plus le même espace, le même jardin); dorénavant, ils cultiveront les champs. La culture des champs symbolise toujours cette opération d'exclusion-discrimination. Ainsi Caïn, le cultivateur, élimine son double, son frère pâtre ayant affaire aux «bestes bruttes». Le couteau de la charrue cultivatrice, nous l'avons vu dans l'Habitation de Québec, élimine autant l'Autre que le couteau effilé de l'assassin. De la même façon, Romulus tue, élimine Remus parce que ce dernier a sauté le mur séparateur érigé par lui[20].

---

17. *Les Voyages de Champlain*, *op. cit.*, pp. 310-311.

18. «Tous ces peuples sont d'une humeur assez joyeuse; ils rient le plus souvent», *ibid.*, pp. 76-77.

19. R. Girard, *la Violence et le Sacré*, Grasset, 1972. *Des choses cachées depuis la fondation du monde*, *op. cit.*, et également *le Bouc émissaire*, Grasset, 1982. Michel Serres, *Rome...*, *op. cit.*

20. Tite-Live, *Histoire romaine*, *op. cit.*, livre I, chap. VII.

Je est un autre. La violence fondatrice se creuse précisément dans cet espace de l'altérité pour éliminer l'Autre de Soi, de l'extériorité. Aussi Champlain, le plus doux des hommes, au moment même de la fondation de Québec, est-il entraîné malgré lui par le tourbillon de la violence fondatrice, verbale. Ce qu'il dit, il ne le dit pas en son nom propre, mais en tant que fondé de pouvoir de l'Habitation de Québec. Si, au cours de ce processus fondateur, les sauvages sont mis à l'écart, pis, frappés d'inexistence, c'est certes dans le but de tracer une ligne nette entre culture et non-culture, être et non-être, mais plus *fondamentalement*, pour exorciser les velléités d'Altérité en tout Français qui accoste sur les rives du Saint-Laurent. Exorciser la peur de devenir ces Autres.

Les Sauvages du texte fondateur de la ville de Québec sont les «boucs émissaires» des Québécois, nouveaux habitants du site de Stadaconé. Les habitants rejettent loin en dehors d'eux, au-delà des enceintes de la ville, sur le dos de l'Autre, leur possible désir mimétique d'Altérité. Ils voient ainsi expulsé, grâce à cette mise en scène fondatrice, l'envers de l'image de leur propre être, de leurs propres valeurs. À la fois exorcisme et épouvantail pour tous ceux qui seraient tentés de se laisser gagner par les facilités de la vie amérindienne, cette image de la chute, de la déchéance sauvage doit faire tourner les regards de l'Habitant vers l'intérieur, *intra muros*: c'est là la voie du salut, salut matériel autant que spirituel.

Romulus et Remus québécois: une question clef

Pourtant, comme si cette violence verbale qui accompagne l'élimination du Sauvage ne suffisait pas, la fondation de Québec se fait dans la violence physique. La fondation est en effet dominée par la mort. Avant que les murs de l'Habitation ne soient érigés, une potence est dressée au bout de laquelle pend le premier criminel, non de la colonie française en Amérique du Nord, puisque Roberval, avec sa rigueur toute protestante, avait déjà procédé à des exécutions capitales, mais précisément de Québec, future capitale du *Canada*. Cette mort quasiment statutaire qui a marqué le début de tant d'institutions et la fondation de tant de villes, Québec la connaît donc aussi. Ce drame, qui se joue au moment même où commencent à sortir de terre les murs de Québec, met en scène le désir mimétique, la rivalité intestine entre semblables. C'est là sa dimension universelle. Pourtant, il se déroule selon des modalités, dans des termes déjà typiquement québécois. C'est sa dimension locale.

À peine débarqué à Québec, Champlain, venu de Tadoussac, est l'objet d'une conspiration ourdie par un nommé Jean Duval qui, avec trois compagnons, voudrait assassiner le préfondateur pour livrer Québec à l'ennemi, Espagnols et Basques. «Quelques jours après que je fus audit Québecq, il y eut un serrurier qui conspira contre le service du Roy; qui estoit m'ayant fait mourir et s'estant rendu maistre de nostre fort, le mettre entre les mains des Basques ou Espagnols» note Champlain dans son récit qui narre la fondation de Québec[21]. Des conspirateurs, des traîtres, qui seront légion dans le pays après 1867, tentent de faire avorter la naissance de la capitale de la Nouvelle-France, comme ils tenteront, jusqu'à maintenant, de faire avorter la naissance de la souveraineté du Québec.

Crime de lèse-majesté, car les malfaiteurs ne s'attaquent pas seulement à la personne de Champlain, mais au «service du Roy». Ces conspirations contre les fondateurs de colonies au Nouveau-Monde sont trop courantes pour qu'on s'y arrête. Voyez celles ourdies contre C. Colomb, contre Cortez ou contre le Français Laudonnière, au fort Caroline en Floride.

Ce qui retient plutôt notre attention, ce sont les *dramatis personae* impliquées dans le drame fondateur de Québec, leur rôle universel *et* local: deux serruriers, Romulus et Remus québécois, s'affrontent dans une rivalité fratricide, «fonctionnelle», qui touche la conception même de leur profession de serrurier. En effet, Jean Duval, le mauvais serrurier (comme le «mauvais vitrier» baudelairien) commet un forfait qui va à l'encontre de sa fonction: détenteur des clés — comme *Petrus*, à la fois roc et dépositaire des clés de la cité fondatrice — des portes de Québec, ayant pour mission de les tenir bien *serrées*, il les ouvrira en grand pour laisser entrer l'ennemi. Or un autre serrurier, «bon serrurier celui-là» compagnon de «Iean Duval, chef de la traïson»[22], se souvient à temps de ses devoirs, de sa fonction de serrurier, pour faire échouer le complot du traître en le dénonçant.

Le drame fondateur de Québec se jouant sur une scène close, ayant pour sujet la clôture, il est normal que ses deux protagonistes soient des serruriers. Des serruriers qui, au lieu de fermer les murs, les portes, les ouvrent en grand. Moment de chaos inaugural, qui précède la création séparatrice, discriminatrice. Avant donc que la clôture et l'ouverture

21. Champlain, *op. cit.*, pp. 296-297.
22. *Ibid.*, p. 298.

soient nettement séparées, que les portes et les murs de Québec se ferment définitivement, éliminant ce qui doit rester dehors, des traîtres les inversent ignomineusement tout au long de leurs rivalités mimétiques[23].

En ouvrant là où ils devraient fermer, en laissant entrer l'ennemi là où ils devraient l'éliminer, nos deux serruriers vicient le principe même de Québec: celui de son resserrement, de sa clôture inaugurale. Ils laissent entrer l'ennemi physique, mais surtout l'ennemi spirituel, l'Autre, le Diable. Lors du premier drame fondateur de l'humanité se jouant entre Adam et Ève, cet Autre n'avait-il pas éveillé le désir mimétique des humains («eritis sicut Dii») en confondant, comme «nos mauvais serruriers», ce qui est permis dans la clôture (paradis) avec ce qui est interdit, en y laissant pénétrer la mauvaise extériorité? Le Diable est cette extériorité qui s'insinue à l'intérieur. Le Diable, agent de confusion par excellence, est celui qui gomme les hiérarchies, les fonctions; qui mêle, dans les désirs qu'il éveille, le divin et l'humain, le féminin et le masculin, l'animalité et l'humanité, clôture du paradis et ouverture; celui, enfin, qui met hors circuit la raison discriminatrice opérant toutes ces oppositions, en aveuglant l'humain, en le noyant dans le tourbillon du désir mimétique. «Mais le diable leur bandant (aux conspirateurs serruriers) à tous les yeux: et leur ostant la raison et toute la difficulté qu'ils pouvoient avoir, il arreterent de me prendre à despourveu d'armes et de m'estouffer ou donner la nuit une fauce alarme, et comme je sortirois tirer sur moy»[24].

Mais, dans la nuit de ce chaos confusionnel, providentiellement, la lumière se fit, sécrétant l'ordre, le cosmos, en séparant ce qui doit être séparé. Si le mauvais serrurier est l'envoyé du Diable, le bon serrurier qui s'est souvenu de ses fonctions de verrouilleur ne peut être qu'«homme de

---

23. La fondation de Rome, à la différence de celle de Québec — loin de se faire sous le signe de la clôture, de la définition précise, quasi mathématique —, s'opère sous celui de l'ouverture, du flou imprécis, du mélange. «Comprenez maintenant pourquoi la cité grecque peut inventer la pureté mathématique abstraite et pourquoi la ville romaine n'y put jamais parvenir. Pure était la cité; impure la ville. Définie la première et floue l'autre. Rome est toujours un bois d'asile, c'est-à-dire un ensemble flou. Qui est vraiment romain, ici, depuis l'entrée des Sabins, des Albains, des Latins, et des rois étrusques? Rome vit dans le mélange... Rome n'a pas de frontière stricte, de bord défini, de limite précise, elle n'a que des voisinages indécis (...)» Michel Serres, *Rome...*, *op. cit.*, p. 157; voir aussi p. 209. La «cité» de Québec et la «ville» de Montréal s'opposent comme Athènes et Rome.

Québec clos, défini, pur certes, ne réinvente pas les mathématiques, mais veille admirablement sur la pureté théologique de l'orthodoxie chrétienne pour qu'elle ne se mélange pas avec la sauvagerie inculte de l'extérieur. Tandis que Montréal, «bois d'asile», comme Rome ville hospice, hospitalière, reste flou, parce qu'ouvert sur le pays, sur l'Autre.

24. *Op. cit.*, p. 298.

bien, conduit du Saint-Esprit»[25]. Ainsi donc l'intériorité la plus intime, la lumière du Saint Esprit expulse cette fausse intériorité, le diable, extériorité hostile, qui, par la personne du serrurier, a voulu accaparer la position-clé, celle du *Petrus* de la forteresse. Les choses rentrent dans l'ordre. Le serrurier pervers est éliminé, condamné à être pendu, et décapité en une peine exemplaire. «Nous advisames (...) de faire mourir le dit Duval comme le motif de l'entreprinse, et aussi pour servir d'exemple à ceux qui restoient de se comporter sagement à l'advenir en leur devoir»[26].

Dorénavant, grâce à la condamnation du mauvais serrurier qui confondait intériorité et extériorité, clôture et ouverture, ami et ennemi, on saura que les portes de Québec doivent rester condamnées, laissant dehors le pays tout entier. «Iean Duval qui fut pendu et estranglé audit Québec, et sa teste mis au bout d'une pique pour estre planté au lieu le plus éminent de nostre fort»[27]. Cette mort, cette décapitation, cette tête de mort ricanante piquée sur un pieu surplombera toute l'histoire du Québec. D'autres pendaisons, celles des Patriotes de 1837 notamment, d'autres décapitations surviendront. L'inconscient des Canadiens (français) et des Québécois a été saisi à tout jamais par ces exécutions. Est-ce un hasard si les *Canadiens*-Québécois ont choisi, comme saint national, Jean-Baptiste, décollé à l'instigation d'une femme, Salomé? Les circonstances qui ont entouré la naissance du mythe de la Saint-Jean-Baptiste nous en diront plus long...

Au total, comparée à d'autres fondations — Rome, la Nouvelle-Espagne surtout —, celle de Québec n'a rencontré qu'un minimum de violence: un pendu ballant dans les airs de Québec tel un épouvantail a suffi pour donner la cohésion nécessaire à une nouvelle société fragile, en proie aux divisions, et qui s'en défend en éliminant l'élément perturbateur. Ce fut donc une «fondation tranquille» comme seront tranquilles toutes les révolutions au *Canada* et au Québec (à l'exception cependant de celle des Patriotes)[28].

25. *Ibid.*, p. 299.

26. *Ibid.*, p. 302.

27. *Id.*

28. On appelle «Révolution tranquille» le renouveau idéologique, la modernisation de l'industrie et des esprits qui se sont opérés à partir des années 1960. Voir là-dessus M. Roberts, K. et D. Posgate, *Développement et Modernisation du Québec*, Montréal, Boréal Express, 1983.

La rivalité Québec-Montréal: origine de toute rivalité

La fondation de Québec a lieu en 1608. En 1642, une flottille trans-portant 53 personnes (48 hommes et 5 femmes), sous la direction de Mai-sonneuve, part de Québec avec l'intention de fonder une autre ville, Ville-Marie, futur Montréal, sur l'emplacement de l'Hochelaga sauvage. Selon une tradition amérindienne bien implantée à Stadaconé, les habi-tants de Québec font tout pour empêcher ces barques de voguer jusqu'à Hochelaga. On se souvient que les hostilités entre Jacques Cartier et les Iroquois stadaconéens ont commencé au moment où le Malouin a passé outre au barrage verbal et magique que les Amérindiens interposaient entre Stadaconé et Hochelaga afin de l'empêcher d'atteindre la ville rivale. De la même façon, de Maisonneuve passe outre à la mise en garde des Québécois pour fonder Ville-Marie (Montréal). «Je ne suis pas venu pour délibérer, mais bien pour exécuter; et tous les arbres de l'Île de Mont-Réal devraient changer en autant d'Iroquois, il est de mon devoir et de mon honneur d'aller y établir une colonie»[29].

La rivalité entre Québec et Montréal, tout en illustrant bien l'origine du mot *rivalité* et son évolution subséquente, nous ramène aux sources des conflits originaires. *Rival-rivalité*, «XVe siècle: riverain qui est autorisé à faire usage d'un cours d'eau (*rivus*)»[30]. Or, l'histoire de Québec et de Montréal le prouve amplement, la rivalité change radicalement de sens. Traditionnellement la rivière constituait une frontière qui séparait les rivaux riverains. «On avait convenu qu'entre les Etrusques et les Latins d'Albula, nommée aujourd'hui Tibre serait la frontière (finis esset)»[31].

C'est probablement Québec et Montréal (comme avant déjà Paris et Rouen, villes également «rivales») qui inaugurent la signification nou-velle du «rival», de la «rivalité». Rival, sens nouveau: celui qui habite sur la même rivière que son voisin, traversés tous deux et non plus séparés, définis par elle. Le Saint-Laurent n'a jamais été une limite («finis»), mais bien au contraire une ouverture qui abolit toute définition. Ce nouveau sens de rivalité, c'est La Fontaine qui l'exemplifiera par ses *Fables*, en

---

29. Cité d'après Lionel Groulx, *Notre maître le passé*, *op. cit.*, tome I, p. 30.

30. Bloch et Wartburg, *Dictionnaire étymologique de la langue française*.

31. Tite-Live, *Histoire romaine*, trad. Eugène Lasserre, *op. cit.*, p. 15.

France, avec «Le Loup et l'Agneau», au moment même où se déclenche en Nouvelle-France la rivalité des deux riverains, Québec et Montréal[32].

Le loup, c'est celui qui se met en amont de la rivière, vers sa source, ce qui lui donne sa position de force. «La raison du plus fort est toujours la meilleure» est précisément la sentence qui résume «Le Loup et l'Agneau.» Car le loup a la primeur des eaux; tout ce qui vient de la source — poissons, trafic, etc. —, c'est lui qui le capte d'abord. «Tout se joue en amont du loup»[33]. À l'agneau, situé en aval, échoit ce que le loup veut bien laisser filtrer. Mais comme si cette position stratégique ne suffisait pas au loup, il veut avoir le monopole des rives, l'usage complet de la rivière. C'est la rivalité au sens moderne: la lutte, le conflit engagé entre deux riverains en vue d'obtenir l'usage exclusif d'une rivière. Et pour cela il faut éliminer, «dé-river» le rival. L'agneau a beau supplier le loup, ce dernier se «minimise», pour parler avec Michel Serres, en faisant croire que c'est l'agneau qui est situé près de la source, parce qu'«il trouble sa boisson».

> Sire, répond l'agneau, que votre majesté
> Ne se mette pas en colère;
> Mais plutôt qu'elle considère
> Que je me vas désaltérant
> Dans le courant,
> Plus de vingt pas au-dessous d'elle;
> Et que par conséquent, en aucune façon,
> Je ne puis troubler sa boisson.

Les moutons et les loups:
les idéologies opposées de Québec et de Montréal

Ce n'est donc pas un hasard si les riverains de Québec et ceux de Montréal ont épousé la rivalité du loup et de l'agneau jusqu'à se surnommer, s'invectiver mutuellement de «moutons» et de «loups». Les Montréalais, près de la source, sont les loups, les Québécois, en aval, les moutons. Les surnoms se perdent dans le brouillard des origines des deux villes. Une certitude: les deux termes ont dû nécessairement voir le jour après 1642, date de la fondation de Montréal, et, partant, début *officiel* de

---

32. Michel Serres, «le Jeu du Loup», in *la Distribution, Hermès IV*, Paris, Éd. de Minuit, 1977.

33. Serres, *op. cit.*, p. 94.

la rivalité Québec-Montréal. Un des premiers à nous en faire part est un Français qui s'est rendu en *Canada* dès 1751. Les surnoms sont alors si bien établis qu'ils frappent même le voyageur venu de l'extérieur. «Les habitants de Montréal qualifièrent ceux de Québec de *moutons*; ces derniers ont effectivement le caractère plus doux et moins orgueilleux, ils appellent par représailles les Montréalais *loups*; qualification assez juste, parce qu'ils ne fréquentent que les sauvages et les bois. Les Québécois au contraire sont plus exercés à la pêche et ne commercent qu'avec les Européens, ce qui les rend civilisés, quoiqu'aussi courageux que les Montréalais»[34].

Comme dans la fable de La Fontaine, les Québécois, les moutons, sont situés en aval; les Montréalais, placés en amont, tiennent la position stratégique du loup. Mais, on l'aura remarqué, le conflit entre les deux villes, issu d'abord d'une rivalité à propos d'un emplacement sur les rives d'une même rivière, engage, en plus, toute une différence de mentalités, d'idéologies. Ces deux villes sont rivales parce que, sur les mêmes rives, elles incarnent des *Weltanschauungen,* des visions du monde aux antipodes l'une de l'autre. Sur les rives, les rivalités ne seraient-elles pas déclenchées, non par le désir mimétique — par ce qui rapproche, comme le veut R. Girard —, mais, au contraire, par ce qui éloigne et différencie?

En effet, tout les oppose, tout les confronte en contrariétés hostiles. Contrariétés nées de leur différences insurmontables. D'abord, si Québec a été fondée uniquement par des hommes, la fondation de Montréal est placée sous l'égide de la féminité, des vierges combattantes: les amazones[35]. «Les femmes mesme comme des amazones y (Ville-Marie) paroit (sic!) armées comme des hommes» note Marie Morin en parlant des débuts de Ville-Marie, ancêtre mystique de Montréal[36]. Centre mystique donc, constitué de vierges, menant une vie virginale vouée à Marie: Marguerite Bourgeois, Marie Morin, Jeanne Mance. Les hommes eux-mêmes, s'appelant «soldats de la Très Sainte-Vierge», ne sont-ils pas humblement soumis à l'autorité de la Vierge Marie et de saint Joseph? Ville animée des vertus de la «primitive église» (Marie Morin), ville martyr qui se glorifie de son abnégation ascé-

34. *Voyage au Canada fait depuis l'an 1751 à 1761 par J.C.B.*, Paris, Aubier-Montaigne, 1978, p. 74.

35. Voir notre article, «l'Orestie d'Eschyle: le tragique au féminin ou au masculin?», in *Études françaises*, 15/3-4.

36. *Annales de l'Hôtel-Dieu de Montréal, op. cit.*, p. 158.

tique et monastique en même temps qu'elle se flatte de l'immolation héroïque de ses meilleures âmes. C'est ici, à Montréal, que couvent les braises sacrificielles qui allumèrent un vaste holocauste, nous le verrons, avec la naissance du mythe de la Saint-Jean-Baptiste. Dollard Des Ormeaux et ses preux ne se sont-ils pas laissés massacrer par les Iroquois pour dégager Montréal de l'empire de l'ennemi? La mort de Des Ormeaux, après coup interprétée comme une immolation propitiatoire grâce au «dossier de Dollard»[37] habilement monté par l'abbé Groulx, fera de lui une digne victime et lui vaudra la place d'honneur comme héros national à côté de Jean-le-Baptiseur, sans oublier la petite Jeanne le Ber, «poussée comme Dollard à son holocauste suprême»[38].

L'opposition la plus marquée, de laquelle découlent finalement toutes les autres, vient du fait qu'à la clôture hermétique et militaire du foyer d'Habitation fait face l'ouverture accueillante, charitable de Ville-Marie qui agit par delà les enceintes construites et démolies épisodiquement. Ville hospice qui offre l'hospitalité aux démunis, aux malades, aux *hostes*, aux ennemis[39]. Si les fondateurs de Québec imitent pour la disposition de leurs lieux la ville fortifiée française et d'emblée construisent des systèmes défensifs, ceux de Ville-Marie dressent simplement des tentes, comme les nomades israélites, dans le désert enchanteur de Ville-Marie. «Ils chantèrent encore des psaumes et des hymnes au Seigneur, puis les hommes travaillèrent à dresser des tentes ou des pavillons comme de vrais Israëlites»[40].

Si les fondateurs de Québec s'inspirent des valeurs françaises, plus généralement européennes, de la sédentarité garantie par la maison (*mansio*), clôturée, ceux de Montréal, par contre, s'identifient aux Israélites, peuple nomade sans foyer, en quête d'une terre d'Habitation, terre promise, «terre de promission» comme l'appelle joliment Marie Morin. Même une fois «installés» à Ville-Marie, les compagnons de Maisonneuve savent que ce site est provisoire et qu'ils sont d'éternels pèlerins en route vers une autre cité, cité céleste. Comme pour signifier leur détachement de ce site matériel, physique, les mères-pèlerins, «nos pelle-

---

37. Lionel Groulx, *Notre maître le passé*, *op. cit.*, tome II, pp. 23-53.

38. Groulx, *op. cit.*, tome I, p. 34.

39. «Ville-Marie (...) le lieu qui lui (à Jeanne Mance) était destiné pour travailler à la vigne du Seigneur et pour consommer son sacrifice en servant les pauvres malades sauvages et François de la colonie.»; *op. cit.*, p. 54. Pour l'hospitalité-hostilité de Rome, voir Michel Serres, *op. cit.*, pp. 48-49.

40. Marie Morin, *op. cit.*, p. 61.

rines» comme les désigne justement Marie Morin (oui, le *Canada* a aussi ses Pilgrims!), dressent un autel sur lequel elles sacrifient tous leurs biens terrestres. «Le lendemain matin (après avoir érigé des tentes) on dressa un autel, où toutes nos dames épuisèrent leur industrie et leurs bijoux, et firent en rencontre tout ce que leur dévotion leur suggéra, sur lequel R. Père DuPairon, jésuite, offrit la Sainte Victime, N.S.J.C. en odeur de suavité»[41].

Québec-Montréal: deux visions du monde... et deux types de femmes

Cette ouverture *principielle* de Montréal, *malgré* ses murs, malgré ce foyer religieux ardent, laisse pénétrer le pays sauvage tout entier. D'ailleurs, les premières tentes des fondateurs ne ressemblent-elles pas aux cabanes des Indiens? Montréal, traversé de part en part par les courants, les migrations des Indiens, des coureurs de bois qui sillonnent le pays jusqu'aux Grands-Lacs en quête de fourrures, ville ouverte, ne fait pas de distinction exclusive comme Québec entre l'Habitant et l'Autre, entre le Civilisé et le Sauvage, entre le Sédentaire et le Nomade. Montréal: lieu de rencontre du pays et de la ville, lieu des promiscuités et des contagions où le Sauvage côtoie le Civilisé, où le Civilisé — fréquentant librement, comme nous l'a rappelé l'anonyme cité plus haut, «les sauvages et les bois» — se métamorphose en Sauvage. De là aussi leur surnom de *loups*, meute grégaire, sans territoire domestique fixe, qui rôde dans le pays en quête de proies à abattre. Bien sûr, les doux moutons domestiqués, parqués derrière leurs clôtures, sont les proies faciles et privilégiées du loup. Les Québécois ont donc toute raison de se méfier des «Montréalistes», comme on appelait jadis les Montréalais.

Les regards des Québécois et des Montréalais sont orientés dans des sens opposés. Les loups montréalais sont tournés vers l'intérieur sauvage du pays — troquant, tels des sauvages, avec des sauvages — , tandis que les regards des moutons québécois restent fixés sur la France, sur l'Europe, car ils ne «commercent qu'avec les Européens.» D'un côté, fidélité conservatrice axée sur l'Ancien, de l'autre, dérive ouverte sur le Nouveau. Les agitations sociales, les révoltes qui naissent facilement à Montréal sont aussitôt tuées dans l'oeuf à Québec. Les révoltes des

41. *Ibid.*, p. 61.

Patriotes de 1837-1838 montrent ce clivage: Montréal, lieu de l'insur-rection, du bouillonnement social; Québec, lieu du calme modérateur.

Un autre voyageur, Lahontan, nous a laissé un tableau coloré de cette plaque tournante commerciale, de la débauche des coureurs de bois qui, chargés de peaux de castors, dès l'arrivée au terminus de leur voyage, épuisaient tous leurs gains en un seul «potlatch». «Cette petite ville est *ouverte, sans aucune fortification de pieux ni de pierres.* Il serait aisé d'en faire un poste imprenable par l'avantage de sa situation (…) Il n'y a que les marchands qui y trouvent leur compte car les Sauvages des Grands-Lacs du Canada descendent ici presque tous les ans, avec une quantité prodigieuse de castors qu'ils échangent contre des armes, des chaudières, des haches, des couteaux et mille autres marchandises sur les-quelles on gagne jusqu'à deux cents pourcent (…) Les coureurs de bois portent d'ici tous les ans des canots pleins de marchandise chez toutes les nations sauvages de ce continent, d'où ils rapportent de bons castors… Vous seriez surpris de voir les débauches, les festins, les jeux et les dépenses que les coureurs de bois font tant en habits qu'en femmes, dès qu'ils sont arrivés»[42].

Pour Bacqueville de la Potherie, autre voyageur, Montréal, c'est qua-siment l'enfer. «Lieu d'en bas», lieu des confusions infâmes, où stri-dences aiguës des cris, odeurs nauséabondes, mouvements chaotiques des hordes sauvages se mêlent en un tohu-bohu immonde, insensé. «La ville ressemble pour lors (lors du commerce d'été, lorsque les sauvages se rendent à Montréal) à un enfer, par l'air affreux de tous les Sauvages qui se matachent plus que jamais, croyant par là se mettre sur leur propre. D'ailleurs, leurs hurlements, les tintements, les querelles et les dissen-sions qui viennent entre eux et les Iroquois augmentent encore l'horreur de ces spectacles»[43].

Bien sûr, les promiscuités des loups montréalistes avec les Sauvages et, de manière générale, leur ouverture sur le pays, sur l'Autre, ne man-queront pas de façonner profondément leur mentalité. Jusqu'à la démarche, la proxémie des gestes corporels, conditionnées par les deux conceptions de l'espace qui distinguent les «dames de Québec» de celles de Montréal. Les dames de Québec, imprenables (enfin… à quelques exceptions près, nous le verrons plus loin) comme la citadelle de leur

---

42. Lahontan, *Nouveaux Voyages en Amérique septentrionale, op. cit.*, pp. 82-83, nous souli-gnons.

43. *Histoire de l'Amérique septentrionale*, Paris, 1753, tome I, p. 365.

ville, celles de Montréal, plus «ouvertes», à la démarche libre, dégagée. Heureusement, de la Potherie nous rassure: les Montréalaises, et de façon générale les *Canadiennes*, n'ont pas été trop ensauvagées par leur commerce avec les Sauvages. Question politesse, civilité, elles n'ont rien à envier aux plus polies d'Europe. «Quoique les Canadiennes soient en quelque façon d'un Nouveau Monde, leurs manières ne sont pas si bizarres ni si sauvages qu'on ne se l'imagineroit. Au contraire, ce sexe est aussi poli qu'en aucun lieu du Royaume»[44]. C'est de la Potherie, fin observateur, qui remarque la différence dans la démarche des dames de Québec et de Montréal. «Les Dames de Québec n'aiment pas tout à fait les manières des Montréalistes... Les Montréalistes ont à la vérité des dehors plus libres, mais comme elles ont plus de franchise, elles ont plus de bonne foi, et sont très sages et très judicieuses»[45].

Ces quelques exemples nous montrent jusqu'à quel point la vie quotidienne des Québécois et des Montréalais a été marquée de comportements, d'attitudes qui, dans leurs différences aussi subtiles soient-elles, les démarquent, les opposent. Pour adapter le célèbre mot de Lessing, «nul ne marche impunément sous des palmiers», on pourrait dire des Québécois: nul ne marche impunément à l'intérieur des murs de Québec...

44. *Ibid.*, p. 366.
45. *Id.*

Chapitre IV

Le syndrome du Cheval de Troie

Qui trop s'entoure de murs s'enferme

Les murs protègent, mais ils ont, comme les armures, des failles qui les rendent vulnérables. La plus grande faille du mur, c'est évidemment qu'il emmure, enferme ceux qui ont choisi d'y vivre. Thoreau, critique américain implacable de tout système défensif militaire, met d'emblée le doigt sur la brèche des murs du Québec. «Une ville fortifiée, c'est comme un homme emprisonné, dans une armure épaisse de l'Antiquité, portant une charge de sabres et d'armes digne d'un cheval et qui s'apprêterait à s'en aller à son travail»[1]. Québec, de par la conjonction du site et des habitants, est possédée d'une véritable obsession de la fortification. Même les conquérants anglais, pourtant peu disposés à se barricader derrière des enceintes, sont gagnés, eux aussi, jusqu'au XIXᵉ siècle, par le «vaubanisme» qui hante ces lieux de Québec[2].

Québec, depuis le temps de Champlain, travaille ainsi inlassablement à son propre enfermement. C'est moins une place forte qu'un esprit qui se fortifie derrière ses fortifications. C'est pourquoi les fortifications ne sont

1. *Op. cit.*, pp. 116-117. Sur le «cheval» et le «joual» de Troie voir évidemment de Jean Marcel, *le Joual de Troie*, Ed. du Jour, 1973.

2. Pour l'histoire de la fortification de Québec, voir le livre instructif d'André Charbonneau et alii, *Québec, ville fortifiée, du 17ᵉ au 19ᵉ siècles*, Ottawa, 1981.

jamais vraiment terminées. La vraie fortification est un idéal jamais atteint. On y travaille, on met le pays à contribution par des corvées. Travail interminable de l'obsédé: l'armure n'est jamais parfaite. Tous les voyageurs témoignent de cette obsession de la fortification. Charlevoix dans son *Journal d'un voyage* (...) remarque à cet effet: «Québec n'est pas fortifié régulièrement mais *on tavaille depuis lon-temps* à en faire une bonne place»[3]. Dès le départ, il fallait briser la résistance des marchands, traditionnellement méfiants de toute barrière risquant de faire obstacle à la libre circulation des marchandises. Déjà Champlain ne tarit pas en récriminations contre ces «libres-échangistes» qui, pour écouler leurs produits, veulent avoir les coudées franches. «Les marchands n'en (des forts et des forteresses) voulant, que quand la nécessité le requiert; mais il n'est pas tems. Quand je leur parlois de fortifier, c'étoit leur grief; j'avois beau leur remontrer les inconvéniens qui en pouvoient arriver, ils étoient sourds et tout cela n'étoit que la crainte en laquelle ils étoient, que s'ils avoient un fort, *ils seroient maitrisés,* et que *leur feroit la loy.* Et pendant ces pensées, il mettoient le Pays et nous en proye du Pirate ou Ennemi»[4].

Reconnaissons-le, ces marchands, non obnubilés par les glacis et les murs comme tous les militaires qui faisaient la loi à Québec, d'emblée, comme Thoreau, voient l'écharde dans l'armure des murs de Québec: le fort, censé protéger *contre* la «maîtrise» de l'ennemi, risque au contraire de précipiter la maîtrise de ces derniers. C'est la présence des fortifications de Québec qui la prédisposait à devenir la proie de l'ennemi, et non leur absence. Certes, dans un premier temps, son système défensif impressionne, fait reculer l'ennemi. Mais, cet effet de surprise passé, la ville forte aimante, attire l'ennemi: car la force et la puissance de ses murs n'est-elle pas l'image visible, extérieure, des trésors et des richesses qu'ils sont censés protéger, contenir? La place forte, nécessairement, appelle le siège.

---

3. *Op. cit.*, p. 78; nous soulignons.
4. Champlain, 1631, cité d'après Charlevoix, *op. cit.*, tome I, p. 173; nous soulignons.

La première prise de Québec: 1629 — Comment se défendre contre un ennemi qui est une partie de moi?

Lors du premier siège de Québec en 1629, les frères Kirke ne sont-ils pas alléchés par les riches prébendes des Jésuites et les magasins bien garnis derrière les murs de la Ville? Quel ne fut pas l'étonnement des conquérants anglais de trouver, une fois prise, une ville démunie, affamée, épuisée. «Il (le conquérant anglais) fut fort étonné de voir qu'il n'étoit le Maître que d'un Rocher habité par une centaine de personnes, épuisées par une longue famine»[5]. Forteresse pour ainsi dire vide, qui emprisonne ses habitants sans pouvoir les nourrir. Car, loin d'être autarcique et donc autonome, la ville de Québec dépend toujours des approvisionnements de la mère patrie, tournée qu'elle est en permanence vers la France. Cet été 1629, aucun bateau français n'est apparu à l'horizon. Ce fut donc la famine. «Il fallut donc rester à Québec, où il n'y avait absolument rien pour nourrir cent personnes qui y étoient renfermées et qui y furent réduites à aller chercher des racines dans les bois, comme les Bêtes»[6]. Les bouches affamées de Québec ouvrent des brèches béantes dans son système défensif. On est en droit de se demander si une ville sans remparts qui exhibe ouvertement son dénuement au premier venu aurait autant attiré les convoitises de l'ennemi.

Ce siège et cette première prise de Québec par des Anglais, fixe le scénario des autres sièges (par William Phipps, en 1690, et par les Américains, en 1775) et de la prise définitive de 1759. D'ailleurs, la prise d'une ville fortifiée ne peut suivre que trois scénarios possibles: premièrement, assaut généralisé qui vainc l'ennemi à la faveur d'une faiblesse de son système défensif; deuxièmement, siège prolongé qui table sur l'épuisement des ressources (alimentaires et humaines); et enfin, troisièmement, la stratégie du Cheval de Troie: l'ennemi s'introduit dans la ville, non par la force, mais caché, grâce à une ruse. Le site même redoutable (c'est une redoute) de Québec et ses fortifications matérielles impeccables excluant le premier scénario, l'ennemi eut recours à une combinaison des deux autres, qui, toutes les deux, visent à ne pas prendre d'assaut mais soit à s'approcher des enceintes par une ruse, soit à s'infiltrer carrément dans les murs.

5. Charlevoix, *op. cit.*, p. 173.

6. *Ibid.*, tome I, p. 167.

Lorsque, en l'été 1629, les bateaux de Thomas et Louis Kirke paraissent derrière la pointe de Lévis, aucun coup de canon n'est tiré pour tenter de les repousser. L'ennemi n'a pas besoin d'assiéger la ville. La famine a mis à bout la résistance des habitants de Québec. Ce que les murs et les fortifications de Québec devaient si bien séparer — étranger/compatriotes, ennemi/ami, extérieur/intérieur—, la famine et le manque d'approvisionnement le confondent. Le pouvoir discriminatoire symbolisé par les murs s'effondre à *l'intérieur* des murs. Ainsi, loin d'être repoussés comme l'ennemi extérieur, les Anglais sont reçus comme des sauveurs qui délivrent la place d'une situation devenue intolérable. Même Champlain, ce *Petrus*, père fondateur de la colonie, cède devant l'ennemi. «Il (Champlain) regarde Capitaine (Kirke), bien moins comme ennemi que comme un libérateur, auquel il auroit obligation de ne pas mourir de famine avec toute sa Colonie»[7]. Sans offrir de résistance, Champlain acceptait prestement les conditions de reddition, favorables il faut le dire, présentées par les Anglais.

Pourtant n'était-ce pas Champlain lui-même qui, dès 1608, avait donné la leçon inaugurale de résistance québécoise signifiant par la simple architecture de l'Habitation une volonté intransigeante d'exclure l'extériorité, l'Autre? L'ennemi, qui est-il sinon la pointe extrême de cette extériorité portant atteinte justement à l'intimité, ramassée sur elle-même? Comment la dureté lithique du père-Pierre fondateur de la Nouvelle-France a-t-elle pu céder devant ces mousquetaires anglais, les Kirke[8]? Ne présentent-ils pas l'image nette, irréfutable de l'Autre, de l'ennemi? Aucunement. Car ils sont «à moitié» anglais, «à moitié» français. Nés d'un père écossais à Dieppe, leur nom écossais étant Kyrke (le terme écossais pour «church», c'est-à-dire «église»), ils sont marchands de vins à Bordeaux et Cognac. Protestants, à la faveur des Guerres de religion, ils se rendent au service de l'Angleterre. En ces temps troubles des guerres religieuses, l'appartenance religieuse ne coïncide pas nécessairement avec l'allégeance politique, nationale. Le prouve assez le siège de La Rochelle qui a lieu eu même moment que le siège de Québec. La victoire de Richelieu à La Rochelle, en consacrant «la monarchie

---

7. *Ibid.*, p. 168.

8. Les auteurs français de l'époque (Champlain, Sagard...), pour transcrire le nom écossais des Kirke, ont recours à l'orthographe la plus fantaisiste.

absolue en France»[9], fait primer l'allégeance nationale sur l'appartenance religieuse.

Ce qui est difficile en *Canada*, même en Québec, c'est de garder l'Autre, l'Ennemi, à distance, de le rencontrer comme extériorité pure sans aucune complicité avec l'intimité *canadienne*, québécoise. C'est cette ambiguïté biface ou même multiface de l'Autre, de l'Ennemi, parce qu'il a partie liée avec le moi *canadien*/québécois, qui rend la définition du moi *canadien*/ québécois si difficile. Toute définition unidimensionnelle est d'avance exclue. On imagine Champlain en face de ce Louis Kirke «François de nation»[10]. Comme le note Paul Le Jeune, né non loin de la Saintonge natale de Champlain, parlant français comme lui..., pourtant protestant et d'allégeance anglaise. Comment en effet les identifier, ces frères Kirke? Ils ne sont ni tout à fait anglais, ni complètement français. «Des françois reniez et anglisez»[11] les appelle déjà Le Jeune par une prémonition à la fois admirable et redoutable: le *Canadien* est vaincu par le Même, par les renégats traîtres à leur propre race, plutôt que par l'Autre. Telle est la loi d'airain qui régit cette colonie dès ses origines.

En effet, n'est-ce pas une partie de lui-même, *alter ego* altéré, aliéné, qui regarde Champlain en face? Non ce n'est pas un étranger, un ennemi pur et simple dont on saurait se débarrasser d'un coup de mousquet, d'un coup d'épée. Le rejeter, l'abattre, c'est tuer, à l'instar de William Wilson de Poe, une partie de soi. Comme la rencontre d'un *vrai* ennemi, sans aucune connivence avec Champlain, aurait tranché plus nettement les lignes de partage entre les deux! En somme, Champlain, comme Le Jeune, ne fait qu'inaugurer une situation qui sera le lot des Canadiens français devant vivre non *en face* d'un ennemi mais *avec* lui, l'Anglais, que les élites depuis la défaite (1760) saluent comme leur proche, leur ami («conquête providentielle»).

9. A. Guillerm, *la Pierre et le Vent. Fortifications et marine en Occident*, Paris, Arthaud, 1985, p. 122.

10. *Brieve Relation du Voyage en la Nouvelle-France fait au mois d'Avril 1632 par Paul Lejeune*, in *Relations des Jésuites*, Québec, 1858, p. 8.
Paul Lejeune est sur le premier bateau français à venir en *Canada*, après une occupation anglaise de Québec de trois ans.

11. *Id.*

Le Cheval de Troie... et le chien de Québec: les traîtres sont parmi nous

Les Achéens eurent jadis recours au Cheval de Troie, parce que c'était la seule manière de briser les défenses des assiégés, de pénétrer à l'intérieur de la cité fortifiée. Briser les murs, certes, mais briser surtout la solidarité compacte, sans faille, des Troyens. Le Cheval de Troie est la ruse de guerre qui désorganise de l'intérieur cette solidarité civique en introduisant l'Ennemi extérieur au coeur de la cité. Or, point n'est besoin de ruse, de ces dons étonnants et encombrants comme le Cheval de Troie pour forcer la solidarités des murs humains à Québec. La compacité de la construction de cette *Habitation*, l'homogénéité toute relative de la société de la Nouvelle-France ont encore une fois leurs failles.

Les Habitants de Québec, comme l'indique si bien le qualificatif, sont des individus qui ont choisi un lieu de résidence. Ce ne sont pas des citoyens, membres pris en charge par un corps civique et politique, liés par un contrat social, comme les «pères pèlerins» de la Nouvelle-Angleterre. Malgré son resserrement, la ville de Québec constitue un mode d'agrégation sociale politiquement peu compact où certains individus, poussés par des intérêts personnels, se détachent facilement du corps social et forment des anticorps qui mettent en cause le bien collectif civique.

L'ennemi s'insinue aisément dans les interstices de la chaîne sociale lâche. Il a élu domicile permanent dans l'Habitation grâce au traître qui, par intérêt, travaille pour les intérêts de l'Autre. Car le traître, qui est-il, sinon celui qui livre, qui transmet? *Traître* dérive de *tradere*, comme *tradition* et *traduction*, mots clés du Canada français, qui sont de la même origine sémantique. Il transmet un bien, il fait une prestation à l'ennemi, brisant ainsi le cercle des allégeances nationales, politiques ou religieuses. La trahison a toujours existé, mais elle affirme massivement son sens péjoratif, négatif, surtout à partir du moment où les liens nationaux culturels et politiques des peuples se constituent. Aussi n'est-il pas étonnant que ce soit la *Chanson de Roland*, épopée de l'exaltation de la royauté contre l'ennemi sarrazin, qui atteste pour la première fois le terme du traître[12] dans la langue française. Le traître sécrété par les solidarités nationales naissantes est en même temps tenu en échec et brutalement éliminé par elle. Car il est désordre, un anticorps qui bouleverse, si l'on n'y prend garde, l'ordre de la totalité du corps politique et social.

12. Bloch et Wartburg, *op. cit.*

Or, en Nouvelle-France, en cet été 1629, c'est le traître, ou plutôt les traîtres, non liés par les solidarités sociétales, qui font *leur* loi, loi de la jungle sauvage (*silvaticus*) à l'intérieur de la cité. Ils sont quatre, parmi lesquels notamment Etienne Brûlé, le premier Blanc à vivre vraiment en sauvage, Champlain, l'ayant confié aux Algonquins dès 1610 pour passer un hiver avec eux, pour apprendre leur langue, pour devenir «traducteur».

Traduttore, traditore («traducteur, traître»). C'est en *Canada* que ce dicton italien se vérifie de façon exemplaire. Car en effet, ce sont précisément ces individus, mêlés à la vie sociale des autochtones, hédonistes, égoïstes invétérés, mais surtout vivant à cheval sur deux sociétés, ne se sentant liés par les solidarités collectives ni de l'une ni de l'autre, qui introduisent un élément déstabilisateur, perturbateur, au sein de la *civitas* déjà faible de la Nouvelle-France. Devant le désordre ambigu que ces traîtres-traducteurs et agents-doubles font proliférer dans la cité québécoise, l'Ordre univoque, l'autorité constituée du Roi doit céder la place. Champlain est expulsé de la ville. N'est-il pas symbolique que Louis Kirke, ayant pris possession de Québec, remette les clés de la forteresse et du magasin à l'un de ces traîtres? «Kertk (sic!) descendit ensuite à Québec et prit possession du fort, puis du magasin, dont il remit les clefs à un nommé le Baillif, natif d'Amiens, lequel s'était donné aux Ennemis avec trois autres François, Estienne Brûlé, de Champigny, Nicholas Marsolais de Rouen, et Pierre Raye, de Paris. Ce dernier étoit un des plus méchans Hommes qu'il fut possible de voir et il n'y eut selon l'ordinaire que ces Traîtres qui en userent mal»[13].

Il y a pire: un nommé Jacques Michel, «calviniste furieux»[14], comme les autres traîtres — la dissension religieuse, ne l'oublions pas, joue un rôle déterminant dans la prise de Québec —, a été le ressort dynamique de ces traîtres. Il est le «traducteur en chef» qui rend la place. C'est lui qui envoie des mémoires aux Anglais pour les inciter à la prise de Québec, qui leur sert de pilote dans le Saint-Laurent. L'Ennemi, sans tarder, en reconnaissance de ses «loyaux» services, le promeut au rang de «contre-amiral». Son sort est aussi ambigu que ses services douteux de traître-traducteur rendus *entre* Français et Anglais, *entre* Catholiques et Protestants, *entre* Sauvages et Civilisés. Après sa trahison, il est pris d'un accès de folie furieuse. «Ses emportements allèrent à un tel excès, qu'ils

13. Charlevoix, *op. cit.*, tome I, p. 169.
14. *Ibid.*, p. 171.

dégénérèrent plus d'une fois en des accès de phrénésie»[15]. Fou, il bat la campagne comme le *Roi Lear*, parrain de Jacques Michel qui, lui aussi, a «traduit traitreusement» son pouvoir à ses filles: comme si ce pouvoir royal se transmettait, se déléguait du vivant du roi! Le délire comme châtiment du traître-traducteur: il sort littéralement du sillon (de-*lira*), cesse d'être cultivé, civilisé. Jacques Michel, comme Lear, dé-lire.

Bien que Champlain et Charlevoix affirment que Jacques Michel, mort tout de suite après la prise anglaise, aurait été enterré par les conquérants avec tous les honneurs militaires, le père Paul Le Jeune, de retour à Québec, en 1632, ajoute une palinodie significative, non confirmée par les deux autres témoignages. En ce moment de la deuxième fondation de Québec (une partie de Québec a été détruite par ces Anglais), la signification symbolique, mythique prend encore une fois le pas sur l'événement réel, documentaire. «J'ay appris icy que les sauvages le deterrerent et firent toutes sortes d'ignominies à son corps, le mirent en pièces, le donnerent à leurs chiens: voilà le salaire des perfides, je prie Dieu qu'il ouvre les yeux aux autres»[16].

Il fallut, en effet, donner un châtiment exemplaire — tout au moins dans le *mythos* de la narration — à ce deuxième traître qui, après la tentative du mauvais serrurier, a effectivement livré (*tradere*) les clés de la ville à l'ennemi. Fou délirant, hors du sillon, il a perdu ses qualités humaines: à la fois la raison — ce qui est droit — la culture civilisatrice et le culte orthodoxe, catholique. Fou furieux, animal brut, il a mis en lambeaux le corps social de Québec, fondé en 1608. Son châtiment posthume est l'image exacte des désordres sauvages, bestiaux, qu'il est venu introduire au sein de la cité. Sauvage, il sera déterré par les Sauvages: qui d'autre qu'un Sauvage pourrait toucher son cadavre sans en subir la contagion? Chien, animal qui a dépecé le corps social, il sera mis en pièces et donné aux chiens, dévoré par eux. *Similia similibus* (le même va au même): le chien humain, le traître, va aux chiens.

Au fond, le Cheval de Troie ne symbolisait-il pas non plus cette animalité désorganisatrice dans la *Polis*? Non, elle est seulement *figurée*, suggérée par le déguisement chevalin grossier qui contient des humains. Or, en Québec, à l'inverse, le traître *est* un animal demi-civilisé, loup domestiqué, qui porte simplement un masque humain. Car il fait semblant seulement, en trompant ses compatriotes, de participer à la vie

---

15. *Ibid.*, p. 172.

16. Lejeune, *op. cit.*, p. 8; nous soulignons.

civique du corps social. Afin de démasquer, une fois pour toutes, ces traîtres, bêtes sauvages, chiens de Troie opérant à couvert dans la société civique québécoise, il faut que leur vie se termine symboliquement sur un dernier acte de traduction-trahison sans «feed-back» possible. Jacques Michel, chien, fut donc livré (*tradere*) aux chiens.

1759: Québec, l'inexpugnable, se rend au traître

Les masques sont tombés. L'univocité est enfin rétablie. Québec peut être fondé une seconde fois...

N'exagérons pas les similitudes en affirmant que les sièges de Québec se déroulent selon un même scénario. Le siège de 1759 se fait dans des conditions différentes de celui de 1629. Ce qui change, c'est la dimension du conflit. Rien de commun en effet entre l'échauffourée de 1629 qui engageait à peine une centaine d'hommes et le siège à grand déploiement qui, de part et d'autre, met dans la bataille des milliers d'hommes et qui prend au dépourvu la population entre les lignes, une population civile innocente. Certains jours on tire jusqu'à trois mille coups de canon sur la ville[17].

C'est justement la longueur du siège qui met à l'épreuve l'endurance, la vaillance des *Canadiens*, habitués, comme le note le témoin oculaire, anonyme aux «coups» rapides de la «petite guerre» indienne. «La guerre paraissant tirer en longueur contre le gré et le goût des Canadiens, qui, accoutumés à faire ce qu'ils appellent «coup» et revenir chez eux c'est-à-dire des campagnes de quinze jours ou de trois semaines, manifestaient tous les jours un dégoût, suite naturelle de leur inconstance, désertaient à toute occasion malgré les remèdes qu'on y pouvait apporter»[18].

Déserteurs qui abandonnent les fronts tracés entre l'ennemi anglais et leurs compatriotes, Français et *Canadiens* qui, tout en affaiblissant les lignes, les brouillent. Car la bataille de Québec met en jeu, en Amérique française, le sort des *Canadas*, la ligne de partage entre l'Amérique française et l'Amérique anglaise. Le déserteur est un traître militaire qui, en se livrant (*tradere*), livre en même temps ses positions à l'ennemi. Encore une fois le traître confond ce qui devrait être rigoureusement

17. *Le Siège de Québec par trois témoins*, textes présentés par Jean-Claude Hébert, Ministère des affaires culturelles, Québec, 1972, p. 95.

18. «Le Siège »; dorénavant nous y renvoyons sous cette abréviation.

séparé. Il «traduit» aussi la vocation première de Québec; celle de la discrimination radicale du Même et de l'Autre.

Il suffit de jeter un bref regard sur les lignes anglaises pour s'apercevoir de quelle aide pouvaient être ces trahisons-traductions. «Ce jour-
là un déserteur vint à nous et nous donna quelques détails sur les forces
des Français. Les renseignements qu'il nous put fournir, quoique bien
imparfaits, nous donnèrent un nouveau courage»[19]. Pourtant, comme déjà
en 1629, les murs de Québec tiennent bon.

C'est encore un traître qui va indiquer l'existence d'un sentier de
l'Anse-au-Foulon au champ Abraham Martin. Peu importent les âges et
les noms — c'est un certain Cugnet, *Canadien* —, les fonctions du traître
restent invariablement les mêmes. La trahison, cette fois sans retour possible, a raison des murs, pis, des habitants de Québec. Le récit du témoin
qui parle des circonstances de cette trahison est assez éloquent pour se
passer de commentaires. «On devait, cette même nuit, des vivres à un
corps de troupe qui gardait un poste sur une hauteur proche de la Ville.
Un malheureux déserteur les en instruisit et leur persuada qu'il leur serait
facile de nous surprendre et de faire passer leur berge sous le *Qui vive* de
nos Français qui devaient s'y rendre. Ils profitèrent de l'occasion et la trahison réussit. Ils débarquèrent à la faveur du qui-vive; l'officier qui com-
mandait s'aperçut de la surprise mais trop tard. Ils (sic) se défendit, avec
un peu de monde, et y fut blessé. L'ennemi se trouva par cette entreprise
aux portes de Québec»[20]. Trahison qui entrebâille les portes de Québec.

Malgré leur *grande différence*, quelques éléments du scénario de 1629
et de 1759 se recoupent. Des Anglais — comme les Kirke — , déguisés
en Français, parlant français, se présentent devant les postes français
gardant les berges qui directement donnent accès à la ville. À la faveur de
cette trahison, ils passent les lignes françaises, puisqu'ils ont le mot de
passe (quelle ironie!): «Qui-vive!». C'est donc encore un traître qui a provoqué le brouillage des positions militaires nettes, des identités, la
confusion du Soi avec l'Autre, d'Autrui avec l'Ennemi. Comme en 1629,
le traître est l'élément perturbateur qui désorganise les fronts, la cité, en y
faisant régner le désordre, la confusion, le chaos. En effet, c'est dans la
précipitation et dans le désordre que Montcalm, pris au dépourvu par la

---

19. «Journal de l'expédition sur le fleuve Saint-Laurent», *le Siège...*, p. 37.

20. Il s'agit là bien sûr d'un témoignage anglais. Les Canadiens français passent volontiers sous
silence cet incident, in *le Siège...*, p. 17; nous soulignons.
    Pour un autre témoignage anglais, voir Francis Parkman, *The Conspiracy of Pontiac and the
Indian War after the Conquest of Canada*, Boston, rééd. 1922, tome I, pp. 138-139.

présence des Anglais non loin des murs de la ville, sort des enceintes de Québec pour livrer bataille au général Wolfe. «Mr de Montcalm, Général, s'y transporta à la tête de ses troupes en diligence; mais une demi-lieu de chemin qu'il fallut faire donna le temps aux ennemis de faire ranger leur artillerie et de se mettre en état de recevoir les nôtres»[21]. L'artillerie anglaise est en place pour massacrer les troupes françaises...

Inutile de spéculer sur le sort de/du Québec sans cette trahison. «Le nez de Cléôpatre, s'il eût été plus court, toute la face de la terre aurait changé»[22]. L'histoire hypothétique ne remplacera jamais l'Histoire. Cela n'empêche qu'il est intéressant de voir, chez les témoins français qui observent l'ennemi, la conviction se faire jour qu'en ce début septembre la saison est trop tardive pour que les Anglais puissent penser emporter la ville. «La saison paraissant trop avancée pour y (à Québec) former un établissement et (l'ennemi) semblant avoir renoncé au dessein d'emporter la place»[23]. Nous sommes le 8 septembre. Ici s'arrête le journal du témoin français anonyme. Vient un hiatus de cinq jours. Dernière entrée: «la place fut prise cependant». *Cependant*, malgré tout, contre toute attente...

C'est dans ce *«cependant»* que s'est creusée, invisible, l'oeuvre du traître Cugnet. Sans lui, Québec aurait été pris, malgré tout, mais autrement. On dirait que les «mânes» de Québec ont veillé à ce que son destin, noué en 1608 et en 1629 par des traîtres, soit dénoué par des traîtres. Ces jours troublés de 1759 où le désordre règne à l'intérieur de la cité voient même apparaître sur les murs de Québec le spectre de la potence du mauvais serrurier, premier traître québécois. «Pour arrêter ce désordre, on publia une ordonnance de peine de mort contre le voleur, et pour effrayer plus par la menace que par la réalité de la punition, on dressa une double potence près des remparts»[24].

Le traître de 1759 diffère de celui de 1608: de seconde zone, banalisé, rôdeur anonyme *intra muros*. Aucun récit ne le met en scène, comme Champlain et P. Le Jeune l'ont fait. Et pour cause: la fonction du traître a changé du tout au tout. Si en 1608 et en 1629 des narrateurs ont fait de lui le protagoniste de leurs récits, ils voulaient par cette dramatisation «spectaculaire» l'identifier une fois pour toutes et expulser avec lui les faux-

21. *Le Siège...*, p. 17.

22. Blaise Pascal, *Pensées*, n° 162.

23. *Le Siège...*, p. 115.

24. *Le Siège...*, p. 90.

semblants, les mensonges et les désordres qu'il traîne dans son sillage. Il fallait que la cité soit fondée sur le Même, identifiable une fois pour toutes, sans confusion possible. Or, en 1759, la ville livrée, «traduite» aux Anglais, devient le centre même, le lieu des promiscuités, des mélanges. L'Anglais y côtoie *intra muros* le Français, la langue anglaise et la française se mélangent dans une confusion babélienne[25].

À quoi servirait alors d'exclure le traître de façon exemplaire de la cité, comme l'ont fait les récits de 1608 et de 1629, puisque la trahison-traduction (entre la binationalité et le bilinguisme) n'est plus l'exception, mais le lot quotidien, une banalité? Ceux qui, sans compromis, ne veulent et ne peuvent transiger avec l'ennemi, les Français de France, retournent en France, abandonnant les *Canadiens* à leur sort ambigu. Pendant un temps, ces derniers peuvent se nourrir de l'espoir incertain qu'«ils (Français) reviendront»[26]. En effet, Champlain, après la prise de Québec de 1629, n'est-il pas revenu de France après trois ans? Attente vaine. Si jamais attente il y a eu!

Enfin, dernier parallèle entre la prise de 1629 et celle de 1759: la ville de Québec contient métonymiquement tout le *Canada*. Si elle tombe, tout le pays tombe. Le *Canada* avait beau se doter d'autres villes (Montréal, Trois-Rivières, etc.), d'autres forts jusqu'aux Grands-Lacs, sa puissance (vitale, militaire, humaine, etc.) restait concentrée en un seul point. Point d'Archimède du *Canada*. Qui le possède peut sortir de ses gonds le *Canada* tout entier. Étrange, comment la concentration la plus extrême a pu cohabiter avec la dispersion la plus extrême. C'est cette cohabitation des deux extrêmes que nous allons examiner de plus près en étudiant la genèse et le mode de production de deux pays: *Canada* et *Québec*.

---

25. Voir pour Babel et la confusion des langues, Claude Lévesque et Christie Vance, *l'Oreille de l'autre, otobiographies, transferts, traductions, textes et débats avec J. Derrida*, Montréal, VLB, 1982.

26. Philippe Aubert de Gaspé, père, *les Anciens Canadiens*, 1864, Montréal, rééd. Fides, 1975.

B. *Canada*-Québec: naissance de deux pays

Chapitre I

Du Kanada sauvage au Canada français

Antagonisme Canada-Québec: questions de méthode

«Il reste donc que, dès le début de la fondation, un antagonisme puissant, irréductible s'est jeté entre le commerce et la culture, entre les intérêts d'un groupe d'*étrangers* et d'*exploiteurs*, et l'*existence même de la colonie*. Cet antagonisme malfaisant va dominer une partie de notre histoire; il est au commencement et à la fin de presque toutes nos misères»[1]. L'antagonisme, comme l'a si bien senti l'historien Groulx, est l'*alpha* et l'*oméga*, début et fin du *Canada*. Agôn (conflit-lutte) qui n'oppose pas des compatriotes de même souche à des étrangers parlant une autre langue, vivant dans un autre pays limitrophe du leur, mais des ressortissants d'une *même* nation qui se divisent dans une lutte fratricide, sourde, mais pas moins implacable. Certes, d'autres pays (la France, l'Angleterre, pour ne mentionner que ces deux là) ont connu cet antagonisme, ces conflits qui mettent aux prises des classes, les différents états de la hiérarchie sociale. Ce sont là des luttes de classes où deux groupes pouvaient bien s'entre-déchirer (c'est le cas, par exemple, de la lutte qui oppose Tiers-États et Noblesse pendant la Révolution française) jusqu'à éliminer l'un ou l'autre; il reste que ces antagonismes jouent sur la scène

---

1. Lionel Groulx, *la Naissance d'une race*, Montréal, Bibliothèque de l'Action française, 1919, pp. 140-141.

nationale et à l'intérieur des frontières d'un seul pays. Elles ne remettent aucunement en question l'existence même du pays. Bien au contraire, c'est au nom de *la* Nation, du Bien public, que les têtes des ci-devant doivent tomber. Les divisions vont se résorber en unions, créant un corps social et politique plus cohérent, plus compact.

Or, au *Canada*, ces antagonismes, loin d'être les prémices déchirantes qui cimentent de futures unions, ne cessant de s'accentuer, de s'exacerber sans jamais déboucher (sauf une fois, en 1837) sur une réelle crise, vont miner des fondements d'emblée très fragiles. Car les forces antagonistes s'y affrontent, chacune contrariant l'effet de l'autre, avec une telle vigueur qu'elles s'épuisent mutuellement dans une lutte hétérophage. Aucune résolution harmonieuse de ces antagonismes n'est possible puisque l'un et l'autre, pour exister, a vitalement besoin de son contraire annihilant. L'un croît pour avaler l'Autre et/ou pour être avalé par l'Autre. Antagonismes qui s'entrelacent dans un *double bind* inextricable, chacun est à la fois lié *et* annulé par la contrainte-étreinte de l'autre. Ces forces — de là leur énergie spécifique — sont aux sources de deux pays. Elles émanent de deux pays qui se défont, se «dé-paysent» dans une lutte qui à la fois les constitue *et* les détruit, les revigore *et* les saigne à blanc.

Deux pays donc: le *Canada* et le *Québec*, ou plus précisément deux visions de pays, deux façons d'habiter ce nouveau continent, deux manières d'organiser l'espace et le temps, deux modes d'appropriation et de production économique. Enfin, tout les oppose, tout les sépare et *en même temps* les relie, à la manière de ces «liaisons dangereuses» californiennes, diagnostiquées pour la première fois par G. Bateson[2].

Ce conflit entre les deux pays a été trop évident pour ne pas avoir frappé la plupart des historiens (canadiens français et canadiens anglais). Mais, comme on a déjà pu le voir dans la citation de L. Groulx, cet antagonisme taxé de «malfaisant» est aussitôt réduit à un seul de ses éléments constitutifs. Réduction qui, d'emblée, casse le ressort dynamique de l'antagonisme: la dualité, le duel, l'*agôn*. Ainsi, c'est au prix de cette réduction de la contrariété entre les deux pays que la plupart des historiens québécois, en «pacifiant» artificiellement le conflit originel *canado-québécois*, ont réussi à tracer une filiation sans faille entre le *Canada* de la Nouvelle-France et le Québec moderne. Cette filiation est sans faille

---

2. Dans son article célèbre, «Vers une théorie de la schizophrénie», in *Vers une écologie de l'esprit*, Seuil, tome II, 1980, pp. 9-34.

seulement pour le Québécois qui regarde, comme L. Groulx, l'histoire dans le rétroviseur de son présent rétréci et qui ne retient que les seuls fragments[3] du *Canada* qui ont ensemencé le Québec: son passé agriculturel. Le sillon qui se creuse sous le soc de la charrue n'est pas la Voie Royale qui mène du *Canada* au Québec, mais plutôt la voie d'évitement (ou de service) qui s'épargne le grand détour par les forêts désertiques du *Canada*. On va droit du *Canada* au Québec grâce, en termes psychanalytiques, au *déni* (Verleugnung), grâce à la *forclusion* (Verwerfung) d'une des parties constitutives du *Canada*. Ces attitudes dénégatrices qui frappent purement et simplement d'inexistence la réalité du *Canada* sont cependant rares.

On trouvera plus couramment leur version euphémisée qui laisse filtrer une partie de la «réalité». C'est le cas notamment de L. Groulx qui marginalise en la qualifiant *d'étrangère* la dimension marchande en quête des pelleteries, la voyant dans la main de vils exploiteurs, tout en centrant le «bien», l'«existence même de la colonie», sur la seule agriculture. Ainsi, ces historiens et sociologues, avec une rare unanimité, ont souligné la grande «homogénéité» de l'immigration française, ne voyant la Nouvelle-France peuplée que d'agriculteurs percherons qui ont fait souche outre-mer. Les paysans français deviennent, ou plutôt *restent*, paysans *canadiens*. «Et le fond de la population, il faut y revenir et y insister (...), c'est un véritable démembrement de la souche des paysans français»[4]. Animé par cette obsession agriculturiste, le même Groulx n'avait-il pas déjà prématurément doté le marin Cartier d'une charrue?

Le sociologue Marcel Rioux, qui s'est intéressé à *la Question du Québec*, lui, ne passe pas non plus par les quatre chemins du *Canada* pour arriver au Québec, bien qu'il se fasse fort de «rappeler quelques éléments historiques»[5]. «Homogénéité relative des émigrants»[6], resserrement des habitants dans des «rangs», unité défensive contre l'ennemi (Iroquois), sont les traits qui caractérisent selon M. Rioux la société de la Nouvelle-France, ceux-là mêmes qui ont constitué le Québec de l'après-conquête (1760). Par une sorte d'illusion rétrospective, le sociologue ne

3. Pour un exposé de cette «théorie des fragments», voir Kay Holloway, *le Canada, pourquoi l'impasse ?* Nouvelle Optique et Librairie Générale de Droit et de Jurisprudence, Montréal/Paris, 1983, pp. 160-171.

4. Lionel Groulx, *op. cit.*, p. 39.

5. Marcel Rioux, *la Question du Québec*, Montréal, l'Hexagone, 1987, p. 29.

6. *Ibid.*, p. 30.

montre du *Canada* que ce qui se prolonge en Québec. La traite des fourrures? Un mauvais, mais heureusement court, passe-temps d'agriculteurs-*nés* qui ne demandent pas mieux, une fois qu'ils peuvent vivre du sol, que de retourner à leurs charrues. «*En attendant* qu'ils puissent subvenir à leurs besoins, les colons se livrèrent vite à la traite des fourrures»[7]. Alors qu'au contraire l'administration de la Nouvelle-France ne savait à quel saint se vouer pour attacher au sol tous les soi-disant «paysans» qui refusaient d'habiter le pays et le parcouraient tels des vagabonds. L'*en*racinement de l'idéologie agriculturiste du XIXe siècle et d'une partie du XXe siècle du Québec *dénie* (verleugnet), scotomise le dé-racinement, la dérive continentale du *Canada*. Inutile d'ajouter que le *Canada*, toujours dans cette perspective historique tronquée, vue du point de vue exclusif du Québec, n'a pas connu les effets désintégrateurs de la frontière. «La Nouvelle-France a échappé en bonne partie aux effets de désintégration propres aux pays de la frontière»[8]. Il incombait évidemment à un Canadien anglais de faire état de cette frontière *canadienne* ou plutôt de *ces* frontières puisqu'elles sont plurielles[9].

Québec: utopie ou uchronie?

Or, le premier effet de cette marginalisation d'une des parties constitutives du *Canada* — le commerce des fourrures et tout ce qu'il entraîne dans son sillage[10] — , c'est de voir apparaître tout d'un coup, après la création de la Fédération canadienne (1867), un conflit entre le Canada et le Québec, entre le Fédéral et le Provincial, qui semble être l'oeuvre d'une parthénogénèse quasi miraculeuse. L. Groulx, qui pourtant a par-

---

7. *Ibid.*, p. 30; nous soulignons.

8. *Ibid.*, p. 30.

9. Eccles, *The Canadian Frontier, op. cit.* De même que le livre capital sur la traite des fourrures au Canada est l'oeuvre d'un Canadien anglais dont la pensée n'a pas manqué, soit dit en passant, de marquer celle de Marshall McLuhan: H.A. Innis, *The Fur Trade in Canada. An Introduction to Canadian Economic History*, 1930. Nous citerons d'après la réédition, Toronto, 1970.
Pour un aperçu des idées d'Innis, *Culture, Communication and Dependency. The Tradition of H.A. Innis*, éd. Paul Heyer et alii, New Jersey, 1981.

10. Le livre d'un géographe québécois, Luc Bureau, *Entre l'eden et l'utopie*, Québec/ Amérique, 1984, montre à quelles absurdités (amusantes, il est vrai) peut mener cette marginalisation du *Canada*. D'emblée, il considère le *Canada* comme un espace d'habitation homogène, homologué à la «méthode» cartésienne. Rien de commun entre l'espace du *Canada* et l'espace de défrichement du *Québec*.

couru l'histoire *canadienne* de long et en large, est tellement pris au dépourvu par cet antagonisme entre le Canada de la Confédération et la province de Québec, antagonisme qui semble tellement jaillir de nulle part, qu'il se sent obligé, pour en rendre compte, d'abandonner sa position d'historien et de se muer en romancier pseudonyme[11]. À défaut d'avoir su cerner l'antagonisme Québec-Ottawa à sa source réelle, historique même, Groulx est contraint (doublement contraint?) d'avoir recours à la fiction de la race, qui réduit un conflit fondateur engageant deux visions de deux pays, en un conflit racial qui oppose Anglais canadiens-fédéralistes et Français québécois-provinciaux[12].

Quiconque affaiblit, réduit ou frappe d'inexistence une des données du rapport historique *Canada*-Québec à deux variables, se rend aveugle ensuite au conflit qui après la Confédération canadienne (1867) oppose le pouvoir fédéral canadien aux forces provinciales québécoises. Le point aveugle des relations Canada-Québec s'éclaire au fur et à mesure qu'on le fait reculer dans l'histoire du *Canada*. C'est dire que sont les plus aveugles à l'antagonisme *atavique* Québec-Canada ceux-là mêmes pour qui le Québec, restant dans un état d'inachèvement permanent, est à naître demain, une fois indépendant. Obnubilés qu'ils sont par l'échéance du «prochain épisode» à surgir d'un avenir incertain (plus incertain encore après le Référendum du 20 mai 1980), ces souverainistes sacrifient à cette utopie future et incertaine le poids du passé certain.

Ce qui fait problème au Québec, ce n'est pas tant, comme on l'a cru longtemps, la territorialité incertaine du «pays de Québec»: elle est assurée, déterminée, surdéterminée même, nous l'avons vu, depuis le temps de Champlain. La Conquête de 1760 n'y change rien. Bien au contraire, c'est l'Anglais, l'Ennemi, qui, dès 1763, crée cette entité spatiale et politique appelée «The Province of Quebec», et qui donne aux nouveaux sujets politiques les éléments de leur première définition, à la fois délimitation et identification. Non, ce qui fait problème, c'est la tempo-

---

11. Il s'agit du roman *l'Appel de la race*, publié d'abord en 1922 sous pseudonyme.

12. En fait, *l'Appel de la race* pose encore le vieux problème du «traître» québécois qui s'est vendu à l'Autre, à l'Anglais, au Canada fédéral. En l'occurrence — signe de haute-trahison — , il s'est marié avec une Anglaise protestante. Comme l'indique bien le titre, *l'Appel de la race*, le traître, Jules de Lantagnac, est rappelé au giron pur de la «race canadienne-française», lui qui s'était avili, voire même pollué par ses promiscuités, «illicites» avec son épouse pourtant «légitime», de race canadienne-anglaise. Nous retrouvons chez Lionel Groulx la même attitude de repli sur soi et de rejet raciste de l'Autre qui a présidé, nous l'avons vu, à la fondation de Québec, à cette différence près que l'Anglais s'est substitué à l'Amérindien. Rien de fondamentalement nouveau donc sous le ciel de Québec depuis 1608...

ralité, mieux la temporalisation du Québec. La question n'est pas tant de savoir *où se situe le Québec*, mais *quand commence le Québec*. Le Québec n'est pas une utopie, mais une u-chronie, pays à début variable et incertain.

Quand commence le Québec? Aucune question ne divisera plus les Québécois que celle de son point d'origine (*Ursprung*). Parmi les souverainistes, il y a ceux qui font commencer le Québec à ce jour J de l'indépendance; d'autres font coïncider son début avec les premières élections que le Parti québécois a remportées en novembre 1976. Bien des historiens ont trouvé dans la Constitution de la Confédération canadienne (1867) et la création d'un gouvernement du Québec la coupure inaugurale qui donne naissance au Québec[13]. D'autres encore, dont notamment Lionel Groulx, voient dans le hiatus de la Conquête de 1760 les aurores d'un Québec renaissant de ses cendres, tel un phénix. Enfin, il y a ceux, pour qui le Québec naît l'année de la fondation de Québec (1608)[14].

Champlain fut-il séparatiste?

Pour nous, pas de doute possible, Québec ne commence ni en 1608, ni même en 1534 avec la venue de Jacques Cartier. Il est *là*, nous l'avons vu, le mot et la chose depuis des temps immémoriaux ayant accueilli d'abord les Amérindiens, les Vikings peut-être, les Français et enfin les Anglais. Québec, c'est d'abord un site *stratégique* qui agit sur les peuples qui le hantent, autant que ces peuples brassés, métissés, dans la violence tourbillonnaire de son rétrécissement, agissent sur lui. Le Québec né en 1867 ou encore à naître: être chétif, tronqué de son passé, décharné, qui tel un anorexique jouit d'avoir perdu la chair et le sang de sa propre histoire! Il s'agit pour nous de penser un Québec de la plus longue durée tout en respectant les phases de sa genèse, de sa généalogie.

13. C'est le cas de P.A. Linteau, R. Durocher et J.-C. Robert, *Histoire du Québec contemporain*, 1867-1929, Montréal, Boréal Express, 1979.

14. Denis Vaugeois et Jacques Lacoursière, dir., *Canada-Québec. Synthèse historique*, Montréal, Renouveau Pédagogique, 1983.

Si nous distinguons avec Heidegger *Anfang* (début, origine) et *Beginn* (commencement)[15], nous pouvons dire que, bien que les origines du Québec plongent dans des temps immémoriaux, les commencements (Beginn) du Québec coïncident avec ceux de Québec. Le commencement *du* Québec (pays) est coexistentiel avec celui *de* Québec (ville). La fondation de l'Habitation de Québec par Champlain marque en même temps le moment de la fondation du Québec. L'esprit qui préside à cette fondation, la façon dont elle organise le temps et l'espace, marqueront à tout jamais ceux et celles qui plus tard habiteront cette ville et ce pays, lequel par contiguïté et par métonymie naîtra de cette ville. En effet, Québec, le pays, est d'abord une ville, comme le premier Kanada amérindien se confond avec la ville de Stadaconé. Jacques Cartier, dans le mini-dictionnaire qu'il dresse après son deuxième voyage, note: «Ils appellent une ville... Canada»[16]. Instant fugitif, fusionnel, où le destin du Kanada et celui du Québec coïncident. À l'origine, le Kanada et le *Québec* ont en commun, nous l'avons dit, d'être *à la fois* une ville *habitée* et une territorialité délimitée, une «province».

Moment éphémère, puisque précisément il fallait arracher Kanada et Québec à leur confusion originelle. C'est là la fonction essentielle de la fondation de Québec par Champlain. Il discerne Kanada/Stadaconé de Québec, en définissant les limites intérieures qui devaient le séparer de l'extériorité incertaine, menaçante. Or cette tâche inaugurale de la sépa-ration, du discernement (toute fondation, toute *Genèse* commence tou-jours par une séparation de ce qui, dans le tohu-bohu originel, fut fondu, con-fondu) en Nouvelle-France n'est jamais finie, définie, interminable. Encore aujourd'hui, le Canada et le Québec tentent désespérément de se dépêtrer d'une étreinte doublement contraignante où chacun, tout en tenant *et* repoussant l'autre, cherche à arracher sa partie, son identité irréfutable, certaine, à la fusion incertaine à l'Autre. C'est là le sens le plus profond de la *séparation* du Québec, du séparatisme québécois. Ce dernier n'est évidemment pas une invention du Parti québécois ou du RIN (Rassemblement pour l'indépendance nationale), ni même des Patriotes de Papineau au XIXe siècle. Elle est inscrite profondément dans le pro-cessus fondateur de Québec. Le séparatisme québécois, tâche infinie,

---

15. «Der *Beginn* des abendländischen Denkens ist nicht das gleiche wie der *Anfang*(...) Der *Anfang* verbirgt sich im *Beginn*». M. Heidegger, *Was heisst Denken*, Tübingen, 1971, p. 98; nous soulignons.

16. Jacques Cartier, *Voyages en Nouvelle France*, Montréal, HMH, 1977, p. 135.

qui, depuis 1608, a pour but de soustraire, en l'isolant, le *Québec* à l'extériorité fusionnelle du Kanada.

Québec-Canada: *un pays et un territoire*

Le *Québec* donc se reproduit essentiellement selon la même loi de production que la ville de Québec. C'est le pays qui s'est ensemencé autour des murs de Québec. *Pays* au sens strict du terme: pays venant de *pagus* qui est à l'origine la *borne* qui délimite un territoire[17]. Le Québec est donc le seul *pays* au *Canada*, bien que les voyageurs, très souvent, aient désigné sous le signe «pays» toute la territorialité de la Nouvelle-France. C'est un *pays* parce que *habité* de ses habitants paysans qui, de leur hache, taillent des clairières dans la touffe embrouillée, confuse, de la forêt sauvage (*silvaticus*: *forêt*, ne l'oublions pas, et *sauvagerie* sont synonymes). Puis de leurs socs ils tracent des sillons, cultivateurs qui *bornent*, paysagent littéralement un territoire sans bornes. Ces sillons ont essentiellement la même fonction discriminatoire que les murs de Québec: il faut séparer nettement la culture de l'inculture environnante. Car, à en juger par les premiers témoignages, la forêt sauvage s'étend à perte de vue dans ce Septentrion de l'Amérique, «tout le païs n'estant qu'une forêt infinie» dira l'auteur des *Relations des Jésuites* de 1611[18]. Québec (la ville et le pays) est un oasis qui mord lentement dans cette sylve sauvage. «Du milieu d'un bois de plus de huit cens lieux d'estandue, à Kébec»[19], note Paul Le Jeune dans une image saisissante qui rend bien l'insularité de Québec dans cette mer territoriale environnante. Pays limitrophe de Québec, Beauport, la côte de Beaupré est *habitée* par des familles, qui transplantent leur *foyer* en Nouvelle-France. Le premier foyer ne fumait-il pas déjà dans l'Habitation de 1608?

Les Giffard, dès 1634, tracent le sillon inaugural du pays de *Québec*. Le père Le Jeune, découragé par l'immensité de la sylve *canadienne*, prend espoir, mieux, s'enthousiasme en voyant *ce coin du pays* coupant des clairières dans le territoire sombre, nocturne, sauvage. Ce soc fait luire l'aurore de la grâce, de la raison. «Il me semble qu'en contemplant

---

17. Nous reviendrons, dans la section C sur les relations sémantiques et étymologiques qui se sont tissées entre le *pays*, l'*habitant*, et le *paysan* au *Canada*.

18. *Relations des Jésuites*, *op. cit.*

19. *Relations de 1632*, *op. cit.*, p. 15.

les progrès des affaires de la Nouvelle-France, ie voy sortir une aurore des profondes ténèbres de la nuit, laquelle embellissant de ses rayons dorez la surface de la terre, se change à la parfin en ce grand Océan de lumière que le soleil apporte»[20]. Pays nécessairement petit (mais «small is beautiful») parce qu'il n'est pas donné, qu'il ne s'offre pas gratuitement: il doit se conquérir lentement, laborieusement. «Ceux qui n'ont point vu le pays dans sa pauvreté n'admirent peut-estre ces *commencemens* encore assez petits: pour moy ie confesse ingénuëment que Kebec me semble *un autre païs* et qu'il n'est plus ce *petit* coin caché au bout du monde où on ne voyoit que quelques mazures et quelques petits nombres d'Européens»[21]. *Autre* pays, *seul* pays qui se définit grâce au tracé cultivateur du soc. Il est certain que l'agriculture ou l'«agriculturisme», comme on l'appelera, n'est pas une invention idéologique d'époques futures[22]. Elle préside à la fondation de *Québec*. N'est-elle pas le premier critère *(critère* vient, rappelons-le de *krinein*-discerner, discriminer) décisif qui définit *Québec* et fait de lui un *pays* (pagus)?

Cette *paysagéité* (caractère limité et par là défini) oppose radicalement à la *territorialité* du *Canada* le pays de *Québec* qui naît autour de la ville du même nom. Le *Canada*, c'est en effet la négation du pays, l'anti-pays. «Mon pays ce n'est pas un pays» dira le poète Gilles Vigneault dans un poème-chanson célèbre. Le pays qui se nie ainsi et se dénie, ce n'est pas le Québec, mais le *Canada*. Le *Canada* qui, à son tour, par la force centrifuge, ne cessera de décentrer, de dénier la *paysagéité* du *Québec*. Le *Canada* un territoire dé-territorialisé, sans bornes, illimité.

Du Kanada sauvage au Canada français: une loi de transformation

Le *Canada* n'a pas toujours été tel. Bien au contraire, nous l'avons vu, le premier Kanada amérindien, celui que rencontrait Cartier, est défini par une territorialité bien déterminée, allant à l'est de Grosse-Île jusqu'entre Québec et Trois-Rivières à l'ouest. C'est à cause de son

20. *Relations de 1636, op. cit.*, p. 40.

21. Lejeune, *Relations de 1636*, pp. 40-41; nous soulignons.

22. Voir Michel Brunet, «Trois dominantes de la pensée canadienne française: l'agriculturisme, l'anti-étatisme et le messianisme», in *la Présence anglaise et les Canadiens*, Montréal, Beauchemin, 1958.

caractère défini que Cartier l'appelle aussi «province de Canada». La «province de Canada», de même que la «province de Québec» est un *pays* au sens de la *définition* du terme. Il s'agit donc de savoir comment le pays limité Kanada est devenu un territoire illimité. Autrement dit, comment le Kanada amérindien territorialisé a-t-il pu se métamorphoser en un *Canada* dé-territorialisé? Comment, d'autre part, le *Canada* français continue-t-il le Kanada amérindien (car les deux ne portent-ils pas le même nom?), tout en se transformant, tout en devenant *autre*. Quelle est donc la loi de transformation qui métamorphose le Kanada miniaturisé, provincial, en un *Canada* géant, continental? C'est à ces questions que nous allons répondre maintenant en mettant à jour la «loi de production» du *Canada*.

Un examen des cartes géographiques des débuts de la Nouvelle-France donne un premier élément de réponse à nos questions. En effet, toutes les cartes[23] font état de deux *Canadas* déjà: l'un limité, réduit, situé à des endroits géographiques variables, mais toujours placé (comme les rangs futurs) sur le Saint-Laurent, verticalement. Ce Kanada resserré, circonscrit, correspond à une des trois «provinces» iroquoises que Jacques Cartier est venu découvrir, les prenant pour des «îles»: *Canada*, *Hochelaga*, *Le Saguenay*[24].

Et puis il y a l'autre *Canada*, écrit en grosses lettres le long du Saint-Laurent. Ce *Canada* commence précisément à la presqu'île de Gaspé et s'étire le long du Saint-Laurent et n'a déjà plus de fin, plus de limites. Comme un vecteur, il couvre moins la superficie d'un territoire qu'il n'indique une direction: la voie de pénétration du *Canada* qui passe par le bassin du Saint-Laurent et qui s'ouvre sur les «Pays d'en Haut», les vastes régions des Grands Lacs. C'est évidemment le Saint-Laurent, voie royale et artère principale, innervant de son débit généreux une partie du Septentrion de l'Amérique, qui est l'inducteur géographique, le catalyseur matériel qui transforme le Kanada provincial en un *Canada* continental. Les peuples ont les destins des fleuves qui baignent ou traversent leurs

---

23. La carte de P. Decelliers, établie à Dieppe en 1550, celle dite de Vallard (1547), la carte de l'anonyme français qui date de 1543, et enfin celles de Champlain et de Marc Lescarbot.

24. Pour Champlain, les limites territoriales de la *terre du Canada* «qui est au bout de l'Ile d'Orléans du costé de l'oriant ainsi appelée par ledit Quartier» — , Champlain, *op. cit.*, pp. 308-309 — sont plus que certaines.

Pour Marc Lescarbot, «la province de Canada» garde ce caractère insulaire qu'elle avait chez Cartier. «Après ladite rivière est la province de Canada, où il y a plusieurs peuples par villages non clos. Il y a aussi ès environs dudit Canada dedans ledit fleuve plusieurs îles tant grandes que petites», in *Histoire de la Nouvelle France, op. cit.*, p. 346.

territoires. Comme plusieurs grands fleuves au monde, le Saint-Laurent a façonné la morphologie, la physionomie du *Canada*.

L'expansion du Kanada en *Canada* fait sentir le principe opératoire de la métonymie que nous avons vu à l'oeuvre à plusieurs reprises. Une partie, une fraction se mue en une totalité. Kanada, la province «bornée», une des provinces amérindiennes du bassin laurentien, se métamorphose en *continent* qui littéralement tient ensemble, englobe *toutes* les provinces du Septentrion de l'Amérique. On voit facilement *comment*, par quelle loi psychologique, cette métonymie a pu être induite. Lors de la préparation du troisième voyage de Cartier, dans un document notarial daté du 4 mars 1541, il est dit qu'un nommé Fleuryot «a reçu denier de Dieu de Maistre Jacques Cartier pour aller avecques luy à Canada»[25]. Ici l'ambiguïté première qui laisse flotter le Kanada sauvage entre une ville et une province est encore sensible. Mais, première province dans l'ordre d'arrivée au «Golfe du Canada», comme s'appelait justement aussi le golfe du Saint-Laurent, n'est-il pas naturel qu'elle ait induite toutes les autres, étant donné qu'elle est vue d'abord de l'extérieur par des Français qui s'y rendent? Le premier *Kanada*, c'est une province laurentienne, vue et perçue comme une extériorité à partir de la France, but lointain et global d'un voyage; une province parmi d'autres se substitue à *toutes* les autres. Or dans cette «transformation» métonymique, *Canada* garde son statut initial de province. À vrai dire, à ce stade-ci, le Kanada ne s'est pas vraiment transformé: ce qui a changé c'est la perspective. Les provinces (Hochelaga, Saguenay) qui s'échelonnent à l'arrière-plan sont «bouchées» pour ainsi dire par l'avant-plan plus imposant, perçu en premier, du *Canada*.

Une nouvelle perception spatiale: une intériorité désirable

Mais la véritable transformation de Kanada en *Canada*, on s'en doute, s'opère de l'intérieur. Pour cela, il faut que cette intériorité du pays, la profondeur de son aire de pénétration, soit frappée d'un signe positif. En effet, nous avons vu que chez Champlain, dans l'acte fondateur de Québec, l'intériorité, le foyer de l'Habitation, par une batterie de systèmes défensifs, s'isolait de l'extériorité non habitée, mais traversée par l'Autre. Combien de fois Champlain ne fera-t-il pas

---

25. Biggar, *op. cit.*, p. 225.

l'expérience du danger qui guette l'Habitant français dans cette extériorité? Danger d'abord, faute de repères, d'orientations, de s'égarer dans la sylve sauvage. Tel ce prêtre parisien qui, happé par le labyrinthe boisé, ne trouve plus tout seul d'issue qui le mènerait vers les bateaux. «Un de nos prestres (…) de la ville de Paris, s'esgara *si bien dans un bois* (…) qu'il ne peut retrouver le vaisseau»[26]. Champlain lui-même et quelques-uns de ses compatriotes, en 1610, sont pris, piégés comme des proies, désorientés dans l'épaisseur des forêts sauvages. «Comme nous eusmes fait environ demi-lieu par *l'espois des bois*, dans des pallus et maraiscages (…) nous ne sçavions plus où nous estions sans deux sauvages que nous aperçumes traversant les bois»[27]. Ce sont les sauvages (silvatici) parcourant les bois qui orienteront les Français déroutés dans l'imbroglio de la forêt vierge nord-américaine. En attendant d'avoir exploré le territoire, mieux vaut se tenir le long des côtes, près des bateaux, seule promesse d'un retour possible.

Pourtant, c'est déjà chez Champlain qu'on trouve les premiers signes d'une transmutation profonde des mentalités des premiers Habitants *canadiens* qui commencent à frapper cette extériorité menaçante d'un signe positif. Du coup, cette extériorité — perçue comme telle depuis l'enclos rassurant de l'Habitation et du pays cultivé du *Québec* — se mue en intériorité, profondeur, nouvel espace encore chaotique, certes, mais non plus repoussant, abject. Point besoin de s'en défendre: objet de curiosité, désirable même, il s'ouvre dans toute sa vastitude à la pénétration des regards des découvreurs, du colonisateur. Dans un passage capital, qui explique l'abandon des côtes maritimes de l'Acadie en faveur de Québec située déjà à l'intérieur du continent, Champlain renverse complètement le point de vue des Français qui, jusque là, considéraient les côtes, les rives comme des franges de civilisation arrachées à la sauvagerie de la forêt vierge. Dans le choix de Québec, le sieur de Monts a été «meu aussi de l'espérance d'avoir plus d'utilité au *dedans des terres* où les peuples sont civilisez et plus facile de planter la Foy chrestienne et d'établir un ordre comme il est nécessaire pour la conservation d'un païs, que le long des rives de la mer, où habitent ordinairement les sauvages: et ainsi faire que le Roy en puisse tirer un proffit inestimable: car il est aisé à croire que les peuples de l'Europe rechercheront plus tost ceste facilité

---

26. *Op. cit.*, p. 164; nous soulignons.
27. *Ibid.*, p. 361.

que n'ont pas les humeurs envieuses et farouches qui suivent les costes et les natives barbares»[28].

L'inversion des valeurs dans ce passage est trop évidente pour qu'il soit nécessaire d'insister. Les rives, bordures isolées de la sauvagerie des forêts, constituaient traditionnellement — tout au moins dans les premiers temps de la colonisation française — des îlots de civilisation, tous orientés vers la mère patrie: des bateaux toujours attendus y accostaient pour apporter les approvisionnements et les «nouvelles» des anciens pays. Les riverains ne perdent jamais vraiment contact avec la civilisation originaire. Mais voilà que, par un «saut perceptif» étonnant, Champlain situe la sauvagerie le long des rives et, du même coup, déplace la civilisation *dedans les terres*, à l'intérieur de la forêt, là où précisément *devrait* être la sauvagerie, là où elle logeait traditionnellement. À partir du moment où la forêt sauvage cesse d'être un milieu menaçant, perçu dans sa négativité repoussante à partir des rives, elle se change en positivité pour devenir elle-même une intimité rassurante qui aspire, qui appelle. Car n'est-ce pas là, dans ces *terres du dedans* — étant donné que les peuples y sont *déjà civilisés* —, que les valeurs les plus intimes, les plus intériorisées de la civilisation occidentales, l'ordre du christianisme et de la royauté, ont le plus de chances de survivre? Affirmation étonnante, qui tranche nettement avec tous les discours qui ont présidé, nous l'avons vu, à la fondation de Québec. Entre la fondation de Québec (1608) et cette affirmation de Champlain, une révolution «copernicienne» de l'espace, et partant des moeurs, s'est opérée en sourdine. Il convient maintenant d'en dégager le sens.

Révolution copernicienne de l'espace canadien: *la peau de castor, une «peau de chagrin» extensible*

Dans la relation de Champlain, on s'aperçoit de la naissance de ce nouvel espace *canadien* qui s'oppose radicalement à celui de/du *Québec*. Si ce dernier est conquis, laborieusement et lentement, sillon après sillon par les labours de l'*habitant*, l'espace *canadien*, lui, s'offre totalement, disponible dans son immensité, une fois les premières frayeurs apaisées,

---

28. Champlain, cité d'après Biggar, *The Works of S. Champlain*, Toronto, 1922, tome I, p. 232; nous soulignons. François-Marc Gagnon, dans *les Hommes dits sauvages*, Montréal, Libre Expression, 1984, p. 113, relève bien l'importance de ce passage, sans expliquer cependant la portée de la mutation qui s'y opère.

et il n'est soumis ni à la *conquête*, ni à une *conquista*, pour reprendre la distinction capitale de Pierre Chaunu. «La *conquista*, à nos yeux, c'est sans doute ce qui s'oppose le mieux à la conquête. La *conquista* n'implique aucune action sur le sol; elle n'entraîne aucun effet en profondeur pour entamer un nouveau dialogue entre l'homme et la terre. La *conquista* ne vise pas la terre, mais uniquement les hommes»[29]. L'espace *canadien* ne subit aucune transformation notable: il reste dans son état quasi virginal, originel. Ce qui le caractérise surtout, c'est son mode d'expansion rapide, fulgurant, comparé à la lenteur de la progression cultivée des espaces *québécois* et américain. Les *Canadiens* touchent déjà presqu'aux Rocheuses lorsque les Américains s'avisent de franchir la barrière des Alleghenys. On pourrait dire en termes de théorie des systèmes, que le *take-off* fulgurant du *Canada* est le résultat de l'emballement de son mécanisme de développement — d'un «run away effect», en anglais[30] —, qui, ne contenant aucun dispositif d'autorégulation, laisse libre cours à son expansion. Quelle est donc la clef de l'énigme de cet espace mystérieux, qui, sans conquête militaire ni *conquista* de ses autochtones, s'ouvre à ses «colonisateurs»?

Son secret tient en un animal: le castor d'Amérique, cette Toison d'or en quête de laquelle partiront les «nouveaux Argonautes» *canadiens*. Pas de mine d'or donc — ces «cimetières des hommes»[31] — mais des peaux de castor qui valent leur pesant d'or. «Qu'en païs de Mines la terre est stérile que nous ne mangeons point l'or et l'argent (…) que celui qui a (…) des castors est plus assuré d'avoir de l'or et de l'argent que celui qui a des Mines d'en trouver à vivre»[32]. C'est en effet la poursuite de cette toison d'or qui entraînera les *Canadiens* de plus en plus profondément à l'intérieur du territoire. S'il y a au début du XVIIᵉ siècle une transmutation dans la perception de l'espace, c'est bien grâce à cet animal qui attire les habitants riverains vers les *terres du dedans*. La chasse intensive au castor, responsable de sa disparition autour des foyers d'habitation, attire implacablement l'Habitant vers l'intérieur des terres. Le castor est donc à la fois l'agent de changement qui modifie la perception de l'espace *canadien* — laissant apparaître l'intériorité comme attirante, désirable —

29. P. Chaunu, *Conquête et Exploitation des nouveaux mondes*, Paris, PUF, 1969, p. 135.

30. G. Bateson, *la Nature et la Pensée*, Paris, Seuil, 1984, p. 112.

31. Lescarbot, *op. cit.*, tome III, p. 818.

32. Lescarbot, *op. cit.*, p. 819.

et le moteur secret qui pousse les Habitants à progresser, à pénétrer de plus en plus avant dans cette forêt *canadienne*.

Le Canada*: un territoire sillonné par les coureurs de bois*

Mais, étant donné que la civilisation de l'*habitant* agriculteur chasse le castor chassé, un conflit irréconciliable naîtra entre l'espace cultivé, cultivant, de l'*habitant*, et l'espace sauvage de la chasse au castor. Bien plus, ce conflit sera responsable de la naissance et de la coexistence de deux types d'hommes parfois dans la *même* personne: l'*habitant* sédentaire cultivateur civilisé vivant dans un *pays* (pagus), et le *coureur de bois* sauvage, le *voyageur* nomade, parcourant un territoire sans feu ni lieu. Deux espaces: l'un cadastré, fermé, l'autre incertain, ouvert; deux types d'hommes: l'un cultivateur, sédentaire, civilisé, l'autre chasseur nomade, sauvage, bref deux conceptions du pays: le *Québec* civilisé, cultivé, et le *Canada* sauvage, dès l'origine de la Nouvelle-France, entrent dans une lutte rivale exténuante.

On comprendra, toujours dans l'après-coup de son histoire rétrospective, que le Québécois refoulant tout ce qui vient du Canada, aura intérêt à minimiser, à marginaliser, fût-ce inconsciemment, le phénomène du *coureur de bois* et du *voyageur* qu'engendre la traite des fourrures. Comme l'a si bien montré Innis dans son livre séminal, *The Fur Trade in Canada*, les *coureurs de bois*, en mettant en place toute l'infrastructure qu'implique le commerce des pelleteries, frayeront les premières voies de communication d'un *Canada* intercontinental qui se développera d'est en ouest, façonnant de manière *définitive* la structure géographique et économique du *Canada* avant et après la Conquête. Mais, surtout, on a tendance à l'oublier, le commerce des fourrures érigera des barrières commerciales contre les voisins du sud, barrières qui viseront à juguler — sans vraiment y réussir — le trafic, la communication entre le *Canada* et les futurs États-Unis. Barrière mentale, «précontrainte», imposée par le commerce de la fourrure, car les voies d'eau de la rivière Richelieu et du lac Champlain mènent naturellement tout droit vers Manhatte. C'est pourquoi l'annexion du *Canada* aux États-Unis, qui a hanté dans le passé comme aujourd'hui quelques esprits égarés (mieux vaut être américain que canadien!), restera toujours une utopie: elle n'a de lieu historique nulle part dans l'histoire *canadienne*. D'ailleurs, lors des deux invasions du *Canada* par les Américains, les *Canadiens* (français) prouveront sans conteste par leur loyauté où était leur véritable lieu d'appartenance. Le projet de libre-échange avec les États-Unis, modifiera-t-il les données du problème?

Le *Canada*, pendant tout ce processus de la chasse et de la course aux peaux de castors le long des grandes voies d'eau est-ouest, solidifiera ses structures géographiques et commerciales et innervera les mentalités, si bien que, lorsque le commerce de la fourrure tombera en désuétude, lorsque le *Canada* sera conquis par l'Angleterre, l'espace territorial et l'espace mental créés préalablement résisteront à toutes les mutations économiques et politiques. Bien plus, un Autre, le conquérant anglais, se coulera dans ces structures géographiques et économiques du *Canada*. Il s'«*enfirouapera*» si bien dans les peaux de castors des *Canadiens* qu'il ira jusqu'à voler leur identité en s'appelant lui-même *Canadien*[33].

Que les Québécois ne jettent pas trop vite la pierre au conquérant anglais, comme ils ont l'habitude de le faire! Ils subissent tout simplement à leur tour le sort qu'ils ont fait subir aux autochtones amérindiens. Car le *Canada* avant de devenir l'Empire continental de la Nouvelle-France a été une «province» amérindienne et le *Canadien* un autochtone amérindien. Le *Canadien* (français) ne s'est-il pas rendu coupable de la même «faute» qu'il reproche à l'envahisseur anglais? N'a-t-il pas lui-même envahi le pays des autochtones et ne les en a-t-il pas spoliés, ne les a-t-il pas dépouillés de leur identité en s'accaparant du nom qui fut le leur: *Canadien*?

Comment le Français en s'«ensauvageant» devient canadien *(français): une mutation ethnique*

Il convient donc maintenant de savoir comment s'est opérée cette mutation qui fait du Kanadien autochtone, vivant dans une province située sur le Saint-Laurent, l'Habitant français qui «occupe» quasiment tout le Centre de l'Amérique du Nord. Cette métamorphose suit essentiellement le processus de transformation que nous avons déjà observé pour le mot et la chose de *Canada*, sauf que son rythme est plus lent. Processus qui commence — *terminus a quo* — naturellement avec Cartier en 1534 pour

---

33. «Enfirouaper»: qui vient d'une déformation de l'anglais «in fur wrapped», signifiant «duper quelqu'un».

Pour ce parasitisme, voir Jean Bouthillette, *le Canadien français et son Double*, Montréal, L'Hexagone, 1972.

qui les *Canadiens* sont les habitants de Stadaconé[34], se terminant — *terminus ad quem* — au plus tard avec le voyage de Lahontan en 1683 où le mot *Canadien* comprend exclusivement l'Habitant blanc de la Nouvelle-France. Suivons quelques-unes des étapes de cette mutation ethnique.

Chez Gabriel Sagard, qui vient en Nouvelle-France dès 1623 et se rend aussitôt en Huronie sur les Grands-Lacs, la dénomination «Canadien» a sensiblement le sens qui prévaut chez Cartier et chez Champlain: elle désigne invariablement les habitants sauvages d'une province placée — comme d'ailleurs le terme «Canada» sur les premières cartes géographiques — à des lieux différents le long du Saint-Laurent. Ainsi, si Lescarbot situe les «Canadiens» dans les parages de Stadaconé/Québec, Sagard les voit à la hauteur de Tadoussac. «A la rade Tadoussac au lieu appelé la Poincte aux Vaches, estoit dressé au haut du mont un village de Canadiens, fortifié à la façon simple et ordinaire des Hurons»[35]. Aucun doute, ces «Canadiens» sont des «sauvages». Car Sagard poursuit: et «descendis à terre fus visiter le village (canadien), et entray dans les cabannes des sauvages»[36].

«Canadien», chez Sagard comme chez les autres contemporains, se définit en suivant deux axes sémantiques. Le premier, «endogène» pour ainsi dire, saisit les traits distinctifs du Kanadien, «sa provincialité», sa *paysagéité*, le fait d'habiter une province bien marquée ethnologiquement et géographiquement. Ainsi, parlant de l'usage des raquettes, Sagard le trouve répandu chez les différents peuples sauvages du Saint-Laurent. «Les Montagnais, Canadiens et Algonquins, filles et enfants avec icelles, suivent la piste des animaux»[37].

Le deuxième axe sémantique «exogène», va prendre le pas sur le premier au fur et à mesure que, par le processus d'expansion, les limites du Kanada vont s'étendre, créant un critère de discrimination qui oppose la sauvagerie du Kanadien à la civilisation du Français. À suivre Sagard, le tranchant de cette opposition ne laisse rien à désirer! Sagard parle de l'un des premiers assassinats de Français par des «sauvages». Les

---

34. C'est grâce à Cartier que le terme *Canadien*, de même que celui de *sauvage*, entrent dans la langue française.
Voir aussi Marc Lescarbot, «Stadaconé est le village des Canadiens», *op. cit.*, vol. I, p. 357.

35. Gabriel Sagard, *le Grand Voyage au pays des Hurons*, éd. Marcel Trudel, Montréal, HMH, 1976, p. 32.

36. *Id.*

37. *Ibid.*, p. 71.

Français qui veulent calmer l'esprit de vengeance des Amérindiens envers leurs ennemis et éveiller en eux, sans vraiment y réussir, la notion de responsabilité personnelle de l'auteur du crime, inventent une étrange cérémonie. «Et à ce propos de la vengeance ie dirai que comme le General de la flotte assisté des autres Capitaines de navires eussent par certaine ceremonie iété une épée dans la rivière Sainct Laurens au temps de la traicte, en la presence de tous les Sauvages, pour l'asseurance aux meurtriers Canadiens qui avoient tué deux François, que leur faute leur estoit entierement pardonnée et ensevelie dans l'oubly, en la mesme sorte que cette espée estoit perduë et ensevelie au fonds des eauës»[38]. Est-il sauvagerie plus sauvage que ce meurtre commis par des Kanadiens *contre* des Français? Jeu d'opposition, de confrontation irrémédiable, qui trouve son seul terrain d'entente et de réconciliation dans le pardon. Le pardon chrétien n'efface-t-il pas, ne noie-t-il pas le tranchant de l'épée qui départage sauvagerie et civilisation?

C'est évidemment cet axe sémantique exogène de la dénomination «canadien» qui sera responsable de l'extention ethnologique du terme, imitant en cela, mais selon d'autres lois de production, la toponymie *Canada*.

En effet, les Kanadiens ce sont d'abord les sauvages de la province de Kanada et ensuite, par extension, *tous* les «sauvages» du Septentrion de l'Amérique, différenciés en bloc des Français par leurs moeurs, les us et coutumes. Ces derniers, en jetant un regard extérieur, ethnologique, sur les autochtones, saisissent le dénominateur commun — la sauvagerie — qui définit toutes les tribus amérindiennes et, par contrecoup, les distinguent d'eux — les civilisés — pour ensuite projeter cette caractéristique implicite dans «canadien» sur l'ensemble de la population sauvage du continent. Ce jeu d'opposition, de discrimination est efficace tant que les oppositions entre sauvages et civilisés, entre Kanadiens et Français, restent tranchées. C'est nettement le cas encore, en 1623, chez Sagard.

En effet, ce dernier laisse également voir les premiers signes de la déterritorialisation du Kanada. Plus précisément, Sagard, comme le cartographe, connaît déjà deux sens à «Canada»; de là son ambuiguïté: le sens restreint, provincial, que nous avons déjà rencontré, et le sens large, étendu, qui couvre non plus une province délimitée, mais un territoire vaste et sans frontières. Parlant de la faune, de papillons morts sur le fleuve, Sagard «illimite» très clairement la dénomination géographique

---

38. *Ibid.*, p. 74.

du «Canada». «Le matin nous nous mismes sur la rivière, qui en cet endroict est très large et semble un lac, couvert par tout d'un si grand nombre de papillons morts que j'eusse auparavant douté s'il y en auroit bien eu autant *en tout le Canada*»[39]. Comme nous l'avons déjà souligné, c'est le fleuve, le Saint-Laurent, qui sert de catalyseur d'expansion, et c'est le long de ce cours d'eau que s'opère la transformation de Kanada primordial, provincial en *Canada* territorial.

Le texte de Sagard nous montre aussi, d'autre part, que l'opposition sauvage-canadien/civilisé-français, issue de la perception qu'ont les Français des Amérindiens, est loin d'être aussi tranchée lorsqu'on se place — rareté exceptionnelle — du point de vue autochtone. Les Amérindiens ne créent pas de terme collectif unique sous lequel *tous* les Français seraient subsumés, mais ils les désignent diversement en retenant comme critères distinctifs divers outils et techniques inconnus des autochtones. «Les François qu'ils (Hurons) appellent Agnonha, c'est-à-dire gens de fer, en leur langue, et les Canadiens et Montagnais les surnomment *Mistigoche*, qui signifie en leur langue Canot ou Basteau de bois: ils nous appellent ainsi à cause que nos Navires et Basteaux sont faicts de bois et non d'escorce comme les leurs: mais pour le nom que nous donnent les Hurons, il vient de ce qu'auparavant nous il ne sçavoient que c'estoit de fer, et n'en avoient aucun usage, non plus que tout autre metal ou mineral»[40].

Il est intéressant de noter que le critère de discrimination des Amérindiens n'a pas trait, comme pour les «civilisés», au *sujet*, à la personne humaine et à ses coutumes, mais plutôt à l'*objet*, à l'«ustensilité» de ces objets: outils de fer et bateaux de bois. Il n'est pas étonnant que seuls les Kanadiens et les Montagnais, riverains du Saint-Laurent, aient retenu ce trait distinctif, «épiphanique» des Français, qui est loin d'être permanent et universel. En effet, pour pénétrer à l'intérieur des terres pour se rendre en Huronie, les civilisés doivent emprunter les canots d'écorce des Amérindiens. Reste le fer qui, au départ, distingue les gens du fer des gens du néolithique. Jusqu'au jour où, les Sauvages manipulant ce fer et ces armes à feu avec plus de dextérité, et les Français courant les bois et s'ensauvageant, tous ces critères, érigés de part et d'autre pour se distinguer, s'effondrent. Force est dont d'en inventer d'autres, comme nous le verrons plus loin.

39. *Ibid.*, pp. 254-255; nous soulignons.
40. *Ibid.*, p. 67.

Pour l'instant, retenons que dix ans après, dans la *Relation* du père Le Jeune, le terme «Canadien» retrouve sensiblement le même sens que chez Sagard. Même qu'il est en retard sur la double sémantique sagardienne, puisque «Canadien» se limite à sa seule signification provinciale, sans avoir amorcé encore son mouvement d'expansion. «Je croirois plustost qu'ils auroient tiré cette superstition des peuples voisins, car on me dit (…) qu'ils imitent fort les Canadiens qui habitent vers Gaspé, peuple encore plus superstitieux que celui-ci»[41]. Malgré tout, c'est encore une fois la sauvagerie (la superstition) qui servira de point de comparaison entre les Kanadiens et les autres tribus, les kanadiens détenant nettement la palme de la superstition, de la sauvagerie.

Le Canadien*: assimilation et une première question d'identité*

Il aurait été fastidieux, parce que répétitif, d'énumérer tous les exemples de l'emploi du terme «Canadien» que font les contemporains de Sagard et de Le Jeune. Il nous aura suffi de mettre à jour le mode de fonctionnement de cette dénomination à l'intérieur d'une aire géographique (de l'Amérique du Nord, du bassin du Saint-Laurent) et pendant un laps de temps donné, se terminant au plus tard en 1683 (notre *terminus ad quem*), à la venue de Lahontan en *Canada*.

En effet, dès les premières lignes de sa lettre, datée du 8 novembre 1683, Lahontan se réfère au «Canada» et aux «Canadiens». «Je vous ai instruit à mon départ de La Rochelle des raisons que Monsieur Le Fèbvre de la Barre, gouverneur-général du Canada (1682-85) avait eues d'envoyer en France Monsieur Mahu, Canadien, et la résolution qu'il a prise de détruire absolument les Iroquois, qui sont des peuples sauvages, très belliqueux»[42]. À n'en pas douter, *Canadien* a subi un changement sémantique. Nous sommes ici dans le régime lent qui caractérise toujours la transformation des mentalités et des perceptions d'autrui, admirablement mise en lumière par le regretté Philippe Ariès[43]. Chez Lahontan, nous arrivons au terme d'une évolution qui aura duré quatre-vingts ans. Ce qui

---

41. *Relation de 1634 de Paul Lejeune*; *le missionnaire, l'apostat, le sorcier,* édition critique de Guy Laflèche, Montréal, PUM, 1973, p. 43; nous soulignons.

42. *Voyages en Amérique septentrionale, op. cit.,* pp. 59-60.

43. Voir Philippe Ariès, *l'Enfant et la Vie familiale,* Paris, Seuil, 1973, et surtout *l'Homme devant la mort,* Paris, Seuil, 1977.

frappe d'emblée, c'est que nous ne sommes plus, comme chez Sagard, face à une opposition simple, dichotomique, Français-civilisé/Canadien-sauvage, mais confrontés avec une triplicité qui se constitue de Français (Lahontan lui-même, observateur extérieur implicite), de *Canadien* et de Sauvage. On le voit, les *Canadiens*, signifiant maintenant les Habitants français du *Canada*, occupent une position intermédiaire *entre* Français et Sauvages. Ces nouveaux *Canadiens* ont dépouillé les anciens Kanadiens sauvages de leur nom et, partant, de leur identité. Comment expliquer cette assimilation, les Français du *Canada* adoptant le nom des premiers habitants du Kanada, devenant des *Canadiens*?

C'est encore grâce à la transformation sémantique qui suit l'axe exogène que s'opère cette mutation ethnique. En effet, ce sont les Français, observateurs extérieurs, ethnologues avant la lettre (Cartier, nous l'avons suggéré en passant, a été le premier ethnologue), qui se trouvent en face de deux catégories d'êtres qu'ils vont classer afin de les identifier. Les Sauvages, dans le laps de temps de quatre-vingts ans pendant lequel cette terre est colonisée par les Français, ne se sont pas assimilés. Bien au contraire, une lutte à mort s'est engagée entre une de ces tribus sauvages, celle des Iroquois qui veulent garder la suprématie, et les Français d'Amérique. Le bref passage de Lahontan en dit assez long sur la férocité de cette guerre[44].

Grosso modo, les Amérindiens, bien que touchés par la civilisation européenne et décimés par de nombreuses épidémies bactériennes, ont gardé les traits distinctifs qui permettent de les subsumer, comme le fait Lahontan, dans le terme générique «peuples sauvages». Permanence donc du pôle sauvage.

Par contre, ce qui change, c'est la perception qu'ont les Français de France des Habitants français d'Amérique. En effet, 1660 marque en gros l'avènement de la première génération d'autochtones français nés sur le sol *canadien*. Comment en effet les identifier? Ils ne sont plus des Français, pas des sauvages non plus. Ils sont l'un et l'autre, tout en n'étant ni l'un ni l'autre. On le voit, ces *Canadiens*, comme les Français vont les appeler dorénavant, n'ont pas d'identité propre. Ils ne se définissent pas par une opération de discrimination/opposition simple. On se définit toujours contre quelqu'un, contre quelque chose: *omnis determinatio est negatio*. Spinoza mieux que quiconque connaissait cette loi

---

44. On sait que Lahontan, pour des raisons stratégiques, s'est opposé à l'extermination des Iroquois.

fondamentale de la définition par négation, par exclusion de l'Autre. Or, les nouveaux *Canadiens sont* des Français, ils parlent leur langue, pratiquent la même religion. Mais ce sont aussi, par certains côtés, des Sauvages, tout au moins pour les Français métropolitains nouvellement arrivés sur cette terre d'Amérique. Une frange importante de la population française n'a-t-elle pas adopté le mode de vie des Sauvages? Les coureurs de bois et les voyageurs, assimilés aux Sauvages, s'habillent, se nourrissent comme eux, se déplacent sur les eaux à l'aide de barques d'écorce de bouleau comme eux. S'il y a assimilation en *Canada*, en ce premier siècle de colonisation française d'Amérique, elle se fait dans le sens du civilisé vers le sauvage.

Il y a là une lourde hypothèque assimilatrice qui fera sentir ses effets lorsque les *Canadiens*, après la conquête de 1760, devront se définir encore une fois face au nouveau conquérant anglais. Vont-ils résister à l'assimilation, maintenant qu'ils ont été conquis, eux qui, «conquérants», se sont déjà si facilement adaptés, assimilés à l'Autre? Les Québécois, descendants directs des *Canadiens* ont tendance — par un processus de «déculpabilisation» psychologique normal sur lequel nous reviendrons — à rejeter sur le dos du conquérant anglais la faute de cette assimilation. Or, le *Canadien* (français) a toujours été perméable à l'Autre. Français d'Amérique, il s'est imprégné des us et coutumes sauvages, il s'est métissé et a laissé métisser ses coutumes, voire sa langue, de modes d'être, sauvages d'abord, anglais ensuite. Vu cet héritage assimilateur, il est remarquable que le Québécois, finalement, après un long processus de doute et de remise en question, ait trouvé «son» identité. Or, cette identité, le Québécois l'achètera au prix du rejet de son ancienne identité *canadienne*, une identité de trouvée, une autre de perdue...

Un Canadien *«se» voit enfin: une opération publicitaire*

Le *Canadien* est donc un assimilé au sens premier du terme (*assimilare*: rendre semblable). Comme le Kanadien sauvage, il naîtra sous le regard ethnologique jeté de l'extérieur par le Français sur lui. Ce regard français, en nommant *Canadien* l'Habitant permanent de la Nouvelle-France comme il avait jadis désigné le Sauvage, accuse ainsi la *similitude* entre ces deux types d'êtres. Similitude induite par le rapprochement de leurs modes de vie (nomadisme, course des bois), leur façon de voyager (bateaux d'écorce, raquettes), de se vêtir et de se nourrir (le blé d'Inde est la nourriture de base du *coureur de bois*, comme de l'Indien). Le Français civilisé, observateur extérieur impassible, en désignant *Canadien* l'Habitant de la Nouvelle-France, prend d'abord acte de cette assimilation relative de l'habitant français de l'Amérique au sauvage, mais, du même coup, le Français se démarque, et du sauvage comme il l'a toujours fait, et aussi du — comment l'appeler? — «demi-civilisé» ou «demi-sauvage» qu'est devenu le *Canadien*. Au plus tard en 1683, une première faille «culturelle» , ethnologique, s'ouvre entre Français et *Canadiens* qui se reconnaissent comme deux êtres à part, différents, parlant certes encore la même langue, mais se mouvant dans deux espaces-temps mentaux différents. De là les frictions de plus en plus fréquentes entre eux, notamment à l'intérieur de l'armée.

Il va sans dire que l'Habitant français d'Amérique, qui hérite du nom de *Canadien*, subit en même temps la dépréciation, la péjoration qui y est associée. Être *canadien*, c'est cesser d'être français, c'est cesser d'appartenir à la France et, partant, à *la* Civilisation, la France «mère des arts» s'étant toujours considérée comme le foyer civilisateur. D'ailleurs, le mot même de «civilisation» n'est-il pas une invention française[45]? En effet, *Canada*, depuis que le terme existe, a toujours été la version vulgaire et donc dépréciée de la Nouvelle-France. La France s'approprie ainsi la partie noble, la Nouvelle-France, issue organiquement de l'ancienne, pour tenir en respect, rejeter le *Canada* des «autochtones», des habitants français permanents du *vulgus*, peuple de là-bas. C'est pourquoi les voyageurs français qui s'y réfèrent ne manquent jamais de le faire sous la formule devenue canonique «la Nouvelle-France vulgairement dit Canada». Formule qui apparaît déjà dans le titre du premier livre canadien sur le *Canada*: Pierre Boucher, *Histoire véritable et naturelle des moeurs et productions du pays de la Nouvelle-France vulgairement dit le Canada.*

Ce premier *Canadien* — non plus objet du regard de l'autre, Français, mais sujet regardant qui voit son pays de l'intérieur — est aussi l'un des premiers à vouloir redresser la mauvaise opinion dans laquelle on tient généralement le *Canada* en France. Il s'agit en fait pour ce *Canadien* de combler la péjoration, le déficit d'appréciation qui se creusait traditionnellement entre la Nouvelle-France perçue de la France par les Français, et le *Canada* perçu du *Canada* par des *Canadiens*. C'est précisément ce

45. E. Benveniste, «Civilisation — contribution à l'histoire du mot», in *Problèmes de linguistique générale*, Paris, Gallimard, 1966 et Jean Starobinski, in *le Temps de la réflexion*, Gallimard, 1983.

but que vise le petit traité de Boucher. «C'est la raison qui m'a obligé à faire ce traité pour informer avec vérité ceux qui auroient de l'inclinaison pour le pays de la Nouvelle-France, et qui auroient quelques volontez de s'y venir habiter et pour *oster la mauvaise opinion* que le *vulgaire* en a, et que mal-à-propos on menace d'envoyer les *garnements* au Canada en punition»[46]. Pierre Boucher, parlant *de* l'intérieur, mais s'adressant toujours *à* des Français, seul élocutaire possible, veut démolir une fois pour toutes le préjugé français défavorable qui associe automatiquement *Canada* et *vulgus*, qui voit en *Canada* le séjour des «garnements».

Le sens péjoratif, de garnement (un *garnement* est toujours *mauvais*), reste accolé au *Canada*. En somme, Boucher voudrait hisser le sens vulgaire de *Canada* au niveau noble de la Nouvelle-France. Pour ce faire, il doit percer l'épaisse carapace, non de glaces et d'arpents de neige, mais de mauvaises opinions, de préjugés accumulés par les Français métropolitains, voyageurs pressés — ce sont eux les leaders d'opinion qui écrivaient — qui ne voyaient la Nouvelle-France que de l'extérieur sous ses premières apparences, foncièrement mauvaises. Boucher doit reconnaître que «ce pays de Nouvelle-France a quelque chose d'affreux *à son abord*»[47]. Mais précisément, il faut dépasser ces «abords», traverser ces apparences stéréotypées, ces mauvaises opinions dans lesquelles les Français ont figé le *Canada*, pour atteindre son être. Rien de plus «facile» que cette traversée des apparences. Pour connaître la vraie nature du *Canada*, il suffit d'*y habiter* ou d'y avoir déjà habité. C'est donc tout naturellement que Boucher prend à témoin — l'opinion d'un *Canadien* ne vaut pas cher — les Français, anciens habitants du *Canada*, pour faire accréditer cette vision intérieure de la Nouvelle-France, en faisant voir le *Canada* dans toute la positivité dont pouvait bénéficier la Nouvelle-France aux yeux de certains Français.

«Je vous diray sans déguisement que pendant mon séjour à Paris et ailleurs l'année précédente, j'ay fait rencontre de plusieurs personnes assez à leur aise, qui avoient esté par cy-devant *Habitans de nostre Canada*, et qui s'en estoient retirez à cause de la guerre, lesquels m'ont asseurez qu'ils estoient dans une grande impatience d'y revenir: tant qu'il est vray que la Nouvelle-France a quelque chose d'*attrayant* pour ceux qui en sçavent gouster les douceurs»[48]. Il s'agit en effet d'arracher les masques et

---

46. P. Boucher, *op. cit.*, pp. 6-7; nous soulignons.

47. *Ibid.*, p. 5; nous soulignons.

48. *Ibid.*, p. 7; nous soulignons.

les dépouilles à ces «mauvais garnements» dont les Français voulaient peupler le *Canada*, lieu de débarras idéal, dépotoir pour les rebuts «sauvages» (vagabonds, prisonniers, etc.) de l'ancienne France. Voyez, au contraire, dit Boucher aux Français, ces *habitants de notre Canada*, ce sont des Français comme vous et moi. Vous n'avez qu'à regarder et interroger des habitants qui sont déjà demeurés en *Canada*, ils sont brûlés par le désir de retourner dans ce pays afin de goûter à ses douceurs. En effet, nous l'avons noté, un siècle plus tard, Elisabeth Bégon, *Canadienne*, obligée de retourner vivre en France, sera dévorée de nostalgie, de *Heimweh* pour son *Canada*.

Mais nous n'en sommes pas encore là! Afin d'accréditer le *Canada* auprès des Français, P. Boucher se voit obligé d'effacer les traits distinctifs du *Canadien*. L'opération publicitaire qu'est celle de Boucher *assimile* encore le *Canadien* au Français, en affirmant que le *Canadien*, en fait, est toujours français. La valorisation du *Canadien* passe nécessairement par la *minorisation*, voire mieux par le gommage complet de ses particularités, de sa *canadianité*. Si bien qu'on chercherait vainement le *Canadien* dans le texte de Boucher. Chez ce dernier, le *Canadien* est toujours désigné comme le *Français*, de même d'ailleurs l'Américain comme *Anglais*. «Cela (détruire les Iroquois) mettroit la réputation des Français bien haut dans tout le pays de la Nouvelle-France»[49]. Preuve encore, s'il en fallait, que le *Canadien*, dans toute sa différence, est tout d'abord né sous le regard d'un Autre, du Français qui marque ses distances à son égard. Il n'est bon bec que de Paris, que de France...

49. *Ibid.*, p. 152-153.

Chapitre II

Dépendance économique, indépendance politique: le pouvoir et sa représentation

Mais le *Canadien* a beau s'enfoncer dans les profondeurs du continent, a beau distendre ses liens avec la France, il ne les coupera jamais définitivement, contrairement à son voisin du Sud. C'est la mère patrie qui, finalement, se séparera de son rejeton *canadien* dans des circonstances dramatiques dont nous analyserons les effets psychologiques (cf.: *Décapitations*).

Pour l'instant, il s'agit de savoir de quelle nature sont ces liens (ou *doubles liens*) élastiques qui, malgré les distances géographiques et psychologiques se creusant entre la France et le *Canada*, ne cessent de se tresser entre les deux pays, entre les deux continents.

En fin de compte, ce sont des liens économiques, beaucoup plus solides que les liens politiques, toujours plus lâches, quasi inexistants qui, malgré la dérive psychologique des deux continents, rivent le *Canada* et la France ensemble. Il est fort à parier que, sans la force coercitive de ces «liaisons dangereuses» économiques, les ordres et ordonnances du roi auraient été engloutis dans les forêts *canadiennes*, sans retour possible. Bien plus, une lutte sourde entre le pouvoir royal et sa représentation *canadienne* s'est engagée entre une royauté centralisatrice et les forces centrifuges *canadiennes*. Antagonisme que nous proposons maintenant de serrer de plus près.

Mais pour bien illustrer ce paradoxe que, malgré l'éloignement spatial croissant, la France ait gardé — sans l'avoir fait exprès — son emprise sur sa colonie, il est bon de rappeler quelques-unes des étapes de l'expansion *canadienne* pour bien se rendre compte de sa vitesse accélérée, de son *take-off* fulgurant.

Le Blitz canadien

Malgré la résistance des Amérindiens, et l'année après la fondation de Québec, Champlain pousse une pointe d'exploration vers le lac Champlain et la vallée de l'Hudson. Quatre ans après, en 1613, on le voit en route sur la rivière d'Ottawa. En 1615 et 1616, Champlain arrive déjà à la baie Georgienne et sur le lac Huron.

Grâce aux missionnaires Brébeuf, de Noüe et La Roche d'Aillon — qui s'y trouvent dès 1626, suivant les premiers coureurs de bois (dont Etienne Brûlé notamment) et ouvrent à leur tour la voie à d'autres voyageurs — la Huronie devient très tôt un paysage familier des Français d'Amérique. Les peaux de castors déterminent à la fois la vitesse d'expansion du *Canada* et la direction dans laquelle s'opère cette expansion: *vers l'ouest*. La chasse intensive au castor, aiguillonnée par le goût du lucre, fait oublier aux Indigènes les lois ancestrales de l'équilibre écologique. En peu de temps, de vastes zones virent leurs animaux de chasse, petits ou grands, exterminés[1]. De là la nécessité d'étendre les terrains de chasse à des régions de plus en plus éloignées des centres de colonisation française situés sur les rives du Saint-Laurent. Si les marchands et les coureurs de bois suivent pour leur expansion un vecteur ouest, c'est qu'ils convoitent les peaux plus fournies en fourrure des animaux qui hantent ces zones nordiques. Les Anglais, faut-il le préciser, suivent une poussée encore plus nordique vers la baie d'Hudson, en quête des mêmes animaux de pelleterie cotés sur les marchés européens. Dès 1670, avec le support logistique et le *know-how* des Français des Groseillers et Radisson (encore deux traîtres!), les Anglais s'installent même dans la très nordique baie d'Hudson, pomme de discorde entre Français et Anglais.

Au tournant du «Grand siècle», les animaux de chasse se faisant rares sur les Grands-Lacs mêmes, l'expansion au-delà s'avère impérieuse. On

---

1. W. Cronon, «Commodities of the Hunt» in, *op. cit.*, pp. 82-107.

ne s'étonnera donc pas de trouver La Vérendry et ses fils, dès 1734, sur les bords de la Rivière Rouge, en quête d'un nouveau réservoir de pelleteries nordiques non encore entamé. En 1736, le pas entre le lac Supérieur et le lac Winnipeg est franchi.

Les deux fers de lance de cette avance rapide, de ce *Blitz canadien*, sont les marchands/coureurs de bois et les missionnaires. Mais s'ils fraient les mêmes voies fluviales, se dirigeant tous les deux vers l'ouest, leur vitesse de croisière ne se renforce pas mutuellement. Bien au contraire. Car les motifs de leur expansion ne sont pas moins divergents, en conflit permanent. En effet, Gabriel Sagard, dès le début de la colonie, a pressenti ce conflit entre marchands et missionnaires sur la visée même de la colonisation du pays. «La négligence et peu d'affectation des Marchans qui se sont contentez iusques à presant d'en tirer les pelleteries et le profit, sans y avoir voulu employer aucune despense, pour la culture, peuplade ou advance du pays»[2]. Le missionnaire, jugeant la sédentarisation des sauvages comme un préalable indispensable à leur conversion, voit forcément dans le marchand/coureur de bois son ennemi parce qu'il contrecarre ses efforts de sédentarisation des sauvages, en encourageant le nomadisme chasseur indispensable au commerce de la fourrure. Le discours que La Vérendry tient aux Amérindiens de l'Ouest est représentatif du discours que le marchand adresse aux chasseurs indigènes et qui jure avec celui des missionnaires. «Continuez d'être fidèles aux Français (...) Chassez bien pour satisfaire les marchands»[3].

Comme si cette poussée des Français vers l'ouest ne suffisait pas, la fin du XVIIe siècle voit s'ajouter un autre vecteur en direction du sud. En effet, Robert Cavelier de La Salle atteint l'embouchure du Mississipi le 9 avril 1682. Cette expansion vers le sud, on s'en doute, ne peut avoir pour objectif le commerce des fourrures, puisque la quête de la «toison d'or» de la filière *canadienne* suit une trajectoire ouest. Dès l'origine de la colonie, les Français, nous l'avons noté, n'ont cessé de chercher un passage du sud-ouest, passage qui donnerait accès au Golfe du Mexique, mieux, au Pacifique. Charlevoix parle de cet espoir que fait luire la découverte de l'embouchure du Mississipi. «Il (le Mississipi) ne couloit ni au nord, ni à l'est, ainsi on ne doutoit point que par son moyen on ne put avoir communication ou avec le Golphe Mexique s'il avoit son cours

---

2. *Op. cit.*, pp. 39-40.

3. Vérendry, cité d'après Innis, *op. cit.*, p. 92.

au sud; ou avec la Mer du Sud (Pacifique) s'il alloit se décharger à l'ouest»[4].

Le rêve des Français d'Amérique d'avoir un port accessible aux bateaux en toute saison de l'année se réalise enfin en Louisiane à plus de 2 000 kilomètres de la zone de colonisation du Saint-Laurent! C'est dire le degré de dispersion du *Canada*. Pays en pénurie démographique permanente qui se paie le luxe d'une décentration exorbitante, d'un éparpillement inouï.

L'utopie de l'indépendance: la dépendance économique

Même s'il est emporté par une force centrifuge qui l'entraînera très vite vers les limites du continent, golfe du Mexique et Pacifique, le *Canada* est pourtant rattaché par des liens invisibles mais solides au centre de colonisation (Montréal et Québec); bien plus, à la France métropolitaine elle-même. Voilà donc formulé encore le paradoxe du *Canada* qu'il s'agit d'élucider maintenant: plus il s'éloigne des zones de civilisation, et partant plus il prend ses distances vis-à-vis de la France métropolitaine, plus il dépend d'elle. C'est dire que, malgré l'ensauvagement inévitable des coureurs de bois et des *voyageurs*, provoqué par le dépaysement, par l'éloignement géographique et mental de la capitale (canadienne et métropolitaine), la dure loi de la vie économique du *Canada* les relie de force à la civilisation. Le *Canadien* a beau être loin de la métropole — séparé par deux mers, l'océane et l'autre intercontinentale, aussi abyssale que la première — il ne perd jamais le contact avec elle. Certes, indépendant d'esprit par nature il est dépendant par la nature économique du *Canada*, qui, par rétroaction, va influencer à son tour la nature «indépendante» du *Canadien* en lui rappelant constamment sa dépendance. L'indépendance en *Canada* est une utopie — au sens premier du terme — un projet que la structure économique du *Canada* empêche de réaliser, de trouver son lieu réel.

L'indépendance du Québec, à trois cents ans de distance, se pose suivant une équation qui met en balance les mêmes termes: comment arracher l'indépendance politique à la dépendance économique avec le Canada?

4. *Op. cit.*, vol I, p. 454.

H.A. Innis, dans ses études magistrales sur l'économie de la Nouvelle-France, a bien souligné cette dépendance économique vitale du *Canada* de la France métropolitaine. «Le commerce de la fourrure dépendait de façon vitale des produits manufacturés d'Europe. L'organisation économique ne prit jamais une position indépendante à l'égard de l'ancien monde comme l'aurait exigé une économie diversifiée»[5]. En effet, le troc des pelleteries avec les Amérindiens demande des produits manufacturés venus d'Europe. Finis les trocs à la sauvette des premiers temps, où les Indigènes inconscients de la valeur marchande des objets se sont fait littéralement «enfirouaper» en recevant contre les pelleteries, du toc et des breloques. Devenus des clients exigeants, les Amérindiens réclament des produits spécifiques de grande qualité: essentiellement des couvertures de laine et des chaudrons métalliques, légers et plus faciles à porter lors de leurs migrations que les contenants en poterie. Une infrastructure communicationnelle par voie d'eau, unique au monde, se met en place: partant de Québec et de Montréal elle comporte des relais notamment celui de Michillimakinac situé sur le lac Illinois — lac Michigan d'aujourd'hui — , plaque tournante de tout le trafic avec l'Ouest et même avec le Sud, le Mississippi.

De la même façon que le troc des Indigènes se fait essentiellement selon le principe de différenciation maximale entre tribus sédentaires de cultivateurs et tribus nomades de chasseurs, de même le troc des coureurs de bois exige un pôle sédentaire, cultivateur, qui approvisionne les voyageurs de leurs provendes vitales (maïs, graisse et viande de porc), et un pôle nomade, sauvage, qui fournit les peaux de castor. On le voit, la traite des fourrures est doublement dépendante de l'arrière-pays: de l'*habitant* québécois pour son approvisionnement alimentaire indispensable, et de la métropole française pour les biens manufacturés. La traite de la fourrure, depuis notamment l'abolition des monopoles que détenaient la Compagnie des Habitants et la Compagnie de la Nouvelle-France, a beau affirmer, comme le note justement Innis, l'«individualisme»[6], l'esprit d'initiative du *Canadien*, il n'en reste pas moins que les liens de dépendance économique, à leur tour, contrecarrent les effets individualisants de la course. Liens économiques, à défaut de «contrats» politiques.

5. *Op. cit.*, p. 118.
6. *Op. cit.*, p. 113.

Royauté et représentation de soi

Cet individualisme *canadien,* s'il est atténué par les liens économiques que suppose le troc, n'est cependant modéré par aucune structure politique. Bien au contraire, les institutions politiques formées en *Canada*, paradoxalement, par une loi contre-productive ne font qu'exacerber l'indivualisme foncier des *Canadiens*.

En effet, le pouvoir royal français, traumatisé par la Fronde, a empêché net, en la réprimant, toute velléité de représentation collective qui aurait pu servir de ciment agrégatif à une société manquant chroniquement de liens politiques. Par là, il ne fait que renvoyer la *persona canadienne* à elle-même. Le Conseil souverain, qui aurait pu devenir un embryon de structure représentative avec la rétrocession en 1663 de la Nouvelle-France à la couronne royale, voit ses fonctions limitées à une simple cour d'appel, jugeant les causes civiles et criminelles. Jusqu'au syndic (responsable jadis des intérêts de la *Compagnie des Habitants*), dont les habitants de Québec veulent valoriser, en les politisant, les attributions que le pouvoir central va abolir, purement et simplement. Sous prétexte que les demandes des Habitants de Québec vont dans le sens d'un régime de représentativité collective, Colbert, dans une remontrance adressée en 1672 à Frontenac, enjoint ce dernier de «supprimer insensiblement le syndic qui représente des requêtes *au nom de tous les habitants* étant bon que chaqun *parle pour soi*, et que *personne ne parle pour tous*»[7]. On ne saurait être plus clair. L'individu ne représente que lui-même, ne parle que pour soi. Individualisme, atomisme politique qui réprime toute velléité d'un «contrat social» comme il s'est conclu, en d'autres circonstances, il est vrai, à la fondation de Plymouth en Nouvelle-Angleterre, dès l'arrivée du *Mayflower*.

La royauté absolue française incompatible avec l'idée même de la démocratie — où, justement, *un* parle pour *tous* — réprime dans l'oeuf la moindre poussée démocratique. Incompatible, parce qu'en régime royaliste absolu français il y en a déjà *Un* qui à la fois monopolise la parole, qui parle *à la place* de tous les habitants et qui représente à lui seul l'État. Aucune autre voix (énonciative et représentative) ne pouvait prétendre concurrencer la voix royale. Pour que les voix du *demos* puissent se faire entendre, il fallut que fût tranchée cette tête unique qui représentait toutes les autres têtes à l'endroit même de la phonation, où s'énonçait cette voix.

7. Cité d'après Lionel Groulx, *op. cit.*, p. 99; nous soulignons.

Décapitation de Louis XVI, nous le montrerons plus loin, qui aura un effet traumatique sur les Habitants de la Nouvelle-France (même s'ils ont déjà changé d'allégeance royale), habitués depuis près de deux cents ans à introjecter à des degrés divers cette voix, à la considérer comme la leur. Ironie du sort, c'est le conquérant anglais qui donnera sa voix, ses voix démocratiques aux *Canadiens*, devenus aphasiques politiquement, collectivement s'entend, sous le Régime français[8].

La contagion nomade

En refusant ainsi aux *Canadiens* des structures politiques qui auraient permis leur agrégation, leur concentration, le pouvoir royal encourage involontairement les tendances naturelles des *Canadiens* à la dissémination qu'il se propose justement d'enrayer. Le Roi et son administration ont beau vouloir enraciner l'agriculture, le *Québec* agricole, entraîné par le mouvement tourbillonnaire du *Canada* nomade ne cesse de se nomadiser, de se *canadianiser*. Cette contagion nomade, aucune quarantaine agricole n'en put donc venir à bout, puisque l'agriculture elle-même avait tendance à se nomadiser.

Ainsi, Du Chesneau, dans une lettre adressée à M. de Seignelay et datée du 13 novembre 1681, fait écho à cette doléance constante des seigneurs, agents responsables de la colonisation, du manque de main-d'oeuvre agricole échappée dans les bois. «Avec les deux ans d'absence de cinq cents personnes (coureurs de bois, selon les estimations les plus basses), les meilleurs hommes adaptés aux travaux de la terre, l'agriculture ne peut se développer; c'est aussi confirmé par les plaintes que j'ai reçues par les propriétaires des seigneuries qui ne participaient pas aux profits des coureurs de bois, qu'ils sont incapables de trouver des hommes pour leurs travaux»[9].

Encore une fois, ne nous laissons pas induire en erreur par l'image idyllique des *rangs* qui sagement s'alignent le long du Saint-Laurent! Pas plus que les *Québécois* de la zone agricole autour de Québec, les *Canadiens* ne *serrent pas les rangs*, ils *rompent* les rangs. En limitant le

---

8. Pour le rapport entre royauté et démocratie, et notamment sur les fondements de la démocratie dans son «mythe fondateur» de Prométhée, voir nos articles «Prométhée ou la démesure au singulier et au pluriel», in *Critère*, n° 11, déc. 1974 et «Pour une psychanalyse de la démocratrie», in *Critère*, n° 22, été 1978.

9. Cité d'après Innis, *op. cit.*, p. 63.

Canadien sur un territoire, la conquête anglaise fait apparaître la colonisation de la Nouvelle-France sur le mode de la concentration, du resserrement. Or, c'est de haute lutte, avec tout le poids de son autorité «diluée» dans la mer continentale *canadienne*, que le gouvernement central français doit obtenir ce resserrement de l'*habitant* qui, tout naturellement, en suivant le modèle du *Canadien*, se laisse aller à la dispersion.

Retenons comme preuve une des nombreuses mises en demeure que Colbert envoie à de Courcelles et Talon, respectivement intendant et gouverneur-général de la Nouvelle-France, leur enjoignant de combattre à l'avenir avec toute la fermeté requise la tendance à la dispersion de l'*habitant* qui perd ainsi le contact avec son voisin, laissant une brèche béante dans la chaîne des solidarités socio-économiques. «L'une des choses qui a apporté plus d'obstacle à la peuplade du Canada a été que les Habitans ont fondé leurs Habitations où qu'il leur a plu, et sans avoir eu la prétantion de les *joindre les unes aux autres* pour s'aider et s'entresecourir. Ainsi ces habitations étant *éparses* de côté et d'autre, se sont retrouvées exposées aux embûches des Iroquois. Pour cette raison le Roi fit rendre, il y a deux ans, un arrêt de son conseil par lequel il fut ordonné que doresnavant il ne seroit plus fait de défrichement que *de proche en proche*, et que l'on réduiroit nos Habitations en nos Paroisses autant que possible»[10]. Cet arrêt est demeuré sans effet. On le voit, c'est le goût du lucre, de l'argent vite gagné de la traite qui *particularise*, «individualise» les *habitants* en desserrant entre eux les liens de solidarité. Ce n'est sans doute pas un hasard si Félix-Antoine Savard, dans son roman *Menaud, maître-draveur* (1937), a dénommé «Le Délié» celui qui s'est vendu par intérêt aux étrangers, déliant par là même les liens de solidarité des *habitants*[11].

On pourrait croire que cette tendance centrifuge même du *Québec* agricole correspond à une première période turbulente de la colonisation, période où les fonctions, les tâches des différents types humains n'étant pas encore fixées, se confondent. Or, cette confusion du *Québec* sédentaire et du *Canada* nomade, cette «contagion» du *Québec* agricole par le *Canada* marchand, troquant, courant, a été une constante observée pendant tout le Régime français. L'*habitant québécois*, un pied dans le sillon, l'autre dans le bois, prêt à courir, tout naturellement se choisit des

10. Colbert à Talon, 1666, cité d'après Charlevoix, *op. cit.*, tome I, p. 338; nous soulignons.

11. Voir notre article «Menaud, fils de Perrault ou de Savard», in *Voix et Images*, vol. III, n° 3, avril 1978.

terres décentrées, excentriques, éloignées des centres de civilisation, *parce qu'il* veut être près des bois, attiré davantage par le gain aléatoire mais rapide de la course que par le travail accaparant, lent, au profit nul — puisqu'on est au niveau de subsistance — du défricheur-agriculteur. Inutile de dire que les tâches de l'agriculteur-colonisateur et du coureur de bois-marchand non seulement s'entravent l'une l'autre, mais s'excluent purement et simplement. Le gibier fuyant la hache du défricheur-colonisateur, le coureur de bois s'éloigne d'instinct de plus en plus des foyers d'habitation qui chassent les animaux de chasse, en quête de territoires vierges non touchés par la culture. C'est pourquoi le cumul des deux activités de coureur de bois et d'agriculteur s'avère éphémère: la contrainte de leur opposition fait trancher soit pour l'une, soit pour l'autre, entraînant encore plus sûrement cet agriculteur-coureur indécis dans le sillage du *voyageur* nomade.

Non, l'*habitant québécois* ne s'assagit pas au fil de la colonisation. Le désarroi de l'administration française est total devant cet *habitant* qui abandonne ses terres et prend le bois, laissant derrière lui femme, enfants, biens mobiliers et immobiliers. La lettre du gouverneur-général Denonville témoigne assez de ce désarroi pour se passer de commentaire. «Ceux qui ont des habitations les laissent en friche, comme plusieurs qui iay veu, les gens mariez abandonnant leurs femmes et enfants qui ont à charge au public pour leur entretien»[12]. Bien pire, les gentilshommes, les seigneurs agents officiels de la colonisation, qui, par leur travail assidu des champs étaient aussi censés prêcher d'exemple, incitent, par leur vie vagabonde et dissoute dans les bois, les habitants hésitants, installés à l'orée des bois, à faire de même. «Ces dérèglements (...) se trouvent bien plus grands dans les familles de ceux qui sont Gentilshommes ou ceux qui se sont mis sur le pied de le vouloir estre soit par faineantize ou par vanité n'ayans aucune resource pour subsister que le bois, car n'estans pas acoutumez à tenir la charrue la pioche et la hache, toute leur resource n'estans que le fuzil, il faut qu'ils passent leurs vies dans les bois»[13].

Encore en 1728, Maurepas se plaint à Beauharnois de cette fâcheuse tendance qu'ont les colons français à fuir vers l'intérieur — nous avons vu, l'Habitation s'est définie par son intériorité — et par là de décentrer la colonie déjà peuplée de façon clairsemée. Le contraste avec la coloni-

---

12. Lettre de Denonville au ministre Seignelay, 13 novembre 1685, cité d'après *Rêves d'Empire. Le Canada avant 1700*, éd. André Vachon, Ottawa, 1982, p. 148.

13. *Ibid.*, p. 148.

sation anglaise — serrée, dense, se faisant de proche en proche, avançant de façon méthodique — n'est que trop évident pour ne pas frapper l'observateur français. «Le génie des peuples de la Nouvelle-Angleterre est de *bien travailler à bien cultiver sa terre* et de pousser les établissements *de proche en proche* (...) Les habitans de la Nouvelle France pensent différemment. Ils voudroient toujours aller en avant sans s'embarrasser des *établissemens de l'intérieur* parce qu'ils gagnent plus et qu'ils sont plus *indépendans* lorsqu'ils sont éloignés»[14]. La Nouvelle-Angleterre n'a jamais connu l'interférence de l'élément disséminant qu'est le coureur de bois, perturbateur de la colonisation ordonnée, méthodique, ayant eu recours pour sa traite soit au sauvage iroquois soit au transfuge contrebandier *canadien*. Pendant plus d'un siècle elle reste collée au littoral sans se laisser tenter par l'appel des Pays d'en Haut. On comprend donc que les habitants de Montréal, encore au début du XVIIIe siècle, aient été sous le coup d'un interdit qui leur défendait de s'établir au-delà de Montréal, en amont du Saint-Laurent, afin de «point donner trop d'étendue à la colonie»[15].

Mais justement, la politique coloniale française — qui devait régir les rapports entre la partie colonisée, la partie laurentienne du *Québec*, d'une part, et, de l'autre le *Canada*, de vastes territoires de chasse et de trappe non soumis à la culture — , est loin d'être univoque. La politique française, en somme, ne fait que refléter les contradictions inextricables qui, à la fois, lient et séparent le *Canada* et le *Québec*. Contradictions qui non seulement écartèlent le pays, mais divisent aussi la haute administration locale de la Nouvelle-France (pourtant nommée par le roi) et les gouvernants métropolitains du ministère de la Marine (placés sous la haute autorité du roi). Le conflit apparent entre la conception d'un pays (*Québec*) et d'un territoire (*Canada*) et de leur mode d'exploitation, mode d'habitation, etc., voile un conflit de pouvoir qui se résume en cette question: comment administrer, comment gouverner ces deux pays?

14. Maurepas à de Bauharnois, lettre du 14 mai 1728, cité d'après G. Frégault, *op. cit.*, p. 118; nous soulignons.

15. Vaudreuil et Bégon au Conseil de la Marine, 26 octobre 1720, cité d'après Frégault, *op. cit.*, p. 200; voir aussi pp. 201 et 209-210.

Le roi, le nomade et le sédentaire: un conflit de pouvoir

Pendant tout le Régime français du *Canada*, l'administration métropolitaine (le roi finalement), fut placée devant ce dilemme, véritable noeud gordien qu'elle ne réussit jamais à trancher; car, pour cela, il aurait fallu *séparer* ces deux pays, reliés l'un à l'autre comme deux frères siamois, futurs monstres déjà en gestation des *Têtes à Papineau*, admirablement décrits par Jacques Godbout[16]. Comment faire prospérer le *Canada* marchand/coureur de bois sans nuire à la colonisation du *Québec* agricole? Comment faire le commerce de la fourrure — seule industrie viable du *Canada* qui rapportait à la France métropolitaine — , sans laisser s'échapper hors de la coupe royale des centaines et des centaines d'hommes vagabonds sans domicile fixe qui erraient dans les bois? Conflit qui se ramène d'abord à une perception de l'espace *canadien*.

En effet, pour les colonies, tant *canadiennes* qu'américaines, le simple éloignement de la mère patrie contient les germes de velléités d'indépendance. L'indépendance des mentalités — contaminées par l'environnement autre, par les us et coutumes des peuples autochtones — et, finalement, l'indépendance politique risquent d'être au bout de cette dérive continentale. Il est remarquable de constater que des gouverneurs-généraux — pourtant français d'origine et nommés par le roi — n'ont déjà plus la même perception de l'espace *canadien* que les métropolitains français. Aussi, par exemple, le conflit qui s'est noué entre Frontenac et Louis XIV a-t-il eu pour centre aveugle — invisible à tous les deux — l'interprétation divergente que l'un et l'autre donnaient de l'espace *canadien*. Pour Louis XIV et Frontenac — qui, pourtant, parlent la même langue — les mots, certains mots, n'ont plus le même sens: *intériorité* et *extériorité* par exemple.

En gros, l'*intériorité* — pour le roi, comme pour tous les métropolitains français, d'ailleurs — , a gardé l'acception que Champlain lui a conférée lors de son geste fondateur de Québec: domestique, elle ne saurait s'épanouir que près des foyers d'habitation français. Défensive, elle expulse «dehors» toute l'extériorité non française. Pour les Français est extériorité, *profondeur, hauteur* — le pays éloigné des Grands-Lacs ne s'appelait-il pas le Pays d'en Haut? — tout ce qui est excentrique, éloigné du centre de civilisation qu'est Québec, mieux, Paris. Champlain et les premiers Habitants partageaient peut-être encore cette vision gallo-

---

16. Jacques Godbout, *les Têtes à Papineau*, Paris, Seuil, 1981. Nous y reviendrons plus loin.

centrique du monde qui fait évoluer l'univers et la civilisation autour d'*un*
centre administratif, culturel, mondain. Or, pour les *Canadiens* — qui
découvrent comme les *leurs*, puisqu'ils les parcourent régulièrement, ces
territoires d'en Haut qui s'étendent à l'ouest — , l'extériorité rebutante se
mue en intériorité désirable, *intériorité* parce qu'associée à l'intimité
d'une connaissance, à la possibilité d'une pénétration. Rien de tel que
l'expérience sur le terrain *canadien* pour modifier la conception de
l'espace de ces Habitants.

Louis XIV ne s'est, en effet, pas trompé sur le changement profond
du sens de l'orientation spatiale des Habitants de la Nouvelle-France et
sur les velléités autonomistes qu'elle implique. Très visiblement, l'expan-
sionnisme colonial/territorial d'un Frontenac va de pair, implicitement,
avec des prétentions «autonomistes». Sont animées d'un *même* esprit
d'indépendance qui ne dit pas son nom, les explorations des Grands-Lacs
et du Mississippi qu'il fait entreprendre par Jolliet et Lasalle, et ses
prétentions de chef et de président du Conseil supérieur, prétentions qui
«troublaient» la tranquillité de la Nouvelle-France[17]. Dans une lettre
cinglante datée du 29 avril 1679, le roi met Frontenac à sa place. Il faudra
que dorénavant il se contente de sont titre, assigné par le roi, de
gouverneur et lieutenant-général. Le roi ne tolère pas les usurpations de
pouvoir. Un seul pouvoir homogène traverse tout son royaume, même
les colonies lointaines. C'est là une banalité sur laquelle on ne
s'arrêterait pas si elle n'impliquait une autre «usurpation» que le roi
combat avec la même vigueur. En effet, il est intéressant de noter que,
dans la même lettre, le roi met sur le même plan — générant les mêmes
troubles, les mêmes désordres — l'usurpation des titres de Frontenac et
la course dans les bois de ces vagabons appelés, par un terme flatteur,
des *«coureurs de bois»*. D'ailleurs, il tient Frontenac personnellement
responsable de cet état de chose, comme si c'était lui-même qui avait
donné les ordres à tous ces «vagabonds» de se mettre en route. «Au sujet
des vagabonds qu'on nommait ordinairement coureurs de bois, (...) il
déclare au Général (Frontenac) qu'il recevra sur cet article aucune excuse
persuadé qu'il ne tenoit qu'à lui d'arrêter les cours d'un tel désordre, qui
minoit et dépeuploit le pays, et anéantissoit le commerce»[18].

Le ton monte entre la France et le *Canada* parce que Louis XIV, par
son ministre Colbert, avait déjà envoyé plusieurs avertissements à Fron-

17. Charlevoix, *op. cit.*, tome I, pp. 453-454.
18. Lettre de Louis XIV à Frontenac, cité d'après Charlevoix, *op. cit.*, tome I, p. 254.

tenac, lui enjoignant de cesser les explorations de l'intérieur du continent et de s'en tenir aux seules côtes maritimes et aux rives du Saint-Laurent jusqu'à Montréal. «L'intention de sa Majesté n'est pas que vous fassiez de *grands voyages en remontant le Saint Laurens* ny mesmes qu'à l'advenir les habitans s'estendent autant qu'ilz ont fait par le passé... Au contraire, elle veut que vous travailliez incessamment et pendant tout le temps que vous demeuriez en ce païs-là à les *resserrer*, et à les *assembler*, et en *composer des villes* et des *villages* (...) elle (sa Majesté) estime bien plus convenable au bien de son service de vous appliquer à faire *deffricher* et de bien *habiter* les endroits les plus fertiles, les plus *proches des costes de la mer* et des communications avec la France, que non pas de *penser au loin*, des descouvertes *au dedans des terres* des païs si *esloignez* qu'ils ne pouvoient *jamais estre habitez ni possédez par des François*»[19]. Le gallo-centrisme ne saurait s'énoncer de façon plus franche, plus naïve! Est bon pour la Nouvelle-France ce qui est bon pour l'Ancienne. Évidemment, dans cette optique, les terres les plus «fertiles» sont «plus proches des côtes», *parce que* les plus proches de la France. Le *loin*, pour les Français métropolitains, c'est tout ce qui s'éloigne des zones maritimes et fluviales non accessibles directement aux bateaux français. Pour arrêter la «course incessante» des *Canadiens*, pour les resédentariser, on a recours aux mêmes remèdes qui doivent aussi guérir les Sauvages de leur nomadisme: l'agriculture, dans la phylogenèse de l'homme, n'a-t-elle pas fait s'asseoir l'homme sur son lopin de terre?

Le roi n'admet qu'une seule exception, qui n'en est pas vraiment une: seules les nouvelles terres donnant accès à une mer plus australe, facilitant et intensifiant surtout (parce que non bloquée par les glaces hivernales) la communication avec la France, les rapprochant donc, devaient être colonisées. C'est pourquoi la Louisiane — portant fièrement le nom du roi, mais pourtant éloignée de plus de 2 000 kilomètres du centre laurentien (Québec, Montréal) de la colonie — ne fut jamais répudiée par Louis XIV.

Est en cause la mainmise du pouvoir central métropolitain sur ces individus vagabonds sans lieu ni feu. Mais il y a plus. Au siècle du «grand renfermement» analysé magistralement par Michel Foucault, il est

---

19. Lettre de Colbert à Frontenac, 17 mai 1674, cité d'après *Rêves d'Empire*, *op. cit.*, p. 96; nous soulignons.

inadmissible que ces coureurs errants, égarés[20], «divaguent» dans la profondeur des terres. Il fallait les ramener à la Raison, à la *méthode* conçue par Descartes, à la Règle (regula), chemin droit tracé au sillon de la pensée et du soc. Dans ce même siècle — qui représente la nature, comme l'a montré encore M. Foucault, tel un tableau[21], avec sa planéité, sa bidimensionnalité, son absence de profondeur — , la *profondeur* de l'espace *canadien*, son *intériorité*, devaient paraître hautement suspectes.

Pour toutes ces raisons — par un arrêté qui sidérera les autorités coloniales, les marchands et tout ce monde tributaire de la traite des fourrures — , Louis XIV, le 21 mai 1696, «pour réprimer la trop grande *licence* qu'il y avait dez lors pour la course des François dans la *profondeur des terres* au préjudice de nos ordres et du bien de ladite colonie»[22] supprime net les permis pour faire la traite avec les Amérindiens. On le voit, la course est une licence[23], contraire à l'ordre, à la *bienséance* (bien évidemment assise, sédentaire!), précisément parce que, en s'échappant dans la profondeur des terres et des bois, l'individu coureur échappe à la visibilité de l'autorité royale, seule garante de l'ordre. La *licence* est une *liberté* qui s'affirme indépendamment du bon vouloir du roi[24].

Certes, idéalement, Louis XIV préfère le *Québec* agricole, sédentaire, au *Canada* coureur, errant. Mais, quoi qu'affirme publiquement le roi, l'intérêt économique de la France ne réside pas dans des terres arables limitrophes du Saint-Laurent, vouées à une agriculture de subsistance, mais dans les terres lointaines qui rapportent la fourrure.

Comment concilier encore l'intérêt économique avec l'intérêt moral, politique? Or, en cette année 1696, fort heureusement, la situation économique — plus que le roi — tranche le noeud gordien qui rattache le *Canada* au *Québec* et à la France. En effet, la France est inondée de pelleteries, les prix s'effondreront si on ne limite pas les importations. C'est pourquoi, en 1696, la France pouvait se payer le luxe de la sévérité poli-

---

20. Michel Foucault, *la Folie à l'âge classique*, rééd. Gallimard, 1976. En allemand, d'ailleurs, *der Irre* (celui qui s'égare) veut dire *le fou*.

21. M. Foucault, *les Mots et les Choses*, Paris, Gallimard, 1966.

22. *Rêves d'Empire*, *op. cit.*, p. 102; nous soulignons.

23. Voir aussi «Les vagabons, qui avoient pris du goût pour la liberté d'une vie errante et pour l'indépendance resterent parmi les Sauvages, dont on ne les distingoit plus que par leurs vices». *Journal* de Charlevoix, *op. cit.*, p. 89; nous soulignons.

24. Aucun rapport, évidemment, avec la «licence complète» que les Français abasourdis découvrent dans les restaurants et les débits d'alcool du Québec. Ce ne sont pas des «bordels», bien que Jacques Cartier ait été le premier à en trouver au Kanada.

tique contre le laxisme moral pour essayer de ramener le *Canada* en dérive aux limites précises du *Québec*, qui ne lui coûtait pas un louis d'or!

De toute façon, le roi a beau condamner les *coureurs* aux galères, il a beau limiter les *séjours* (permis qui réglementaient la fréquence et le nombre des bateaux des *coureurs* en partance pour les Pays d'en Haut), ses ordres ne sont pas entendus en *Canada*[25]. Encore le 18 octobre 1720, le gouverneur Callière se plaint de ses efforts infructueux pour faire «descendre» les Français qui restent dans les profondeurs des bois[26]. Le tort évident des Français métropolitains, c'est de considérer encore ces *coureurs de bois* comme des Français. Aucun roi, aucun gouverneur français n'arrivera jamais à arrêter les *Canadiens*.

Mon royaume pour une couverture!

La Nouvelle-France s'est effondrée pour ne pas avoir su concilier les deux pays — le *Canada* et le *Québec* — qui y cohabitaient plus de cent cinquante ans. C'est la contre-productivité de ces deux pays, paradoxalement enchaînés et déchaînés ensemble, qui a fatalement amené la chute de l'Empire français d'Amérique. Dysfonctionnement des structures politico-économiques inadaptées aux nouvelles exigences inexorablement imposées par le voisin du Sud. Les historiens canadiens-français, obnubilés qu'ils ont été par les chiffres, par la démographie déficitaire du *Canada* par rapport à celle de la Nouvelle-Angleterre (en 1760, la population du *Canada* s'élève à 60 000 âmes tandis que celle de la Nouvelle-Angleterre à un demi-million), attribuent l'échec du Régime français d'Amérique aux seuls effets des nombres sans tenir compte de l'aspect structurel, dysfonctionnel et concurrentiel (rivalité économique avec l'Amérique anglo-saxonne).

Cessons également de focaliser la défaite française sur *un* champ de bataille, celui des Plaines d'Abraham! Il faut élargir ce champ aux dimensions mêmes du continent. «Alibi» des Canadiens français qui limitent ainsi l'échec français en Amérique du Nord à un seul lieu stratégique. En effet, en ramenant la débâcle à une simple défaite militaire, les Canadiens français arrivent à se cacher l'effondrement de tout un système politico-

---

25. Comme le remarque justement Innis, «le nombre et la fréquence des législations furent le signe de leur inefficacité», *op. cit.*, p. 66.

26. *Rêves d'Empire*, *op. cit.*, p. 104.

économique qui les portait. La bataille des Plaines d'Abraham, souvenir-écran, qui laisse accroire aux Canadiens français que, si une bataille a été perdue, tout n'a peut-être pas été perdu: la guerre. Autrement dit, ils se cachent l'ampleur de la guerre continentale. Une légende qui prend l'allure d'un mythe pousse l'idée de la «dernière chance» providentielle à son point extrême: un ou deux bateaux d'approvisionnement envoyés à temps pour renforcer les troupes de Lévis auraient suffi à changer le cours de la bataille, mieux, le cours du destin français en Amérique du Nord. Mythe, affabulation coloniale par excellence, qui fait dépendre la survie du pays enfant, du flot nourricier venant de la mère patrie. Ce mythe, nous allons le disséquer dans la dernière partie (Décapitations).

Pour garder la métaphore maternelle parce qu'elle régit le rapport colonial entre la mère patrie et son enfant ensemencé ailleurs: ce n'est pas la *quantité* du flot nourricier maternel qui, comme on le suppose générale-ment ici, fait s'effondrer l'Empire français d'Amérique, mais plutôt sa *qualité*. C'est ce que le livre de H.A. Innis montre de manière convain-cante. Mais qui, au Canada français, lit les historiens canadiens-anglais? Il faudrait d'abord qu'ils soient traduits...

En effet, ce sont les prémices de la Révolution industrielle com-mencée en Angleterre qui, finalement, seront *un* des facteurs détermi-nants qui feront pencher la balance des forces en jeu du côté des Anglo-Saxons. Le sort de l'Amérique du Nord ne dépend pas d'un cheval (fut-il de Troie), mais d'une couverture. «My Kingdom for a blanket» («Mon royaume pour une couverture») pourrait-on dire, en adaptant le célèbre mot de Richard III à la situation économique de l'Amérique du Nord.

L'Angleterre, grâce à une industrialisation plus poussée par laquelle elle devancera les nations européennes, réussit à livrer des marchandises de meilleure qualité à meilleur prix. Les alliances avec les nations autoch-tones se font et se défont suivant la fluctuation des prix et la qualité des biens. Les Amérindiens deviendront, nous l'avons dit, des marchands qui ont appris à calculer et à examiner la qualité des denrées. Le gouverneur Denonville se plaint à de Seignelay: «C'est un fait que les Iroquois ont plus d'estime pour nous que pour les Anglais, mais ils sont gagnés par les prix bas des biens dont ils ont besoin, combinés aux primes plus élevées que les Anglais paient pour le castor»[27].

27. Lettre de janvier 1690, cité d'après Innis, *op. cit.*, p. 53.

Mais la qualité des biens, plus que leur prix, gagne encore l'estime des «Sauvages». Dans une lettre commune, La Galissionnière et Bigot, vers la fin du Régime français, font état du dédain souverain que les Amérindiens affichent pour les chaudrons et couvertures françaises, denrées essentielles dans le troc de la fourrure avec les Sauvages. «Les Anglais nous dépassent en ce qui concerne la qualité des marchandises dans deux articles. Le premier les chaudrons, le second les tissus. Ils pensent que jusqu'à maintenant les Indiens désirent seulement du tissu anglais et qu'ils y ont été si bien habitués qu'il serait difficile d'en introduire d'autres; mais on doit faire remarquer que ce sont les marchands français de contrebande qui leur ont donné cette opinion»[28]. L'Empire français d'Amérique du Nord ne tient qu'à un fil... de laine. En effet, les Amérindiens boudent les couvertures françaises «ni aussi solides ni tissés aussi serrées que celles d'Angleterre»[29]. Imitations, importations de couvertures anglaises, rien n'y fit: les Amérindiens ne se laissent pas berner. Ils continuent de réclamer en échange de leurs pelleteries le «drap bleu», l'«écarlatine» rouge d'Angleterre.

Mus par des réalités économiques qu'aucun appel à l'amitié traditionnelle avec les Français n'attendrira, de plus en plus d'Amérindiens écouleront leurs castors vers Manhatte, Orange, villes rivales de Montréal et de Québec. Bien pire, les *Canadiens* eux-mêmes, que jamais le «patriotisme» n'a étouffés, se laissent séduire par les marchés alléchants des voisins du Sud. Le gouvernement colonial français, pour empêcher ces saignées économiques et humaines, a beau sévir et promettre la peine capitale à tout ressortissant français qui entre en contact marchand avec les colonies du Sud, le goût du lucre immédiat l'a emporté sur le «patriotisme» et la peur de la peine de mort. Ne sont-ce pas précisément ces «traîtres canadiens», comme en fait foi la lettre conjointe de la Galissonnière et de Bigot, qui non seulement écoulent leurs pelleteries sur les marchés américains, mais qui, en plus, font de la publicité pour la bonne qualité des couvertures anglaises?

«Il y a quelque chose de pourri dans l'État du Canada». Ces déserteurs-traîtres font le désespoir des gouverneurs. Déjà en 1683, La Barre peste contre ses «compatriotes» contrebandiers qui font vaciller sur ses bases l'Empire français d'Amérique: un géant sur des pieds de coureurs... «Il y a actuellement 60 de ces misérables déserteurs Français à

---

28. Lettre du 20 octobre 1748, cité d'après Innis, p. 85.

29. Innis, *op. cit.*, p. 79.

Orange, à Manhatte et à d'autres lieux hollandais sous contrôle anglais, plus de la moitié d'eux mériterait qu'on les pende, cherchent tout le printemps et l'été à détruire cette colonie. Si des efforts vigoureux ne sont pas faits pour couper cette route (vers le Sud) et pour châtier ces canailles, ils seront la cause de la ruine de ce pays avant quatre ans»[30].

Drainé de ses forces économiques vives, ses pelleteries détournées par ses propres habitants vers le voisin du Sud, affaibli économiquement au point de devenir contre-productif, — ses routes d'accès aux lieux d'approvisionnement de la fourrure s'allongeant de plus en plus au-delà de 4 000 kilomètres pour l'aller et le retour — , le *Canada*, à la fin du Régime français, ressemble à une maison rongée de l'intérieur par les termites. Vidé de l'intérieur, écartelé par ses contradictions, ses *double binds*, il n'est tenu ensemble que par la faible force de cohésion de ses façades. Il a suffi d'une chiquenaude pour que la fragile construction française s'effondre, d'une bataille pour entraîner l'Empire français de l'Amérique du Nord dans sa chute. Laissons le dernier mot à Innis. «Le pouvoir français de la Nouvelle-France s'est écroulé sous son propre poids».

Avant d'aborder cette période critique de transmutation de toutes les valeurs qu'est la conquête du *Canada* par les Anglais, il convient de revenir encore sur cette figure typique de Nouvelle-France qu'est l'Habitant. Ce retour s'impose d'autant plus que la filiation du *Canada* au Québec se fera par l'intermédiaire de l'*habitant*. Ce dernier est en quelque sorte le «chaînon» ténu qui retient le fil historique spatio-temporel coupé entre le *Canada* et le Québec lors de la conquête anglaise. Il est la continuité, la stabilité agraire dans un univers aquatique, fluide, fugace: flux humains portés sur les cours d'eau, flux des marchands amenés par voie d'eau. Il s'agit de savoir comment cet Habitant (personne qui habite) est devenu *habitant* (paysan). Autrement dit, pourquoi le paysan *canadien* a-t-il rejeté le nom de son ancêtre français, pourquoi et comment le *paysan* français est-il devenu *habitant*? Certes, l'*Habitation* de Champlain nous avait déjà donné quelques indices expliquant la transmutation du paysan français qui s'opère au-delà de l'Atlantique. Nous avons vu jusqu'à maintenant cet *habitant*, futur Québécois, en interaction dynamique avec son Autre *canadien*; il nous faut maintenant l'étudier comme espèce *sui generis*.

---

30. Innis, p. 53.

C. L'Habitant et le guerrier
à l'ombre de Rome

Mon pays ce n'est pas un pays, c'est l'hiver

Gilles Vigneault

Il n'y a pas de paysan en Amérique.

Alexis de Tocqueville

Chapitre I

Tocqueville au *Canada*: un voyage prémonitoire

Le Canadien, *un bipède qui ne pratique pas le «triple saut»*

On ne s'est peut-être pas encore assez étonné de ce que le Français d'Amérique du Nord, avec une facilité déconcertante, passe de la condition de sédentaire, de paysan-agriculteur, à celui de nomade, de *coureur de bois*. Sans aucune médiation, à peine acclimaté, le Français d'Amérique saute d'un état à l'autre, ce qui, nous l'avons vu, a donné lieu à deux types caractéristiques, à deux pays français qui se profilent sur les rives du Saint-Laurent. Or, à notre connaissance, un seul «chercheur» s'est interrogé sur ce jeu de bascule, cette versatilité du Français d'Amérique capable de vivre selon deux états. Forcément, ce n'est pas le premier venu. Grand explorateur, non tant des paysages géographiques que des forêts de lois et d'institutions américaines: Alexis de Tocqueville. Lors de son voyage en Amérique qui dure à peine une année, du 11 mai 1831 au 20 février 1832, il passe une quinzaine de jours au *Canada*, ou *Bas-Canada* comme on l'appelle depuis 1791. En ces quinze jours, Tocqueville en a compris autant sur la mentalité canadienne-française que bien des historiens et sociologues qui, leur vie durant, ressassent les «idéologies», le «caractère», les «habitudes» et l'«évolution» du *Canadien*, du Québécois[1].

Tocqueville a surtout compris cette dialectique du *Canadien* qui saute sans médiation aucune d'un état à son contraire. La démarche bipède donc (du *coureur de bois*) qui n'a jamais réussi à intégrer le «triple saut» hégélien, comprenant justement la fameuse *Aufhebung* («relève»). Or, selon Tocqueville, non seulement le *Canadien*, mais l'âme française tout court, sont restés étrangers à une dialectique susceptible de médiatiser, de concilier *sédentarité* et *nomadisme*. Le Français passe d'un excès, d'un extrême à un autre: de la sédentarité casanière, voire même clochemer-lesque, au nomadisme le plus effréné, dépassant, dans ses débauches nomades, les Sauvages eux-mêmes. Le catalyseur qui déclenche ce saut d'un état d'être à un autre, c'est précisément le dépaysement, le nouveau, point de non retour où le Français se sent définitivement déraciné de son territoire, lorsqu'il émigre... pour de bon.

Impossible n'est pas français:
un voyageur et un colonisateur impossibles

La réflexion de Tocqueville, qui s'est inspiré de la colonisation française au *Canada*, a donné lieu à une des pensées les plus profondes sur les échecs des colonisations françaises. D'emblée, «le génie français paraît peu favorable à la colonisation»[2]. Bien que placée à la proue de l'Europe occidentale et baignée de trois mers, la France a toujours été un pouvoir territorial: car «c'est la terre qui est le théâtre naturel de sa puis-sance et de sa gloire»[3]. Certes, la France a eu ses Parmentier, mais les deux frères navigateurs téméraires qui se sont rendus jusqu'à Sumatra, ont été oubliés par l'Histoire. Cette dernière a plutôt retenu *l'autre* Par-mentier, réquisitionné pour travailler aux cuisines, afin de mijoter jusqu'à la fin des temps son «hachis parmentier».

Protestations, cocoricos dans la galerie? Bougainville qui a fait un *Voyage autour du monde*? Oui, plus de deux cents ans après Magellan. Il

---

1. Pour une biographie récente, André Jardin, *Alexis de Tocqueville*, 1805-1859, Paris, Hachette, 1984. Voir aussi François Furet, *Penser la Révolution française*, Paris, Gallimard, 1978.

2. *Tocqueville au Bas-Canada*, présenté par Jacques Vallée, Montréal, Éditions du Jour, 1973, p. 119, abrégé dorénavant par *Tocqueville*.

3. *Tocqueville*, p. 119.

y a mis le temps! Et le nom de la frégate sur laquelle il entreprit son célèbre voyage autour du monde n'a guère de quoi redorer le blason explorateur français: *la Boudeuse*. E.R. Curtius, dans son histoire de la civilisation française, n'a pas hésité à tirer les conclusions ethno-psychologiques qui s'imposent du nom de la frégate de Bougainville: les Français se sentent si bien chez eux, qu'ils voyagent, qu'ils explorent le monde en *boudant*.

C'est vrai qu'à y regarder de plus près, Bougainville fait ce voyage contre son gré, en bougonnant. En effet, la défaite des Plaines d'Abraham l'y a contraint. La figure de Bougainville à elle seule illustrerait l'argumentation de Tocqueville sur l'empêchement quasi «génétique» des Français de tenir leur colonie. En poste au *Canada*, blessé à Carillon, ce colonel valeureux se tient prêt avec sa troupe d'élite à intervenir dans la bataille des Plaines d'Abraham, à aller à la rescousse de Montcalm. Mais tout se précipite. Montcalm, son père spirituel, meurt dans ses bras, devant les portes de Québec. C'est la fin de la Nouvelle-France. Cette terre que les Français ont colonisée de peine et de misère et à laquelle d'aucuns, dont Bougainville, se sont attachés comme à une nouvelle patrie. Ils se voient forcés de l'abandonner. Les Français ont perdu le Saint-Laurent et le passage du Nord-Ouest qui devaient les mener vers la Chine. Contraints par la nouvelle conjoncture géo-politique, ils doivent maintenant conquérir un autre passage, celui du Sud-Ouest qui mène vers les Iles du Pacifique, vers la «Nouvelle Cythère» (Tahiti). Un paradis de perdu, un autre de trouvé. Triste voyage. Triste compensation. Ce qu'on retient aujourd'hui surtout de ce voyage de Bougainville, c'est le *Supplément au voyage de Bougainville* de Denis Diderot. Justement, à quoi bon voyager si les Français préfèrent aux voyages autour du monde les voyages (philosophiques) autour de leur chambre?

Tocqueville ne parle évidemment pas de Bougainville, mais l'exemple de ce Français aurait servi à merveille son propos: les Français, terriens enracinés, attachés à *leur* terre, voyagent, s'exilent, mais en *boudant*, en bougonnant. Pourquoi partiraient-ils? Depuis *la Chanson de Roland*, la «doulce France» n'est-elle pas le centre, le bastion de la Chrétienté, centre de la Culture contre l'Inculture des Gentils? *Gesta Dei per Francos* (Les gestes de Dieu par les Français). Pour un peu on se demanderait si Dieu n'est pas français[4]. Nous l'avons dit, le rêve du Français, ce

4. F. Sieburg s'est posé la question: *Gott in Frankreich?*, traduction française, *Dieu est-il français?*, Paris, Grasset, 1930.

n'est pas celui d'Ulysse partant, aventurier naviguant sur les mers, affrontant l'étrange, l'étranger, l'inconnu: Circé, symbole de l'instabilité qui se métamorphose, symbole de l'Autre, Polyphème, à l'oeil unique. Son rêve, c'est celui d'Ulysse rentrant chez lui, réintégrant son foyer, son *petit* village, son *petit* pays, son patelin. Nous avions évoqué le célèbre sonnet du Du Bellay à propos de la fondation de Québec, image du foyer français. Or, Tocqueville, inconsciemment, ne fait qu'une paraphrase prosaïque de «Heureux qui comme Ulysse a fait un beau voyage»... «Le Français a naturellement le goût des plaisirs tranquilles, il aime le *foyer domestique*, l'aspect du *clocher paternel* réjouit sa vue, les joies de la famille lui tiennent plus à coeur qu'à aucun homme du monde»[5].

Voyage du Rien

Partir, en France, n'est pas un titre de gloire. Car ce ne sont pas des *conquistadores*, des *conquérants* qui partent, mais de pauvres diables qui y sont contraints par la misère, l'indigence. «En général, on ne verra s'y engager (aux entreprises maritimes de conquête) que des hommes auxquels la médiocrité de leurs talents, le délabrement de leur fortune ou les souvenirs de leur vie antérieure interdisent l'espérance d'un bel avenir dans la patrie»[6]. Voyez par exemple ce Lahontan qui s'expatrie parce que talonné par ses créanciers. A-t-on oublié que les «colons» du troisième voyage de Jacques Cartier et de Roberval ont été des forçats condamnés à entreprendre ce voyage?

Ces départs, ces voyages ponctués de *regrets* ne peuvent qu'être malheureux. Les toisons d'or n'attendent que les héros valeureux désireux de partir pour affronter l'Autre. Les Argonautes en quête de la Toison d'Or sont devenus le symbole de ces héros vaillants. Les lingots d'or, les toisons d'or, que Jacques Cartier — anti-conquistador par excellence — espère trouver dans les parages *canadiens*, ne seront que des harengs saurs, des morues puantes, des peaux de bêtes vides. Du Bellay, d'avance, répudie l'expédition de Cartier. Voyager loin du pays, de la terre natale, c'est une *perte* sèche: perte de temps, perte d'argent.

---

5. *Tocqueville*, pp. 119-120.
6. *Ibid.*, p. 119.

Je suis venu si loin,
Pour m'enrichir d'années, de vieillesse et de soins,
Et perdre en voyageant le meilleur de mon âge.
Ainsi le marinier souvent pour tout trésor
Rapporte des harengs au lieu de lingots d'or,
Ayant fait, comme moi, un malheureux voyage.

Les *regrets* ou *desiderium patri* (mal du pays) ne cessent de hanter le Français tant qu'il sait que *son petit village*, le clos de sa «pauvre maison», sa cheminée l'attendent à son retour. Le voyage: un intermède douloureux entre un départ déchirant et un retour heureux. Seul un Français, Gide — pourtant lui-même grand voyageur — , pouvait concevoir un *Renoncement au voyage*, ou bien un *Voyage d'Urien* (lisez *Voyage du Rien*).

Mais il suffit de déraciner le Français, de le transplanter, pour qu'aussitôt le sédentaire impénitent se mue en vagabond passionné, en aventurier tout aussi impénitent. Il va à la dérive, en randonnée, *at random*, une fois qu'il a perdu son point d'ancrage originel, sa terre paternelle. «Arrachez-le (le Français) à ses habitudes tranquilles, frappez son imagination par des tableaux nouveaux, transplantez-le sous un autre ciel, ce même homme se sentira tout à coup possédé d'un besoin insatiable d'action, d'émotions violentes, de vicissitudes et de danger»[7].

Une découverte étonnante: le Canadien «est» un Français: avis aux Québécois!

Tocqueville nous aide donc d'une part à mieux comprendre cette dichotomie, cette constitution duelle de deux types d'hommes, de deux pays, (le *Québécois* agriculteur sédentaire, le *Canadien* nomade, coureur de bois) que nous avons rencontrées en Nouvelle-France et que la plupart des historiens ont réduites à l'unicité *canadienne* ou *québécoise*. Mais d'autre part, il bat en brèche aussi ce préjugé behavioriste nord-américain qui privilégie le milieu, l'acquis, plutôt que l'inné, l'hérédité, pour donner sa place de nouveau au stock génétique du *Canadien* qui *est* un Français. La «théorie de climats» n'entamera jamais l'hérédité française du *Canadien*. Tocqueville a le grand mérite d'avoir vu et énoncé cette «vérité» qui, pour certains Français hexagonaux — mais non pour les

7. *Ibid.*, p. 120.

Français d'Amérique et les Québécois — peut passer pour une vérité de
La Palice. Bien plus, Tocqueville fait une véritable *découverte* au sens
premier du mot : il est le premier Français à défoncer la *Deckerinnerung*
freudienne (littéralement le «souvenir-couvercle/souvenir-écran») de la
Conquête, qui a caché aux Français — et aux *Canadiens*, comme nous le
verrons plus loin — , le fond français du *Canadien*, «couvert» qu'il était
des manières d'être des institutions anglaises. «*Somme toute* (c'est Tocqueville qui souligne), ce peuple-ci ressemble prodigieusement au peuple
français, ou plutôt ce sont encore des Français, traits pour traits, et conséquemment *parfaitement différents des populations anglaises* qui l'envi-
ronnent. Gais, vifs, railleurs, aimant la gloire et le bruit, intelligents,
éminemment sociables, leurs moeurs sont douces et leur caractère ser-
viable»[8]. Tocqueville est le premier à dénoncer, avant la lettre, la théorie
dite «des fragments», théorie qui veut que les immigrants, ne constituant
qu'un rameau de la société d'origine (Angleterre, France), la société
coloniale ne saurait être qu'un fragment de l'ensemble politico-
idéologique et mental de la mère patrie[9]. Quel ne fut pas l'éblouissement
de Tocqueville de trouver, transplantée au-delà d'un océan, l'Ancienne
France intacte, la mentalité de l'*Ancien régime*! Cet aristocrate français
qui, après avoir été saisi d'une «terreur religieuse» devant la Révolution[10],
après s'être agenouillé par la force des circonstances devant la démocratie
américaine, ne se rachète-t-il pas en oeuvrant pour le restant de ses jours à
la défense et l'illustration de l'*Ancien régime* royal? On ne le dira pas
assez, la découverte de l'Ancien Canada, de l'«homo canadiensis», est
pour ce paléologue des moeurs françaises une véritable aubaine.

    Tout d'abord, Tocqueville s'attendait à se dépayser dans l'*inquiétante
étrangeté* (*Un-Heimlichkeit*, «non-chez-soi») d'un pays *autre*, mais en
fait, il trouve la *Heimlichkeit*[11] (chez soi) du *même* pays dont il est issu.
Oui, la véritable patrie (*Heimat*), celle que Tocqueville a perdue sous le
choc funèbre de l'échafaud, il la retrouve ici, miraculeusement conservée, comme ces mammouths antédiluviens gardés intacts par les
glaces. Nous sommes en 1831. Quarante ans seulement se sont écoulés

    8. *Voyages, I, Oeuvres complètes*, tome I, Gallimard, p. 218; *Tocqueville*, p. 105.

    9. Pour un exposé succinct et clair de cette «théorie des fragments», nous renvoyons encore au
livre remarquable de Kaye Holloway, *op. cit.*, pp. 159 et suivantes.

    10. Tocqueville, *De la démocratie en Amérique*, Introduction, *op. cit.*, p. 4.

    11. Dans *heimlich* — le célèbre article de Freud sur «Das Unheimliche» (l'inquiétante étrangeté)
le dit assez — , il y a *Heim* (maisonnée, foyer), donnant lieu à *Heimat*, petite patrie, et heimlich,
secret, caché.

depuis la Révolution. Pourtant, on dirait que cette France ancienne appartient à une autre période de glaciation. Il suffit de casser cette glace de l'oubli pour découvrir, sous ses meilleurs atours, l'Ancienne France. «Je m'étonne que ce pays (le Canada) soit si inconnu en France. Il n'y a pas six mois, je croyais, comme tout le monde, que le Canada était devenu complètement anglais. J'en étais toujours resté au relevé de 1763, qui n'en portait la population française qu'à 60 000 personnes (...) aujourd'hui, il y a dans la seule province des Bas-Canada 600 000 descendants de Français. Je vous réponds qu'on ne peut leur *contester leur origine*. Ils sont aussi Français que vous et moi. Ils nous ressemblent même bien plus que les Américains ne ressemblent aux Anglais. Je ne puis vous exprimer *quel plaisir nous avons* éprouvé à nous *retrouver au milieu de cette population*. Nous nous *sentions comme chez nous*, et partout on nous recevait comme des *compatriotes*, enfants de la *Vieille France*, comme ils l'appellent. À mon avis, l'épithète est mal choisie. La Vieille France est au Canada, la Nouvelle est chez nous. Nous avons retrouvé là, surtout dans les villages éloignés des villes, les *anciennes habitudes*, les *anciennes moeurs françaises*»[12].

Bien avant l'arrivée de *la Capricieuse* (aurait-on pu inventer nom plus joli et plus juste pour décrire les relations franco-*canadiennes*?), premier bateau français à accoster officiellement aux rives du Saint-Laurent, triomphalement reçu (1855), Tocqueville renoue le fil, la filiation, interrompue de part et d'autre de l'Atlantique. La filiation aura raison de la dérive des continents. D'avance donc, Tocqueville répond aussi aux Québécois, descendants des *Canadiens* — dont il nous restera à découvrir la filiation — qui, dans la ferveur de leur quête d'identité nationale, se sont dit: «*Nous sommes nord-américains*». À tous ceux qui voulaient «libérer» les Québécois du joug de leur *aliénation* mentale et politique, ne sachant souvent pas distinguer fondamentalement entre l'*alienus*, l'Autre, et le Même, le *similis*[13], Tocqueville répond: vous vous dites des Nord-Américains, mais vous êtes *d'abord* des Français d'Amérique du Nord. La nuance est de taille!

Contre tous ceux qui ne cessent de proclamer le «caractère québécois» national, la «spécificité québécoise» la plus radicale n'ayant son origine

12. Lettre à L'Abbé LeSieur, 7 septembre 1831, *Nouvelle Correspondance* entièrement inédite, *Oeuvres complètes*, Gallimard, tome VI, pp. 5 et suivantes; et *Tocqueville*, pp. 107-108.

13. Ce jeu complexe d'aliénation et d'assimilation, nous l'avons vu à l'oeuvre dès l'origine de la colonie et nous l'aborderons encore lorsqu'il sera question des conséquences psychologiques de la Défaite.

qu'en elle-même et qui, du même coup, suivant la théorie behaviorale nord-américaine, invoquent l'influence du milieu, de la situation géographico-climatique, pour justifier cette différence abyssale, Tocqueville, à juste titre maintient donc la continuité et l'invariance de l'*ethnicité* entre la France et le *Canada* (Québec). «Si la nature n'a pas donné à chaque peuple un caractère national *indélébile*, il faut avouer du moins que les habitudes, que les causes physiques ou politiques ont fait prendre à l'esprit d'un peuple, sont bien difficiles à arracher même quand il cesse d'être soumis à aucune des causes. Nous avons vu au Canada des Français vivant depuis 70 ans sous le gouvernement anglais, et rester absolument semblables à leurs anciens compatriotes de France»[14]. Le *Canadien* reste Français non *à cause de*, mais *malgré* ce nouvel environnement. Son caractère national, s'il n'est pas «indélébile», ce n'est pas l'acquis — tout ce qu'il a «acquis» depuis qu'il a quitté la France — *qui le maintiendra intact, mais précisément la mémoire de sa francité transmise dans sa langue et dans sa culture.* D'ailleurs, la devise du Québec — qui a justement «oublié» la partie essentielle — le dit assez: Je me souviens... de mon origine française[15]. On l'oublie trop souvent!

Indépendance n'est pas (canadien) français: l'alibi

Mais l'obstacle le plus fondamental qui empêche le Français d'accomplir son destin colonial (évidemment à l'époque de la décolonisation avancée, cette tare de la France est considérée surtout comme un atout!) réside dans sa conception du politique, du mode de gouvernement, dans ses «habitudes politiques» dira Tocqueville. Ce dernier ne vient que confirmer une tendance générale qui s'est déjà manifestée tout le temps de la colonisation de la Nouvelle-France et que nous avons eu l'occasion de relever à quelques reprises. Au lieu d'adapter ses «principes de gouvernement» aux besoins de son nouvel environnement — comme le fera l'Angleterre, rivale de la France — , environnement réclamant des initiatives locales, l'Ancienne France a toujours exporté ses «principes de gouvernement»: c'est-à-dire ceux d'un gouvernement centralisateur qui attire à lui toutes les affaires, non seulement du gouvernement, mais aussi de l'administration. La grande découverte de *la Démocratie en Amérique* par

---

14. *Voyages*, in *Oeuvres complètes*, I, *op. cit.*, p. 189; l'auteur souligne; et *Tocqueville*, p. 112.

15. Voir notre article, «Je me souviens», *le Devoir*, 18 mars 1978.

Tocqueville fut précisément cette décentralisation de l'État qui «éparpille» tout le pouvoir à la périphérie, encourageant les initiatives individuelles, locales, en favorisant le gouvernement de la «commune», des «select-men»[16]. À l'opposé de l'Anglais, le Français, comme dans son propre pays, «a voulu tout prévoir à l'avance, il a craint de s'en rapporter au zèle, ou plutôt à l'intérêt personnel des colons, il lui a fallu tout examiner, tout diriger, tout surveiller, tout faire par lui-même. Il a embrassé une oeuvre immense et s'est épuisé en vains efforts»[17].

C'est dire que le colon français, politiquement, est le moins préparé à affronter l'aventure coloniale. Tenu en tutelle pendant des siècles par les gouvernements royalistes centralisateurs, le colon, une fois transplanté dans un nouveau milieu, au lieu de marcher sur ses propres pieds, a recours aux béquilles et aux prothèses du gouvernement colonial, créature du gouvernement central. «Si le gouvernement a la prétention de tout faire pour lui, lui (le colon), de son côté, n'est que trop porté à en appeler au gouvernement dans tous ses besoins. Il ne se fie point à ses propres efforts, il se sent *peu de goût pour l'indépendance et il faut presque le forcer à être libre*»[18]. On le voit, le *problème de l'indépendance*, qui a fait couler tant d'encre au Québec, a ses racines profondes non dans ce continent américain, comme le pensent généralement les Québécois, mais dans l'Ancien, en France. L'oublier, c'est se faire accroire, comme on l'a fait trop souvent, que les obstacles à l'occasion de la souveraineté, de l'indépendance, sont extérieurs — (la *faute de l'Anglais*, de la colonisation anglaise, de la situation d'infériorité du Canadien français, de sa situation économique inférieure, etc.) —, et non intérieurs, psychologiques, ancrés profondément dans la «mentalité politique française des Québécois» peu préparés, au départs à se «fier à leurs propres efforts».

L'*indépendance* devient alors le grand *alibi* (au sens originel d'*ailleurs* et de *ruse*) qui, paradoxalement, a pu cacher au Canadien français (Québécois) l'incapacité foncière du Français déraciné à se gouverner collectivement, à «ne compter que sur ses propres moyens», parce qu'il a toujours projeté *ailleurs*, en dehors de lui, sur l'Autre, sur la situation économique et politique défavorable, cette incapacité politique foncière.

---

16. «De l'esprit communal» en Nouvelle-Angleterre. «Voyez avec quel art, dans la commune américaine, on a eu soin, si je puis m'exprimer ainsi, d'éparpiller la puissance, afin d'intéresser plus de monde à la chose publique», *De la démocratie en Amérique*, *op. cit.*, p. 66; nous soulignons.

17. *Tocqueville*, p. 122.

18. *Id.*

C'est pourquoi, en suivant Tocqueville, nous pouvons affirmer que l'«*indépendance*», mot à la fois fascinant et tabou, est peut-être un des leurres psychologiques — sur les désirs profonds de sa nature et sur ceux de l'Autre — les plus graves dans lesquels le Français d'Amérique, qui a voulu oublier ses origines, ait pu tomber. Miroir aux alouettes (même s'il n'y a pas d'alouettes en Amérique du Nord!) dans lequel se brouille son propre regard au profit de celui de l'Autre.

L'indépendance politique — qui n'a jamais été un mouvement populaire irrépressible, l'histoire des Patriotes et celle plus récente du Parti québécois (élu justement grâce à la mise entre parenthèse de son option souverainiste) l'ont prouvé, — a, en fait, mené tout droit à une dépendance plus grande: aucun gouvernement au Québec, avant le règne du Parti québécois, n'a cédé dans le domaine constitutionnel au camp adverse (fédéral) autant de droits acquis (notamment le droit de veto) que précisément ce gouvernement «souverainiste» du Parti québécois.

L'indépendance, l'*alibi* qui veut oublier la *question* de l'*inter*dépendance, ne saurait se poser, sans poser en même temps la question de l'Autre (*sa* propre *canadianité*, l'Anglais, le Fédéral), auquel le Québec a été lié par une longue histoire. À cet effet, le référendum sur la souveraineté-association en mai 1980 a été plus que révélateur. Sa formulation même — qui atténuait grandement la portée de cette souveraineté, en sanctionnant non pas l'indépendance elle-même, mais en déclenchant purement et simplement un *processus* de *négociations avec l'autre* qui *autoriserait* cette souveraineté — montre assez bien la difficulté du Québec de décider franchement et sans équivoque de son indépendance, en dehors de la dépendance de l'Autre. Les Québécois ont été appelés à se prononcer sur la «souveraineté-association». Monstre logique qui prend d'une main (*souveraineté*, indépendance) ce qu'elle donne de l'Autre (association, dépendance). *Décision* (*couper net, trancher*) qui, logiquement, devait couper les liens d'avec l'Autre, mais qui, au contraire — en préjugeant de l'assentiment de l'autre et en décidant presque à sa place, ignorant ainsi la souveraineté de l'Autre — , vient finalement nouer d'*autres* liens avec cet Autre, ce Fédéral pourtant dénoncé comme le Mal absolu, comme l'abomination de la désolation.

Preuve encore que les effets combinés de ce que Tocqueville dénonce comme une tare constitutionnelle des Français — à savoir ses résistances à l'indépendance politique et la tendance du *Canadien* de nouer des liens souvent invisibles qui le trompent sur son degré de dépendance — se sont fait sentir jusqu'à tout récemment. Les événements politiques depuis 1980 (référendum et défaite du Parti québécois aux élections du 2 décembre 1985) donnent raison à Tocqueville qui, voilà plus de cent cinquante ans, affirmait que le «Français se sent peu de goût pour l'indépendance»[19]. Indépendance politique s'entend, car nous avons déjà montré que c'est précisément l'indépendance individuelle sans entraves du *Canadien* qui a empêché que ne se forme chez lui le goût pour l'indépendance politique.

---

19. *Id.*

Chapitre II

Comment le paysan français devient Habitant?

L'habitant: Tocqueville ou Rioux?

Cette perspective transculturelle et transnationale qu'ouvre Tocqueville, nous explique aussi *pourquoi* les colons de la Nouvelle-France s'appelèrent *Habitants*. Dénomination qui semble aller de soi et sur l'historique de laquelle aucun historien, à notre connaissance, ne s'est vraiment interrogé. On cherche vainement une explication chez Marcel Rioux, définisseur patenté des Québécois. Certes, il nous rappelle le double sens que prend ce mot au *Canada*, mais il ne nous dit pas *pourquoi*, d'emblée, le colon d'Amérique s'est baptisé *Habitant*. «Au Québec (au *Canada* déjà!) le mot d'habitant a deux sens: il désigne comme dans le français commun, les êtres qui peuplent un lieu; depuis le début de la colonisation française, il désigne celui qui occupe la terre, qui la cultive et qui en vit; cette acception se rapproche de celle de paysan et de cultivateur. Au début, l'habitant c'est celui qui fait de la Nouvelle-France son pays et qui a donc quitté la France sans retour»[1]. M. Rioux, par sa définition, sans s'en rendre compte, pose plus de problèmes qu'il n'en résout. La vision du sociologue souverainiste pêche — c'est dans la nature des choses — par son finalisme instrumental qui projette les *fins* (la souveraineté) au *début*. «*Au début*, l'habitant c'est celui qui fait de la

1. *Les Québécois*, Paris, Seuil, 1974, p. 6.

Nouvelle-France son pays». À l'opposé, c'est le «pays» qui fait l'habitant[2].

Tocqueville, de passage, mieux que le sociologue, habitant permanent, l'a compris. En effet, il a bien vu que la permanence, la stabilité sédentaire, était, pour le colon français déraciné de son pays d'origine, une rareté, une exception qui tranche sur son comportement *courant*, à savoir l'instabilité nomade du coureur de bois. Champlain l'a su le premier, que c'était seulement en réprimant les pulsions nomades du colon français qu'il pouvait faire de ce nomade virtuel un Habitant. C'est pourquoi il a barricadé sa première *Habitation* afin de la garantir contre la contagion du nomadisme sauvage ambiant et empêcher les Habitants de courir. Rester en place, *habiter* en cette terre, au climat inhospitalier, inhabitable — Cartier et son équipage en ont eu la preuve mortelle — est tellement inhabituel que les premiers colons qui, contre neige et glace s'*affirment* ici, déclarent ce lieu *leur* Habitation, c'est-à-dire demeure permanente, par opposition à la demeure changeante des Amérindiens.

L'Habitant se définit *doublement*: d'abord spatialement, contre le nomadisme ambiant (des sauvages, mais aussi des congénères français devenus des nomades) en affirmant sa permanence, sa sédentarité; puis temporellement, climatiquement, contre les intempéries de la «température» comme on appelle le «temps» au Canada français. Temps climatique et temporalité chronologique se sont fusionnés dans le même terme, tellement que, dans la pensée archaïque, ils n'en formaient qu'un, le deuxième évidemment découlant du premier, le temps chronologique étant une invention moderne[3].

Québec sous la coupe de Chronos: l'ordalie de l'hiver

Pour *habiter* ce pays, il faut s'*habituer* à son climat, à son *temps*, vivre avec/contre ce temps, se protéger des intempéries. Ce n'est certainement pas un hasard si, en français, *habiter* et s'*habituer* dérivent d'une même racine commune latine *habere*. C'est dans ce contexte que nous comprenons enfin le sens profond du cadran solaire surplombant la première *Habitation* de Québec, érigée par Champlain. *Chronos* (temps) règne en maître sur le *Canada*, comme il règnera aussi sur le Québec. La

---

2. *Id.*; nous soulignons.
3. Jacques Attali, *Histoire du temps*, Paris, Fayard, 1982.

devise du Québec, «Je me souviens», le prouve assez. C'est précisément la temporalité, une même façon de s'y référer, plutôt que la territorialité, comme on le pense généralement, qui constitue la filiation secrète, le pont invisible entre le *Canada* ancien et le Québec moderne, recouvrant le hiatus psychologique qui, depuis la Conquête, se creuse entre l'Ancien *Canada* et le «Nouveau-Québec». Déjà l'Habitant de la Nouvelle-France, pourtant agriculteur sédentaire, se définit d'*abord* par sa détermination temporelle, plutôt que par son appartenance à l'espace. Est Habitant du pays nouveau, celui qui s'est *habitué* aux nouvelles conditions climatiques, au temps de la Nouvelle-France, celui qui a passé victorieusement l'épreuve, l'ordalie de l'hiver.

En effet, l'hiver *canadien* est le grand, le *premier* marqueur climatique qui discrimine l'Habitant *habitué*, acclimaté, du non-habitant non-acclimaté. D'ailleurs le *Canada* trouve ce nouvel homme *canadien* pétri par le temps assez caractéristique pour lui donner un nom spécifique: l'hivernant. L'Habitant c'est l'hivernant qui s'est habitué au climat nordique de la Nouvelle-France. Le premier Habitant a été le premier hivernant du *Canada*: Jacques Cartier. Cette épreuve de l'hiver *canadien* le fait *autre*. Point crucial critique, à partir duquel le Français de France qui a vu d'abord le pays nouveau de l'extérieur, se sent *au* pays, Habitant habitué au pays, rejette la France dans l'extériorité où cette dernière relègue le Kanada.

Jacques Cartier a miraculeusement survécu grâce à cet «arbre de vie» dont les habitants sauvages du pays lui ont fait cadeau. Une fois l'épreuve passée, pour la première fois dans son récit, il prend le point de vue des autochtones, afin de le jouer contre celui des Français. *Habitant habitué*, détaché de la France, il se moque des pratiques médicales françaises européennes qui ont la prétention de le guérir du «mal de pays». «De sorte qu'un arbre (...) a été employé *en moins de huit jours*, lequel fait telle opération que si tous les médecins de Louvain et de Montpellier y eussent été, avec toutes les drogues d'Alexandrie, ils n'en eussent pas *tant fait en un an* que le dit arbre en huit jours»[4]. Nous avons souligné les marqueurs temporels du texte. C'est en effet par l'efficacité *temporelle* que les drogues du nouveau pays prouvent leur supériorité pour guérir la «maladie» de l'hiver. L'hiver est un mal dont le pays lui-même, par l'habitude, par la connaissance de ses *propres ressources*, nous guérit. Il serait utopique ou plutôt atopique — négation de l'espace spécifique —

---

4. Jacques Cartier *op. cit.*, p. 231; nous soulignons.

de croire que les remèdes et même les médecins importés de France, d'Europe, puissent guérir l'Habitant dans *le même laps de temps* que les drogues autochtones. À la *longueur* et à la rigueur de l'hiver *canadien* correspond la *brièveté* du temps de guérison par le remède. Autrement dit, seule l'immersion totale dans ce cycle temporel et climatique *canadien*, sans aucun espoir d'un temps rédempteur extérieur, garantit la survie et, partant, l'*habitude* en ce milieu. En *Canada*, le temps (temps et climat) est un *a priori* qui précède la détermination spatiale.

Mieux que l'historien ou le philosophe, dans un raccourci saisissant, le poète a énoncé cet *a priori* temporel *canadien* qui surplombe l'espace à un point tel qu'il l'écrase et le nie. «Mon pays ce n'est pas un pays, c'est l'hiver». Pays non balisé, non défini spatialement (contradiction dans les termes, nous le verrons plus loin), non-pays, espace en creux, qui est cerné rigoureusement et exclusivement par le temps, par les rigueurs de l'hiver. L'hiver en *Canada*, plus que tout autre critère d'appartenance, donne droit de cité au pays.

La première Habitante

Chronologiquement, c'est en reconnaissance de cette présence massive du temps que les tout premiers Habitants ont mérité le titre d'«habitant», grâce à l'*habitude* aux cycles du temps, des saisons répétées auxquelles ils ont été soumis. Pas étonnant alors que, dans les sites fondateurs, on confonde l'*habitude* de vie avec l'*habitat* de vie. Confusion certes facilitée par la même origine sémantique des deux termes, nous l'avons dit, mais surtout induite par le temps (l'habitude) qui pétrit l'espace (habitat). Dans le foisonnement des exemples, prenons celui de la première Habitante du Canada, veuve d'un des habitants fondateurs, premier agriculteur du Canada, Louis Hébert.

Nous sommes en 1632, moment joyeux du retour de Champlain après la première prise de Québec en 1629. «Nous allasmes celebrer la sainte Messe en la maison la plus ancienne de ce païs cy, c'est la *maison* de Madame Hébert qui s'est *habituée* au pres du fort, du vivant de son mary; elle a une belle famille, sa fille en icy mariée à un honeste François, Dieu les benist *tous les jours*, il leur a donné de très beaux enfans; leur bestial est en très bon point; leurs terres leur rapportent de bons grains; c'est l'unique famille de François *habituée en Canada*»[5]. Seule Habitante du Canada, parce que seule *habituée* au Canada. Ce n'est pas un hasard si le retour des Français a été célébré dans la *maison* de Madame Hébert. Symbole à la fois de la permanence (*maison* dérive de *mansio*, *manere*: *demeurer*, qui, à son tour, est surdéterminé signifiant *tarder*, *rester*) et de la *protection*, plus contre les intempéries que contre l'ennemi. Contrairement aux Français qui sont partis avec Champlain, Madame Hébert est demeurée, a *tardé*, malgré les souhaits du gouverneur, à suivre les Français dans leur patrie. Elle serait Habitante parce qu'elle a résisté à l'ennemi? Non, ce titre ne lui revient pas grâce à un combat qu'elle a livré avec l'Autre, mais grâce au simple fait d'être demeurée, d'avoir tardé à rejoindre les Français.

Elle s'est soumise, humblement et courageusement, femme féconde, aux saisons, aux cycles naturels du pays. Fécondité, *fecunditas* que le missionnaire montre en exemple à la France toute entière. Voyez cette *belle* famille, leurs *beaux* enfants, leurs animaux «*en bon* point», le *bon* grain de leur terre, Dieu les bénit *tous les jours*. Le bonheur, la bénédiction de l'Habitant vient de ce que *tous les jours*, sans interruption, il a habité le pays. La nature *canadienne* (divine) reconnaissante le lui rend bien. Elle le comble. Il n'est pas question de travail, de labourage, de défrichage? Précisément, habitez seulement ce pays, c'est-à-dire habituez-vous-y et le reste, fruits, enfants, bêtes, vous seront donnés en surplus. Voyez les lys des champs, ils ne filent pas, pourtant ils dépassent en beauté le Roi David dans toute sa splendeur. Ils habitent seulement le pays. C'est pourquoi aussi la famille Hébert est la plus «belle famille» du *Canada*. Beauté, bonté, fécondité sont toutes garanties par l'*habitude* de l'Habitant qui *tarde* dans le pays.

Temps privé, espace public

L'idéologie terrienne, agriculturiste, qui a régné en maître depuis la Conquête (1760) et qui a laissé ses marques indélébiles dans les esprits québécois, a occulté cette dimension temporelle sous-jacente au *Canada* et au Québec. Car a-t-on remarqué que la revendication des Anciens *Canadiens* du Régime français qui s'approche le plus de ce qu'on pourrait considérer comme une «déclaration d'indépendance» ne se fait pas au

---

5. Paul Lejeune, *Relation du voyage de la Nouvelle-France*, *op. cit.*, p. 8; nous soulignons.

nom d'une prise de possession territoriale, ou encore moins au nom d'une affirmation ethnique nationaliste, mais bien au nom d'une référence temporelle fondamentale? Les Anciens Canadiens se reconnaissaient dans la continuité, dans la chaîne des générations d'Habitants qui sont demeurés dans le pays. Non, ces Habitants ne sont pas des *paysans*-agriculteurs mais des «négociants domiciliés», comme ils s'appellent. Nous sommes en 1719. «Remarquez que les *domiciliés* ont dans cette colonie: trisaïeuls, bisaïeuls, aïeuls, leurs pères... ils ont leurs familles, dont la plupart sont nombreuses qu'ils ont contribué les premiers à établir...»[6]. La «spécificité» de l'Habitant dérive non pas réellement d'une appartenance à un territoire, mais d'une *habitude prise à travers plusieurs générations* à vivre sur ce territoire. La continuité temporelle des Habitants prime sur la prise de possession du territoire de l'*habitant*. L'habitant est pétri par le temps avant de l'être par l'espace.

Il n'est donc pas étonnant que l'Habitant soit devenu le terme générique-génésique qui désigne la population française d'Amérique du Nord dans son ensemble. En effet, Habitant est le nom que les immigrants français se donnèrent individuellement, mais surtout collectivement. L'Habitant, défini par la chaîne des ancêtres qui sont *restés* dans le pays englué dans le temps, a beaucoup de difficulté à se projeter dans l'espace, à définir l'espace, à se laisser définir par lui. Nous ne reviendrons plus sur ce que nous avons dit à propos de la dialectique difficile entre l'*habitant* et le coureur de bois et sur cet espace fondateur de la première Habitation établie par Champlain.

Certes, l'Habitant *canadien*, comme tout être normalement conformé, vit dans l'espace, dans un milieu avec lequel il échange. Mais ce qui lui manque, c'est la capacité de transformer cet espace privé, son lieu d'habitation *privé*, en un lieu politique (au sens plein du terme) *public*. Tout ce que nous avons déjà pu diagnostiquer dès la fondation de l'*Habitation* de Champlain, c'est précisément sa surdétermination temporelle qui empêche l'Habitant de constituer cet espace public politique: à force de ne prendre en compte pour la définition de l'Habitant que la détermination temporelle, en insistant sur la filiation intra-familiale des générations (trisaïeuls, bisaïeuls, aïeuls, etc.), l'Habitant *canadien*, prisonnier de son espace familial privé, n'arrive pas à se sortir de lui-même pour concevoir un espace public commun — le Commonwealth des Anglais —

---

6. Cité d'après Lionel Groulx, *la Naissance d'une race, op. cit.*, p. 242; nous soulignons.

qu'il partagerait avec l'Autre. Pas avec l'ennemi, mais avec le congénère qui n'appartient pas à sa propre famille.

Il est tout à fait significatif que l'espace communautaire le plus vaste, en dehors de la famille, que le *Canadien* (français) ait pu créer spontanément (car c'est au contact de l'Anglais seulement que le *Canadien* deviendra un *animal politique*) soit le «rang», la paroisse. Espace justement où la vie privée — celle de l'agriculteur soumis au cycle saisonnier et celle du croyant enfermé dans l'intimité la plus radicale — primera toujours sur la vie publique et politique. Lionel Groulx, qui pourtant a tout fait pour hypostasier cet espace familial, a bien vu comment l'«exclusivité» familiale a empêché en *Canada* la constitution d'un espace public: «Le sentiment patriotique n'est nullement étranger à nos pères; mais leur esprit familial très fort et très envahissant s'achève volontiers en un esprit de clocher exclusiviste. Le sens et l'expérience de la vie publique leur font défaut trop entièrement»[7].

Une carence principielle: le front de l'Autre

En fait, ce qui manque à cet Habitant dans sa saturation auto-référentielle, endogène, prise dans ses renvois intra-familiaux, c'est précisément la référence à l'*Autre*. Certes, le sauvage est là, mais nous avons déjà dit quel sort Champlain lui fait lors de la fondation de son *Habitation*. Il l'exclut radicalement au-delà des murs de Québec. Installé au centre de la colonie, l'Habitant vit dans un isolement relatif, à part ses contacts périodiques avec la France métropolitaine. Les voyageurs en ont dit long sur cette colonie du Saint-Laurent, fermée sur elle-même, excluant les congénères d'une *autre* religion (les protestants), bannissant les citoyens d'une *autre* nation (les Anglais). En somme, ce n'est que la «frange extérieure» des Habitants, les marchands/voyageurs, si on peut la désigner ainsi, qui entre en contact avec l'Autre, avec l'Anglais. C'est précisément sur cette frontière, nous le verrons dans le chapitre IV, dans cette rencontre de l'autre Américain, que s'exaltera le patriotisme de l'Habitant, que se fera la première définition de soi du *Canadien*. Définition qui se précise sur le front, sur le «champ de bataille» où le *Canadien* affronte l'Américain, produit par le regard aiguisé de l'Autre. Ce n'est donc qu'indirectement, par l'intermédiaire du coureur de bois et

---

7. *Op. cit.*, p. 297.

de l'agriculteur-soldat, nouveau Cincinnatus troquant la charrue contre le mousquet, que l'*habitant* sédentaire connaîtra l'altérité. Cette dernière, jamais pure, est diluée, perçue par ces intermédiaires intra-spécifiques de la même race.

Nous pouvons donc affirmer que l'Habitant *canadien* ne connaît pas de *frontière* unique, de *front* sur lequel et contre lequel il se définirait. Comme l'*Américain* qui se définit par et contre cette *Frontier*. Ligne de démarcation à la fois spatiale, séparant la culture de l'inculture, et ethnique, démarquant le sauvage du civilisé. Espace limité, mais dynamique, que le «colon-farmer» ne cesse d'étendre et de combler en même temps. Comme le montre le beau livre de W.I. Eccles, *The Canadien Frontier*, il n'y a pas *une* frontière au *Canada*, mais plusieurs frontières morcelées, éparpillées, frontières militaires, frontières de la fourrure, frontières de la mission. Loin d'être en *Canada* un élément d'identification qui rassemble le Même tout en rejetant l'Autre, la frontière est une cause de dissémination du Même dans l'Autre (coureur de bois) ou bien de l'isolement narcissique du Même dans son ipséité (*habitant*). Donc, plutôt que de promouvoir l'identification des *Canadiens* comme le fait *la* frontière américaine, *les* frontières *canadiennes*, bien au contraire, l'entravent de façon permanente.

*De l'Habitant à l'*habitant-*agriculteur*

À côté de ce sens étendu, englobant, de l'Habitant, signifiant «citoyen-colon» de la Nouvelle-France, naîtra une variante restreinte (quant à son usage et quant à sa signification) désignant le «paysan», l'«agriculteur». C'est d'ailleurs seulement ce sens du mot qui a survécu aux tourmentes de l'Histoire, de la Conquête. Les raisons qui ont fait que le sens «agriculteur» du mot «Habitant» prendra de plus en plus de place, allant jusqu'à éliminer le sens premier de Habitant (citoyen) de Nouvelle-France, ne sont que trop évidentes. Elles découlent directement de l'histoire du *Canada*. Si le mot «Habitant» de Nouvelle-France englobait à la fois les habitants des villes et les habitants des campagnes, le marchand-coureur de bois vagabond comme le paysan sédentaire, bref *toute* la gamme des types sociaux de ce pays, l'«Habitant» du *Canada* français après la Conquête se réduira finalement à un seul type, à l'agriculteur, à l'*habitant*. Certes, on verra dans cette société de l'après-Conquête d'autres types, comme le notaire, et le curé, notamment, qui grimperont l'échelle des hiérarchies sociales; mais ce sera l'agriculteur, l'*ideal-type* au sens weberien du terme, qui sera proposé par les élites comme étant le seul à être en mesure d'assurer la survie de la nation canadienne-française après la débâcle française.

À juste titre, Marcel Rioux a pu appeler cette nouvelle mentalité d'après la Conquête «idéologie de conservation», marquée par un «tragique *rétrécissement*»[8]. Seul l'agriculteur peut dorénavant habiter ce pays. La Défaite a réduit le sens large du terme Habitant à la portion congrue du territoire *bas-canadien* et à l'activité unidimensionnelle de ses *habitants*: l'agriculture. À partir de 1763, *habiter* le pays est devenu synonyme de le cultiver. Seul le paysan habite vraiment le pays. Car les autres branches de l'activité sociale (commerce, administration, politique) échappent de plus en plus au premier Habitant.

Depuis la chute d'Adam et Ève, l'agriculture a été la damnation et la rédemption des races et des peuples chus. Il en est de même au *Canada* après la Conquête. L'agriculteur est entouré d'une aura mystique. L'agriculteur est le rédempteur qui relève le *Canada* de sa chute. C'est ce que ne cessaient de prêcher les élites (clergé, notaires et protonotaire) canadiennes-françaises. À moins qu'elles n'aient précipité la chute irrémédiable en tenant le pays à l'écart du monde moderne. Mais le conservatisme agricole a été probablement le prix qu'il a fallu payer pour «conserver» le pays.

---

8. Marcel Rioux, *la Question du Québec*, Montréal, l'Hexagone, 1987, p. 86; l'auteur souligne.

Chapitre III

Un continent sans «paysan»

Une absence non remarquée, lourde de sens

Après avoir étudié les différents sens du mot d'Habitant qui renvoyait à des sujets de même souche à l'*intérieur* de la Nouvelle-France, il convient maintenant d'examiner les rapports que ce terme d'Habitant entretient avec l'*extérieur*, avec l'Autre. Tout d'abord il est impérieux de se demander pourquoi le *paysan* (le mot, s'entend) n'a pu s'acclimater en Nouvelle-France, en Amérique du Nord, de façon plus globale. Seul Tocqueville semble avoir été frappé par cette absence, lourde de sens, du *paysan* en Amérique du Nord. Le simple relevé de cette petite pointe dans la tapisserie magistrale que Tocqueville a tissée de l'Amérique du Nord (États-Unis et *Canada*) méritait qu'on le cite en exergue au début de cette section. Les absences frappent moins que les présences. Il est donc presque normal que tous les sociologues et politicologues n'aient pas relevé cette absence significative du mot «paysan» en Amérique du Nord. Absence d'autant plus frappante que l'Américain, de même que le *Canadien*, se définit essentiellement par l'agriculture. L'Américain privilégiant comme on le voit chez Hector Saint-John de Crèvecoeur dans ses «Letters from an American Farmer», le terme anglais d'origine de *farmer*[1], le *Canadien* cependant répudiera totalement l'usage courant du mot français de *paysan*. Rejet radical qui a la force d'un tabou. En fait, *paysan* est un mot tabou que personne n'ose prononcer, après avoir traversé l'Atlantique. Comment en effet expliquer le «pouvoir de l'abjection», inhérent au mot tabou de *paysan*, «abjection» qui interdit aux Habitants de la Nouvelle-France d'utiliser, voire même de prononcer ce terme?

La popularité du «pays»

Les choses se compliquent encore lorsqu'on se rappelle que le *pays*, bien que de la même origine sémantique — contrairement au mot paysan — jouit, dès les débuts de la colonie, d'une popularité incontestable. A telle enseigne que le *pays*, par métonymie, en vient à signifier la Nouvelle-France toute entière. Usage qui ne va nullement de soi, qui, bien au contraire, a de quoi nous étonner, vu notamment la souche étymologique commune de *pays* et de *paysan*. *Pays*, nous l'avons vu, dérive de *pagus*[2], voulant dire au départ *borne* qui délimite un territoire, qui marque son terme, qui le définit au sens premier du mot. Le *pays-pagus*, contraire des terrains vagues indéfinis et infinis de la nature, c'est les terres arables, soumises par le paysan à la culture grâce au soc. Le *paysan* est donc celui qui, avec ses sillons, borne le *pays*, le fait sortir des limbes, de son indétermination, de sa confusion naturelle.

On ne s'est pas encore assez étonné du transfert au Nouveau Monde du terme *pays* (*pagus*), visiblement plus adapté à l'Ancien, à la France notamment, modèle même du *pays*, *pays*-modèle, *borné* (*pagus*) par des frontières naturelles sur les six flancs de son hexagone, sillonné et cadastré par les labours du paysan. Dans ce sens, la Nouvelle-France, le *Canada*, est un non-pays, égratigné sporadiquement dans son centre, autour de Québec, par quelque soc, ouvert à tous les vents sans *borne*, sans *terme*[3]. Le poète, par intuition, a senti cette vérité profonde. «Mon pays ce n'est pas un pays...»

---

1. Mot complexe où se rencontrent les sens de «fortifier», d'«arrêter», de «conclure une convention du domaine rural» et, évidemment, celui de «fermier».

2. W.O. Wartburg, *Etymologisches Wörterbuch*, Tübingen, 1948.

3. *Terminus*, en Rome antique, a été le dieu qui assura les bornes, les limites des terrains, dieu d'ailleurs symbolisé par une borne.

En effet, appeler le *Canada* — négation de pays — un *pays*, c'est commettre une impropriété, au sens grammatical du terme, mais aussi au sens premier d'un transfert impropre, frauduleux, d'un propriétaire légitime à un autre qui ne l'est pas de droit. Transfert qui est le lot de *toutes* les colonies: la Nouvelle-France, la Nouvelle-Angleterre, la Nouvelle-Espagne ont été des pays anciens, projetés sur le nouveau monde. C'est leur «nouveauté» qui démarque ces pays informes des mères patries, pays modèles bornés, terminés. Par contre, aucun marqueur ne définit le *pays* lorsqu'il désigne à lui seul la Nouvelle-France, indépendamment de son référent, de son modèle, le *pays*, la France. C'est dire que le terme *pays*, dès l'origine de la colonie, même lorsqu'il s'applique à la Nouvelle-France, renvoie implicitement à la France. Pays négatif, monde en creux, la Nouvelle-France attend de l'Ancienne qu'elle lui prête son profil, ses linéaments, bref sa définition.

La fonction de «l'ici»

On comprend donc que le *pays* lorsqu'il désignait la Nouvelle-France avait besoin d'un «marqueur», aussi minime fût-il, pour différencier ce pays de l'autre, là-bas. Ce marqueur invariable justement est ce «ci» démonstratif, explétif qui s'ajoute au nom indiqué. La littérature de la Nouvelle-France abonde en exemples. Que deux ou trois, des débuts de la colonie suffisent! Pierre Boucher, que nous avons déjà rencontré, s'indigne de la présence de cet ennemi, l'Iroquois, qui rend l'expansion de la colonie impossible. «Ainsi il faudroit qu'il (l'Iroquois) fust destruit, qu'il vient beaucoup de monde en ce pays-icy, et on connoistroit la richesse du *pays*: mais pour faire cela, il faut que quelqu'un en fasse la dépence: mais qui le fera, si ce n'est notre bon Roy?»[4]. On le voit, ce *pays*-icy pour devenir un véritable *pays* est totalement tributaire de la France. C'est elle qui, par sa politique d'émigration, par ses *dépenses*, par les générosités *du bon Roy* qui le façonne à son image.

Remontons encore plus haut dans le temps et renouons avec un épisode célèbre de la première prise de Québec dont nous avons déjà fait mention. Jacques Michel, le traître Français qui a livré Québec aux Kirke, a des remords. «Ce pauvre Jacques Michel plein de melancolie, ne se voyant point recompensé des Anglais, ou plus tost des François reniez et

4. *Histoire véritable et naturelle des moeurs…*, *op. cit.*, p. 144; nous soulignons.

anglisez, comme il pretendoit, pressé en outre d'un remord de conscience d'avoir assisté ces nouveaux Anglois contre eux, de sa *patrie* mourant subitement quelque temps après la prise de ce païs cy»[5]. Évidemment, la *patrie*, c'est la France, *ceux de sa patrie*, les ressortissants français. Le *pays cy*, encore une fois, n'existe que par référence à l'*autre pays*, au *pays* tout court. En fait, cet usage de l'«ici», s'est maintenu au Québec.

Très souvent, le simple «ici» suffit pour désigner ce «pays-ci», le Québec. Pas étonnant que cet «ici» très faible, étayé essentiellement par le nom dont il sert d'indicateur, ait besoin de renforts phonétiques. N'est-ce pas lui, tel saint Christophe, qui porte tout le poids du pays, rétracté, concentré dans cette monosyllabe? C'est pourquoi le langage populaire, le joual, pour tonifier cette métonymie monosyllabique du *pays*, le prononce «icitte». Cela n'empêche que ces «ici», «icitte», ou ces «ci», même avec l'omission du nom substantif de *pays*, renvoient implicitement, nécessairement à un là-bas. L'«ici» se définit négativement, par la négation de «là-bas».

Ce geste démonstratif inclu dans «ce pays-ci» est assez significatif du mode de définition du nouveau pays. «Pays-icy» tient en effet lieu du *nom* du pays. Pays anonyme, non *nommé* spécifiquement, sinon par référence implicite à la France, il est *désigné*, comme on désigne du doigt quelqu'un dont on aurait oublié le nom. Le geste démonstratif doit suppléer à une identification nominative. Oui, tout «ceci» s'étend à perte de vue: c'est tout ça notre pays. Le doigt esquisse démonstrativement le vague d'un pays fantôme, flou, qu'aucun oeil, qu'aucun pied, qu'aucune main, qu'aucune bouche n'a pu définir.

Il est intéressant de noter la subtile dialectique qui s'opère entre ce «pays-ci» et son pays référent «là-bas», la France, tout au long de cette épopée héroïque que sont les *Relations des Jésuites*. Au début, pour le missionnaire — et probablement aussi pour l'*habitant*, mais c'est moins sûr — l'ici signifie en fait «là-bas», la France. Toute sa pensée tend tellement «là-bas», — les *Relations* s'adressant à la France — son pays d'origine, pays de son enfance, que malgré son éloignement géographique, ce «là-bas» est encore son «ici» affectif. Au fur et à mesure qu'il s'est «habitué» à ce *pays*, qu'il l'a foulé, défini de ses pieds, qu'il se l'est approprié, l'«ici» en quelque sorte est rapatrié sur *ce* sol-ci qui est devenu aussi le sien comme celui de l'Habitant. On dirait qu'il y a transfert

---

5. Paul Lejeune, *op. cit.*, p. 8.

d'amour, d'affection d'un *pays* à un autre, d'une patrie à une autre:
l'affectivement plus proche devient l'«ici».

Quand naît le pays «d'ici»?

Évidemment la question est de savoir à quel moment s'est opérée cette
dérive affective des patries, des continents qui *dés-orientent* littéralement
les sens habituels de l'ici proche affectif et le là-bas lointain. Il y a des
historiens québécois qui tout de go affirment souvent sans avoir bougé du
Québec, qu'il a suffi aux immigrants français d'embarquer sur un bateau
et de traverser l'Atlantique pour se sentir déjà autres. C'est possible. Mais
puisque Monsieur Gallup n'était pas encore «ici» pour prendre échan-
tillon d'opinion des différentes espèces d'immigrants à leur arrivée sur les
quais de Québec, l'historien «sérieux» se méfiera beaucoup de telles opinions en l'air. Puisque les voix d'antan se sont tues à tout jamais, il nous
est quasiment impossible de «tâter le poulx» d'une «opinion publique»
inexistante, de déterminer *précisément* le moment de cette *dés-
orientation* des *Canadiens* qui font de ce *pays-ci leur* pays. Or un texte
capital de Christian Le Clercq, datant de 1691, nous laisse croire que cette
«révolution copernicienne» des mentalités *canadiennes* a eu lieu au plus
tard en 1691, *terminus ad quem*, extrême, à partir duquel s'inversent radicalement et définitivement les *valeurs* de la «patrie»: le Canada «proche»
(ici) cesse d'être l'«enfer» lointain (là-bas) vers lequel on s'expatrie et se
mue en «paradis» proche, sinon auto-suffisant, du moins autosatisfaisant.

> Tu nous reproches assez mal à propos, que notre païs est un petit enfer, par
> raport à la France, que tu compares au Paradis Terrestre, d'autant qu'elle te
> fournit, dis-tu, toutes sortes de provisions en abondance; tu nous dis encore
> que nous sommes les plus miserables, et les plus malheureux de tous les
> hommes, vivans sans religion, sans civilité, sans honneur, sans societe, et
> en un mot sans aucunes regles, comme des bêtes dans nos bois et dans nos
> forêts, privez du pain, du vin, et de mille autres douceurs, que tu possedes
> avec excez en Europe. Hé bien, mon frere, si tu ne sçais pas encore les
> véritables sentiments que nos Sauvages ont de ton païs, et de toute ta
> nation, il est juste que je te l'apprenne aujourd'huy: je te prie donc de
> croire que tous miserables que nous paroissions à tes yeux, nous nous
> estimons cependant beaucoup plus heureux que toi, en ce que nous
> sommes tres-contans du peu que nous avons et crois encore une fois, de
> grâce, que tu te trompes fort, si tu prétens nous persuader que ton païs soit
> meilleur que le nostre; car si la France, comme tu dis, est un petit Paradis

Terrestre, as-tu de l'esprit de la quitter, et pourquoi abandonner femmes, enfans, parens et amis? Pourquoy risquer ta vie et tes biens tous les ans et te hazarder temerairement en quelque saison que ce soit aux orages, et aux tempêtes de la mer, pour venir dans un païs étranger et barbare, que tu estimes le plus pauvre et le plus malheureux du monde: au reste comme nous sommes entierement convaincus du contraire, nous ne nous mettons guere en peine d'aller en France, parce que nous aprehendons avec justice d'y trouver bien peu de satisfaction, voïant par expérience que ceux qui en sont originaires en sortent tous les ans, pour s'enrichir dans nos côtes; nous croïons que vous estes encore incomparablement plus pauvres que nous, et que vous n'êtes que de simples compagnons, des valets, des serviteurs et des esclaves, tous Maîtres, et tous grands Capitaines que vous paroissiez; puisque vous faites trophée de nos vieilles guenilles et de nos méchans habits de castor qui ne nous peuvent plus servir (allusion aux «castors gras» très cotés, portés d'abord par les Amérindiens), et que vous trouvez chez nous par la pesche de Moruë que vous faites en ces quartiers, de quoi soulager votre misère[6].

Ce texte capital se devait d'être cité au complet. Outre qu'il annonce le célèbre dialogue de Lahontan entre le Sauvage Adorio et l'auteur[7] — qui fixera définitivement l'image du «bon sauvage» et la véhiculera jusqu'à Rousseau (*Discours sur l'origine et les fondements de l'inégalité parmi les hommes*) et Diderot (*Supplément du voyage de Bougainville*) — , il témoigne de façon dramatique du renversement «spectaculaire» des perspectives entre la France et le *Canada*. On nous objectera: celui qui parle ici, ce n'est pas un *Canadien* (français), mais un Kanadien sauvage, premier habitant du *pays*. C'est oublier que celui qui fait parler ce Sauvage, l'auteur, est un missionnaire français catholique, blanc. Révolution d'autant plus radicale des opinions que la *sauvagerie*, considérée traditionnellement comme la pierre d'achoppement *contre* laquelle se butait la *civilité* française de la mère patrie, Paradis terrestre, devient dorénavant la pierre de touche de l'appartenance des nouveaux Habitants (l'auteur sans aucun doute s'y inclut) à leur nouvelle patrie. Loin de servir de repoussoir qui relègue dans l'enfer les vagabonds apatrides, l'«autochtonie» sauvage, bien au contraire, est l'*aimant* qui attire et qui fixe définitivement le lieu d'habitation permanent, nouveau paradis des immigrants

---

6. Christian LeClercq, *Nouvelle Relation de la Gaspésie*, Paris, 1691; nous citons d'après la deuxième édition, Lyon, 1692, pp. 78-84.

7. *Suite du voyage de l'Amérique ou Dialogues de Monsieur le Baron de Lahontan et d'un Sauvage dans l'Amérique*, La Haye, 1703.

qui rejettent dans l'enfer l'ancien paradis de la «patrie» française, lieu de toutes les misères et déchéances.

«Paysan»: mot tabou

Voilà qui devrait mettre un comble à notre étonnement: un *pays* qui, sans le savoir, se définit par rapport à la France, qui appelle ses habitants *gens du pays*, et qui exceptionnellement appelle à la rescousse la sauvagerie pour saper la civilité française, domiciliée en France, frappe d'interdiction le nom qui originellement désignait les premiers *habitants* du *pays*, les *paysans*. Ce double traitement discriminatoire qui d'un côté reçoit ce *pays*, nom très populaire, et, de l'autre, rejette *paysan*, le bannit complètement de l'usage, complique considérablement le problème. En fait, les raisons de ce tabou tenace qui entoure le «paysan» au Canada français sont enfouies aux origines mêmes du mot *paysan*.

En effet, il faut se rappeler que *paysan* dérive du latin *pagensis* et est de même souche que *païen*. On pense généralement [8] que c'est parce que les hérésies païennes se sont perpétuées avec le plus de ténacité à la campagne, chez les *rustici*, les *paysans*. Une autre explication qui ne contredit nullement cette dernière veut que *paganus* dans le sens *païen* se serait développé par opposition au militarisme chrétien: les chrétiens — se sentant des *milites Dei*, «soldats de Dieu» — traitent avec mépris les *civils* (autre sens de *paganus*) non militants, ces paysans habitant la campagne, non enrôlés dans l'armée de Dieu. Cette esquisse étymologique contient, en germe, toute l'histoire de la Nouvelle-France qui consiste à transformer un territoire informe en un *pays*, travail du «paysan» qui deviendra le vrai habitant de ce *pays*. D'autre part, elle évoque la lutte des soldats de Dieu, des missionnaires enrôlés dans l'armée de Dieu, qui combattent et réduisent les *païens*, les «habitants» des bois (*silvatici*)[9].

Ce retour à l'étymologie, du coup, nous explique le tabou qui frappe, au *Canada*, le *paysan*. C'est que *paysan*, étymologiquement et même sémantiquement, est trop proche de *païen*. En effet, l'Amérique, comme l'Europe à l'orée du christianisme, a ses propres *païens*, infidèles «sans religion»: les sauvages. Si les paysans-païens européens sont un «mauvais souvenir» oublié dans le lointain de son histoire, ceux d'Amérique, en

8. W. von Wartburg, *op cit.*, p. 64.

9. Voir T. Tinland, *l'Homme sauvage*, Paris, 1968, note 36.

revanche, à tout moment, sont présents en chair et en os. Dans ces conditions, appeler les Habitants de l'Amérique française *paysans*, c'était
s'exposer, du point de vue sémantique, à une «pollution», à une contagion entraînant — puisque les mots *sont* les choses dans les sociétés
dites traditionnelles — une confusion dangereuse avec ce *païen*-sauvage
des forêts *canadiennes*. Car le *paysan* français d'Amérique n'est-il pas
justement l'antidote du *païen* sauvage, le barrage le plus sûr contre la sauvagerie païenne? Le *paysan* français, et le *païen* sauvage, pour assurer
une distance idéologique maximale avec le civilisé chrétien qu'est le
Canadien, doivent se garder de tout rapprochement qui risquerait de jeter
la confusion. En effet, *tout* doit les séparer, aucune connivence, aucune
complicité sémantique qui suggérerait un compromis avec ces *païens*
d'Amérique n'est tolérable. Bien plus, le terme même de *paysan*, frappé
d'un puissant tabou, est interdit de séjour en Amérique.

Idéologie «aborigène» et agriculture: Rome et le Canada

Pour comprendre la puissance de ce tabou, il faut se rappeler que le
soc de l'agriculture a été le définisseur, le grand marqueur de l'Amérique
française qui dans les trois domaines, les trois fonctions essentiellement
civilisatrices, la démarque des aborigènes: modes d'appropriation du territoire, mode d'habitation, mode d'adoration (culte religieux). Les premiers «habitants» de l'Amérique — comme ceux de Rome, qui
s'appelèrent d'ailleurs «aborigènes», les premiers aborigènes (ils sont
toujours premiers!) de l'histoire occidentale — ne sont pas les «vrais»
habitants. Comme les *aborigènes* romains, les aborigènes américains, les
premiers Américains, *occupent* seulement le continent, sans le *posséder*.
Pour les nouveaux arrivants blancs, afin de frapper d'inexistence les
«droits de propriété» des aborigènes, seul celui qui *travaille la terre*, la
laboure, peut avoir un droit de propriété sur la terre. Le *labour* est le
labeur, le travail par excellence, notamment en Amérique. «Quoi que le
vaste pays qu'on vient de décrire fut habité par de nombreuses tribus d'Indigènes, on peut *dire avec justice* qu'à l'époque de la découverte ils ne
formaient qu'un désert. Les Indiens l'occupaient mais ne le *possédaient*
pas. C'est par l'agriculture que l'homme s'approprie le sol»[10]. Donc
même encore Tocqueville, un des observateurs les plus éclairés de la

---

10. Tocqueville, *De la démocratie en Amérique, op. cit.*, p. 25; nous soulignons.

scène nord-américaine, justifie en droit («on peut dire avec justice») l'exclusion des Sauvages du continent en niant leurs droits de propriété aborigènes.

Car il est convaincu, comme déjà les premiers missionnaires des *Relations des Jésuites*, que «cultiver la terre c'est le métier le plus *innocent*, et le plus *certain*, exercice de tous ceux de qui nous sommes tous descendus, et de ces braves capitaines romains qui savaient dompter et ne point être domptés»[11]. Métier *certain* parce qu'il cerne, définit le territoire incertain, vague. Seul le soc, le labeur du labour, arrache le territoire à son flou, le métamorphose en *pays*. Comme jadis Rome est sortie déjà de son incertitude aborigène. En effet, l'allusion aux origines de Rome, à sa fondation, est loin d'être «innocente». Car Romulus, à sa manière, est le premier «agriculteur» de Rome qui voudrait occulter les «choses cachées depuis la fondation du monde»: ce meurtre de Remus certes, mais surtout aussi la sauvagerie aborigène de sa propre origine. Romulus, comme d'ailleurs son frère Remus, n'a-t-il pas été allaité dans un vaste désert sauvage, trouvé par un berger dans ses «étables»[12]? Les deux enfants, très jeunes, atavisme de leur origine sauvage, «pour chasser courent les bois». Comment oublier d'autre part dans la généalogie romaine, cette lignée des Silvii, dont notamment ce Silvius «né par hasard dans une forêt»? («Casu quodam de silvis natus», Tite-Live, I,3.) Sans aucun doute, Romulus et Remus *sont* des *sauvages*, vivant à l'image de ces *silvatici* d'Amérique dans les forêts.

Or, Romulus, grâce à la muraille fondatrice qui sépare la sauvagerie originelle de la «culture», se coupe définitivement de sa lignée sauvage des Silvii. Son frère, symbole de cette confusion originelle, resté sauvage parce qu'il ne respecte pas cette limite différentielle qu'est le mur, doit être éliminé. Ce meurtre «ab-originel» de Remus par Romulus annonce les meurtres «fondateurs» de cette Rome continentale qu'est l'Amérique, il rend *certain*, en l'arrachant au vague incertain, un territoire *occupé* par les aborigènes sans être *possédé*.

Rien d'étonnant alors que les Français, nouveaux Romuli d'Amérique du Nord, *fondent* aussi cette nouvelle Rome à l'échelle continentale en définissant un pays (*pagus*) grâce aux sillons primordiaux de l'agriculteur, métier le plus «certain», en érigeant les murs de Québec

---

11. *The Jesuit Relations*, éd. Thwaites, 1610-13, tome I, New York, 1959, p. 92; nous soulignons.

12. Tite-Live, Livre I, chap. IV.

qu'aucun Remus sauvage ne devra transgresser. Le Français d'Amérique, tel Romulus, cerne, rend le pays certain.

Comme à Rome, l'agriculture, *métier le plus innocent*, est appelé à *cacher*, à camoufler un meurtre, des meurtres. N'oublions pas que Caïen, lui aussi, a été agriculteur. Comme à Rome, l'agriculture justifie *après coup* (la *Nachträglichkeit* freudienne) un meurtre inavouable. L'agriculture *innocente* le meurtrier fondateur, parce qu'en fait les premiers habitants, aborigènes de Rome et d'Amérique, n'habitent pas le *pays*, *parce qu'ils* ne le travaillent pas. Ce sont des non-habitants qui, en rapport à ce pays certain, n'ont pas le droit de propriété, pis, n'ont pas de droit d'existence. *Blut und Boden* (sang et sol), les nazis l'ont bien compris par leur slogan «innocent».

L'appropriation du sol par l'agriculture — appelant et justifiant l'extermination de l'Autre sur son territoire — loin de ne remplir qu'une fonction locale qui aurait sa raison d'être seulement à Rome ou en Amérique, est d'une portée universelle qui, enfouissant son couteau-soc dans le sol, ensevelit en même temps ces «choses cachées depuis la fondation du monde».

Arrêter les vagabonds

Si l'agriculteur de l'Amérique du Nord garantit la prise de possession des nouvelles terres, il constitue également — deuxième trait distinctif qui le démarque du Sauvage — un barrage contre le nomadisme des aborigènes. Cran d'arrêt qui immobilise l'errance des tribus «ambulatoires», comme Jacques Cartier appelait joliment les Amérindiens nomades. «Car d'y penser vivre à leur mode (des Aborigènes) j'estime cela être *hors de notre pouvoir*. Et pour le montrer, leur façon de vivre est telle que (…) les hommes vivent *vagabons*, sans *labourage*, n'étans jamais plus de cinq à six semaines en un lieu»[13]. On le voit, le «vagabondage» des Amérindiens exclut d'office le labourage. Ce qui veut dire que le labourage, l'agriculture — l'histoire de l'humanité l'a assez prouvé — fait assimiler chasseurs et cueilleurs nomades. La sédentarisation, les missionnaires en sont convaincus, est le prérequis indispensable à la conversion des Sauvages. «Le second moyen de nous rendre recommandables aux Sauvages, pour les induire à nostre saincte foi, seroit d'envoyer quelque nombre

---

13. *The Jesuit Relations, 1610-13, op. cit.*, p. 82; nous soulignons.

d'hommes bien entendus à *défricher* et *cultiver* la terre, lesquels se joi-
gnant avec eux qui sçauroient la *langue* travailleroient pour les Sauvages
qu'ils s'*arresteroient* et mettroient eux-mesmes la main à l'oeuvre,
demeurans dans quelques *maisons* qu'on leur feroit dresser pour leurs
usages, par ce moyen *demeurans sédentaires* et voyans ce miracle de
charité en leur endroict, on les pourroit gaigner plus facilement»[14]. Le
père Le Jeune conçoit ici l'idée des *réductions*, les «réserves» de
l'Amérique française: créer, grâce à l'agriculture, les noyaux de sédentarisation qui, de proche en proche, s'étendront sur le «pays» tout entier.
Hélas, les Amérindiens ne sont guère sensibles à ce «miracle de charité».
En 1638, la première réduction de Sillery, près de Québec, ne peut s'enorgueillir que de deux familles montagnaises qui se sont fixées dans le
sillage des sillons des missionnaires. On ne saurait comprendre l'acharne-
ment de ces missionnaires bravant glace et hiver, chaleur et «marin-
gouins» à sédentariser les nomades chasseurs, si on ne comprend pas que
le salut de la mission chrétienne, de la diffusion de la foi dépend de l'agriculture. La Mission *est* Agriculture. Le christianisme n'a-t-il pas «cultivé», «végétarisé» le Judaïsme en *transsubstantiant* le sacrifice animal
sanglant en un sacrifice végétal constitué des fruits de la terre: le pain et le
vin? Sont restés comme atavismes zoolâtriques le poisson et le mouton,
dont le dernier, nous le verrons, jouera un rôle décisif dans l'articulation
du mythe de saint Jean-Baptiste au Canada français.

Il n'est donc pas étonnant que Jésus, lorsqu'il veut figurer le
«Royaume du ciel», ait recours aux paraboles végétales: le figuier, la
vigne, le sénevé. C'est évidemment le grain de sénevé qui est devenu le
symbole même de la mission, de la croissance du christianisme. Dans
cette logique «agriculturiste» chrétienne, il fallait que le sol soit préparé,
à savoir que les tribus nomades soient arrêtées, converties à l'agriculture
avant d'être converties à la foi chrétienne. «À ce dernier voyage des
femmes enceintes sont venues et ont facilement surmonté ces difficultés,
comme avaient fait d'autres auparavant. Il y a aussi *plaisir* d'apprivoiser
des âmes sauvages et les cultiver pour *recevoir la semence* du Christianisme»[15]. La présence de ces femmes enceintes dans cette célébration
agriculturelle ne saurait être un hasard. Car la Femme n'est-elle pas aussi
une terre dans le sillon de laquelle l'Homme enfonce son soc pour semer

14. Lejeune, Relation de 1634, *op. cit.*, pp. 24-25; nous soulignons.

15. *Ibid.*, p. 28; nous soulignons.

son grain?[16] Le *plaisir* de la procréation, tout naturellement, appelle celui de l'agriculture, du missionnaire qui *cultive* ce sol de l'Amérique sauvage, elle-même, — toute l'ethnographie le montre — une femme pour y mettre la *semence* du christianisme.

Le duel entre le paysan et l'Habitant

On le voit donc, l'agriculture — dernier trait distinctif décisif qui différencie de la sauvagerie ambiante — constitue aussi un barrage, *le* barrage le plus *certain* contre le paganisme des tribus nomades. Le soc, l'arme décisive avec laquelle les *milites Dei*, les missionnaires, espèrent conquérir les *païens* sauvages pour les gagner au culte chrétien. Dans ce milieu américain nouveau où, contrairement à l'Europe naissante, le *paysan* et le *païen* se côtoyaient physiquement et où le *paysan* devint l'arme avec laquelle on devait combattre le *païen*, il aurait donc été tout à fait impensable que les mots «paysan» et «païen» aient pu coexister. Dans le contexte des confusions sauvages, des ambiguïtés naturelles, il fallait au moins que la sémantique du civilisé ne donne pas dans ces ambiguïtés, dans ces confusions, afin de présenter, face à la sauvagerie, un front net, tranché. Le *paysan* est le mot ambigu par excellence confondant à sa racine même ce que les missionnaires se proposaient de discriminer: le *paysan* et le *païen*.

Un autre terme, univoque, l'Habitant, s'y substituera et jouira d'une popularité exceptionnelle, parce qu'il affronte la sauvagerie sur les trois fronts décisifs que nous venons d'évoquer. L'Habitant prend d'office possession du territoire «non réclamé» («claim») par les Indiens. Il est le sédentaire agriculteur qui soumet le pays au soc. Enfin, dans son foyer domestique — nous l'avons constaté dès l'époque de Champlain — brille le feu du christianisme.

Mot idéal, parce que *innocent*. Ne passe-t-il pas sous silence — autre tabou — la présence de l'Autre — qui, justement, n'a pas droit au titre d'Habitant — et, surtout, cette lutte sourde ou ouverte que l'Habitant est appelée à mener contre cet Autre, pour le réduire? Il est l'Habitant, auto-référence suffisante, à la fois propriétaire et cultivateur du sol. Voilà pourquoi, dès l'origine de la colonie française, l'Habitant s'est imposé

---

16. La persistance de cette image depuis l'Antiquité grecque, nous l'expliquons dans l'article «l'Orestie d'Eschyle: le Tragique au féminin et au masculin ?», *Études françaises*, lic. cit., p. 69.

comme premier titre de noblesse, première *distinction* (dans tous les sens du terme) de l'immigrant français au milieu de la sauvagerie américaine.

Chapitre IV

Cincinnatus: entre le soc et le mousquet

Le Canadien, *un guerrier féroce qui fit trembler l'Amérique*

Habitant, mot d'autant plus utile qu'il camoufle tout un versant guerrier du *Canadien*. *Furia* martiale que l'évolution ultérieure du *Canadien* — son pacifisme quasi proverbial, son anti-militarisme foncier lors des deux Guerres mondiales (dont témoignèrent les crises de la conscription) — ne doit pas nous faire oublier. Conditionnés par la propagande agriculturiste, les historiens canadiens-français ont marginalisé — certains ont même été jusqu'à l'éliminer complètement — cette tendance guerrière du *Canadien*. Plus qu'une tendance guerrière, le *Canadien est* un guerrier. Tous les témoignages des voyageurs en Nouvelle-France le confirment. Contentons-nous d'en relever trois, datant de la fin du Régime français. Sans aucun doute, les Anciens Canadiens auraient chéri le titre de la pièce de Roch Carrier *la Guerre, yes sir!*, plus que son contenu.

Charlevoix, comme d'autres voyageurs, ne manque pas d'opposer le pacifisme timide des «Anglais Américains» à la furie guerrière des *Canadiens*. «Les Anglais Amériquains ne veulent point de Guerre, parce qu'ils ont beaucoup à perdre (...) La jeunesse française, par des raisons contraires, déteste la paix, et vit bien avec les Naturels du Pays, dont elle s'attire aisément l'estime pendant la guerre, et l'amitié en tout tems»[1]. Les Naturels du Pays évidemment sont les Amérindiens. Point n'est

---

1. *Journal*, tome III, *op. cit.*, p. 80.

besoin de chercher des raisons «psychologiques» pour expliquer cette sympathie et ce respect naturel que les Sauvages ont toujours témoignés aux Français d'Amérique, même leurs ennemis mortels, les Iroquois. Tout simplement, les Français ont été des guerriers comme eux. Champlain ne s'était-il pas littéralement *embarqué* avec eux pour prêter main forte aux Algonquins contre les Iroquois?

Bacqueville de la Potherie surenchérit en soulignant la place que tenait la guerre dans la vie du *Canadien*. «Ce Canadien a d'assez bonnes qualitez, il aime la guerre plus que toute autre chose»[2]. Comme l'Amérindien aimait la guerre. Toute sa vie est aimantée par les exploits martiaux, par les victoires sur l'ennemi, par l'ostentation des trophées des guerres. La vertu guerrière est la première dans la hiérarchie des valeurs des Amérindiens. C'est pourquoi les Français avaient la cote chez les Sauvages, tandis que les «farmers» anglo-américains, attachés exclusivement au soc et à la glèbe, ne récoltaient que leur mépris hautain.

Mais les Anglo-Américains, eux aussi, sont obligés de devenir des guerriers, malgré eux et contre leur nature, provoqués par les incursions meurtrières, sauvages, que les *Canadiens*, assistés des Amérindiens, ne cessent de porter jusqu'à l'intérieur de ce qu'ils considèrent *leur* territoire. On a «oublié», au Québec d'aujourd'hui, que les *Canadiens* ont déjà fait trembler l'Amérique du Nord. Ils y ont semé la terreur comme les Vikings jadis sur le continent européen. Il suffit de lire les gazettes américaines du XVIIIe siècle pour se rendre compte de la panique répandue par les *Canadiens* dans le sillage de leurs attaques poussées jusqu'au Massachusetts. *The New York Mercury*, bastion puritain de la «civilisation anglaise», a de quoi s'en offusquer et crier vengeance. «Levez-vous pour tirer vengeance d'une nation perfide (on confond encore, comme dans l'après-Conquête d'ailleurs, Français et *Canadiens!*) coupable de violation de la foi jurée, de cruautés abominables et de massacres affreux»[3]. Non, ce ne sont aucunement, comme on pourrait le croire, les Sauvages qui se déchaînent ainsi. Les *Canadiens*, tels des bêtes domestiquées redevenues sauvages, dépassent en cruauté les Sauvages eux-mêmes[4]. Épargnons au lecteur moderne trop sensible la description détaillée de ces scènes d'horreur: corps lacérés, coeurs arrachés, etc. Certes, nous devons faire aussi la part du chauvinisme guerrier américain

---

2. *Op. cit.*, p. 366.

3. Cité d'après Frégault, *la Guerre de la Conquête, 1754-1760*, Montréal, Fides, 1955, p. 32.

4. *The New York Gazette*, 23 février 1756, cité d'après Frégault, *op. cit.*, p. 32.

qui doit aiguillonner l'ardeur martiale refroidie des siens en magnifiant les monstruosités de l'ennemi. Mais n'oublions pas que derrière cette surenchère fantasmatique de violence et de haine que l'Anglo-Américain projette sur le *Canadien*, se cache la *peur réelle* d'être réduit, vaincu par lui. Dans ces moments les plus noirs, l'Anglo-Américain ne s'est-il pas déjà imaginé le «porteur d'eau», l'esclave du *Canadien*? Jusqu'à Horace Walpole, ennemi le plus fidèle de la France, qui, même en 1759, ne croit pas encore tout à fait à la «fin» du *Canada*, tellement on avait vu le *Canadien*, guerrier implacable, rebondir après ses défaites. «Qui diable, pensait à Québec? l'Amérique était comme un livre que nous avions lu et rangé sur nos rayons, mais voilà que nous nous reprenons à le parcourir en commençant par la fin»[5]. Ces puritains, férus de la Bible, se souvenaient que David avait déjà vaincu Goliath!

La stratégie «canadienne» contre les «maudits França»

L'anonyme B., engagé dans la guerre franco-anglaise en Amérique, nous est un témoin oculaire irrremplaçable, car il nous renseigne sur les stratégies guerrières des *Canadiens* en les différenciant des Français métropolitains. En effet, c'est ici, sur le champ de bataille, que Français et *Canadiens* se divisèrent plus qu'en tout autre domaine. C'est sur le *front* que se créa l'écart maximal entre les deux mentalités. La stratégie martiale fut l'activité par excellence qui opposa Français et *Canadiens*. En combattant *ensemble*, les deux prirent conscience de leurs différences. Certes, il faut faire la part du sentiment de supériorité dont est imbu *par essence* tout colonisateur, français, anglais ou espagnol. Les métropolitains, par définition, détiennent *la* Vérité, en matière stratégique comme dans toute autre. Que peut valoir, par exemple, la stratégie du «pauvre» Vaudreuil, gouverneur-général, certes, mais né en *Canada*? On peut lui concéder qu'il connaît le terrain, le pays, *son* pays mieux que tout général français «parachuté» en *Canada*. Montcalm, son rival français, note avec ironie: «Il (Vaudreuil) est né en Canada et *son système* et celui de ses amis a toujours été de dire que son nom seul suffirait pour attirer la confiance des nations (indiennes). Je croirais aujourd'hui être aussi sûr du mien»[6].

---

5. Cité d'après Frégault, *op. cit.*, p. 377.

6. Montcalm au ministre de la Guerre, 18 septembre 1757, cité d'après Frégault, *op. cit.*, p. 98; nous soulignons.

Évidemment, cet avantage qu'a le *Canadien* sur le terrain est largement compensé par les connaissances théoriques *à priori* du général français qui s'applique, il va sans dire, à *tout terrain*, français ou américain. L'universalité, c'est la «force» de la théorie, du *kriegsspiel* qui, dans les académies militaires et les cours de casernes, bat la pratique à plate couture. Ce «système canadien» parlons-en, système de «broche à foin» (comme on appelle au Québec encore joliment un système archaïque d'improvisation), élaboré par des «empiriques et des ignorants», note encore Montcalm avec mépris[7]. Non, il n'y a qu'un système, le français, qui, lui, est universel.

Et lorsque coloniaux *canadiens* et Français de France sont à court d'arguments pour se prouver l'un à l'autre leur supériorité stratégique respective, ils ont recours au *dernier* argument, un argument qui a trait, non plus au *faire*, mais à l'*être*: c'est-à-dire qu'ils se réfugient dans le racisme. L'Autre *est* abject parce qu'il est ce qu'il est. Truisme certes, mais, en matière de racisme, ô combien efficace et fécond! Ainsi un familier de Montcalm «recommande» Vaudreuil à la Cour en ces termes chaleureux: charmant garçon, plein de talent, mais taré: il a un «défaut originel, il est Canadien»[8]. Le *Canadien*, au contact avec les Sauvages, avec leurs stratégies guerrières, est tombé: chute aussi radicale que celle du péché originel. Il faudrait évidemment un nouveau Rédempteur (français, bien sûr) pour laver le *Canadien* du péché originel de sa race. C'est du racisme à l'état pur. En effet, dans nul autre domaine que celui de la guerre, le racisme entre Français et *Canadiens* n'a été poussé à ces extrémités. Combattant ensemble, ils se perçoivent en ennemis. Même Bougainville, qui aima pourtant les *Canadiens* et partagea leur amour viscéral pour leur pays, se laisse aller à cette bouffée d'animosité qui régit les rapports entre militaires français et *canadiens*. «Il semble que nous soyons une nation différente, ennemie même»[9]. Comme toujours, le racisme part d'une expérience individuelle limitée qui se généralise ensuite en «vérités» universelles. Ce ne sont plus *des* militaires français et *canadiens* qui s'affrontent, mais *les* Français et *Canadiens*, en tant que *nations*.

Jeu d'exclusion mutuel. Les militaires français frappent d'inexistence leurs collègues *canadiens*, mais, inversement, les Français vivant au

---

7. *Op. cit.*, p. 98.

8. Doreil à Paulney, 31 juillet 1758, *op. cit.*, p. 96.

9. Cité d'après Casgrain, *Montcalm et Lévis*, tome I, p. 167.

Québec (pardon, nous n'en sommes pas encore là, le Québec n'existe pas encore et, de toutes façons, les Français sont *adorés* au Québec: on brûle ce qu'on adore!), au *Canada* donc, se plaignent d'être mal reçus, mal compris, oui, même d'être persécutés. Vengeance compréhensible des *Canadiens* qui répondent ainsi à la morgue des Français; paranoïa de l'immigrant en milieu ennemi, qui trouve partout porte close et qui s'en prend à l'Autre. Le commandant d'artillerie Pontleroy (encore un militaire!) écrit à son ami français: «Me permettez-vous de vous dire, Monseigneur, j'ai pour ce pays-ci (*Canada*) le péché originel, c'est d'être Français»[10].

Le militaire français ne fait que récolter le «péché originel» que les Français ont semé d'abord en *Canada* en traitant les *Canadiens* avec tant de superbe. Nous pouvons donc affirmer sans risque de nous tromper que le «maudit Français» n'est pas une invention québécoise «pure laine» comme d'aucuns l'ont cru, mais a déjà été encodé dans l'inconscient collectif depuis le Régime français.

La guerre franco-anglaise: la petite guerre contre la haute stratégie

Mais revenons à notre témoin anonyme français de la guerre franco-anglaise en Amérique qui nous renseigne au jour le jour sur les dissensions sur la plan de la stratégie entre Français et Anglais d'un côté, et *Canadiens* de l'autre. Le général Braddock, fraîchement arrivé d'Angleterre à Williamsburg avec plusieurs corps d'armée, a un plan d'offensive générale qui vise à réduire une fois pour toutes l'ennemi français. Du côté français, le général Dieskau, d'origine suisse, lui fait face. Ce dernier rencontre les détachements anglais à Fort George. «Le baron Dieskau tint aussitôt conseil, dans lequel il fut conseillé de se battre à la manière des Sauvages, c'est-à-dire de faire mettre chaque homme derrière un arbre; il rejeta ce conseil comme étant contraire à l'usage des Européens»[11]. Les Anglais étant en supériorité numérique, la «petite guerre sauvage» des *Canadiens* qu'on appellerait aujourd'hui guérilla, tirant le maximum d'avantages du terrain, aurait été la seule tactique qui eût pu faire pencher la balance des forces du côté des Français. Puisque le haut commandement est français et que ses vues et ses stratégies l'emportent nécessai-

10. Cité d'après Frégault, *op. cit.*, p. 96.

11. *Voyage fait au Canada depuis l'an 1751 à 1761, op. cit.*, p. 105.

266 DU CANADA AU QUÉBEC

rement sur celles des *Canadiens* et des Sauvages, les Français battent d'abord d'autorité les *Canadiens* sur leur propre terrain, pour se faire battre à leur tour sur le champ de bataille, seul lieu d'affrontement noble qu'ils connaissent.

Les historiens et stratèges *canadiens* n'ont pas encore assez tenu compte dans l'évaluation globale des raisons complexes qui ont amené la Défaite française en Amérique du Nord, de cette division profonde entre deux stratégies, deux mentalités extrêmement différentes qui, nécessairement, affaiblissait la force de frappe française. Certes, la stratégie *canadienne* n'aurait pas assuré la victoire française, mais elle aurait modifié considérablement la balance des forces militaires, trop inégales!

Inutile donc de dire que Dieskau fut battu à plate couture, blessé et fait prisonnier à New York. «La nouvelle des Français dans cette affaire causa de la tristesse au Canada»[12]. En fait, les Français n'ont été victorieux qu'à chaque fois qu'ils se sont battus à l'«indienne». La victoire la plus spectaculaire, évidemment, est celle du fort Duquesne (1755) où le général Braddock lui-même avec son artillerie lourde, ses fantassins européens et plusieurs milliers d'hommes, s'empêtre dans les forêts américaines inextricables. Ses troupes sont attendues derrière et dans les arbres, par les *Canadiens*, français canadianisés et sauvages. Défaite cuisante de l'armée anglaise et partant de la stratégie européenne. Blessé, le général Braddock s'enfuit dans son carosse, «objet de luxe», comme ironise notre témoin français déjà plus adapté au terrain, «qui n'était d'aucune utilité dans les bois et les montagnes et où pour la première fois on en avait vu»[13]. L'anonyme français B. tire la conclusion qui s'imposait logiquement: «Le général Braddock fit la même faute que le baron Dieskau en rangeant son armée en bataille dans le milieu d'un bois où elle ne pouvait faire beaucoup de mal et courir risque de succomber comme il est arrivé. Ce fut toujours le sentiment des Français canadiens d'où on doit conclure qu'il y a moins d'inconvénients à suivre l'usage du pays où l'on est»[14]. Nul doute, la réalité *canadienne* conclut en faveur de la «petite guerre» sauvage. Mais le haut commandement en a décidé autrement...

Montcalm, général en chef des troupes de ligne, convaincu, nous l'avons vu, de la supériorité de la stratégie préconçue française sur la pratique improvisée des *Canadiens*, décidera en fin de compte de l'issue de

12. *Id.*
13. *Ibid.*, p. 112.
14. *Ibid.*, p. 113; nous soulignons.

la bataille finale, celle des Plaines d'Abraham. Les Plaines d'Abraham: un champ de bataille de rêves, un vrai champ (!), d'une configuration idéale qu'aucun plan des académies militaires européennes n'égalera. Pas d'obstacles naturels, pas d'arbres, pas de marécages. C'est en effet là qu'il faut livrer bataille, vite. Montcalm a été battu en grande partie pour avoir voulu se battre à la française. S'il avait voulu se battre à la *canadienne*!

Le Canadien *se reconnaît en Cincinnatus et une trifonctionnalité qui fonctionne mal*

Cette propension guerrière du *Canadien* fait naître en Nouvelle-France un nouveau type social, que ni l'Europe, ni les autres parties de l'Amérique n'ont connu. Il s'agit d'un hybride fermier-guerrier. Cet homme *canadien* ressemble au guerrier issu tout armé de la terre selon le mythe platonicien. En effet, le guerrier *canadien*, *habitant* d'abord, naît également de la terre. Le *Canada*, pour s'expliquer ce mélange inusité de *paysans* et de *guerriers* inconnu dans l'Europe moderne (sauf lors des *Jacqueries*), s'invente son propre mythe qui remonte, comme beaucoup de ces mythes fondateurs du Régime français, à la Rome antique. Là un personnage célèbre avait déjà incarné ce mariage du soc et de l'épée: Quinctius Cincinnatus, consul en 460 av. J.-C., qui occupa deux fois (en 458 et 439) la dictature de l'État, pour diriger en guerrier les destins de Rome par temps de crise. *Vocation* au sens premier du terme. Car il fut *appelé* à la fonction *souveraine* et *guerrière* (cumulée exceptionnellement dans la *dictature* romaine), arraché littéralement à sa charrue chérie par les émissaires de Rome. Une fois remplis ses mandats, il retourne au labour de ses terres.

On peut s'étonner de ce que le *Canada* du Régime français ait eu recours au modèle romain de Cincinnatus pour s'expliquer sa double appartenance à la fonction guerrière et à la fonction nourricière de l'agriculteur. D'autant plus que l'Indo-Europe trifonctionnelle telle que mise à jour par les travaux admirables de Georges Dumézil, de même que par l'«imaginaire» féodal du Moyen Âge français révélé par Georges Duby[15] séparait d'une barrière infrangible les deux premières fonctions (la souveraineté de Jupiter, la combativité de Mars) de la troisième fonction, la

---

15. Georges Duby, *les Trois Ordres ou l'Imaginaire du féodalisme*, Paris, Gallimard, 1978.

nourricière de l'agriculteur. Les deux premières fonctions *oratores* et *milites*, comme on les appela au Moyen Âge, étaient nettement démarquées, sans confusion possible, des *laboratores* ou *agricultores*[16]. Définition nette des deux premières fonctions qui contrastent avec le flou de la troisième. La troisième fonction, en somme, «fait fonction» de *tiers exclu*, le «Tiers État» descendant de l'*agriculteur* français, exclu lui aussi, pendant tout l'Ancien Régime, des lieux de gouvernement, parce que considéré comme un non-lieu.

Ce qui frappe d'abord en Nouvelle-France, «terre vierge» libérée des carcans rigides de la trifonctionnalité (indo-)européenne, c'est le cumul de la première (souveraineté) et de la deuxième (guerre) fonction dans la personne du gouverneur-général, l'intendant responsable de la vie économique étant assimilé à la troisième fonction. Mais surtout, en *Canada* l'*habitant*-paysan bénéficie d'une promotion sérieuse. Signe concret de cette «promotion» de l'*habitant*: favorisé par les exigences du terrain et par la situation politique, le «paysan parvenu» d'Amérique contracte une alliance insolite avec le guerrier en devenant cycliquement guerrier lui-même. Bien sûr, cet *habitant*-guerrier est moins coté que le militaire de pure extraction française qui n'a que du mépris pour ce soldat «bâtard» *canadien*, figure inhabituelle dans le paysage social et politique indo-européen. Le Français avait tort de le mépriser puisque la carrière de la plupart des soldats français — notamment ceux de Carignan — appelés en *Canada*, s'est terminée derrière une charrue. Là encore, le passage du mousquet au soc, de la carrière du militaire à celle d'agriculteur, s'est fait sans heurt, tout naturellement. On comprend donc que le guerrier *canadien* — pour se donner lui-même ses lettres de noblesse que le schéma de la trifonctionnalité indo-européenne et, partant, la hiérarchie française lui refusait — avait recours à ce personnage de l'Antiquité romaine de Cincinnatus, qui, plus est, remonte à l'époque de la Rome primitive, à son temps du «défrichage» qui rappelle celui du *Canada* moderne.

Washington, un Cincinnatus canadien-français

Par un concours de circonstances étrange, c'est l'Amérique anglo-saxonne qui va faire sortir ce mythe de Cincinnatus, le mythe du *guerrier-*

---

16. Duby, *op. cit.*, pp. 59 et 74.

farmer, des limbes de l'Histoire ancienne pour l'incarner dans le présent, en la personne de George Washington. Il importe de souligner que c'est le *guerrier-habitant* canadien-français qui extirpe *d'abord*, en quelque sorte, le *farmer* américain du lopin de terre où il s'est retranché comme ses ancêtres anglais jadis dans la «privacy» de leur «home» («my home is my castle»); version américanisée de cette devise anglaise: «My land (entouré de clôtures, il va sans dire) is my castle.» En effet, par ses attaques meurtrières, par son harcèlement constant, le *Canadien* tient le *farmer* américain sur la brèche et l'oblige finalement — c'est une question de vie ou de mort — à devenir lui-même un guerrier-*farmer*, à son image. Le jeune Washington, agriculteur-né, a pris les armes en maugréant pour défendre son pays contre ces intrus canadiens-français qui se sont appropriés toute la vallée de l'Ohio. La vaillance guerrière du *Canadien*, il l'a vue à l'oeuvre à Fort Necessity qu'il a dû céder aux troupes franco-*canadiennes*[17].

La figure de Washington incarne à elle seule l'esprit de *la démocratie en Amérique*, parce que, dans sa personne, se fondent les trois fonctions indo-européennes rigoureusement séparées en Europe. En effet, il passe tout naturellement d'une fonction à une autre: signe évident que la hiérarchie fonctionnelle indo-européenne n'a plus sa raison d'être sur ce continent «sauvage». De *farmer* (agriculteur) il devient guerrier (*bellator, miles*) pour finalement assurer la fonction de la souveraineté suprême en Amérique, celle de président, et terminer ses jours sur sa ferme du Mount Vernon. Pas étonnant que Cincinnatus ait été son «mythe personnel» pour se muer finalement en mythe américain national, collectif. Dans les écrits de Washington pointe cette nostalgie — feinte ou réelle — du fermier qui aspire à la paix des travaux «innocents» du laboureur au milieu des bruits guerriers des canons et des mousquets. «Plus je suis familiarisé avec les travaux de l'agriculture, mieux je les aime; à tel point que nulle part ailleurs je ne trouve tant de satisfaction que dans ces activités *innocentes* et *utiles*. Je suis conduit à penser combien est délicieuse pour un esprit non

---

17. On se souvient, Chateaubriand dans sa rencontre affabulée avec G. Washington à Philadelphie, débite les lieux communs du mythe de Cincinnatus, «cultivé» laborieusement par Washington. «Washington, d'après mes idées d'alors, était nécessairement Cincinnatus; Cincinnatus en carosse dérangeait un peu ma république de l'an de Rome 296. Le dictateur Washington pouvait-il être autre qu'un monstre, piquant ses boeufs de l'aiguillon et tenant le manche de sa charrue?», in *Mémoires d'outre-tombe*, Pléiade, tome I, p. 220.

Sur cette filiation romaine de G. Washington, voir Garry Wills, *Cincinnatus, George Washington and the Engligtenment*, New York, Double Day, 1984. Voir aussi John R. Alden, *George Washington*, Louisiane, 1984.

corrompu la tâche d'améliorer la terre plus que toute cette fausse gloire qui s'acquiert grâce à une carrière continue de conquêtes»[18]. N'empêche que les Américains, malgré eux, vont conquérir le Far-West, le mousquet dans une main, la charrue dans l'autre. La conquête de l'Amérique «américaine» aura été à ce prix.

Le guerrier *canadien* livre sa dernière bataille le 28 avril 1760, jour mémorable de la bataille de Sainte-Foy près de la ville de Québec. Dernier sursaut du soldat *canadien* et des troupes françaises de ligne, après la débâcle de la bataille des Plaines d'Abraham. Là, le sort du guerrier français nord-américain s'est scellé de façon définitive. «Nos habitants, autre Cincinnatus (...) ont échangé le mousquet pour la charrue»[19]. Celui qui parle ainsi n'est nul autre que le dernier soldat du *Canada* dans le roman «historique» de Philippe Aubert de Gaspé père, décrivant les changements des mentalités *canadiennes* dans les temps troubles de l'après-défaite. C'est là un «document» important, le seul à notre connaissance qui s'attache à décrire la mutation des mentalités suivant cette grande césure de l'avant et de l'après-conquête. Rien d'étonnant alors que ce soit le lieutenant Raoul d'Haberville, appelé justement «chevalier»[20], et non le seigneur, qui constitue le centre du manoir seigneurial: tellement la fonction martiale a été valorisée durant le Régime français. «Ce n'était pas un personnage de minime importance que mon oncle Raoul; c'était, au contraire, à certains égards, le personnage le plus important du manoir»[21]. Cultivé, lettré, il se «piquait de bien savoir le latin»[22], Horace, Ovide et Virgile étant ses auteurs favoris. Il put donc accéder directement à son idéal romain: Cincinnatus.

Le Cincinnatus *canadien*, après la bataille fatidique de Sainte-Foy, retourne une fois pour toutes à ses labours. L'écho de son mousquet, qui s'est tu avec le Régime français, ne traverse pas le «mur du son» de la Défaite. Si bien que le Canadien français, — et, partant, le Québécois — coupé des bruits de son propre passé, a oublié qu'il a déjà été ce guerrier redoutable qui fit trembler l'Amérique du Nord. Le grincement du soc et

---

18. *Autobiography of the Greatest Americans*, édition G. Iles, New York, Nelson Doubleday, 1924; nous soulignons.

19. Philippe Aubert de Gaspé père, *les Anciens Canadiens*, 1864, rééd. 1975, Fides, p. 265.

20. *Ibid.*, p. 103. Il faut certes faire la part de «propagande», puisque *les Anciens Canadiens* sont la «défense et illustration» du système seigneurial, aboli en 1860.

21. *Ibid.*, p. 104.

22. *Ibid.*, p. 103.

le cliquetis des instruments aratoires sont les seuls bruits qui parviennent jusqu'au Québécois du fond de son histoire. Ses propres historiens et idéologues lui en rebattent les oreilles: oui, il a toujours été *habitant*-agriculteur, *rien* qu'agriculteur. C'est que le Nouveau régime a bien fait son travail de labour. Il a désarmé les descendants des *Canadiens*... jusque dans leurs consciences.

L'inconscient des peuples

C'est donc dire — nous l'avons constaté à plusieurs reprises — qu'un certain nombre d'attitudes et manières d'être des «Anciens Canadiens» ont été soit marginalisés, soit refoulées par les historiens canadiens-français, dans la mesure où elles ne cadraient plus avec la psyché ultérieure. Si le *coureur de bois* survit dans un avatar folklorisé qui n'a plus rien de commun avec sa première incarnation, le guerrier *canadien* a complètement disparu des champs de batailles et surtout des champs de conscience des Canadiens français.

L'histoire d'un peuple, comme celle d'un individu, a donc son inconscient, son «ça», où sont refoulés les événements traumatiques, les affects du passé, certes, mais aussi, le plus couramment, les faits et gestes jugés comme «dépassés» précisément parce qu'ils mettent en cause l'*imago* qu'a ce peuple de lui-même dans le présent.

Dans l'histoire collective, les défaites constituent évidemment les traumatismes par excellence. Pas étonnant que les peuples veuillent les «oublier», donc les refouler. Rien de tel, à la suite de la défaite *canado*-française sur les plaines d'Abraham (1759). Loin d'être refoulée, cette défaite demeure omniprésente, l'*arché*, archi-défaite. *La* Défaite écrit avec un *D* sans autre qualificatif temporel. Mais finalement, cette Défaite cache plus qu'elle ne révèle. Elle est ce que Freud a appelé un «*souvenir-écran (Deckerinnerung)*», souvenir qu'il faut percer comme un «couvercle» afin d'apercevoir ce qu'il cache.

Or, comme nous allons le montrer par la suite, la Conquête de 1759-1760 n'a pas été sentie, immédiatement après les événements, comme cette catastrophe apocalyptique qu'elle est devenue rétrospectivement chez les historiens nationalistes québécois. Elle est une construction *après coup (nachträglich)*, au sens freudien du terme, élaborée à la suite d'un *autre* traumatisme, d'un impact *psychologique* infiniment plus retentissant: l'insurrection de 1837-1838.

Ce que nous proposons, c'est une lecture psychanalytique de l'histoire du Canada français depuis la Conquête de 1759-1760. Il s'agit, en fait, de retrouver les pulsions premières, les réactions originelles des Canadiens français, avant qu'elles ne soient recouvertes par les élaborations ultérieures des historiens. Or, cet inconscient de la mentalité canadienne-française ne se dévoile pas dans l'histoire événementielle, mais dans le lieu d'épiphanie de manifestation par excellence de l'inconscient: l'imaginaire, la littérature, le mythe.

La situation nouvelle du Canada français impose donc un changement radical quant à notre méthode d'approche. Car là où jusqu'à maintenant, le comportement du *Canadien*, ses ressorts psychologiques profonds, se «lisaient» pour ainsi dire à livre ouvert, *immédiatement*, dans ses gestes militaires ou politiques, dans ses gestes quotidiens, il ne se révèle plus dans l'après-Défaite que *médiatement*, qu'indirectement, là précisément où il laisse parler son inconscient: à savoir dans ses productions imaginaires. Pour psychanalyser la défaite de 1760, c'est à ces dernières qu'il nous faut nous mettre à l'écoute.

Mais avant, il convient de démonter les élaborations secondaires des historiens contemporains, «souvenirs-écrans», qui nous cachent la «scène primitive» de la *vraie* défaite.

TROISIÈME PARTIE

DÉCAPITATIONS

Wir sehen alle Dinge durch den Menschenkopf an und können diesen Kopf nicht abschneiden; während doch die Frage übrigbleibt, was von der Welt noch da wäre, wenn man ihn doch abgeschnitten hätte.
(«Nous voyons toutes les choses à travers la tête humaine et nous ne pouvons couper cette tête; alors que se pose la question de ce qui resterait du monde si on l'avait coupée»)

Friedrich Nietzsche,
Menschliches, Allzumenschliches.

Vous devez être ouvert en vie, et vos entrailles seront arrachées et brûlées sous vos yeux; alors votre tête sera séparée de votre corps, qui doit être divisé en quatre parties; et votre tête ainsi que vos membres seront à la disposition du Roi.

Jugement contre David McLane,
exécuté à Montréal le 21 juillet 1797.

Toute décision véritable dans la culture a un caractère sacrificiel (decidere, c'est couper la gorge de la victime) et par conséquent remonte à un effet de bouc émissaire non dévoilé, à une représentation persécutrice de type sacré.

René Girard,
le Bouc émissaire

A. Psychanalyser la Défaite de 1760

Un voile sombre couvrait toute la surface de la Nouvelle-France, car la mère-patrie, en vraie marâtre, avait abandonné ses enfants Canadiens.

Philippe Aubert de Gaspé père,
Les Anciens Canadiens

C'est ainsi que (l'enfant) en vient à se raconter des histoires, ou plutôt une *histoire qui n'est rien d'autre en fait qu'un arrangement tendancieux de la sienne, une fable biographique conçue tout exprès pour expliquer l'inexplicable honte d'être mal né, mal loti, mal aimé, et qui lui donne encore le moyen de se plaindre, de se consoler et de se venger, dans un même mouvement de l'imagination où l'on ne sait ce qui l'emporte en fin de compte de la pitié ou du reniement.*

Marthe Robert
Roman des origines et origines du roman

Chapitre I

La Défaite: «apocalypse now» ou machination après coup?

Le cercle vicieux canadien

La conquête de 1760 apparaît comme la grande césure, la ligne de partage des eaux qui coupe radicalement les deux versants de l'histoire *canadienne*: l'Ancien Régime colonial de la France et le Nouveau Régime anglais. Pourtant, les historiens québécois de l'économie, tels que Fernand Ouellet, nous diront: pas de hiatus, pas de crête qui sépare irrévocablement, sans aucune possibilité de médiation un *Avant* d'un *Après*, le Même se perpétue après la Conquête[1].

En effet, quoi de plus ressemblant que deux régimes coloniaux, peu importe qu'ils soient anglais ou français? Les structures économiques (commerce de la fourrure), restent en place; simplement la bourgeoisie *canadienne*, faible, peu entreprenante déjà sous le Régime français, sera remplacée par la bourgeoisie commerçante anglaise, plus active, remuante, qui, de plus, pourra compter sur les acquis de la Révolution industrielle. La défaite, loin d'avoir été un frein au développement économique, constitue une prime à la survie du plus fort («survival of the

---

1. Fernand Ouellet, *Histoire économique et sociale du Québec*, 1760-1850, Montréal, Fides, 1966.

fittest»). En somme, la conquête est une victoire pour le système économique, certes, mais plus encore pour le nouvel «homo oeconomicus» venu d'Angleterre. À la rigueur, le *Canadien* aurait été battu de toutes façons sur le champ de bataille économique. La défaite militaire des Plaines d'Abraham n'a fait que précipiter une défaite économique du *Canadien*, devenue inévitable.

Inutile de dire que Fernand Ouellet n'a pas beaucoup de disciples au Québec! Naturellement, on aura vite fait la critique de cette perspective économique de l'histoire, fût-elle «nouvelle», suspendue qu'elle est exclusivement aux fluctuations des taux d'intérêts, aux balances des importations et des exportations, aux conditions climatiques pour les récoltes, etc. Mais c'est moins parce que son interprétation de l'histoire *canado*-québécoise s'inspire de la mécanique aveugle des seuls ressorts économiques que Ouellet et les siens (s'il en a!) sont ostracisés au Québec, que parce qu'il postule une route continue là où il faut voir un fossé, un abîme qui coupe cette route en deux, rendant quasiment impossible tout parcours continu, d'un seul tenant, des deux régimes reliant l'Ancien et le Nouveau.

Et voilà que les spécialistes universitaires — la plupart des historiens québécois, comme ceux des autres pays, sont des universitaires — se sont donné le mot pour quasiment «institutionnaliser» ce fossé entre la Nouvelle-France et le *Canada* de l'après-conquête. L'historien spécialiste de la Nouvelle-France saisit l'aubaine de ce fossé apparemment «naturel» qu'offre l'histoire *canadienne* entre deux régimes tranchés à la serpe, mieux, à l'épée: l'histoire de l'Ancien Régime s'arrête donc en 1763, avec la cession du Canada à l'Angleterre. D'autres «horribles travailleurs» prendront la relève à partir de là. Mais le relais ne se fait pas puisque les deux coureurs (pas des bois cette fois) ne se rencontrent pas. Restent alors deux pans, deux bâtons (*symboloi*) coupés en deux, que personne ne cherche à unir, sous prétexte que la coupure est congénitale, naturelle. Ce «cercle» *canadien* n'est pas herméneutique, il est «vicieux».

La Défaite: son point aveugle

Pourtant, objectera-t-on, le premier grand historien du Canada français du XIXe siècle, François-Xavier Garneau, fondateur de l'histoire canadienne-française, non encore aplati par les laminoires universitaires de la spécialisation, fait une lecture *totale* de l'histoire *canadienne*, englobant notamment la Défaite[2]. C'est vrai, mais sa lecture de l'histoire *canadienne* insère aussi pour la première fois ce «disjoncteur» qui arrête littéralement le courant historique de couler de source: l'Autre, l'Anglais, qu'il présente comme l'ennemi qui a soumis militairement le *Canadien*. Il devient le nouveau sujet, actant de l'histoire, réduisant le *Canadien* au simple figurant, spectateur passif de sa propre histoire. On sait la fortune qu'a connue cette vision de l'histoire au Québec depuis la Révolution tranquille et la fondation de la revue *Parti pris* en 1963, revue qui d'autre part a appelé à la rescousse la pensée anti-coloniale française pour y réagir.

En fait, l'historiographie québécoise n'a pas vu combien sa vision de l'histoire de l'après-conquête fut tributaire de la mise en perspective — pour ne pas dire de la mise en scène — opérée par l'histoire fondatrice de Garneau. Comment les historiens québécois auraient-ils pu le voir, puisque Garneau est le *point aveugle* de l'histoire canadienne-française/québécoise? Les Canadiens français autrefois et les Québécois aujourd'hui, sans le savoir, voient *leur* histoire avec les yeux de François-Xavier Garneau. C'est lui qui a fondé, fabriqué de toute pièce leur histoire de la Défaite: Garneau, le Tite-Live du Canada français.

Il resterait donc à écrire pour le Canada français et le Québec moderne l'*histoire de son histoire*, afin de se rendre compte combien le parcours de leur historiographie a été infléchi à partir de François-Xavier Garneau. Mais un Québécois-né, vu qu'il a intégré parfaitement ce prisme infléchissant de la Défaite construit par Garneau est-il à même d'écrire cette histoire? — Par une loi élémentaire de l'optique, on ne saurait voir l'oeil

---

2. François-Xavier Garneau, *Histoire du Canada*, 1845 (tome I), 1848 (tome III). Nous citons d'après la 5ᵉ édition, Alcan, 1920.

Il est à noter que F.-X. Garneau «évolue» en rédigeant son *Histoire*. L'année 1841 qui marque l'Union des deux Canadas, est le point de départ, motif extérieur déclenchant l'acte d'écriture de l'*Histoire du Canada* et le point d'arrivée où s'achève cette *Histoire*. À la fin, l'image du conquérant anglais s'est métamorphosée, suivant en cela la transmutation générale que subit l'image des *Canadiens* et des Anglais, transmutation que nous nous proposons de tracer ici. En effet, le conquérant, l'ennemi de 1760, au bout du parcours historique de «bourreau» qu'il est devenu chez Garneau se mue en modèle à imiter. Ironie du sort, l'Angleterre, dans son lointain passé, n'a-t-elle pas déjà «maîtrisé» la conquête française de Guillaume le Conquérant? En prenant modèle sur l'Angleterre qui a su transformer une défaite en une victoire, le Canada frappera également sa Conquête d'un signe positif. «Nous trouverons dans l'histoire de notre métropole elle-même de bons exemples à suivre. Si l'Angleterre est grande aujourd'hui, elle a eu de terribles tempêtes à essuyer, la conquête étrangère à maîtriser (...) Sans vouloir prétendre à une si haute destinée, notre sagesse et notre ferme union adouciront nos difficultés, et, en excitant leur intérêt, rendront notre cause plus sainte aux yeux des nations». *Op. cit.*, tome II, p. 718.

avec lequel on regarde. Le miroir? Narcisse *se* voit-il, puisqu'il se prend
pour un Autre?

Nous pouvons donc affirmer que sans aucune doute la «révolution
tranquille», la plus radicale que Garneau opère dans l'histoire du Canada
français vient de son interprétation de la Conquête. En effet, c'est lui le
père de *la Défaite* qui a mué la Conquête en Défaite, puisque c'est lui qui
a introduit l'idée de la catastrophe initiale, de l'effondrement de l'Ancien
régime, mais surtout de la Conquête — sujétion brutale d'un peuple installé fièrement et légitimement sur les bords du Saint-Laurent — par un
ennemi dominateur: l'Anglais. Cette Défaite est si bien ancrée dans «la
nature des choses québécoises» qu'elle paraît normale, qu'elle semble un
truisme. La vision contraire est aujourd'hui contre nature, abjecte, inconcevable: le Canada français se serait jeté dans les bras de son conquérant,
le saluant comme son rédempteur.

La Défaite est devenue pour le Québécois l'alibi, l'ailleurs, l'autre de
son raisonnement, de sa raison d'être. Il a besoin de cette Défaite qui
expliquera et justifiera *tous* ses défauts, incomplétudes, maux nationaux
et individuels. Cette Défaite devient le monstre et le miracle monocausal
auquel ont recours les idéologues et sociologues et littérateurs québécois
de tout acabit: *ma* défaite, même deux cents ans après, est toujours *la*
source lointaine, qui cause l'inégalité des statuts entre Anglais et
Français, la place peu enviable du Québec dans la Confédération canadienne, l'état critique de la langue des élèves québécois d'aujourd'hui, les
taux de chômage plus élevés au Québec que dans les autres provinces
canadiennes, ... que sais-je encore?

D'autres peuples ont aussi connu des défaites cuisantes. Je pense à
l'Allemagne: la défaite infligée par les armées napoléonnienes en 1806,
les défaites écrasantes des deux dernières guerres mondiale; et je pense à
la France, la défaite de 1870, celle humiliante de la Deuxième Guerre
mondiale. Si les autres ont eu *des* défaites, événements certes douloureux
mais naturels dans l'histoire des peuples, le Canada français, le Québec, a
connu *la* Défaite entraînant un changement d'allégeance. Événement
unique, catastrophique, apocalyptique qui a transformé instantanément,
dès 1760, un paysage idyllique où des bergers et des bergères à la Watteau
dansaient au son du pipeau en une société triste, dominée par la loi
d'airain du conquérant qui écrase sous sa botte toute velléité d'émancipation des *Canadiens*.

LA DÉFAITE: «APOCALYPSE NOW» OU MACHINATION APRÈS COUP?   281

De l'âge d'or à l'âge de fer: blessures, amputations, amnésies

Selon ce nouveau mythe historique introduit par Garneau, comme dans *tout* mythe, l'âge de fer succède à l'âge d'or. Depuis 1760, le peuple *canadien* croupit dans les chaînes forgées par le conquérant. La Défaite est un moment malheureux de la conscience canadienne-française, parce qu'elle signifie sa chute, chute dans le temps, chute dans l'histoire, chute incarnée par l'Autre qui fait intrusion dans le paradis du Même. L'Autre, l'ennemi, par sa présence conquérante inflige aux *Canadiens* une blessure, une blessure narcissique. «La blessure est plus *récente* que tu ne le crois, et saignera pendant tout le cours de ma vie, car tout mon avenir de bonheur est brisé» dira un des personnages des *Anciens Canadiens*[3], premier document littéraire important à mettre en scène ce monde *canadien*, séparé en deux plus que par deux régimes, par deux âges, par deux mentalités, suivant en cela la scission originelle inventée par François-Xavier Garneau. D'ailleurs, *les Anciens Canadiens* paraissent un an justement après la publication du deuxième volume de l'*Histoire du Canada* (1862) mettant en scène la Défaite.

Gaietés, rires, danses, fêtes galantes, sous l'âge d'or de l'ancien régime; blessures, amputations, castrations dans le nouveau régime. «Faites excuse, dit José l'ancien combattant de De Locheill, si je ne vous présente que la gauche, j'ai *oublié* l'autre sur les Plaines d'Abraham. Je n'ai pas de reproche à faire à la petite jupe (les anciens Canadiens appe-laient les montagnards écossais la «petite jupe») qui m'en a *débarrassé*: il a fait les choses en conscience; il me l'a coupé si proprement dans la jointure du poignet qu'il a exempté bien de la besogne au chirurgien qui a fait le pansement (...) Après tout, c'est pour le mieux, car que ferais-je de ma main droite *à présent qu'on ne se bat plus*. Pas plus de *guerre que sur la main*, depuis que l'Anglais est maître du pays»[4]. Retenons, pour nos analyses ultérieures, les conséquences psychologiques de cette défaite. Cette mère, qui a cessé d'être protectrice («petite jupe»), mutile, ou consent à ce qu'on coupe, à ce qu'on châtre.

Comme on le voit, le *Canadien* ne se plaindra pas de cette mutilation infligée par son ennemi. Bien au contraire, dans un élan masochiste d'humour noir il l'en félicite: n'a-t-il pas fait en coupant sa main droite un travail de précision remarquable qui ferait rougir les meilleurs chirur-

---

3. *Op. cit.*, p. 265.

4. *Op. cit.*, pp. 233-234; nous soulignons.

giens? L'Anglais l'a simplement *débarrassé* d'un membre inutile dorénavant sous le joug du nouveau maître. Désarmé à tout jamais, guerrier
pacifié, le bras droit du *Canadien* qui tenait l'épée est devenu inutile, un
poids mort. «Bras oublié» sur le champ de bataille des Plaines
d'Abraham: le champ où a poussé l'amnésie individuelle et collective,
champ sur lequel le Québécois a perdu sa mémoire. C'est parce qu'il est
amnésique qu'il répète obsessivement qu'il doit se souvenir. Je me souviens! devise du Québec. De quoi?

Les bons débarras! Même les jambes ne servent plus guère depuis la
dernière défaite du 28 avril 1760. «Ah! mon cher André, dit Jules,
l'éternel railleur: *quantum mutatus ab illo*, comme dirait mon cher oncle
Raoul. (...) Qu'as-tu donc fait de tes grandes jambes dont tu étais jadis si
fier dans cette même savane? Ont-elles perdu leur force et leur agilité
depuis le 28 avril 1760? Tu t'en étais pourtant furieusement servi dans la
retraite comme je te l'avais prédit»[5]. Autre *mutation* du *Canadien*:
guerrier il a cessé de se battre, *coureur de bois* il a cessé de courir les
bois. Devenu sédentaire, il ne se sert plus de ses jambes. Il va s'enraciner,
devenir plante, *perdre* ses jambes comme il a *perdu* sa main droite. Ces
mutations quasi instantanées ont été, en fait, le résultat de transformations
lentes s'étalant sur plus de soixante ans. Mais le mythe ignore la durée...

À ces temps durs, douloureux, des blessures et des restrictions physiques et psychiques, s'oppose, depuis Garneau et de Gaspé père, l'âge
d'or de l'insouciance enfantine des Anciens Canadiens. «Les Anciens
Canadiens, terribles sur les champs de bataille, étaient de *grands enfants*
dans leurs réunions... On aurait dit des frères et des soeurs se livrant en
famille aux ébats de la plus folle gaieté (...) Heureux temps où la gaieté
folle suppléait le plus souvent à l'esprit qui ne faisait pas défaut à la race
française! Heureux temps où l'accueil gracieux des maîtres suppléait au
luxe des meubles de ménage (...) La folle gaieté ne cessait que pendant le
sommeil, et renaissait le matin»[6]. Le *Canada*, avant la Défaite, pays du
sourire; après la défaite, pays des pleurs, des deuils et de la mélancolie.

Ce clivage entre un avant paradisiaque et un après infernal, délimitant
deux régimes de temps encodés d'abord par l'historien F.-X. Garneau,
puis romancé par Ph. A. de Gaspé père dans des conditions qui restent à
éclaircir, est devenu un absolu, le *must* de tout historiographe nationaliste
québécois qui se respecte. Bien plus, ce clivage est le sceau de la «vérité»

5. *Ibid.*, p. 253.

6. *Ibid.*, pp. 260 et 262.

historique au Québec. Dites, comme le fait Fernand Ouellet dans son *Histoire économique et sociale du Québec*, que la conquête n'est pas ce «*traumatisme extrêmement grave*, capable d'arrêter une nation, déjà assez bien constituée, mais encore au stade de l'*adolescence*, dans sa marche vers la maturité»[7], et vous verrez comme vous serez vite flétri ou mieux, ostracisé par les vigiles nationales québécoises qui veillent pour empêcher que le *trauma* de la Défaite ne se cicatrise, ne guérisse. Il faut, bien au contraire, que la plaie reste ouverte, béante, saignante. «Les blessures ne se cicatrisent plus. À qui la faute?», gémissait déjà G.J. de Lotbinière au milieu du XIXe siècle[8]. La «faute» en partie à ces idéologues, à ces historiens, à ces «vigiles» de la cause nationale québécoise qui excommunient, frappent d'inexistence tous ceux qui voudraient guérir le trauma de la Défaite, combler le fossé entre l'avant et l'après-conquête, nier les débuts malheureux du nouveau Régime anglais.

Le Québec, une histoire pas comme les autres:
le dogme de la «vérité» historique

Justement, Michel Brunet — historien d'obédience nationaliste, qui a consacré sa vie et son oeuvre à sonder jusqu'au moindre geste de notre vie politique et sociale, à analyser l'impact d'une conquête commencée depuis 200 ans — met en garde tout historien qui s'aviserait de traiter cet événement comme passé, révolu. La conquête aimante le présent. Le rôle de l'historien québécois doit être justement selon Michel Brunet, de rendre actuel, de garder éveillé le souvenir de la Défaite.

> La pensée canadienne-française connut *nécessairement* une *évolution* différente de celle que l'historien constate chez les sociétés placées dans un *contexte normal* qui a favorisé leur plein épanouissement. Résultat: une pensée *incomplète*, *tronquée*, souvent *puérile*, à la remorque des influences étrangères ou se réfugiant dans un isolationnisme stérile, impuissante à saisir les problèmes complexes du milieu et incapable de les définir, sujette à se nourrir d'illusions et de vastes synthèses divorcées de la réalité quotidienne, portant toutes les caractéristiques d'un *infantilisme* indûment prolongé. Celui qui s'attarde à souligner, *sans tenir compte des conséquences terribles de la conquête et de l'occupation étrangère*, les

---

7. *Op. cit.*, p. 1; nous soulignons.
8. Lettre du 13 janvier 1852, cité d'après Ouellet, *op. cit.*, tome II, p. 415.

faiblesses et les contradictions de cette pensée, *commet une grave injustice*. L'historien qui néglige ou qui refuse de voir *dans la Conquête de 1760 le fait capital de l'histoire du Canada français, l'événement tragique* qui a modifié *complètement son orientation*, prouve qu'il *ignore son métier* ou qu'il *manque d'objectivité*.[9]

Texte programmatique qui mériterait qu'on s'y arrête plus longuement. Soulignons seulement la filiation inconsciente avec Aubert de Gaspé: après le trauma de la Défaite, la gaieté enfantine s'est dégradée en régression infantile, en infantilisme psychologique; l'intégrité psychologique et corporelle a été estropiée par des mutilations psychiques («pensée tronquée»). Seulement, l'intuition du romancier est maintenant érigée en vérité dogmatique. La Conquête *canadienne* est un événement unique, quasi magique, qu'aucun peuple au monde n'a connu sous cette forme. De ce fait, elle introduit une histoire «spécifique», une *autre* histoire et l'histoire de l'Autre: l'histoire du Québec. On le voit, la Conquête est la pierre de touche qui révèle le «bon», le «vrai» historien, bref, l'historien québécois. L'historien qui la relativise — en disant que d'autres ont aussi connu des conquêtes, en mettant en cause son caractère unique et, par là même, en réduisant sa portée *tragique* — se disqualifie d'office, est déchu de son titre d'historien, car il prouve qu'il ignore son métier ou qu'il manque d'*objectivité*. N'ont droit au titre d'historiographes «objectifs» de la cause québécoise que ceux qui se sont voués à l'écoute obsessive et exclusive des conséquences de la Défaite.

Ne nous indignons pas trop de ce que cet historien nationaliste fasse sa croisade sainte pour la Défaite au nom de l'*objectivité*. En tout temps, l'*objectivité* (l'«objectivité» du savant) a été la marque d'une subjectivité malheureuse, complexée, qui n'osait montrer son vrai visage[10]. On ne s'étonnera donc pas outre mesure que l'historien zélé, qui excommunie les autres au nom de leur manque d'objectivité, suive aveuglément et sans s'en rendre compte les traces de la *fiction*, de l'histoire romancée de Philippe Aubert de Gaspé, *les Anciens Canadiens*. Autrement dit, il ne fait que perpétuer le roman national, contrepartie collective du «roman familial» freudien, sur lequel nous reviendrons dans un moment.

En effet, bien que Michel Brunet se soit spécialisé, pour des raisons que nous comprenons maintenant, dans l'après-conquête, chaque fois

9. Michel Brunet, *la Présence anglaise et les Canadiens. Études sur l'histoire et la pensée des deux Canadas, op. cit.*, pp. 116-117; nous soulignons.

10. Edgar Morin, *la Méthode* II. *La nature de la nature*, Paris, Seuil, 1980.

qu'il évoque la vie de l'Ancien Régime, c'est sous les couleurs roses d'une idylle — celles mêmes des *Anciens Canadiens* — d'une société harmonieuse, pleine, épanouie. «Pendant toute la période coloniale française, les Canadiens ont vécu sous l'autorité d'institutions et de lois qu'ils acceptaient *librement* parce qu'elles étaient à leur service. (...) Les relations entre les dirigeants de la société canadienne et la masse de la population étaient en général excellentes. Il n'existait pas de barrières infranchissables entre les diverses classes. Les conditions de vie en Amérique du Nord avaient créé un climat égalitaire»[11]. Le *Canadien* avait beau vivre dans une société féodale, il avait beau être dépourvu du moindre élément d'une institution démocratique (comme les voisins du Sud les avaient instaurées): par *définition*, il est libre, heureux, parce que l'Autre, l'ennemi, le conquérant anglais, n'a pas encore fait irruption dans son pays. L'idylle de ces historiens «défaitistes» consiste à croire que l'aliénation des *Canadiens* a commencé à partir du moment où l'Autre, conquérant et occupant de son territoire, a mis les pieds sur son territoire. Nous avons montré précédemment avec quelle vigueur le pouvoir royal français a réprimé toute velléité démocratique en Nouvelle-France. La *subjectivité* de Michel Brunet et de son école néo-nationaliste transparaît dans leur façon de voir la Défaite comme foudroyante, de la considérer comme un traumatisme instantané qui en un jour aurait modifié le paysage mental du Canada, et surtout de croire que cette mutilation que le *Canadien* s'est vu infliger ne fut pas une auto-mutilation à demi consentie mais perpétrée brutalement par l'Autre.

Or, les composantes de ce qu'il convient d'appeler le «roman national» canadien-français furent mises en place dans la première histoire du Canada français à être publiée. C'est à ce titre que l'*Histoire du Canada* de F.-X. Garneau mérite le qualificatif de *fondatrice*, car elle a fondé et, en même temps, infléchi, biaisé le cours de l'histoire canadienne et québécoise. Plus besoin de lire l'*Histoire du Canada* de François-Xavier Garneau (quel *Canadien*/Québécois a lu ces deux gros volumes du début à la fin?), sa vision de la défaite, relayée par des historiens, écrivains, poètes, sociologues, etc., est tracée dans l'inconscient collectif québécois. Histoire devenue anonyme. Elle est de l'ordre du *mythe*.

---

11. M. Brunet, *Québec — Canada anglais; deux itinéraires, un affrontement*, Montréal, HMH, 1968, p. 113; nous soulignons.

Tragédie ou comédie de la Défaite? — C'est la faute à Voltaire

Il est donc indispensable, avant de vouloir comprendre la *suite* de l'histoire canadienne-française et québécoise et d'évaluer la mutation réelle des mentalités entraînées dans la foulée de la Défaite, de nous arrêter un instant pour démonter les mécanismes et les dispositifs mis en place par Garneau pour expliquer la Défaite. Évidemment, chez cet historien comme chez tous les autres, le Régime français s'achève par la «Seconde Bataille des Plaines d'Abraham», le 28 avril 1760. Mais, chez Garneau, le Régime se clôt vraiment en pièce de théâtre, accompagnée du «rire effréné» de Voltaire. Coup de théâtre d'une banalité insignifiante qui semble avoir échappé à l'attention des historiens français mais qui, vu du *Canada*, prend des proportions apocalyptiques: le sort de la colonie semble s'y jouer, au plein sens du terme.

Voltaire, à Ferney, a donné une fête pour célébrer «le triomphe des Anglais à Québec, ... commémorer le triomphe de la liberté sur le despotisme». On joue, après le banquet, une pièce anglophile au titre révélateur *le Patriote insulaire*, où Voltaire lui-même tient le rôle principal. «Après la pièce, les fenêtres de la galerie s'ouvrirent, et l'on vit une cour spacieuse illuminée et ornée de *trophées sauvages*. On fit partir un magnifique feu d'artifice au bruit d'une belle *musique guerrière*. L'étoile de Saint-George lançait des fusées, au-dessous desquelles on voyait représentée la *Cataracte du Niagara*»[12]. On le voit, sont à la fois mis en scène, aux sons et lumières d'une *comédie*, tout ce qui constituait l'*Ancien Canada*, la Nouvelle-France: ses sauvages, la nature guerrière (évoquée par la musique), sa nature sauvage, indomptable (les chutes du Niagara). Bien évidemment, ce qui choque, au *Canada*, c'est que Voltaire se trompe de ton, de genre: là où il y aurait lieu d'entonner les péans de la *tragédie* (l'histoire du Canada *doit* être jouée, Michel Brunet l'avait laissé entendre, sur le mode tragique), Voltaire fait éclater le «rire hideux» de la comédie. «Ce spectacle étrange donné par un Français a quelque chose de sinistre. C'est le rire effréné d'une *haine* plus forte que le malheur, mais ce rire effrayant a reçu depuis son explication dans les bouleversements et les vengeance de 1793 (décapitation de Louis XVI). La cause des Canadiens fut vengée dans des flots de sang. Mais hélas! la France ne pouvait plus rien pour des *enfants abandonnés* sur les bords du

12. *Op. cit.*, p. 293.

Saint-Laurent et un peu plus tard, elle avait *perdu leur souvenir*»[13].

C'est sur l'évocation de ce spectacle comico-macabre de Voltaire que prend fin le Régime français dans l'*Histoire* de Garneau. Le personnage Voltaire apparaît encore pour clore cette fois l'*Histoire du Canada* en son entier. En effet, après avoir mis le point final à cette histoire qui se termine sur les souvenirs de l'Angleterre du Moyen Âge qui a réussi à maîtriser la «conquête étrangère» (française), Garneau, en appendice, évoque toutes les flétrissures et vilenies contre le *Canada* et ses habitants dont Voltaire s'est rendu coupable. Évidemment, il rappelle la plus célèbre, celle de *Candide*. «Vous savez que ces deux nations (l'Angleterre et la France) sont en guerre pour quelques arpents de neige *vers le Canada*» (*Candide*, chapitre XXIII.) Injure suprême qui laisse apparaître le *Canada* comme un lieu approximatif (*vers*), incertain, dénué de ses habitants, les *Canadiens*; territoire réduit à *quelques* (encore l'approximation!) arpents de neige. Voltaire surenchérit pourtant en ironisant: «Nous (les Français) avons eu l'esprit de nous établir en Canada sur les neiges entre les ours et les castors»[14]. Encore une fois, ces neiges, ces ours et ces castors rendent scandaleuse l'absence d'habitants humains, de souche française, les *Canadiens*.

Dans la structure d'ensemble de l'*Histoire* de F.-X. Garneau, la *tragédie* du Canada français de la défaite est donc encadrée par la dérision et la satire de cette *comédie* française jouée sur le sol français et qui inverse en le ridiculisant, comme l'ont fait les *satyres* antiques, le propos sérieux de la tragédie *canadienne*. Le *Canada*, une distraction de la France dans le double sens d'inadvertance et de divertissement, donnée en spectacle sons et lumières en *supplément*, après la pièce à proprement parler qui se déroule en Angleterre, patrie de la liberté (son titre n'est-il pas *le Patriote insulaire*?), ennemie du despotisme absolu à la française.

Évidemment, le lecteur actuel se demande pour quelle raison Garneau qui écrit la première histoire du Canada fait mention de cette représentation théâtrale à *ce* moment crucial, *capital* de l'Histoire du Canada. Il est intéressant de noter que Louis Fréchette, lecteur assidu de F.-X. Garneau, dans son épopée du Canada français, *la Légende d'un peuple*, utilise le même principe d'encadrement que l'historien: son épopée nationale n'est-elle pas encadrée, comme l'*Histoire* de Garneau, par le portrait (portrait contre nature, hors cadre!) de Voltaire! En effet, cette

---

13. *Id.*
14. *Ibid.*, p. 719.

longue traversée lyrique par le barde de l'histoire *canadienne* se termine
«sous la statue de Voltaire». À la dérision voltairienne des «quelques
arpents de neige» et à son «sourire hideux» font face la fierté hautaine
d'un peuple qui a survécu *malgré* Voltaire.

> Et dis-moi maintenant, de ta voix satanique,
> Qui vont pouvoir flétrir par sa verve cynique
> Dans un libelle atroce, ignoble, révoltant,
> L'histoire que tout bon Français aimait tant;
> (…)
> Et qui savait si bien, ô gallant troubadour,
> En huant — Jeanne d'Arc chanter la Pompadour!
> Dis-moi, de cette voix tant de fois sacrilège,
> Ce qui valait pourtant *quelques arpents de neige*.[15]

On ne peut répondre vraiment à cette question qu'en tenant compte de
tous les éléments, du «roman national» contenu en germe dans cette page
terminale de l'*Histoire du Canada* qui scelle le sort de l'Ancien Régime
français et inaugure celui du Canada «anglais». Garneau, de façon
implicite, laisse entrevoir déjà toutes les pièces de ce «roman national»
qu'il va déployer jusqu'à «l'Union des deux Canadas» (1841), deuxième
moment tragique de l'Histoire *canadienne* qui fait apparaître dans la dure
réalité politique le spectre qui a toujours hanté le Canada français depuis
la Conquête: l'assimilation des Canadiens français à l'élément anglais est
maintenant inscrite dans la constitution grâce à l'Union du Haut-Canada,
entièrement anglais, et du Bas-Canada, le Canada français (enfin ce qui
en reste), tronqué de tous ses territoires de l'Ouest, les Pays d'en Haut.
Car les Anglais des deux provinces ensemble l'emporteront désormais
numériquement (dès 1851) sur les Canadiens français qui jusque là, dans
leur «province», ont été majoritaires. L'*Histoire du Canada* (français) de
Garneau est donc doublement enchassée: d'une part, par les deux satires
de Voltaire, au début du Nouveau Régime anglais et à la fin de l'*Histoire
du Canada*, et d'autre part par la Défaite de 1760 et celle des Patriotes de
1837-38 qui, après l'insurrection malheureuse, donna lieu précisément à
l'Union des deux Canadas, châtiment de l'Angleterre aux sujets
insoumis.

---

15. *La Légende d'un peuple*, *op. cit.*, p. 325.

Chapitre II

Le roman familial *canadien*

Un peu de psychanalyse: pourquoi pas?

À y regarder de plus près, ce que, dans une première approximation, nous avons appelé le «roman national» se révèle être le «roman familial» au sens strictement freudien, tel que Marthe Robert dans son beau livre *Roman des origines et origines du roman*[1] nous l'a expliqué.

Marthe Robert, on s'en souvient, se base pour son analyse sur le fragment de Freud intitulé «Der Familienroman der Neurotiker» (le roman familial des névrosés), publié pour la première fois dans l'étude de Rank, *le Mythe de la naissance du héros* (1909)[2].

> Longtemps, en effet, le petit enfant voit dans ses parents des puissances tutélaires qui lui dispensent sans cesse leur amour et leurs soins, en échange de quoi il les revêt spontanément non seulement d'un *pouvoir absolu*, mais d'une capacité d'aimer et d'une perfection infinie qui les place dans une sphère à part, bien au-dessus du monde humain. Pour l'être chétif que le danger menace de partout, cette *idéalisation* ne va pas sans de sérieux profits, en fait il y trouve justement ce dont il manque dans le sentiment de son *existence précaire*, d'abord un *gage de sécurité*, puis une explication honorable de *sa faiblesse* (...) et même un moyen de recevoir

---

1. Marthe Robert, *Roman des origines et origines du roman*, Paris, Grasset, 1972.
2. O. Rank, *le Mythe de la naissance du héros*, rééd. Payot, 1983.

toute la situation puisqu'à *diviniser ses parents* on devient soi-même l'*enfant-dieu*.[3]

Cette divinisation de soi par parents interposés est, bien évidemment, l'expression du narcissisme du jeune enfant qui se prend pour le «nombril du monde». Démesure, par ignorance et par peur du monde. Mais voilà: très vite cette première idylle narcissique se bute contre le dur tranchant de la réalité: l'enfant doit partager l'amour de ses parents avec des frères et soeurs, ses parents le frustrant, lui refusant d'accéder à ses désirs primaires, en l'éduquant, en le «dressant». L'enfant cesse donc d'être l'enfant-roi qu'il se croyait. C'est à ce moment précis que la réalité blessante fait irruption dans l'idylle royale du narcissisme, et que l'enfant commence à s'inventer son «roman familial». Car, en somme, il s'agit pour lui d'expliquer «l'inexplicable honte»[4], l'humiliation, la déception sentimentale de sa chute, sa «roture». Cette déchéance, il l'impute à «ses» parents. Autrement dit, l'enfant pour rester «roi», pour perpétuer le plus longtemps possible l'illusion narcissique, pour rester le «nombril du monde», va faire déchoir ses parents de leur «royauté», les dégrader. Il va se dire que ses parents biologiques ne sont pas de «vrais» parents, ne l'ont jamais été. En fait, il se déclare orphelin. Cet *estrangement*, cette *aliénation* («Entfremdung») est l'élément central du «roman familial» à ce point que Freud a également appelé ce roman le *Entfremdungsroman*. Donc l'estrangement, l'aliénation (*Verfremdung*) de l'enfant à ses (eigen) parents — *inventé*, ceci est important, par lui — est une punition *imaginaire* qu'il inflige à ses parents pour avoir manqué d'amour à son égard. L'enfant ne reconnaît plus ses parents puisque ces derniers n'ont pas voulu le reconnaître plus longtemps dans son rôle d'enfant-roi.

On le voit, l'enfant, imaginairement, se crée une nouvelle situation familiale en s'accrochant narcissiquement à son ancien statut d'enfant-roi. Ce sont les parents et non l'enfant qui sont déchus, ils deviennent des roturiers, de simples parents d'adoption de basse extraction aux moeurs douteuses. Selon un mode de fonctionnement bien connu en psychanalyse, le sujet s'adapte en inversant («*Verkehrung ins Gegenteil*») la situation initiale (car, en fait, c'est l'enfant qui est déchu): ses «*vrais*» parents — les parents du roman familial, inventés, certes,

---

3. Marthe Robert, *op. cit.*, pp. 44-45; nous soulignons.

4. *Ibid.*, p. 46.

mais auxquels l'enfant croit dur comme fer au prix d'une dénégation (*Verwerfung*) — sont d'ascendance royale.

Freud a bien expliqué cette idéalisation royale, surestimation du nouveau père par le désir de l'enfant de perpétuer narcissiquement l'ancienne idylle avec ses *propres* parents, déchus maintenant par son déni. «Ainsi l'enfant ne supprime pas vraiment le père mais le *magnifie*. Bien plus, toute la tendance à remplacer le père réel par un autre plus prestigieux ne fait qu'exprimer la *nostalgie* de l'enfant pour l'*heureuse époque désormais perdue* où son père lui est apparu comme l'homme le plus remarquable et le plus fort et sa mère comme la femme la plus belle et la plus aimante»[5].

Roman de l'origine, origine du roman

Tout *roman familial* s'agencera donc nécessairement en deux phases, en deux temps. Deux phases clivées par une faille, une «catastrophe» sentimentale. Avant: le bonheur, l'idylle, le paradis, l'insouciance du rire enfantin; après: la chute dans la réalité, chute dans le temps, dans la rationalité. «La déception sentimentale et l'humiliation aidant, il (l'enfant) va maintenant *observer*, comparer, mesurer, bref remplacer la *foi* par l'*esprit d'examen*, et l'*éternité* par la *réalité trouble du temps*»[6]. Ce clivage *du roman familial* freudien ne correspond-il pas précisément au hiatus inaugural de la Défaite telle que représentée et racontée par les romanciers et les historiens du Canada français (François-Xavier Garneau, Michel Brunet, Philippe Aubert de Gaspé père)? Ils racontent fondamentalement non *des* histoires, mais *une* histoire, toujours la même: le *roman familial* qui vise à colmater, grâce à l'imaginaire, la brèche affective ouverte dans la réalité *canadienne* par le retrait affectif de l'amour parental. La France n'a-t-elle pas abandonné son enfant légitime, le *Canada*; ne l'a-t-elle pas laissé orphelin? En effet, la réalité «abjecte» vient largement à la rescousse de l'enfant *canadien*: pas besoin de beaucoup de dénégation ou d'affabulation. Sa chute dans l'histoire, dans la dure réalité qu'il s'agit d'embrasser après la Défaite, sera compensée par l'idéalisation forcenée du temps d'Avant; de là cette *schize* profonde marquée par la catastrophe

5. Rank, *op. cit.*, p. 94; nous soulignons.
6. Marthe Robert, *op. cit.*, p. 46; nous soulignons.

inaugurale. Nous pouvons donc dire que le roman national *canadien* s'articule comme le *roman familial* freudien; il *est* ce *roman familial*.

Le *roman familial*, s'il substitue les parents imaginaires à des parents réels déchus de façon plus générale, opère aussi une rupture d'équilibre dans l'économie entre la réalité (*principe de réalité, Realitätsprinzip*) et l'imaginaire (*principe de plaisir, Lustprinzip*). En effet, au monde réel décevant, blessant, l'enfant oppose l'imaginaire narcissique consolant. Imaginaire, son roman familial est plus réel, plus «objectif» que la réalité rabaissée ou dégradée. C'est pourquoi Michel Brunet, en toute honnêteté, peut affirmer que seul ce *roman familial* (temps dégradé *après* la défaite, idylle *avant*) a un statut réel, «objectif». Tous les historiens qui ne racontent pas *ce roman familial* ne sont pas de «vrais» historiens. Ils ne racontent que *des* histoires. Il se passe donc ici dans le domaine du *roman familial* ce qu'on observe plus généralement dans le champ plus vaste du roman. Le roman, c'est le seul genre qui fasse passer ses créations, son monde, pour réels. Le roman, c'*est* la «réalité». «Contrairement à tous les genres constitués en vue d'une figuration, en effet, le roman ne se contente jamais de *représenter*, il entend plutôt donner de toute chose un «rapport complet et véridique», comme s'il ressortissait non pas à la littérature, mais d'on ne sait quel privilège ou de quelle *magie* directement à la réalité»[7]. C'est pourquoi comme Marthe Robert l'a magistralement montré, le roman des origines (roman familial) est aussi l'origine du roman.

C'est vrai aussi pour le *Canada*. En effet, le roman des origines québécoises, le roman familial québécois, est en même temps l'origine du roman québécois. Or, *l'Influence d'un livre* de Philippe Aubert de Gaspé fils, daté de 1837 laisse supposer que la rupture d'équilibre dans la mentalité du Canadien entre l'imaginaire et la réalité, entre un avant idyllique et un après triste se décide réellement à *ce* moment de son histoire et non en 1760. C'est pourquoi le roman fondateur, considéré par la plupart des critiques littéraires québécois comme pure fantaisie, décroché de la réalité, révèle plus que tout autre document historique l'époque de la métamorphose des temps et des esprits, donc nous préoccupera encore souvent dans ce chapitre.

Nous pouvons avancer que les histoires racontées — romans, poésies, etc. — au Québec depuis 1760 sont des fragments de ce roman de l'origine, lui-même morcelé, et que la généalogie des mentalités

---

7. *Ibid.*, p. 6; l'auteur souligne.

canadiennes-françaises se doit de les rapiécer, de les «rapailler». *L'Homme rapaillé* de Gaston Miron est lui-même un moment important dans ce *roman familial* dont les diverses pièces doivent être cousues ensemble à l'instar de ces «courtepointes» (titre d'un autre recueil de Gaston Miron), «patch-work» composé de morceaux hétéroclites qui finalement forment une structure secrète, à l'instar de cette «figure in the carpet» de Henry James.

La marâtre française

Comme nous l'a dit Marthe Robert, le *roman familial* est l'oeuvre d'un enfant qui, se sentant négligé par ses parents, parents déchus, se dit orphelin afin de s'inventer une autre généalogie plus noble. L'enfant frappe d'inexistence (*verwerfen*) la mère et le père biologiques, réels, mauvais, «castrants», parce qu'ils n'ont pas accédé à son désir narcissique d'amour, et il s'*imagine* une mère et un père plus dignes, un bon père et une bonne mère qui le choient mieux que ne l'ont fait ses mauvais parents biologiques. F.-X. Garneau l'a énoncé clairement, les Canadiens sont ces «*enfants* abandonnés sur les bords du Saint-Laurent, orphelins laissés à leur triste sort par ces parents dénaturés». Dans la même veine, Louis Fréchette ouvre son épopée canadienne-française avec un «Envoi à la France» où filtrent les mêmes reproches.

> Mère, je ne suis pas de ceux qui ont eu le bonheur d'être bercé sur tes genoux.
> Ce sont de bien *lointains* échos qui m'ont familiarisé avec ton nom et ta gloire.
> Ta belle langue, j'ai appris à la balbutier *loin de toi*.
> la Légende d'un peuple

Abandon qui s'exprime par l'éloignement, par l'«estrangement» affectif (*Verfremdung*), pour user encore des termes freudiens.

Ces mauvais parents français ne se contentent pas de laisser leur enfant à l'abandon, bien pis, ils ajoutent à ses peines d'amour leurs sarcasmes moqueurs. À preuve, ce «mauvais père», Voltaire, qui non seulement nie l'existence de son enfant (selon lui le *Canada* n'est peuplé que d'ours et de castors), mais de plus, se gausse par un rire effréné du sort

tragique de son enfant[8]. Bien sûr, Voltaire n'est en fait que le masque gri-
maçant de ce «mauvais roi», Louis XV, qui par sa politique ignomineuse
a laissé un enfant qui ne demandait qu'à être (p)materné en pleine croissance sur les rives du Saint-Laurent. «Leur abandon (des Français
d'Amérique) est une des plus grandes ignominies de l'ignomineux règne
de Louis XV»[9]. Tocqueville a été tout étonné, nous l'avons vu, de trouver
encore en vie cette Amérique française qu'il croyait assimilée à l'Anglais:
«Je m'étonne que ce pays soit si inconnu en France. Il n'y a pas six mois,
je croyais, comme tout le monde, que le Canada était devenu complètement anglais»[10]. Tocqueville a été d'ailleurs aussi le premier à
découvrir, nous l'avons vu, le côté «bon enfant» du *Canadien* qui contraste avec la morosité des mauvais parents français. «Il n'y a qu'au
Canada qu'on puisse trouver ce qu'on appelle un *bon enfant* en France»[11].
Il est le premier Français compatissant à découvrir cet orphelin vivant
encore sur les bords du Saint-Laurent.

On le conçoit, Garneau, le *Canadien*, n'a guère eu plus d'estime que
Tocqueville pour ce roi «ignomineux» qui expose son enfant, risquant par
là sa mort prématurée. C'est en fait cette mort qui aurait été son destin
normal. La survie de l'enfant est un miracle que les Canadiens français
expliquent, après coup, par leur élection divine (narcissisme religieux).
Ils sont le peuple élu de l'Amérique du Nord. En fait, le destin du
Canadien après 1760 s'articule sur celui des héros mythiques, de Moïse à
Oedipe: ils triomphent tous miraculeusement de l'épreuve de l'expo-
sition. Louis XV ne devrait donc que mériter le mépris des *Canadiens*, lui
qui «ne régnait que pour satisfaire ses appétits grossiers et ceux de ses
maîtresses»[12]. Mais le *Canadien* respecte trop la royauté, la fonction du
père royal pour la dénigrer, la mettre en cause directement. C'est
pourquoi il s'en prend à d'autres cibles, vicariantes: à Voltaire d'une part,

---

8. Pour le rôle de Voltaire au Canada, voir M. Trudel, *l'Influence de Voltaire au Canada*, 2 vol.
Montréal, 1945, et du même, *la Révolution Américaine*, 1775-1783, *Pourquoi la France refuse le
Canada*, Montréal, Boréal Express, 1976.

9. *Tocqueville*, p. 114.
Alain Peyrefitte, *le Mal français*, Paris, Plon, 1976, p. 104, a bien démontré que Louis XV et son
règne, malmenés en France aussi par les historiens, a été en fait le «bouc émissaire» de cette politique
coloniale désastreuse. Depuis Tocqueville, les historiens s'acharnent sur ce monarque, alors qu'une
histoire plus «objective» — si elle existe — est en train de réhabiliter le règne de Louis XV, pas
«pire» que celui de Louis XIV, loin de là.

10. André Jardin, *op. cit.*, p. 131.

11. *Ibid.*, p. 106.

12. F.-X. Garneau, *op. cit.* Il s'agit en fait d'une citation de l'*Histoire de France* de Sismondi.

mais surtout à la Pompadour, image même de la mauvaise mère, de la marâtre, telle que l'exige le *roman familial*. Encore une fois, la réalité rencontre à mi-chemin les fantasmes du *Canadien*. Non, le *Canada* n'a jamais connu de bonne mère aimante. Pour s'en convaincre il suffit de regarder la maîtresse de Louis XV, la putain du Roi. Oui, sa mère est une putain[13].

L'angoisse de la séparation

Edgar Morin a bien montré que la nation, à l'instar de l'individu, a une généalogie *paternelle* et *maternelle*. «Le sentiment national est un «complexe», une réalité psycho-affective... Sa composante psycho-affective fondamentale peut être définie comme extension sur la nation des *sentiments infantiles portés à la famille*. La nation est, en effet, bi-sexuée: elle est maternelle-féminine en tant que *mère* patrie que ses fils doivent chérir et protéger. Elle est paternelle-virile en tant qu'autorité toujours justifiée, impérative, qui appelle aux armes et au devoir»[14]. Dans la généalogie *canadienne*, c'est très nettement la composante maternelle de l'enfant qui a pris le dessus après la Conquête, alors que sous le Régime français c'était la composante paternelle (avec sa combativité guerrière) qui primait. La révolte des Patriotes, s'inspirant des lois d'airain du père, est la dernière flambée *patriotique* du nationalisme *canadien* avant qu'il ne rende les armes. Par la suite, il fuit la conscription, ne voulant plus se battre pour une mère patrie qu'il ne reconnaît plus.

L'orphelin de père et de mère peut toujours se consoler en se disant que *si* ses parents vivaient, ils l'auraient aimé. Cependant, l'enfant abandonné n'a plus cette échappatoire imaginaire. Il doit se rendre à l'évidence qu'il a été abandonné *parce que* ses parents ne l'aimaient pas. Le *Canadien*, enfant innocent qui ne s'est jamais révolté, contrairement aux enfants anglais «mal élevés» du Sud, n'a aucunement mérité ce déni d'amour. Le *Canadien* et à sa suite le Québécois, restera pour toujours un frustré d'amour maternel.

Il est normal que ce trauma de l'abandon maternel, catastrophe après coup, ait laissé des marques profondes dans la psyché *canadienne/*

---

13. Claude Galarneau, «la Conquête et la Pompadour», in *la France devant l'opinion canadienne*, Presses de l'Université de Laval/A. Colin, 1970, pp. 87-105.

14. E. Morin, *Sociologie*, Paris, Fayard, 1984, p. 131; nous soulignons.

québécoise. Puisque ce trauma de l'abandon, de la séparation n'a pas été *durchgearbeitet* (surmonté) mais aussitôt rejeté dans l'inconscient, de façon sous-jacente et déplacée, il commande toujours le comportement politico-amoureux du Québécois.

Car la politique fondamentalement, pour lui, comporte un enjeu érotique. Chaque fois donc qu'il sera question de *séparation*, d'*indépendance*, d'*autonomie*, de *souveraineté* — bref, pour l'inconscient, de couper des liens affectifs élémentaires — l'angoisse qui est associée originellement à la séparation d'avec la mère française se met à vibrer. *Séparation*, ce mot et tous les termes euphémisants (jusqu'à souveraineté-association) parce qu'ils évoquent l'*affect* (Affekt), le «ça» imprononçable, en même temps sécrètent l'angoisse de la séparation encodée lors de la première séparation. Maud Mannoni, du point de vue psychanalytique, a bien expliqué cette «angoisse de séparation chez l'enfant»[15].

Lorsque les promoteurs du projet de souveraineté du Québec — qui veulent être «maîtres chez eux» — auront maîtrisé leur propre *roman familial*, ils sauront enfin que l'enjeu profond de la souveraineté n'est pas économique ni politique, mais psycho-*analytique*: comment dépasser le blocage traumatique que suscite au Québec toute idée même diluée ou banalisée d'abandon, de lien coupé, de séparation, car, immanquablement et obsessionnellement, il mobilise toujours la première *angoisse de séparation*? On a vu l'état larvé d'insécurité, d'inquiétude dans lequel le débat autour du référendum du 20 mai 1980 avait plongé une majorité de la population québécoise. Inquiétude alimentaire, matérielle d'abord: les chèques d'assurance-chômage, les allocations de retraite ne vont-elles pas manquer, l'essence va-t-elle coûter plus cher, le dollar québécois, la «piastre à René» ne vaudra-t-elle que cinquante cents si le Québec réalise son projet de souveraineté-association? (Le dollar canadien est rendu là *sans* la souveraineté!) En effet, n'est-ce pas la «bonne mère» fédérale qui pourvoit bien aux besoins de ses enfants québécois? Angoisse vraiment irrationnelle, incontrôlable car, répétons-le, le référendum du Parti québécois ne décidait pas de la souveraineté mais posait seulement la question de savoir si le gouvernement du Québec devait *engager des négociations en vue de réaliser éventuellement le processus de la*

15. Maud Mannoni, *D'un impossible à l'autre*, Paris, Seuil, 1982, «Angoisse de la séparation», pp. 35-62. A-t-on remarqué que l'«hymne national» québécois est un hymne à l'amour, amour frustré, qui tente à nouveau de se «laisser parler d'amour»?

souveraineté-association. Donc, il n'y avait *réellement* pas de quoi s'affoler; on était encore loin de la souveraineté-séparation. La majorité de la population, affectivement (Affekt), a réagi *comme si* elle devait déjà décider de la séparation.

On s'étonne de la naïveté des ministres dits «orthodoxes» qui, dans le débat qui a secoué le Parti québécois en fin 1984 (10 novembre) à propos de l'opportunité d'une élection référendaire aux élections provinciales, ont ressorti l'idée répudiée depuis le référendum de 1980, d'une souveraineté étapiste, souveraineté des petits pas qui s'achète à tempérament selon le principe de crédit nord-américain: «emporter la marchandise maintenant, payer après»: souveraineté des petits pas et par pièces détachées: «Le prochain scrutin s'agencera et doit s'agencer inévitablement autour d'une perception que la souveraineté du Québec consiste, secteur par secteur de notre vie personnelle et collective, *à aller plus loin* que nous n'avons pu le faire jusqu'à maintenant et cela, *ultimement*, jusqu'à l'*obtention des pleins pouvoirs*»[16]. En avançant très lentement — c'est une loi cinématique, notre oeil *conscient* ne *voit* pas le mouvement —, ni vu ni connu, sans traumatisme, on atteindrait le but *ultime*, la souveraineté. C'est agir consciemment, volontairement, aller de l'avant des puissantes tendances inconscientes qui tirent en arrière. De toute façon, les souverainistes, médusés qu'ils sont par l'avenir, «prochain épisode», grand soir de l'indépendance, n'ont ni le temps ni la patience d'analyser «objectivement» les blocages de la psyché québécoise qui se manifestent dès qu'on touche à la corde «indépendance».

Et pourtant, le gouvernement du Parti québécois aurait pu traquer l'origine de cette angoisse de séparation qui hante les Québécois de façon endémique. N'a-t-il pas eu dans son sein, occupant des postes clés — du ministère des Affaires culturelles jusqu'au ministère de l'Éducation — un psychiatre patenté, Camille Laurin? Imaginez, en France, Lacan au pouvoir! Ou, en Autriche, Freud dirigeant les Affaires culturelles! Mais puisque, selon une loi fondamentale de la psychanalyse, l'analyste ne peut être à la fois juge et partie, puisqu'il ne saurait voir, tel Oedipe, le point aveugle traumatique de son passé, Camille Laurin, psychiatre, était le plus mal placé pour analyser le cas du Québec.

Ce point aveugle de la psyché québécoise est précisément inscrit dans le *roman familial* que nous avons commencé à déployer à partir de

---

16. Déclaration des douze ministres restés encore «souverainistes», intitulée «la Nécessaire souveraineté», 10 novembre 1984.

Garneau, l'*Urvater*[17] (père originel), de cette *Urgeschichte*, cette *fable archéïque* de l'histoire généalogique québécoise. À l'instar de l'enfant du *roman familial* freudien, l'enfant *canadien s'invente* une bonne mère et un bon père qui, bien qu'étant des parents adoptifs, *fictifs*, sauraient mieux assouvir son grand besoin d'amour frustré par ses parents de sang français abject. Ce bon père: le bon roi d'Angleterre, cette bonne mère: la nouvelle mère patrie, l'Angleterre.

F.-X. Garneau, père originel de la Défaite instantanée, fabriquée après coup

Filiation scandaleuse pour un Québécois moderne, sorti qu'il est du «dressage» néo-nationaliste qui n'a cessé de dénoncer l'Autre, l'Anglais, le conquérant, qui a subjugué, marginalisé, bref vaincu le Québécois. Conquête, oppression infâme qui commence toujours instantanément avec la Défaite.

C'est donc F.-X. Garneau l'auteur, l'*Urvater* (père originel) de cette *fable* qui présente la Défaite comme une catastrophe, *la* catastrophe initiale, immédiate, «fondatrice» dans sa négativité même. Nous avons vu que Michel Brunet revendiquait cette négativité, cette «conscience tragique» (Hegel) comme vision *objective* du Québec contemporain. Sans souvent le savoir, les idéologues de l'indépendance tiennent de Garneau leur vision *apocalyptique* (apocalypse au premier sens signifie *révélation*) de la Défaite. La conquête, le grand «révélateur» (au sens photographique du terme), inverse les définitions du noir et du blanc, du positif et du négatif: le blanc du négatif devient noir sur la copie imprimée, le noir se métamorphose en blanc. Alchimie de *La Chambre claire* de Roland Barthes: l'ennemi noir (Anglais) est blanchi, l'ami blanc (Français) est noirci. Au lendemain de la conquête s'opère une profonde transmutation de toutes les valeurs, dont nous aurons à analyser l'impact prolongé sur la *psyché* canadienne française.

Mais, pour l'instant, il s'agit de comprendre comment et dans quelles conditions la conquête, depuis F.-X. Garneau, a pu devenir cet événement foudroyant qui, à en croire les nationalistes québécois, a frappé les mentalités *canadiennes* dès 1760. Il serait instructif de faire une

---

17. Sur le «Ur-archè» chez Freud, voir Paul-Laurent Assoun, *l'Entendement freudien, Logos et Anankè*, Paris, Gallimard, 1984, pp. 153-177.

enquête auprès des Québécois pour savoir comment ils *imaginent* aujourd'hui cette conquête. Il est fort à parier qu'ils voient, lorsqu'on leur parle du «régime militaire» du général anglais Murray instauré après la Conquête, une soldatesque écrasant une population désemparée, innocente, laissée à elle-même, sous la botte du nombre et sous la puissance de feu de son artillerie, «grosse Berta» anglaise. Territoire quadrillé par un ennemi qui tient en échec une population prête à se révolter si son nombre et son armement le permettait. «Tyrannie», «régime d'oppression» sous lequel les *Canadiens* gémissent. «Les Canadiens ressentaient déjà les malheurs de la *domination étrangère*. Les *sacrifices* qu'ils avaient faits n'étaient rien en comparaison des souffrances et des humiliations qui se préparaient pour eux et pour leur postérité.» Les bonnes lois françaises «si claires, si sages» ont été remplacées par les lois anglaises, «amas confus d'actes du Parlement et de décisions judiciaires enveloppés de formes *compliquées* et *barbares*»[18]. Ces citations de Garneau, montrent amplement que le Québécois tient de lui sa vision de la Défaite.

La conquête — ou plutôt la *conscience* de la conquête (la nuance est de taille) — n'a pas été foudroyante, n'a pas suivi la défaite comme le tonnerre suit sans tarder la foudre, mais elle s'est installée *après coup*, progressivement, dans un décalage temporel de soixante-dix-sept ans. Freud, le premier, a insisté sur cette catégorie de l'*après-coup*, de la *Nachträglichkeit*[19].

Nulle autre nation que le Québec n'a autant été pétrie par cet «après coup» des événements. Exemple récent: c'est seulement quatre ans *après* la défaite du référendum de 1980 que le Parti québécois prend acte de ses conséquences sous le couperet aiguisé de l'échéance électorale. Autrement dit, la *conscience de la défaite* s'installe avec un retard, un délai de quatre ans après la défaite.

La vraie Défaite: 1837

En somme F.-X. Garneau réinterprète la Défaite de 1760 *après coup*, *nachträglich*, à la lumière des événements tragiques de 1837-38 et du

18. Toutes les citations sont tirées de F.X. Garneau, dans l'ordre, *op. cit.*, t II, pp. 301, 320, 300-304, 301; nous soulignons la dernière citation.

19. Voir Laplanche-Pontalis, *Dictionnaire de la psychanalyse*, art. «Après-coup»; et Sarah Kofman, «les Retards de Freud», dans l'*Énigme de la femme*, Galilée, 1980, pp. 23-37.

rapport Durham, célèbre et mal famé, qui laisse dans le souvenir du peuple canadien-français cette petite phrase qui meurtrit comme une épine enfoncée dans la chair vive: «C'est un peuple (le Canada français) sans histoire et sans littérature». C'est d'ailleurs pour faire mentir Durham que F.-X. Garneau relève le défi et écrit effectivement l'histoire de son peuple.

Nous sommes au moment le plus *critique* de l'histoire *canadienne*. Car c'est en 1841 seulement que les *Canadiens* sont envahis vraiment par le *sentiment de la défaite*. Loin d'être une simple hantise, angoisse vague de l'avenir incertain de la race française, la mort à brève échéance de ce peuple est inscrite en toutes lettres dans la nouvelle Constitution. En effet, l'Acte de l'Union du 10 février 1841, *après coup*, accomplit, *actualise* ce que la Défaite de 1760, dans la perspective du conquérant anglais, aurait *normalement* dû déjà réaliser dès 1763, date officielle de la cession du Canada à l'Angleterre: la sujétion des nouveaux sujets français. L'Acte d'Union, suivant les recommandations du rapport Durham, sanctionne d'un trait de crayon l'assimilation des Canadiens français, majoritaires dans le Bas-Canada, mais minoritaires sous peu dans le nouveau Canada uni.

Garneau, au lendemain de la défaite des Patriotes, écrit d'ailleurs un poème qui témoigne de l'état d'esprit morbide des *Canadiens* à ce moment critique de leur histoire. Il chante le *Requiem* (dans *requiem* il y a *requin*: les Français du Canada déchirés et avalés par un requin vorace) du *Canadien* condamné à mort, dans un poème qui s'intitule «Pourquoi mon âme est-elle triste». Deuil du sujet *canadien* qui pleure son trépas et qui d'avance chante son propre requiem.

> Mais, hélas! les *destins* de ces hommes naissants
> A jeté son courroux et maudit leurs enfants.
> Il veut qu'en leurs vallons, *chassés comme la foudre*,
> *Il ne reste rien d'eux qu'un tombeau* dont la foudre
> Aura brisé le nom, que l'avenir en vain
> Voudra lire en passant sur le bord du chemin.
> De nous, de nos aïeux la cendre profanée
> Servira d'aliment au souffle de Borée;
> Nos noms seraient perdus et nos chants en oubli,
> *Abîme où tout sera bientôt enseveli.*

Tout, corps et âme, et jusqu'au *souvenir* du nom du *Canadien*, disparaîtra de la terre: jusqu'à l'épitaphe que le destin tragique des *Canadiens* leur refusera, frappé qu'il est par la foudre. Si les *Canadiens*, à partir de

1837, ont commencé à *écrire*, à faire de la littérature, ce n'est pas seulement, comme d'aucuns l'ont pensé, pour compenser par un pouvoir symbolique illusoire la perte de pouvoirs réels, mais, plus radicalement, pour exorciser leur angoisse de mort dont le spectre se profile de plus en plus nettement dans la vie de tous les jours. Ce ne saurait être un hasard si le premier roman de la littérature canadienne-française a été publié en 1837, année même de l'insurrection des Patriotes: *le Chercheur de trésors* de Philippe Aubert de Gaspé fils, qui précède de vingt-six ans l'oeuvre de son père, *les Anciens Canadiens*.

Principe de réalité et principe de plaisir

Or, le titre originel de cette oeuvre (*le Chercheur de trésors*) n'est-il pas *l'Influence d'un livre*? Ce livre que les historiens des lettres disent «fantastique», sans rapport avec la réalité sociale, reflète, à un second degré, justement, le culte de l'imaginaire, du Livre, qui s'empare à ce moment du Canada français (bien évidemment de ceux seulement qui savent lire). Influence d'un livre de magie populaire du Moyen Âge: *le Petit et le Grand Albert*. Le héros Charles Amand espère devenir riche, trouver le trésor caché en ayant recours à la magie de l'alchimie. Le roman de Philippe Aubert de Gaspé fils nous l'avons suggéré, marque le moment de rupture d'équilibre en *Canada* entre réalité et imaginaire ou, en termes freudiens, entre le *principe de réalité* et le *principe de plaisir*. Le *roman familial*, nous l'avons vu, signifie bien ce moment critique où l'enfant, répudiant la réalité ingrate, se laisse basculer dans l'imaginaire. C'est précisément aussi l'instant où le «roman de l'origine» (roman familial) se mue en «origine du roman».

Ce héros du premier roman *canadien* «possède» le monde, la réalité, par le truchement d'un livre. Bien plus, l'itinéraire initiatique du héros tend à lui révéler en fin de compte l'inutilité de la quête des trésors *ailleurs* que dans les livres. Ce livre, l'imaginaire est le trésor qu'il a toujours vraiment cherché dans la réalité. Charles Amand le trouve enfin dans une bibliothèque. Il est donc tout à fait normal que son futur gendre lui présente en «dote» (ou antidote?), en échange du trésor qu'est sa fille, le seul trésor qui vaille pour lui: des livres: «Le jeune médecin le pria d'accepter un petit présent de noces, ajoutant que connaissant sa soif de science, il la priait de trouver que *son don fut tout à fait littéraire...* Il y ajouta une vingtaine de manuels des différents arts et métiers. Amand, au comble de la joie, *se retira avec son trésor*»[20].

Le Chercheur de trésors marque l'aboutissement d'un processus de repli du *Canadien*, qui, commencé en 1760, se consomme en 1837. Repli spatial certes, mais plus radicalement encore retrait de la réalité. Retourné dans son foyer, le *Canadien* qui parcourait le continent jusqu'à ses confins se délecte maintenant de ses «jongleries», du spectacle de son feu de foyer, qui compense la réalité perdue, désinvestie. Certes, Champlain avait déjà centré son Habitation autour du foyer. C'était un foyer réel, partagé avec d'autres. En 1837, il s'agit d'un foyer privé, basculé dans l'imaginaire, substitut de la réalité qui échappe et qu'on laisse échapper pour le plaisir imaginaire (*Lustprinzip*).

Aucun autre, aucun ennemi (tout au moins dans le roman) ne dépossède donc Amand. C'est lui qui *donne* sa fille en échange de l'or imaginaire. «Voyez-vous, son âme à lui (Charles Amand), c'est dans ce foyer. Ne l'accusez pas de folie, au moins dans cela, car le *foyer* c'est le *royaume* des illusions, c'est la source des rêves de bonheur... N'est-ce pas parmi ces brasiers, aux images fantastiques, que votre imagination cherche une *autre existence* qui puisse vous *dédommager d'un monde* où vous ne trouverez que des *intérêts plus vils* les uns que les autres et qui s'entrechoquent sans cesse?»[21]

Une régression narcissique

Rupture d'équilibre entre la réalité et l'imaginaire, ce premier roman de la littérature *canadienne* confirme aussi la *régression* — en termes psychanalytiques — qui s'opère non point après la défaite mais pendant et après les rébellions de 1837-38. Régression infantile qui se fixe, comme le dit le «roman familial», autour de l'abandon de l'enfant *canadien* par ses parents français. Si l'enfant *canadien* se raconte des histoires, des romans à partir de *ce moment là*, c'est qu'il doit *compenser* (*dédommager*, disait de Gaspé) la perte de la réalité — ses parents biologiques, *réels* — en s'inventant des parents fictifs, en se créant une autre «réalité». Régression infantile qui va de pair, comme le montre Freud, avec la résurgence d'un narcissisme qui croit en la toute-puissance de la pensée, qui

20. *Le Chercheur de trésors* ou *l'Influence d'un livre*, rééd. Opuscule, Montréal, 1980, p. 146; nous soulignons.

21. *Ibid.*, p. 150; nous soulignons.

croit à l'appropriation du monde par la magie. L'*influence* du livre de magie du *Petit et du Grand Albert* prend ici toute sa signification. «Nous parlons du narcissisme du petit enfant et nous rapportons au narcissisme prépondérant de l'homme primitif sa *croyance à la toute puissance* de ses pensées et ce fait que par suite, il figure pouvoir, par la *technique de la magie, influer sur les événements du monde extérieur*»[22].

Par la suite, Freud montre comment ce narcissisme magique — qui prend son centre d'habitation, le Québec, pour le centre du monde — a été «humilié» (*humiliation*, un des termes récurrents au Québec) par trois «agressions» de la réalité. Le progrès de la science de l'homme a été au prix de l'abandon de ce narcissisme primaire. Copernic ruina le «narcissisme géo-centrique» de l'homme. Darwin mit fin au narcissisme «anthropoïde» de l'homme qui n'est plus au début, le roi de la création. Il vient *après* l'animal. C'est le sens du bouleversement dramatique qu'opéra *The Origin of Species*. Mais l'humiliation la plus humiliante (selon Freud) a été infligée au narcissisme de l'homme par la psychanalyse elle-même. Elle a montré que l'homme «souverain» n'est pas «maître chez lui», que les pulsions inconscientes annulent, biffent, sans que le sujet s'en rende compte, des projets dits «vitaux», placés en premier sur la liste des priorités des partis souverainistes, soit la *souveraineté*, l'*indépendance*, la *souveraineté-association*. Des «hôtes étrangers» (Freud) ont pris possession de notre demeure et nous aliènent, nous asservissent plus que ne le sauraient faire les *alieni*, les autres, les étrangers.

Maintenant que les souverainistes ont été «maîtres chez eux» au gouvernement, depuis près de dix ans, l'alibi indépendantiste ne tient plus. On commence à se rendre compte que le «moi se sent mal à l'aise, il touche aux limites de sa puissance en sa propre maison, l'âme»[23]. Depuis le temps qu'on analyse les projets d'indépendance au Québec, il est urgent d'en faire la psychanalyse. Inutile d'accuser dorénavant l'Autre, l'ennemi, la réalité méchante (le Fédéral, Trudeau, la Brinks, les compagnies...) qui auraient ruiné, «humilié» tous les beaux projets d'indépendance. Ce qu'on serait heureux sans l'Autre! Si le monde était un livre! Or, les pires ennemis — la psychanalyse nous l'a dit — , ceux qui nous

22. S. Freud, «Une difficulté de la psychanalyse» in *Essais de psychanalyse appliquée*, Gallimard, 1971, p. 141; nous soulignons.

23. *Ibid.*, p. 144.

bloquent, qui frustrent nos désirs conscients ou inconscients, sont *en nous*.

Quel ennemi *extérieur* a empêché le Parti québécois de mettre la question de l'indépendance sous le couperet de la réalité? C'est le temps, le grand décideur, qui en décidera! Mieux vaut faire comme Charles Amand: «Jongler devant son foyer domestique (devenu la télévision)» et rêver qu'on pourrait la faire, l'indépendance, si on voulait... Car, après tout, la souveraineté, c'est un rêve trop beau pour être défloré par la vulgaire réalité. Comme disait candidement un ministre — Pierre-Marc Johnson, successeur de René Lévesque — dans le débat sur l'à-propos d'élections référendaires en 1985, «il ne faut *pas forcer le peuple québécois* à se dire non à lui-même une seconde fois»[24]. Qui a *forcé* le peuple québécois à l'indépendance? Encore l'alibi...

Les vrais ennemis du projet d'indépendance ont arraché leur masque. Ils ont affiché leurs couleurs. Un brusque retournement des tenants du Parti québécois les a fait affirmer être retournés «aux sources». Il leur a suffi de biffer simplement l'article 1 du programme du Parti québécois qui voulait que l'objectif premier soit l'obtention de la souveraineté. Comme si de rien n'avait été! Au fait, le Parti québécois a-t-il *déjà* été souverainiste?

Imaginez François Mitterand, au plus bas dans les sondages d'opinion, décider de son propre chef et non forcé par la «cohabitation» de larguer tout l'héritage socialiste; ou le parti communiste, las de ses dégringolades électorales, renouant un dialogue constructif avec Washington. Inimaginable! Impossible n'est pas toujours français. Mais l'«impossible» a eu lieu au Québec, en novembre 1984. Un parti, devant l'échéance électorale, de façon cynique et opportuniste a bazardé son option souverainiste, après avoir, pendant près de vingt ans, engagé les énergies de ses militants à se battre pour ce but. Selon une «logique» bien particulière au Québec, les orthodoxes (ceux qui restent fidèles au principe souverainiste) sont exclus, devenus des indésirables au sein du parti, tandis que les «révisionnistes» (ceux qui jettent par-dessus bord l'héritage indépendantiste du parti) gardent les rênes du pouvoir (pas pour longtemps), ont «raison», donc *sont* l'orthodoxie. Même logique qui règne aux lendemains de la révolte des Patriotes.

Mais, dans tout ce gachis, on pourrait malgré tout voir une lueur d'espoir. Car le Parti québécois, en rompant officiellement avec son

---

24. Entrevue, *le Devoir*, 27 octobre 1984.

«rêve» d'indépendance, contraire à toute *Realpolitik* moderne inspirée par le principe de réalité d'une interaction de plus en plus poussée du monde, renonce également au narcissisme selon lequel l'Autre (le Fédéral) est l'obstacle extérieur à *tous* ses désirs. Depuis que le Parti québécois a renoncé à ses pulsions souverainistes, à son désir de vivre, tel Narcisse, replié que lui-même, en indépendant, le dialogue avec l'Autre pourrait devenir possible.

Mais, à y regarder de plus près, on doit constater que *fondamentalement* rien n'est changé dans les rapports entre Québec et Ottawa; simplement, un aveuglement qui ne «voyait» que le mal à Ottawa s'est substitué à un autre qui n'y voit maintenant que le bien, un «beau risque». Dans les deux cas on refuse, tel Narcisse, de laisser corriger l'image de soi et d'autrui par les intrusions venant d'une réalité dérangeante. Vous avez dit «Domtar»?[25]. Non, rien n'entravera l'entente cordiale entre Québec et Ottawa décidée par M. Lévesque et les siens. Décidément, si, avant l'automne 1984, il ne coulait que du fiel à Ottawa, aujourd'hui (janvier 1985), ce n'est que du miel et du lait. Après «le refus global», c'est «l'acceptation globale». Aucune médiation entre les deux: telle est la loi du retour du pendule dans sa position contraire qui régit les comportements psychologiques et politiques du Québec.

Comme Narcisse, le gouvernement du Parti québécois a cru à l'omnipuissance de *sa* pensée et était persuadé qu'aucune réalité ne l'entraverait. Croyance en la magie de la pensée, scotomisation de la réalité, Charles Amand, dans *l'Influence d'un livre*, en est le paradigme. En effet, Charles Amand passe la fin de ses jours à lire le livre magique, *le Petit Albert*. «Il cherche toujours la pierre philosophale, et (...) il lit sans cesse *le Petit Albert*, ouvrage qui a *décidé du sort de sa vie*»[26]. C'est la dernière phrase du *Chercheur de trésors*, qui consacre donc l'*influence* d'un livre, l'influence du Livre. Ce n'est plus le personnage qui décide de sa vie, mais le livre. Le symbolique, l'imaginaire (littérature, religion, mission), le grand exutoire du Canada français devant suppléer à une réalité (politique, économique) qui tend de plus en plus à lui échapper.

L'*Histoire du Canada* de F.-X. Garneau confirme largement, elle aussi, cette dérive du *Canada*, commencée en 1837, de la réalité vers l'imaginaire des productions symboliques. N'a-t-il pas produit, en

---

25. Au mois de février 1985, le gouvernement fédéral décide de supprimer sa subvention promise à l'entreprise québécoise Domtar.

26. *Op. cit.*, p. 151; nous soulignons.

répondant au défi qu'avait lancé la «réalité» — médiatisée dans un «livre», le «rapport Durham», mais livre «performatif» par excellence, au sens austinien du terme parce qu'il devient loi, réalité politique — une *Histoire* et en même temps, *en abîme*, une histoire, le *roman familial* canadien français?

Cette histoire fictive de Garneau, contrairement à celle, «performative» de Durham, si elle ne tire pas à conséquence pour la réalité politique immédiate, hypothéquera quand même la postérité canadienne-française par le pli qu'elle donne à l'histoire du Canada. Pour bien voir le prisme que Garneau incorpore à la vision canadienne-française, il faut revenir encore aux événements de 1837 et mesurer comment ils ont affecté le *Canada*; la «grande déprime» qui s'est emparé de lui à ce moment-là.

1837: la grande déprime

En effet, ce «requiem pour une nation défunte» de Garneau, cité plus haut, loin d'être l'évocation lyrique d'un poète post-romantique à la sensibilité écorchée, traduit bien un état d'esprit dépressif, morbide, celui des *Canadiens* au lendemain des événements de 1837. De 1837 à 1841, c'est la grande *dépression* de l'histoire canadienne-française, à la fois point le plus bas de son cours, et moment où le *memento mori* fait entendre son glas dans le pays tout entier. Tous les témoignages confirment en effet cet état dépressif du Canada français après 1837. Il y avait de quoi! Les *Canadiens* ont vu quatre-vingt-dix des leurs condamnés à mort par des cours martiales aux procédures plus que sommaires. Le conquérant a *eu* enfin ses victimes, réclamées à cor et à cri depuis la Conquête. Il se délecte au spectacle des douze condamnés à mort qui, finalement, montent sur l'échafaud au Pied-du-Courant. Si les cinquante-huit autres sont grâciés, ils n'échappent pas aux rigueurs de l'exil, déportés qu'ils sont en Australie. «Comme c'est triste écrit Jean-Louis Beaudry à son ami Duvernay, comme c'est triste de vivre parmi les bourreaux de ses compatriotes»[27]. *Tristesse, mélancolie*, morbidité, ces mots décrivent l'état des *Canadiens* en 1838. Écoutons Duvernay, au moral bas, frappé non seulement par la «mort» de la nation canadienne-française, mais aussi par le décès d'un de ses enfants. Il écrit à Louis Perrault le 6 juillet

---

27. Cité d'après Robert Rumilly, *Histoire de la société de la Saint-Jean-Baptiste de Montréal*, Montréal, L'Aurore, 1975.

1841: «Je suis démuni de tout... Mon moral en souffre au point de m'ôter le sommeil. Que faire?»[28]. L'insomnie, symptôme des dépressifs. C. Dumesnil, qui lit une des lettres de Duvernay, constate avec compassion: «M. Louis Perrault m'a fait remettre votre lettre du 21 du mois dernier. Elle porte l'empreinte d'une *noire mélancolie*»[29]. Un autre témoin, J.T. Boucher-Belleville, constate avec résignation le changement d'état d'esprit survenu dans le pays depuis l'écrasement sanglant de la Rébellion: «Je suis, sous le rapport religieux et politique, ce que vous m'avez connu en 1837. Mais notre position est tellement changée, *il s'est opéré une telle révolution morale parmi nous*, que ce qui paraissait bon et sage il y a quatre ans ne l'est plus aujourd'hui. Je crois pouvoir vous dire, sans vous offenser, que vous *ignorez entièrement* le pays tel qu'il est aujourd'hui»[30].

Une véritable *révolution morale*, révolution des mentalités, s'est opérée dans tout le pays. L'exilé qui vient revoir ses compatriotes, comme Duvernay, après quatre ans d'exil aux «États», ne reconnaît plus «les siens» tellement le paysage mental du Canada a été bouleversé, disloqué par le séisme qui vient de le secouer.

Mais plus que ces témoignages réels, c'est encore un livre qui *avant* les Révoltes rend compte de la morbidité ambiante, rampante, en cette année 1837. C'est normal, puisque nous savons maintenant que la «réalité» canadienne-française de ce moment s'est réfugiée dans l'imaginaire, dans le livre. Pour la trouver donc, il faut la débusquer dans les productions symboliques. La littérature, le vrai «révélateur» du Canada français (au sens photographique du terme), du Québec. Ce livre n'est nul autre que *le Chercheur de trésors* déjà évoqué et qui nous sollicitera encore beaucoup. Un vrai «trésor» pour ceux (sociologues, historiens, historiens de la littérature) qui cherchent à expliquer les transmutations qui se sont opérées dans la psyché du Canadien français dès 1837.

L'Influence d'un livre: le titre à lui seul indique le chemin qui va dorénavant vers l'imaginaire. Mais l'influence d'un livre, est aussi un livre sur la Mort, reflétant et même annonçant mieux que tout témoignage «historique» les pulsions morbides, *Thanatos* qui, dès 1837, règne en maître sur le pays.

28. R. Rumilly, *op. cit.*, pp. 12-43.

29. *Ibid.*, p. 43; nous soulignons.

30. Lettre du 9 mars à Duvernay exilé aux États-Unis, *op. cit.*, p. 42; nous soulignons.

Sous la coupe de «Thanatos» et le «matin des magiciens»

Ce roman nous introduit d'emblée dans l'«immense réceptacle de la Mort»[31]. En effet, homicides, exécutions capitales, autopsies et prélèvements de bras sur des cadavres à la morgue, sont des thèmes récurrents, obsessionnels, qui témoignent de cette omniprésence de la mort à cette époque. Nous avons déjà vu combien l'amputation d'un membre, notamment d'un bras, a hanté l'imaginaire canadien-français après la Conquête (de 1837). Le guerrier que le *Canadien* a été, dans l'après-défaite de 1837-1838, fait pour toujours ses adieux aux armes. Dans *L'Influence d'un livre*, ce désarmement est poussé jusqu'à dernière limite. Sont amputés de leurs bras ici non des vivants mais des morts, des cadavres. Nous sommes dans la morgue de Québec. Double assassinat dans la morgue de Québec. «Le docteur F*** commence immédiatement l'autopsie. Après l'ouverture du corps et l'examen intérieur, il ordonna à Dimitry de lui couper un bras. L'opération étant finie, à la *grande satisfaction de tous les étudiants...*»[32]. Comme dans les passages cités plus haut, l'amputation ne rencontre ni réprobation ni dégoût. Bien au contraire, elle «fait plaisir» puisqu'elle confirme, «précise» définitivement un état de fait psychique larvé. Il s'agit simplement d'ajuster la mutilation corporelle à celle de l'esprit. Pourquoi en effet s'embarrasser d'un bras qui ne sert pas? Réaction littéralement biblique.

Or, ce bras droit qui ne sert plus pour les besognes réelles sera remplacé par le bras amputé d'un pendu, la *Main-de-Gloire*. «La main-de-gloire est une main de pendu desséchée, avec *laquelle on peut pénétrer où on veut*»[33]. Cette main «magique», que signifie-t-elle? Sinon que, maintenant, le *Canadien* — ne s'*attaquant plus*, avec ses *propres mains* à la réalité, à ses ennemis — , a recours à la magie, à la croyance narcissique de sa puissance imaginaire, se croyant maître, comme Dieu et son père, de la vie et de la mort? Qu'est-ce que la magie sinon l'art de *faire*? Marcel Mauss l'a rappelé dans son *Esquisse d'une théorie générale de la magie*: «Les actes rituels (de la magie) (...) sont, par essence, capables de produire autre chose que des conventions; ils sont éminemment efficaces; ils

31. *Op. cit.*, p. 85.
Marcel Rioux, sans avoir été aucunement «influencé» par ce livre, intitule tout de même l'analyse qu'il fait des événements de 1837 «Autopsie de la Rébellion», *la Question du Québec, op. cit.*, pp. 76-81.

32. *Op. cit.*, p. 85; nous soulignons.

33. *Ibid.*, p. 41; nous soulignons.

sont *créateurs*; ils *font*»[34]. Si le Canada français devient une société «magique» à partir de ce moment — autre signe la «régression» qui s'opère depuis 1837 — c'est qu'il croit, comme le héros du *Chercheur de trésors*, à l'efficacité du *faire* de la magie, par la magie. Tous les deux ont renoncé de leur *plein gré* — ayant consenti aux amputations — à agir de façon *autonome*, pour croire à l'*efficacité* de l'agir hétéronome. La magie n'est-elle pas la croyance dans le pouvoir de l'agir de l'Autre, du *Daimon*, de l'esprit, au premier sens du terme?

Le *Canadien* croira dans l'efficacité du rite religieux, versant positif de la magie. En effet, 1837 marque le moment du «matin des magiciens», où les magiciens de la religion catholique subjugueront complètement le *Canadien*, rebelle jusque là à certaines de ses vérités.

Magie *imaginaire* qui répond aux mutilations *réelles*. Ces mutilations, amputations du premier roman de la littérature québécoise, morts partielles, «mort à crédit», ne sont que des prémonitions de la *Mort* qui fait irruption dans ce roman, comme elle a fait irruption dans la conscience des Canadiens français. Après le meurtre atroce — nous aurons à revenir plus loin sur les circonstances de ce meurtre — d'un innocent qu'il a hébergé dans sa demeure, l'assassin, pris de remords, a cette vision morbide de sa propre mort.

> Il lui sembla que sa demeure était transformée en un immense tombeau de marbre noir; que ce n'était plus sur un lit qu'il reposait, mais sur le cadavre d'un vieillard octogénaire, auquel il était lié par des cheveux d'une blancheur éclatante. Des milliers de vermisseaux qui lui servaient de drap mortuaire le tourmentaient sans cesse. Tout à coup, au pied de cette couche glacée se levait lentement l'ombre d'une jeune fille, enveloppée d'un immense voile blanc, qui l'invitait à la rejoindre; et il faisait d'inutiles efforts pour se soulever. La jeune fille levait son voile, il voyait un visage dévoré par un cancer hideux. Puis l'ombre de Guillemette (la victime assassinée) se présentait à son chevet pâle et livide; de son crâne fracassé s'écoulait une longue trace de sang et sa chemise entrouverte laissait voir une profonde blessure à son col. Il se sentait près de défaillir; mais l'apparition lui jetait quelques gouttes de sang près des tempes et ses forces s'augmentaient malgré lui. Il voulait se fuir lui-même; mais une *voix* intérieure lui répétait sans cesse: *seul avec tes souvenirs!*[35]

34. M. Mauss, *Sociologie et Anthropologie*, Paris, PUF, rééd. 1983, p. 11; nous soulignons.

35. *Op. cit.*, p. 50; nous soulignons.

Chapitre III

L'abjection de soi

Encore un peu de psychanalyse!

Ce passage du *Chercheurs de trésors*, on l'aura remarqué, est d'une complexité telle, révélant justement la complexité de cette transmutation mentale en train de s'opérer chez le *Canadien* à ce moment, qu'il nous faut sérier les problèmes qu'il pose. Nous sommes tout d'abord frappés par la vision d'horreur, la vision *d'abjection* qui s'offre au lecteur. Pour la saisir vraiment, il faut comprendre les mécanismes du «pouvoir de l'horreur» tels que mis à jour par Julia Kristeva. La compréhension de la «vraie nature» du *Canadien* depuis 1837 passe nécessairement par la saisie de l'*abjection* (de soi), qui devient un des ressorts psychologiques profonds motivant, de façon inconsciente, beaucoup de ses gestes.

Dans son *Essai sur l'abjection*, Julia Kristeva oppose en effet d'emblée l'*objet* à l'*abject*. «De l'objet, l'abject n'a qu'une qualité — celle de l'opposer à *je*. Mais si l'objet, en s'opposant, m'équilibre dans la trame fragile d'un désir de sens (…) l'*abject*, objet cher est radicalement exclu et me tire vers là où le sens s'effondre»[1]. L'*abject*, c'est d'abord le *déchet*, le «*déchié*» (origine du mot dès le XIIIᵉ siècle), l'excrément qui choit, déchu. Excrément, déchéance quotidienne qui annonce la

---

1. Julia Kristeva, *Pouvoirs de l'horreur. Essai sur l'abjection*, Paris, Seuil, 1980, p. 9.

déchéance du cadavre (*cadere*, tomber) de la mort. «Le cadavre (...) est le comble de l'abjection»[2].

L'*abject*, par un détour insoupçonné, nous ramène au *roman familial canadien*, par le biais du narcissisme. L'*abjection*, nous explique Julia Kristeva, est «une précondition du narcissisme»[3], plus précisément, c'est une «*crise narcissique*»[4]: «L'abject nous confronte (...) à nos tentatives les plus anciennes de nous démarquer de l'entité *maternelle* avant même que d'ex-ister en dehors d'elle grâce à l'autonomie du langage»[5]. Crise narcissique qui est provoquée soit par la «trop grande sévérité de l'autre» soit par «la défaillance de l'Autre qui transparaît dans l'effondrement des objets du désir. Dans les deux cas, l'abject apparaît pour soutenir *je* dans l'Autre»[6]. L'*abject* ressource le moi «au non moi, à la pulsion, à la mort. L'abjection est une résurrection qui passe par la mort (du moi). C'est une *alchimie* qui transforme la pulsion de mort en sursaut de vie, de nouvelle signifiance»[7].

Mais l'abjection, plus fondamentalement, est l'expression d'un *manque*, manque fondateur. Car c'est lui, le sujet et non l'autre (alibi de *son* abjection), qui manie le «scalpel qui opère ces séparations»[8]. Plus de doute maintenant quant au véritable auteur de ces mutilations, ablations de mains et de bras, que nous avions relevées dans les deux romans cités plus haut (*les Anciens Canadiens* et *l'Influence d'un livre*): il s'agit en fait d'automutilations que le sujet de l'abjection s'inflige. L'ablation de ses membres ne s'est-elle pas faite avec son consentement? Le sujet de l'abjection «se venge» en quelque sorte de la séparation originelle d'avec la mère en séparant des parties de lui-même, déchets déchus de son corps. Car lui-même, fondamentalement, est ce déchet périssable puisque déchu, séparé de sa mère. Si bien que la *séparation* pour le sujet de l'abjection, loin d'être l'affirmation d'une indépendance, d'une autonomie fièrement revendiquée, est plutôt l'expression négative, malheureuse, de son appartenance à l'objet aimé. Il (se) sépare là où viscéralement il voudrait mettre ensemble, rejoindre. Le monstre logique

2. *Ibid.*, pp. 11-12.

3. *Ibid.*, p. 21.

4. *Ibid.*, p. 22.

5. *Ibid.*, p. 20; l'auteur souligne.

6. *Ibid.*, p. 22.

7. *Ibid.*, nous soulignons.

8. *Ibid.*, p. 15.

de la séparation-appartenance qui n'a cessé de hanter le Québec (on coupe les liens *tout* en les renouant) s'échappe de cette zone trouble de l'abjection. C'est dire que le sujet de l'abjection qui (se) sépare tout en voulant «rester avec», dans l'entre-deux, dans le flou conceptuel quant au sujet de cette séparation (est-ce moi, est-ce l'Autre?), ne saura jamais trancher définitivement la question de la séparation. Comment le saurait-il? Parce que le sujet *canadien*-québécois n'a jamais coupé de son plein gré ses liens viscéraux avec sa mère.

Puisque c'est cette question viscérale même qui reste le point aveugle du sujet d'abjection, la quête de soi, de l'identité, mais plus encore la quête d'un lieu d'appartenance originel, maternel, devient une tâche interminable (*unendlich*) qui meuble toute sa vie. Voilà les questions «éternelles» du Québec qui se reposent obsessionnellement et qui ne recevront jamais *une* réponse tant que le sujet québécois ne le relèvera pas là où elles se posent: dans la zone la plus profonde du refoulement, celle de l'abjection de soi. «Au lieu de s'interroger sur son être, il s'interroge sur sa place: *Où* suis-je? plutôt que *Qui* suis-je? Car l'espace qui préoccupe le jeté, l'exclu, n'est jamais *un*, ni *homogène*, ni *totalisable*, mais essentiellement divisible, pliable, *catastrophique*. Constitué de territoires, de langues, d'oeuvres, le *jeté* n'arrête pas de délimiter son univers dont les confins fluides — parce que constitué par un homme objet, l'abject — *remettent constamment en cause sa solidité et le poussent à recommencer...* Cet abject dont il ne *cesse pas* de se séparer est en somme, par lui, une *terre d'oubli* constamment remémorée. Dans un temps effacé, l'abject a dû être pôle aimanté de convoitises. Mais la *cendre de l'oubli fait maintenant paravent et réfléchit l'aversion, la répugnance. Le propre* (au sens d'incorporé et d'incorporable) *devient sale, le recherché vire au banni*, la *fascination à l'opprobre.* Alors le temps oublié brusquement surgit et condense en un éclair fulgurant une opération qui, si elle était pensée, serait la réunion des deux termes opposés mais qui du fait de cette fulguration se décharge comme un tonnerre»[9].

Le Québécois, un raciste?

L'Essai sur l'abjection a le mérite d'embrasser, en les renvoyant à leur lieu théorique et analytique adéquat, les «éternelles» questions qui

9. *Ibid.*, p. 16; l'auteur souligne.

ont fait problème au Canada français, mais surtout au Québec, et au sujet desquelles on a déjà rempli des bibliothèques: la question de l'identité, de l'*appartenance*, du *territoire*, du pays, de la *séparation*, de l'*autonomie*. L'erreur tragique du Québec médusé par les discours simplistes et pétrifiants de ses idéologues nationalistes qui ne connaissent que «la question du Québec», c'est de croire que la politique, la souveraineté politique, etc., pourraient régler une fois pour toutes «cette» question, donc de confondre les symptômes de son «mal de pays» avec ses causes profondes, de se laisser leurrer par cette «illusion de l'avenir» politique, tout en oubliant, en rejetant — en le déclarant *abject* — un grand pan de son être: sa *canadianité*. Cette *canadianité* qu'il a renvendiquée pendant plus de trois cents ans et qu'il répudie sous prétexte qu'un Autre se l'est «approprié». Il est significatif que dans les lectures que les idéologues québécois font de la réalité canadienne, on avance inlassablement cette appropriation de la *canadianité* par les Canadiens anglais, qui a obligé les Québécois à se rabattre sur leur québécité. C'est la faute à l'Autre! Jamais, en effet, il n'est question de l'abjection dont le *Canadien* depuis 1837 a été à la fois le sujet et l'objet.

L'*abjection*, depuis les événements de 1837, est devenue un cata-lyseur inconscient de la psyché canadienne-française/québécoise. Elle explique justement ce «passage» (Québec signifie *passage*), cette révo-lution tranquille — contradiction dans les termes, comme «souveraineté-association» — menant du Canada français au Québec. Opération qui passe pour une désaliénation, rejet de l'Autre parasitaire, mais s'achète au prix fort d'une autre aliénation (Entfremdung) qui fait déchoir, élimine ce qui précédemment avait été soi, qui *salit* ce qui avait été considéré comme *propre* (dans les deux sens d'*autos*, *eigen* et de *net*)[10]. Évi-demment c'est l'*autos* (*Eigen*), sens premier de «propre», qui a entraîné dans son sillage la propreté (*Sauberkeit*). C'est l'Autre qui est toujours sale, qu'on ne peut pas sentir. Fonctionnement primaire du racisme.

Mais voilà, que, dans l'abjection, le sujet, en coupant, en séparant un pan de lui-même comme il coupe une main, un bras, se comporte en «raciste» envers son *propre* être. On a dit que les Québécois étaient racistes. Oui, ils le sont, de la façon la plus radicale. Non tant à l'égard des autres mais de leur *propre* (*autos*) race: francophobes, en fait. Bien plus, ils ne peuvent pas se sentir eux-mêmes. Ils ont «sali», rejeté comme

---

10. Voir pour une histoire culturelle du «propre» et du «sale» Georges Vigarello, *le Propre et le Sale*, Paris, Seuil, 1985.

abject, leur propre passé du Régime français. Ce passé *canadien* (français), jadis partie intégrante, est aujourd'hui déchu, enseveli dans les cendres de l'oubli. Les bons débarras! Là encore cette joie d'avoir amputé un grand pan de sa *propre* histoire. Se prenant pour un «homme nouveau», issu d'un embranchement *à part* dans le devenir de l'hominisation, l'*homo quebecensis*, «Le Québécanthrope» (Gaston Miron) se coupe de sa propre généalogie. Le Québécois se dit Autre; pourtant, la «révolution tranquille» ne s'est pas opérée par un retournement, par un changement radical de sa réalité. «Révolution tranquille» qui correspond à un changement de perspective de son imaginaire sur un «moi autre». Ironiquement, il se baptise du nom de la province que l'Anglais — *duquel il prétend se démarquer* — a créée après la Défaite. Mais l'acquisition du «nouveau» moi québécois se fait au prix de la perte de sa *propre* canadianité, jugée comme celle d'un *Autre*. Le Québécois, *fondamentalement*, est un Canadien français refoulé qui s'ignore et qui *veut* s'ignorer. Au-delà donc des ruptures imaginaires inaugurales, des refus globaux complaisamment affichés, il nous faut voir les continuités de la psyché *canadienne* — québécoise, continuité qui s'est réfugiée dans l'inconscient. La filiation du Canadien français, du Québécois, passe nécessairement par les chicanes, les détours compliqués du «ça». Détour par l'abject qui nous met à même de comprendre le passage de *l'Influence d'un livre* contre lequel nous nous sommes butés ci-haut.

L'abjection: Je est un Autre... déchu

Nous voilà à peu près armés pour saisir cette mutation du *Canadien* sous l'effet des événements de 1837 qui grondent à l'horizon. Elle pousse l'abjection à son point culminant en exhibant son spectacle originel: la vision de la mort et de la décomposition. D'autre part, par la régression qu'implique l'abjection, nous revenons finalement au *roman familial* qui a pour tâche principale, nous l'avons vu, de rendre abjecte, en les rabaissant, les parents biologiques *parce* qu'ils n'ont pas satisfait à nos désirs primaires. *L'Influence d'un livre* est la première ébauche du *roman familial canadien* auquel F.-X. Garneau donnera sa forme canonique.

Cette scène fantasmatique, comme le rêve d'ailleurs — car il s'agit de ce que Freud appelle un «rêve éveillé»[11] —, est le résultat d'une forte «condensation» («Verdichtung»). Condensation spatiale mais surtout temporelle. D'ailleurs à la fin du passage, la dimension temporelle est puissamment soulignée. Cette «voix intérieure», c'est la voix de la conscience (*voix* qui se fera entendre jusqu'à *Maria Chapdelaine*) qui chuchote au sujet *canadien* de ne pas évacuer ses souvenirs, fussent-ils blessants. *Je me souviens!*

La conscience lui demande en effet de surseoir à sa pulsion spontanée, de *rejeter*, d'oublier (selon les mécanismes de l'«abjection» étudiés plus haut) une partie de sa vie, de lui-même, une partie importante de ce qu'il a été dans le passé. Comme dans le rêve donc, ces personnages sont des émanations du moi, des tendances ou des virtualités du moi projetées sur d'autres. Qui sont donc ces personnages?

Le sujet pris de remords, après l'assassinat crapuleux qu'il a commis, n'est nul autre que le *Canadien* (français) de cette fin des années trente du XIXe siècle. En effet, avant de faire ce rêve, il avait froidement assassiné ce colporteur qu'il invite sous son toit sous prétexte de lui offrir l'hospitalité. Le colporteur, nomade ambulant comme le *coureur de bois/voyageur*, son ami, est l'incarnation même de l'ancien *Canadien* qui gagnait sa vie par les «voyages». Le nouveau sujet *canadien* — sujet de sa Majesté le roi d'Angleterre — , arrêté par la conquête dans ses voyages nomadiques, n'ayant plus besoin de son *alter ego* sous le même toit, l'élimine, le tue. Le héros des *Anciens Canadiens* n'était-il pas content lui aussi de se faire amputer la main sous prétexte qu'il n'en avait plus besoin? «Alors s'engagea *dans les ténèbres* une lutte horrible! Lutte de la mort avec la vie. Guillemette se trouva corps à corps avec son assassin qui trembla en sentant l'*étreinte* désespérée d'un mourant et en entendant, près de son oreille, le dernier râle qui sortait de la bouche de celui qui l'*embrassait* avec tant de violence, comme pour en faire un cruel adieu à la vie»[12].

Ce duel qui se joue «dans les ténèbres» de l'inconscient entre l'ancien *Canadien* nomade et le nouveau *Canadien* arrêté, sédentarisé est une lutte, le texte le dit assez, entre *Bios/Eros* (Vie/Amour) et *Thanatos* (Mort). Car l'étreinte désespérée, le râle du mourant n'est-il pas aussi

---

11. Voir «la Création littéraire et le rêve éveillé», in *Essais de psychanalyse appliquée*, Paris, Gallimard, 1971, p. 69 et suivantes.

12. *Ibid.*, p. 48; nous soulignons.

l'étreinte et le râle de deux amoureux? Les deux hommes qui s'embrassent avec tant de violence se tuent pour s'être trop aimés, chair de leur chair, os de leur os. L'abjection aura pleinement accompli son oeuvre lorsque le cadavre de cette partie morte, rejetée, tombe tel un déchet, excrément à éliminer. «Il eut néanmoins le courage d'appliquer un second coup et un instant après il entendit, *avec joie*, le bruit d'un corps qui *tombait* sur le plancher»[13].

La scène nocturne du rêve cité plus haut est évidemment le retour de ce meurtre refoulé dans l'inconscient. Meurtre euphémisé, car le rêve, grâce à sa *condensation*, en fait l'économie. La victime du meurtre est ici l'octogénaire au corps décomposé. L'âge a son importance. Car près de quatre-vingts ans se sont écoulés depuis la Conquête: plus de deux générations se sont donc succédées en *Canada*. Le vieillard auquel le sujet *canadien* est attaché par «des cheveux d'une blancheur éclatante» n'est nul autre que l'ancien sujet français qui s'est incliné après la Conquête devant le nouveau maître, le roi d'Angleterre. Cet ancien sujet assassiné non par l'ennemi anglais, mais par un *Canadien*, un congénère, est, aujourd'hui (1837), un cadavre en décomposition, rongé et tenu en vie apparemment par une coulée de vermisseaux frétillants. Le nouveau sujet a beau se détourner avec dégoût de cet autre de lui — abject-déchu, cadavre de son ancien moi, sommet de l'abjection — «il y est lié» (doublement lié — double bound!) par ses cheveux.

Le cancer de la bouche

Cette scène d'horreur, qui pourrait venir directement de la *Rocky Horror Picture Show*, fait place à une idylle. Une jeune fille, cachée sous un immense voile blanc, découvre une beauté éblouissante une fois le voile ôté. Mais l'idylle est de courte durée. Catastrophe! Cette beauté, ce visage éblouissant est rongé par un *cancer hideux*. Le brave abbé Casgrain, rééditeur et censeur de ce roman (1864), ne pouvait bien évidemment laisser passer la suite: «Un cancer hideux qui *présentait une bouche sanglante à baiser*». C'est horrible: Thanatos (Mort) et Eros (Amour) qui se «baisent». Freud a vraiment manqué un morceau d'anthologie pour son *Au-delà du principe de plaisir*. Ah! si notre littérature

13. *Id.*; nous soulignons.

québécoise était plus connue «là-bas». On y trouve vraiment des «trésors cachés»!

Qui est cette fille défigurée, rongée par le cancer? Elle est le premier amour du *Canadien*, image et symbole de tout amour par la suite, incarnation de *la* beauté, femme idéale, toujours jeune: la mère. La France, la mère patrie du *Canadien*, son premier amour. L'abjection est l'expression négative de l'amour que le sujet *canadien* vouait à sa mère (patrie). Or, depuis que cette mère l'a mortellement blessé en l'abandonnant à lui-même sur les bords du Saint-Laurent, elle n'est plus la même. Le *roman familial*, nous l'avons vu, avait justement pour fonction d'expliquer et, en même temps, de colmater cette fissure dans la réalité affective du *Canadien*. En *dégradant* sa mère, en faisant d'elle soit une putain (le syndrome «Pompadour»), soit comme ici une «ancienne beauté» aujourd'hui défigurée par le cancer, le *Canadien* se vengeait de la désaffection, retrait affectif de cette mère abjecte.

Mais il y a plus. La maladie, le cancer dont est frappée cette ancienne mère patrie rejetée, et surtout la partie du corps qui en est affectée, sont tout à fait significatives. J. Kristeva a bien diagnostiqué les symptômes de cette maladie en lui assignant sa place dans la nosologie de l'abjection: «Le symptôme: un langage, déclarant forfait, *structure dans le corps un étranger in-assimilable, monstre, tumeur* et *cancer*, que les écouteurs de l'inconscient n'entendent pas car c'est en-dehors des sentiers du désir que se blottit son sujet égaré»[14]. Cancer, monstruosité qui se fixe autour de la bouche, organe qui embrasse. Le baiser, premier geste d'amour de la mère. La bouche, organe de phonation par lequel passe le langage. Le «je t'aime» de la mère, le premier mot d'amour. Ce n'est donc pas un hasard si la monstruosité de Capistau, complice d'Amand (chapitre X), se fixe aussi dans la zone buccale: «Son visage n'avait rien de repoussant, mais sa bouche était loin de l'embellir. Le dix-neuvième siècle est convenu d'appeler monstre tout ce qui est extraordinaire, et les écrivains de ce siècle fécond se servent toujours du mot: type; or cette bouche était une *bouche monstre*, le *type de toutes les bouches monstres*. Ceux qui en doutent peuvent en voir la dimension au presbytère de Saint-Jean-Port Joli, car moyennant un minot de pois, il a consenti à la laisser mesurer au compas et le rayon en est encore marqué sur la porte»[15]. Monstruosité *typique*, du nouveau type *canadien*, monstruosité frappant la bouche qui

---

14. *Ibid.*, p. 19; nous soulignons.
15. *Ibid.*, p. 114; nous soulignons.

ne peut plus assumer ses deux fonctions essentielles: embrasser et parler. Or, ce cancer, cette monstruosité sont les symptômes somatiques d'aversion pour cet «étranger inassimilable», l'Autre.

L'Autre, le grand Autre et le «bastion du curé»

Évidemment, une lecture nationaliste saisirait sans crier gare et aveuglément cette perche tendue: l'étranger, l'Autre, c'est l'Anglais qui, à ce moment-là, avec son armée écrase sans merci la révolte d'un peuple brimé. Peuple *canadien* opprimé par l'Angleterre. On connaît la chanson! Or, ce roman, en toute *objectivité*, si ce mot a encore un sens, n'autorise pas cette lecture nationaliste.

Certes, il y a tout un chapitre (chapitre V) intitulé «L'Étranger», assorti en plus d'un exergue anglais tiré de Shakespeare — «Descend to darkness and the burning lake: False fiend, avoid», qui peut entretenir cette illusion d'un ennemi, d'un Autre qui rôde et qui prend possession des «gens du pays». Et que dire de cette bouche monstrueuse «marquée sur la porte» dont il a été question plus haut? Bouche (canadienne-française) «cousue» qui se ferme comme une porte. Porte du pays se fermant aux gens du pays. C'est l'Autre qui parle. Or, cet *ennemi* auquel il faut fermer les portes n'est nul autre que l'«Autre de Dieu», le Diable.

> Ein Teil von jener Kraft
> Die stets das Böse will und stets das Gute schafft.
> (Une partie de cette force
> qui veut toujours le Mal,
> mais crée toujours le Bien.)
> J.W. Goethe, *Faust* I

Le «survenant» qui fait intrusion dans le cercle des villageois en fête, c'est Lucifer, sous les apparences d'un parvenu. Alors qu'il est sur le point de séduire la «pauvre Rose» — comme Faust séduit Marguerite avec l'aide de Méphisto — le curé du village, exorciste amateur, intervient au bon moment pour briser les «succubes» et «incubes» de l'étranger, de l'autre:

> Il était temps que le curé arrivât; l'inconnu en tirant sur le fil du collier l'avait rompu et se préparait à saisir la pauvre Rose, lorsque le curé (...) s'écria d'une voix tonnante: que fais-tu ici, malheureux, parmi les chrétiens? Les assistants étaient tombés à genoux à ce terrible spectacle, et san-

> glotaient en *voyant leur vénérable pasteur qui leur avait toujours paru si timide et si faible*, et *maintenant si fort et si courageux, face à face avec l'ennemi de Dieu et des hommes*.[16]

Il est tout à fait remarquable que ce roman, qui paraît au moment où l'effervescence populaire commence à monter vers son paroxysme, ne fasse aucune mention de l'*autre* étranger, de cet ennemi contre lequel se déchaîne l'ire des *Patriotes*. En effet, le roman de Philippe Aubert de Gaspé fils paraît à la mi-septembre 1837. De mai à septembre, il y a eu 23 assemblées populaires, la plupart dans la région de Montréal. La brusque clôture du Parlement, début septembre, met le feu aux poudres: «Les jeunes gens surtout étaient comme emportés dans un tourbillon»[17]. Roman prémonitoire de tant d'événements, exécutions capitales, pendaisons, assassinats, autopsies des Patriotes, prédominance du règne de l'imaginaire sur celui de la réalité, ce roman escamote totalement le conflit aigu, l'affrontement entre patriotes *canadiens* et citoyens anglais, pour le faire dévier vers une confrontation, *face à face*, de l'*orthodoxie* catholique et de l'*hétérodoxie* de l'Autre, règne du Diable. Cette hétérodoxie qui fait quitter le droit chemin de la religion catholique romaine constitue le véritable ennemi. L'étranger, ce n'est pas l'Anglais, mais le Même, le Canadien français qui voudrait entamer cette foi. Un seul bastion pour endiguer cette influence hétéronome, qui vient de l'extérieur (nous avons vu quel rôle a joué l'extériorité dans la psyché *canadienne* depuis la fondation de Québec): le curé. Par une autre prémonition saisissante, Ph. Aubert de Gaspé fils indique le grand gagnant de la révolte des Patriotes: le curé. C'est lui devant qui les ouailles s'agenouillent, lui qui *paraissait si timide et si faible*, ne cesse de grandir pour devenir la figure dominante du Québec jusqu'au début de la révolution tranquille, vers 1960. Magie de l'imaginaire du livre (Bible) et de la religion. C'est pourquoi, lorsque la religion, avec la sécularisation des années soixante, sera battue en brèche, le culte de l'imaginaire, par l'élite éduquée, prendra la place du culte religieux. Et tous ceux — la majorité silencieuse — qui ne lisent ni n'écrivent, se réfugieront au sous-sol des églises (on reste malgré tout

---

16. Notons en passant, car nous aurons à y revenir, le mode de séduction *toute canadienne* de l'Autre: il tire Rose par son collier, de même que le «bon» curé, pour annuler la séduction, lui met son étole autour du cou.

17. F.-X. Garneau, *op. cit.*, p. 662.

«dans» l'église!) pour s'adonner à la magie des jeux de hasard: le bingo, jeu qui passionne les Québécois, ces impénitants «chercheurs de trésors» depuis les temps de Jacques Cartier. Quel roman d'anticipation, tout de même, que *le Chercheur de trésors*!

Chapitre IV

Comment désaliéner les historiens aliénés par leur propre histoire?

Patriotes: beaucoup d'appelés et peu d'élus

Nous voilà toujours ramenés à la question qui, malgré nos égarements «abjects», nous a talonnés; comment, en effet, expliquer, *après* les événements de 1837, cet effondrement, cette dépression mélancolique qui s'empare des *Canadiens*? Après tout, l'insurrection des Patriotes ne fut pas le soulèvement de masse, *la* révolution que l'historiographie nationaliste l'a fait devenir. Il est d'ailleurs intéressant de noter combien le chiffre des participants a augmenté depuis la fin du XIXe siècle: de cinq cents, on est rendu aujourd'hui à deux mille cent[1]. Pour les nationalistes québécois, c'est évidemment l'événement fondateur de *leur* histoire qui donne pour ainsi dire ses lettres de noblesse et ses martyrs à leur cause. Dans le milieu nationaliste, il est de bon ton d'avoir eu un ancêtre dans les rangs des Patriotes. Il arrive au Québec ce qui s'est passé déjà aux États-Unis avec le *Mayflower*, qui confère leurs lettres de noblesse aux Américains: il y a beaucoup d'appelés et peu d'élus. Les prétendants à la noblesse fondatrice dépassent largement la capacité de chargement du bateau. Au Québec, les prétendants à la cause patriote dépassent de

---

1. Voir Jean-Paul Bernard, *les Rébellions de 1837-1838*, Montréal, Boréal Express, 1983.

beaucoup la capacité des prisons anglaises. Le nombre des Patriotes au Québec est le baromètre qui indique la cote du nationalisme dans le pays: à la hausse, le nationalisme se porte bien. Une augmentation de 1 600 recrues patriotiques, en cent ans, voilà qui est de bon augure!

L'insurrection de 1837 a été le fait d'éléments radicaux. Les orateurs ont beau exciter l'*imagination* du peuple en évoquant — comme le discours nationaliste l'a fait encore récemment — le joug étranger, etc. — le peuple «ignare» — on méprise le peuple lorsqu'il ne suit pas la cause nationale — ne voit pas dans la réalité les signes de cette oppression ennemie dénoncée par les nationalistes: «Les plus grands efforts se faisaient pour soulever le peuple; mais on éveillait plutôt la curiosité de la foule que sa colère. Loin des villes, loin de la population anglaise et du gouvernement, le *peuple vivait tranquille, comme s'il était au milieu de la France, et sentait à peine les blessures du joug étranger.* La *peinture* des *injustices* et de la *tyrannie* du *vainqueur* excitaient bien lentement les passions dans son âme et n'y laissaient aucune impression durable»[2]. «Comme au milieu de la France», l'ennemi, l'Anglais n'est pas visible, présent seulement dans les centres urbains: il n'occupe pas *tout* le pays.

Enfin la réponse: laquelle est la «vraie» Défaite?

Donc, *objectivement*, ne touchant qu'une frange de la population, la défaite de 1837-1838 est moins accablante, plus partielle que celle de 1760 qui fut *totale*, suivie d'une reddition. Comment alors expliquer ce *décalage* dans la *perception* des deux défaites, celle de 1760 et celle de 1838, plus précisément entre les conditions matérielles, *objectives* de la Défaite et sa perception *subjective*? Autrement dit, pourquoi immédiatement après la conquête de 1760 les *Canadiens* n'ont-ils pas réagi comme s'il s'était agi d'une défaite écrasante (c'est ce que l'historiographie nationaliste veut nous faire croire); pourquoi, d'autre part, les *Canadiens* furent-ils pris, après 1838, somme toute une défaite partielle, d'un abattement, d'un effondrement de leur moral, de leur être?

Une certitude, dès à présent: la vraie *catastrophe* — celle que les idéologues nationalistes imputent à la défaite de 1760 — a eu lieu entre 1837 et 1841. D'autre part, cette *disproportion* dans la réaction des *Canadiens* entre les deux défaites, comment l'expliquer sinon par l'idée que

---

2. F.-X. Garneau, *op. cit.*, p. 663; nous soulignons.

les *Canadiens* réagissent à la défaite de 1838 *comme ils auraient dû réagir normalement* à la conquête de 1760, s'*ils l'avaient perçue* comme une *défaite*, comme *La* Défaite? Tout se passe donc comme si le *défaitisme* catastrophique, cette «sur-réaction» (*Überragierung*) des *Canadiens* à la suite des événements de 1838, était dû au fait qu'ils réagissaient *deux fois plus fort*, doublement, comme s'ils avaient à assumer, à ce moment-là, le choc conjugué, devenu réel, des deux défaites. C'est après l'échec des Rébellions de 1837-1838 que les *Canadiens, collectivement, réalisent* la défaite, prennent conscience, *après coup*, de la Défaite. On comprend donc pourquoi Garneau, par une lecture à rebours de 1837-1841, a le premier présenté une conquête comme la Défaite. Elle ne l'*était* pas avant.

Du coup, il devient plus facile d'expliquer l'effondrement, la dépression de la psyché canadienne-française à ce moment critique de son histoire. En effet, ce qui fait s'écrouler rétrospectivement tout un grand pan de sa *réalité*, c'est l'effondrement de l'idéal du *Canadien. Idéal, idée, fiction* du *roman familial*. Nous avons vu que le *Canadien*, après la Conquête — comme le jeune enfant après les déceptions venant de ses parents réels qui frustrent son narcissisme d'enfant choyé — s'invente des parents d'emprunt, père et mère royaux, qui permettent à l'enfant de perpétuer sa filiation royale tout en niant le traumatisme infligé par la réalité. Rabaissement, humiliation des parents biologiques, de la France donc, d'un côté; de l'autre, idéalisation, sublimation des parents d'emprunt, du roi d'Angleterre et de la «bonne mère» anglaise qui accueille mieux l'enfant dans son giron que l'ancienne, la «putain» (Pompadour).

Or, en 1837-1841, le *Canada* se sent abandonné aussi des parents adoptifs anglais qui, dans son *roman familial*, sont devenus ses parents «réels», puisque ses parents français, il les a rejetés comme abjects suivant le mécanisme analysé plus haut. C'est donc la deuxième phase du *roman familial canadien*, l'idéalisation de la mère patrie anglaise — la plus incroyable pour les Québécois modernes et à laquelle nous nous attacherons plus loin — qui s'écroule en 1838 et qui, tel un jeu de dominos, rétroactivement, fait s'écrouler toute l'élaboration fictive depuis la Conquête. Du coup, la conquête de 1760 cesse d'être euphémisée, idéalisée comme elle l'était dans le filtre du *roman familial*: sous le ressac réel des événements de 1837-38 qui consomment l'abandon définitif et irrévocable de l'orphelin, abandonné maintenant aussi par ses parents d'emprunt idéalisés, anglais, il convient de réinterpréter la Défaite de 1760 qui *devient*, à partir de ce moment, *la* Défaite.

Dieu avec nous? La Conquête providentielle: la Révolution française

En effet, cette «Conquête providentielle»[3], comme on l'a appelée au *Canada*, n'avait de sens que dans la perspective du *roman familial*. La Conquête n'était pas une *Défaite* qui littéralement dé-fait l'être qu'on était jusque-là, mais un coup de grâce de la Providence qui fait échapper l'enfant bon et innocent des griffes du Démon, de cette bête sauvage sanguinaire qu'est devenue la France, ancienne mère, tout à fait méconnaissable depuis la Révolution française. Nous aurons à revenir sur le choc, sur l'ébranlement terrible que la Révolution française provoqua en *Canada*, malgré son éloignement spatial de la scène des terreurs. Retenons pour l'instant que la Révolution française — aussi providentielle tout au moins que la Conquête anglaise — permet aux *Canadiens* d'expliquer et de rationaliser *après coup* l'abandon de sa mère par la déchéance physique et morale. Quelle aubaine que cette Révolution française pour l'orphelin *canadien* en train d'élaborer son roman familial! La réalité révolutionnaire traduit dans sa quotidienneté ce que l'imagination *canadienne* la plus échevelée n'aurait pu oser se représenter. En fait, la France tombe réellement plus bas que l'orphelin n'aurait pu l'imaginer dans ses fantasmes les plus «sauvages». Elle *est* le Démon, l'Autre, l'Étranger contre lequel il faut se prémunir, qu'il faut tenir loin. C'est *cet* étranger que combat précisément le premier roman canadien-français. Quelle chance qu'un cordon sanitaire naturel sépare le *Canada* de la France! L'Atlantique, trop large, trop isolant jusque-là, ne peut plus être assez large pour isoler le *Canadien* de la pestilence française. Quelle chance d'avoir changé d'allégeance *au bon moment*: le *kairos*, moment propice, signe évident qu'un bon père céleste veille aussi sur l'orphelin canadien. Cette Défaite est une vraie aubaine!

Nous avons l'air d'ironiser. Car les Québécois — au nom de la *désaliénation* inscrite sur les bannières des troupes de choc nationalistes — , se sont aliénés une partie essentielle de *leur* histoire: celle de l'après-défaite immédiate (1760). Bien sûr, les histoires que les historiens et les sociologues «sérieux» nous racontent sont tout à fait plausibles. Car au

---

3. Lionel Groulx, «la Providence et la conquête anglaise de la Nouvelle France», in *Notre maître le passé*, t. III, *op. cit.*, pp. 125-164;
  Claude Galarneau a corrigé le début de cette «Conquête providentielle», fixé par L. Groulx en 1794 sous l'égide de Mgr Plessis. Or, selon Galarneau, ce motif entendu dès le 20 décembre 1792 au Conseil législatif, deviendra vite leitmotiv. *La France devant l'opinion canadienne*, 1760-1815, *op. cit.*, p. 337.

fond, ne visent-elles pas surtout à biffer cette deuxième part maudite du *roman familial* qui montre le sujet *canadien* soumis, «à plat ventre» devant ce que les nationalistes, une fois pour toutes, ont désigné comme l'ennemi, l'Anglais. On le voit, ils ne font que prendre à leur compte, même s'ils n'en sont pas conscients, la version F.-X. Garneau qui, tout en conservant la première phase du roman familial — le *Canadien* orphelin abandonné par sa mère patrie —, gomme la deuxième — le *Canadien* adopté par les «bons parents» anglais — devenue *abjecte* sous le coup de la Révolte de 1837-1838. Tellement abjecte que Garneau, non content de montrer l'ennemi, l'Anglais, là où il se montre *réellement*, dans le présent — c'est-à-dire lors de l'écrasement de l'insurrection de 1837 —, le projette rétroactivement sur le passé en faisant voir la conquête de 1760 comme une défaite.

La Défaite, une victoire

Certes, il nous est difficile aujourd'hui d'imaginer comment un peuple peut vivre une défaite comme une victoire. C'est pourquoi la version, bien que *fictive*, des idéologues nationalistes, paraît plus plausible, plus vraisemblable que la version «vraie» de l'histoire. «Le vrai peut quelque fois n'être pas vraisemblable». Surtout, elle est plus «honorable». Un peuple qui gémit sous le *knout* et la *schlague* du conquérant, c'est la version ordinaire, normale des défaites. Or, celle du *Canada* est extraordinaire, anormale. C'est ce qu'il s'agit de comprendre, pour mieux comprendre en même temps cet effondrement de la psyché canadienne après 1837.

Le *Canadien*, dans un premier temps, lave l'Anglais, l'ennemi, de l'opprobre du conquérant. Il y parvient grâce à une scission, une *schize*, en germe déjà dans le *roman familial*. Comme le *roman familial* distingue entre le «bon père» idéal et le «mauvais père» réel, ainsi le *Canadien* va reconnaître comme deux entités, deux réalités clivées, le «bon Anglais» et le «mauvais Anglais». «Bon Anglais» idéal, lointain, habitant les îles qui veille de loin avec bonté sur son enfant adoptif, qui l'aime; «mauvais Anglais» réel, parce que tout près sur son territoire, qui, lui, fait figure de conquérant, d'oppresseur.

Bien évidemment, loin de prendre acte de cette distinction, de cette scission, et d'examiner objectivement quel effet elle a eu sur la mentalité des *Canadiens*, l'historiographie nationaliste la qualifie d'illusoire, puisqu'elle jette la «confusion dans l'esprit de *plusieurs générations de Cana-*

diens»[4]. Illusoire c'est-à-dire n'ayant pas de statut *réel*. Déni (Verleugnung), assorti d'un aveu implicite, indirect: que ce dédoublement de l'Anglais en un être réel, abject, et en une *image* idéale, a tout de même prévalu pendant *plusieurs générations*. Le temps donc de s'enraciner dans les mentalités. *Plusieurs générations*. Plus de deux générations. En effet, ce dédoublement s'effondre avec la révolte de 1837-1838. Car, à ce moment là, l'idéal de la mère patrie anglaise, qui trônait haut et loin dans le ciel des idées, est happé, rongé, décomposé (comme ce cadavre du roman) par la réalité, par l'«Anglais mauvais», le marchand égoïste et vorace. Le bon roi d'Angleterre, après le rapport Durham, se rend donc aux demandes des «anglicisateurs» de «la clique du château» comme on les appelait à l'époque: la sujétion totale des *Canadiens*, traités enfin en «vrais» vaincus.

«Distinction sans fondement»[5], redit encore J.-P. Wallot. Comment peut-on nier le bien fondé de cette distinction entre «bon Anglais» d'Angleterre et «mauvais Anglais» du Canada alors qu'elle fonde la vision du *Canadien* au cours de ces soixante-dix-sept ans décisifs qui séparent la conquête de 1760 de la Révolte des Patriotes de 1837? Bien évidemment, dans une perspective québécoise nationaliste, cette distinction *est* sans fondement puisque les nationalistes n'ont vu qu'*un seul* Anglais, colonisateur, oppresseur qui tient les conquis sous sa botte, réduit la population en esclavage et saigne le pays à blanc.

Libérez-vous du joug de l'oppresseur: les Américains devant les portes!

C'est que les historiens québécois sont embarrassés — comme le sont les historiens juifs à l'égard des Juifs sous le régime nazi — par cette question qui les inquiète: mais pourquoi n'ont-ils pas réagi, pourquoi ne se sont-ils pas soulevés massivement? Pourtant, les *Canadiens*, contrairement aux Juifs, ont eu deux occasions en or pour secouer le joug des oppresseurs anglais. Deux fois les Américains ont envahi leur pays: en 1775 et en 1812. Si, lors de l'invasion de 1775, le haut clergé et les seigneurs affichent une loyauté au nouveau régime anglais qui ne laisse rien à désirer, le peuple reste neutre, voire «apathique», pour utiliser les

---

4. Jean-Pierre Wallot, *Un Québec qui bougeait. Trame socio-politique du XIXe siècle*, Montréal, Boréal Express, 1973, p. 81; nous soulignons.

5. *Ibid.*, p. 82.

termes mêmes de l'historien québécois Marcel Trudel qui a décrit admirablement les rapports triangulaires Canada-France-Amérique[6]. Certes, le peuple ne s'enrôle pas illico, comme les seigneurs et monseigneur Plessis le lui ont demandé: il attend l'issue de la bataille, de la nouvelle conquête, pour être bien du côté du gagnant. (Comme aujourd'hui les Québécois veulent être bien sûrs de gagner «leurs» élections). Décision qui a toujours lieu, nous avons dit pourquoi, à Québec. De là l'hésitation des *Canadiens*: «Ils ne voulaient pas se prononcer aussi longtemps que la *Conquête n'était pas assurée*»[7]. Or, la défaite de l'armée américaine, le 31 décembre 1775 devant les portes de Québec, décide de l'allégeance des *Canadiens*: être du côté du vainqueur. Si bien qu'en 1812, lors de la deuxième invasion américaine, ils combattent du côté du vainqueur anglais.

Dernière occasion manquée d'un retour possible au bercail français: la venue du jeune La Fayette, en 1778, jusqu'à Albany pour «libérer» le Canada du joug de l'«oppresseur» anglais. Mais son père spirituel, Washington, refroidit la fougue conquérante de La Fayette et annule l'invasion projetée du *Canada*. Quelle aurait été la réaction des *Canadiens* si La Fayette avait vraiment entrepris son expédition? Question que Marcel Trudel se pose. Elle relève de l'histoire hypothétique. *Si* Washington et le Congrès avaient donné leur aval. La loyauté des *Canadiens* au nouveau régime anglais est vite acquise. Très probablement donc, 18 ans après la conquête, lors d'une invasion virtuelle de La Fayette, les *Canadiens* seraient restés «neutres»... Question de voir qui l'emporterait.

Provocations, incitations, invitations du Congrès américain compatissant avec le peuple *canadien* croupissant sous le joug anglais: rien n'y fit. La nouvelle loyauté des *Canadiens* ne se laisse pas entamer. Même les appels vibrants flattant l'esprit guerrier des *Anciens Canadiens* tombent dans des oreilles sourdes! «Nous ne pourrons jamais croire que la génération actuelle des Canadiens soit dégénérée au point de ne plus posséder ni l'ardeur, ni la bravoure, ni le courage de leurs ancêtres»[8]. Les *Canadiens* ne se battent plus contre les Américains, non parce qu'ils sont *dégénérés*, mais parce qu'ils ne voient vraiment pas l'enjeu de cette guerre, et parce qu'ils sont mus par une «logique historique». N'ont-ils pas, depuis plus de deux cents ans, combattu avec une ferveur qui ne s'est

6. Marcel Trudel, *la Révolution américaine*, *op. cit.*, pp. 147-148.

7. M. Trudel, *op. cit.*, p. 108; nous soulignons.

8. Lettre du Congrès aux habitants opprimés du Canada, mai 1775.

jamais démentie, cet ennemi du Sud, *leur* ennemi? Nous l'avons vu:
l'ennemi traditionnel du *Canadien* a toujours été le Bostonais, comme on
l'appelait, l'Américain d'avant la Fédération. Comment le *Canadien*
aurait-il oublié son passé récent et changerait-il d'allégeance pour une
nation perfide qui tient à son égard un double langage? Il avait toutes les
raisons de s'en méfier. En effet, une lettre qui s'adresse «à la galerie»
canadienne flattant l'honneur et la bravoure de ses *habitants*, une autre au
peuple de Grande-Bretagne qui proteste violemment contre le rétablis-
sement affiché de la religion catholique au *Canada* depuis l'*Acte de
Québec*, assimilant le catholicisme (et partant les *Canadiens*!) à la «bigo-
terie», à l'«impiété», au «meurtre et à la rébellion». Ce fanatisme religieux des puritains américains contraste avec la tolérance du bon roi
d'Angleterre qui restitue aux vaincus, après les avoir provisoirement suspendus (1763), leurs droits acquis: religion catholique, coutumes de
Paris, langue française. En 1812, les *Canadiens* se battent vaillamment et
loyalement du côté du «conquérant» anglais pour repousser l'envahisseur
américain.

Vous dites: «Comprendre l'Anglais»?

Les historiens nationalistes qui condamnent l'*Anglais en bloc* sont
incapables de voir aujourd'hui les bienfaits de cette première constitution
(1774) en terre canadienne-française, que les *Canadiens* de cette époque
ont perçus. Encore pour la Constitution de 1791, Jean-Pierre Wallot,
pourtant le moins aveugle, n'a qu'un seul qualificatif *abject*: «un monstre
d'incompréhension»[9]. On demande de la compréhension de quelqu'un à
qui on refuse *sa* compréhension.

Mieux vaut donc — pour l'appréciation «objective» des deux constitutions (1774 et 1791) — se fier à la spécialiste anglaise en matière constitutionnelle, Kaye Holloway, dont le préjugé favorable à la cause du
Québec ne s'est jamais démenti dans le livre magistral qu'elle a consacré
à l'histoire mouvementée des constitutions au Canada et au Québec
depuis la fondation des deux pays. Elle y souligne l'importance capitale
de l'*Acte de Québec* (1774) sur l'évolution de la «province de Québec» et
de ses habitants en tant que minorité nationale, en tant que nation. Car
c'est par cet *Acte* seulement — évidemment non par pure générosité du

9. *Op. cit.*, p. 97.

conquérant, mais sous le coup de la Révolution américaine — que les *Canadiens* ont obtenu «la reconnaissance des droits inhérents à une minorité nationale»[10]. Bien plus, sont désignés dans l'*Acte de Québec*, comme légitimes «habitants du pays» *les seuls* Canadiens français qui font 98% de la population, comme si les Anglais n'avaient pas le droit d'y habiter. Les Anglais du Canada, vainqueurs, avaient de quoi se sentir lésés! «Comprendre les Anglais» c'est essayer de se mettre à leur place... mentalement. Mais de telles velléités d'empathie sont vite tuées dans l'oeuf par la vigile nationaliste québécoise qui veille à ce que l'Anglais reste bien le noir ennemi, animé en permanence de sournois desseins génocidaires.

Traverser les souvenirs-écran: la première réaction des vaincus

C'est dire qu'il faut traverser l'écran (*Deckerinnerung*) des histoires nationales pour retrouver l'éclat de voix des *Canadiens* depuis la Conquête, et partout cette distinction réelle, fondamentale, entre Anglais d'Angleterre et Anglais du Canada, prérequis indispensable du *roman familial canadien*.

À sa place, les historiens et sociologues nationalistes ont instauré une autre distinction, plus satisfaisante pour l'«honneur» national: celle d'une élite collaboratrice et d'un bon peuple réfractaire au conquérant, finalement soumis par les seigneurs et les évêques «collabos», «salauds».

Pour cela il eût fallu que la défaite — à l'image de celle de la France par l'Allemagne en 1940 — fut vraiment perçue par le gros de la population comme une défaite subie aux mains d'ennemis implacables. Ce qui ne fut pas le cas.

Là-dessus tous les témoignages des *Canadiens* sont nets et sans équivoque. La belle étude de Michel Brunet ne laisse aucun doute sur la perception qu'avaient les *Canadiens* contemporains de la Conquête. S'attendant aux «Vae victis» hurlés par la plupart des vainqueurs, les *Canadiens* sont agréablement surpris, après la longue et cruelle guerre franco-anglaise, de ne pas être soumis par une soldatesque sauvage, mais de se trouver en face de militaires — Murray, notamment — compatissant

---

10. *Le Canada, pourquoi l'impasse ?*, *op. cit.*, p. 35.
   Voir aussi C. Galarneau, *op. cit.*, «C'est (1774) la fin de l'ostracisme contre les Canadiens, la fin de l'anarchie judiciaire, la reconnaissance du «fait français», bref une victoire complète des Canadiens», p. 41.

avec la misère de la population *canadienne*. Conquérants «charitables», c'est suspect! Ébahis, les *Canadiens* découvrent un occupant qui paie ses achats «en argent comptant et espèces sonnantes»[11], contrairement aux anciens maîtres français qui pressuraient le pays et n'honoraient pas leurs traites. Laissons la parole à Michel Brunet, non suspect de parti pris pour les Anglais: «La générosité du conquérant, sa bienveillance, son souci de l'intérêt général, son esprit de justice lui acquirent le coeur des vaincus. Ceux-ci n'avaient qu'à dresser un parallèle entre la conduite des Anglais et celle des anciens administrateurs du pays. La comparaison, malheureusement, n'était pas à l'avantage de ces derniers»[12]. Tous les témoignages des *Canadiens* relevés minutieusement par Michel Brunet ne permettent qu'une seule conclusion: les conquis sont acquis, séduits (*se ducere*) par le conquérant. Écoutons le *Canadien* qui exhorte son correspondant français, lequel voit la situation de l'extérieur, à cesser de le plaindre de son nouveau sort: «Cessez (Monsieur) d'avoir cette compassion pour nous, notre sort est moins malheureux qu'il n'était cy devant»[13]. Ce Français aussi, qui a compris le changement de loyauté des coeurs des *Canadiens*: «Je pense que les Anglais, comme d'habiles gens, voudront traiter favorablement leurs nouveaux sujets pour se les attacher. Il leur en coûtera peu pour leur faire goûter l'avantage d'avoir changé de maître, puisqu'ils n'ont qu'à faire le contraire de ce que nous faisions»[14]. Et enfin ce témoignage anglais, s'il compte: «Les habitants, particulièrement les paysans paraissent satisfaits d'avoir changé de maîtres»[15].

Mais mille témoins ne feraient pas fléchir les idéologues nationalistes. Car l'idéologie rend sourd et aveugle; elle tue la vérité historique[16]. «DES ANGLAIS! Ce sont là nos VAINQUEURS! — Ils ne se disaient pas nos conquérants; ils ne nous *parlaient pas de conquête*, ils auraient voulu la faire oublier»[17]. La distinction de ce *Canadien* du XIXe siècle est d'importance; elle doit nous faire réfléchir avant de frapper les événements

11. Proclamation du général Amherst, 22 septembre 1760, cité par M. Brunet, «Premières réactions des vaincus de 1760 devant leurs vainqueurs», in *la Présence anglaise et les Canadiens, op. cit.*, p. 41.

12. *Ibid.*, p. 42.

13. *Id.*

14. *Id.*

15. *Id.*

16. Voir là-dessus Edgar Morin, *Pour sortir du vingtième siècle*, Paris, Fernand Nathan, 1981; notamment «l'Immunologie idéologique», p. 89.

17. *Le Canadien*, 29 novembre 1806, cité d'après Wallot, *op. cit.*, p. 85; nous soulignons.

d'après 1760, sommairement, du terme de «*conquête*». Car attention: celui qui parle ici, ce n'est pas un seigneur vendu ou un évêque «collabo» de la trempe de monseigneur Plessis. C'est un journaliste qui appartient à cette nouvelle couche montante de la société, celle des professions libérales porteuses de l'idéal du nationalisme, dont héritera le nationalisme québécois.

Chapitre V

Après le déficit...
les bénéfices de la Conquête

La Défaite, une victoire pour la démocratie

Le journaliste cité plus haut établit une distinction entre le *vainqueur* et le *conquérant*. C'est avec fierté qu'il revendique le titre de *vaincu* de l'Angleterre. La victoire des Anglais est une victoire *pour* les *Canadiens*. Car les *Canadiens* ne sont pas des *conquis*. Ils sont *acquis* à la nouvelle cause: la démocratie aux débuts balbutiants. Sujets muets sous l'ancien régime français, fermés à toute idée de *représentation*, les «nouveaux sujets» du roi d'Angleterre, comme s'appellent les *Canadiens*, retrouvent leur voix, éteinte pendant tout le Régime français. Or, à écouter les historiographes nationalistes, c'est en autodidactes, en lisant Burke et Locke (auteurs *anglais*), en organisant des «réunions de cuisine» et en faisant des pétitions que les *Canadiens*, d'*eux-mêmes*, par science infuse, auraient appris les rudiments démocratiques. Aussi, après avoir «pourfendu» le «mythe commode» selon lequel les *Canadiens* étaient un peuple «peu éveillé aux responsabilités politiques» — toute l'histoire de la Nouvelle-France, nous l'avons vu, corrobore bien au contraire ce «mythe» — Jean-Pierre Wallot avoue candidement: «En fait, après la conquête, *tradition de participation au gouvernement* et crise impériale entre les anciennes colonies et Londres se conjuguent pour inciter les Canadiens (…) *à s'intéresser activement à leur propre* sort politique»[1]. D'où vient cette «*tradition* de participation»? A-t-elle été léguée par l'ancienne France? L'historien le laisse sous-entendre. Nous avons vu ce qu'il en est…

Création d'un espace public

Aucun doute n'est possible: c'est seulement sous ce nouveau régime démocratique, imparfait certes — donc après la Défaite, et non sous le Régime français — que les *Canadiens* commencent à «s'intéresser activement à leur propre sort politique». C'est qu'il se crée sous ce nouveau Régime anglais décrié comme tyrannique, une chose que le *Canadien* n'a jamais connue sous l'ancien Régime français: un *espace public*, politique, une *opinion publique* dont Jürgen Habermas[2] a tracé admirablement l'historique. Le *Canadien*, sous le Régime français, nous l'avons dit, passait, sans médiation aucune, d'un espace privé — celui de l'*Habitation* — à l'espace sauvage, ouverture sans frontière, sans feu ni lieu. Or, le conquérant donne aux *Canadiens* un territoire certes rogné, mais, en contrepartie, nettement délimité. C'est lui qui crée l'entité territoriale, le «pays», au sens premier, la «Province of Quebec» dont les Québécois oublieront ensuite qui en a été l'instigateur. Définition minimale indispensable pour que naisse le sentiment national qui, pour naître (*nation* dérive de *naissance*), doit d'abord se *connaître* dans ses limites territoriales et ethniques. La présence de l'Autre anglais, contrairement à ce qu'on a pu affirmer, aiguise la différence donc, par contre coup, l'identité nationale des *Canadiens*. Cette territorialité bornée est également un prérequis pour l'éclosion d'un *espace public*, distinct de l'espace privé, espace où des sujets parlent non plus en leur nom propre mais au nom de ce *public* dont ils se sentent les porte-parole. Tout cela n'a été possible que grâce au Régime anglais. À partir de la Conquête, les *Canadiens* ont voix au chapitre et réclament de plus en plus de voix. Ils utilisent à plein, jusqu'à la contre-productivité, tous les moyens que leur donnent la constitution pour défendre leurs intérêts. J.-P. Wallot reconnaît que, finalement, le régime canadien était plus démocratique que celui de la Grande-Bretagne, pourtant considéré comme le plus démocratique d'Europe au

---

1. *Op. cit.*, p. 255; nous soulignons.

2. Jürgen Habermas, *Espace public*, Paris, Payot, 1978.

début du XIXe siècle, car il donnait «droit de vote à *chaque chef de famille* tandis que la démocratie anglaise était largement censitaire parmi une population de 16 000 000 et ne donnait droit de vote qu'à 300 000 personnes»[3].

Les historiographes et idéologues nationalistes ont tendance à citer de préférence les témoignages des «collabos», des seigneurs et des monseigneurs pour accréditer (il est vrai que ceux des *habitants* illettrés sont difficiles à extorquer) ce qu'il est convenu d'appeler une «idéologie de la collaboration»[4] qui laisse sous-entendre — à l'image du modèle français devant la conquête allemande — une résistance populaire sourde mais réelle. Certes, le peuple «parle» *en son temps*, mais ses voix ne passent pas le seuil de l'histoire parce qu'elles disparaissent comme les «neiges d'antan». Mais, avant la naissance de l'espace public au *Canada* — véritable caisse de résonance et «caisse enregistreuse» — les voix mêmes des professions libérales se seraient perdues sans écho sur les terrains vagues de l'histoire. Nous les entendons aujourd'hui *parce que*, à cette époque-là, il s'est formé une *opinion publique*, consignée dans les journaux. Louis-Joseph Papineau, le tribun, ne serait pas pensable non plus sans cette nouvelle caisse de résonance de l'opinion publique dont il est la création. Jusqu'à Ph. Aubert de Gaspé fils, qui, dans sa préface, soumet son *Chercheur de trésors* au jugement de l'«opinion publique».

Signe tangible de cette opinion publique, la presse d'imprimerie qui fait son entrée au *Canada après* la conquête. Elle ne vient pas de France, mais des États-Unis. Un an après la cession du *Canada*, 1764 est l'«année de grâce» de l'arrivée de la première presse d'imprimerie à Québec. Le 21 juin 1764 paraît le premier journal *du*/de Québec: *la Gazette de Québec*.

Montréal devra attendre sa première presse douze autres années (1776), arrivant, comme celle de Québec, par Philadelphie. Deux ans après, Fleury Mesplet lance l'hebdomadaire *la Gazette du Commerce et littéraire*. C'est parce qu'en 1760 il n'y a pas eu encore d'opinion publique constituée que nous ne connaîtrons jamais la réaction du *Canada* face à la Conquête. Claude Galarneau, qui s'est occupé de la question, a bien vu cet obstacle substantiel. L'opinion des *Canadiens* sur le changement d'allégeance et ses conséquences immédiates ne nous est pas

---

3. *Ibid.*, p. 285; nous soulignons.

4. Gilles Bourque, *Classes sociales et Question nationale au Québec, 1760-1840*, Montréal, Ed. Parti pris, 1970, p. 89 et suivantes.

davantage connue et ne le sera jamais, faute d'expression publique[5]. En effet, Michel Brunet n'a fait que le relevé des «opinions privées».

Pourtant, cette nouvelle élite nationaliste des professions libérales, peu suspecte de collaboration, sait encore d'où lui vient ce nouvel espace public. C'est pourquoi l'«union» avec l'Angleterre, dans la population, est présentée comme un bienfait (le jeune Papineau est encore de cet avis), une bénédiction: «Heureusement encore que notre union avec une nation *généreuse, libre* et *puissante*, ait épargné le sang Canadien! Heureusement que cette *grande nation* ait prêté l'oreille aux récits d'un demi-siècle de souffrances, d'abus et d'injustices, et ait promis de nous rendre (...) justice»[6]. Sous le poids massif de tels témoignages, force est de reconnaître que les *Canadiens* ont changé d'allégeance. Changement d'allégeance qui, grâce au *roman familial*, se fait sans rupture, sans l'arrière-pensée d'une «traîtrise», d'un reniement. C'est que l'Angleterre perpétue l'idéal de la «grande nation» — elle *est* cette grande nation — nouvelle mère patrie qui prend soin de son enfant. On voit, dans cet extrait, comment l'*idéalisation* — composante de la deuxième phase du *roman familial*, — joue à plein et comment s'inverse le rapport entre filiation réelle et filiation imaginaire: la mère patrie française, biologique, est rabaissée au niveau de la marâtre ignoble pour que l'enfant abandonné puisse retrouver sa «vraie mère», l'Angleterre. Une mère qui le fait parler, qui lui donne voix au chapitre.

Grâce à la Défaite, une presse et une culture autochtones

Naturellement, tant qu'il ne voit sous le nouveau régime anglais qu'une dictature militaire — qui, plutôt que d'émanciper le *Canadien* le musèle, l'écrase sous sa botte — le Québécois reste toujours aveugle à cet espace public, qui s'éclôt à ce moment-là en *Canada*. L'historien *nationaliste* québécois n'est sensible qu'à ce qui restreint cet espace public, le prenant pour acquis: restriction et censure de la liberté de presse — par le tyran Craig, notamment — qu'il ne s'agit pas de nier. Bien au contraire. Mais il faut aussi rappeler que *cette* censure était le propre de *tous* les régimes européens de l'époque. Pour la mettre en perspective, il faut comprendre la censure en *Canada* comme une réponse du pouvoir central

5. C. Galarneau, *op. cit.*, p. 92.
6. E. Parent, in *le Canadien*, 7 mai 1831.

anglais contre les revendications des *Canadiens* qui, à partir de 1820, devenus maîtres de cet espace public, parlent de plus en plus «fort» sous l'impulsion du nationalisme, sentiment nouveau qui naît *grâce* justement à ce nouvel espace public.

Ce n'est donc pas un hasard si le *Canadien* découvre dans cet espace la magie — sous l'influence du livre de magie du *Petit Albert* — de son imaginaire et l'exprime *publiquement* dans des livres qui nous sont parvenus. Il serait donc temps de tuer ce «mythe commode» (pour parler comme J.-P. Wallot) véhiculé par l'historiographie nationaliste québécoise qui veut qu'avec la «défaite», le peuple *canadien* soit devenu le «noir analphabète». Encore en 1984, Jean Royer explique par la décapitation de l'élite française après 1760, lors d'un *Salon du Livre*, la «pudeur» des Québécois devant les livres: «On connaît la pudeur des Québécois devant le livre et les écrivains. On sait combien, depuis que l'élite de 1760 est rentrée en France, le peuple de la Nouvelle-France s'est retrouvé seul dans son «noir analphabète» comme le dit Gaston Miron»[7]. Les légendes ont la vie dure!

Les faits historiques nous disent plutôt que c'est *après* le départ et presque *grâce* au départ de l'élite française que le *Canadien* accède à l'autonomie culturelle. Le Régime français n'a jamais admis de presse à imprimer sur le territoire canadien. *Tous* les imprimés — livres, pamphlets, journaux, almanachs — furent importés de France.

L'*émancipation* (*mancipare* littéralement: *prendre en main*) intellectuelle et culturelle du *Canadien*, paradoxalement, eut donc lieu sous le nouveau Régime anglais. Pour la première fois, les *Canadiens* conçoivent et publient leurs *propres* productions intellectuelles, non plus importées de France.

Le changement d'allégeance — qui comporte un changement du régime des langues — a *aussi* un effet stimulant, car on n'a insisté que sur ses effets dégradants: coupé de l'ancienne mère patrie française, le *Canadien* ne peut plus, à cause de la barrière de la langue, importer «simplement» les productions culturelles anglaises. Devant le tarissement (bien que le commerce culturel entre la France et le *Canada*, depuis la Conquête, ne fût jamais complètement interrompu) de la source culturelle française, le *Canadien* — comme l'universitaire anglo-saxon — est placé devant le choix douloureux: *publish or perish* (publie ou disparais). Le *Canadien* répond au «défi» de la *disparition* par la *publication*. Après la

---

7. *Le Devoir*, le 22 novembre 1984.

cavalerie légère des journaux (le premier numéro du *Canadien* paraît le 22 novembre 1806), le Français d'Amérique a recours aux grands canons des livres au moment où sa survie est la plus menacée: en 1837. *L'Influence d'un livre* est conçu, imprimé et publié entièrement au *Canada*. On ne s'étonne pas assez devant la naissance de ce nouvel espace public, préalable, au Canada français, de la genèse d'une littérature nationale autochtone.

Ainsi, le journaliste de 1831 (il s'agit d'Étienne Parent) reconnaît les bienfaits de l'espace public, condition indispensable de l'épanouissement de l'esprit démocratique: «Sous le gouvernement anglais, c'est l'*opinion publique* qui fait tout... les autorités (...) sont obligées de s'y soumettre»[8]. Si donc les *Canadiens* ont des journaux, une presse et, partant, une *opinion publique* (le nom et la chose), c'est grâce à la presse «anglaise» qui s'installe d'abord et à laquelle la presse *canadienne* «répond», par *émulation*.

C'est donc seulement contre cette toile de fond des bénéfices de la défaite — fussent-ils secondaires par rapport aux désavantages — que peut se comprendre la «dépression» de la psyché *canadienne* à la suite des Rébellions de 1837-38. Il s'agit plus précisément d'une crise mélancolique provoquée par le retrait de l'amour des parents anglais. Car, comme l'a montré Freud dans son article célèbre, «Deuil et Mélancolie», contrairement à ce qui se produit chez la personne en deuil, chez le mélancolique l'«objet n'est pas réellement mort mais il a été perdu en tant qu'objet d'amour (cas, par exemple, d'une fiancée abandonnée)»[9] ou de parents d'adoption anglais, chez le *Canadien*.

8. *Le Canadien*, 7 mai 1831.
9. S. Freud, «Deuil et mélancolie», in *Métapsychologie*, Paris, Gallimard, 1968, p. 151.

Chapitre VI

Mon Dieu, vite un autre «roman familial»!

De la Terre au Ciel

Mais rassurons-nous: le spleen du *Canadien* ne s'installe pas chez lui à demeure. La mélancolie est de courte durée. Le remède sera celui qui, pendant les derniers quatre-vingts ans, a fait merveille: le *roman familial*. Depuis plus de deux générations qu'il a prouvé son efficacité, le *Canadien* commence à en connaître ses ressorts secrets.

En effet, si le *Canadien* a pu sauver — grâce à son *roman familial* — son premier idéal (la France, mère patrie) en le projetant sur la nouvelle mère idéale, lointaine, l'Angleterre, il voit son nouvel idéal s'effondrer. Désemparé, déprimé, le *Canadien* se tourne alors vers le «*pharmakon* fabulateur» qui l'a si bien guéri de sa première peine d'amour. Mais cette fois, il tire vite une conclusion radicale de ce nouvel échec amoureux: si son idéal pouvait être si facilement entamé, détruit par la réalité, c'est qu'il n'était pas assez *élevé*, pas assez sublimé. Car comme l'a bien montré Julia Kristeva , le *sublime* n'est que l'envers exact de l'*abject*, projetant vers le haut, vers le ciel, ce que l'abject jette vers le bas. Il faut donc élever l'idéal si haut qu'aucune réalité ne puisse jamais l'atteindre, l'abîmer. Il faut le placer au ciel. Voilà que prend forme le nouveau

---

1. J. Kristeva, *op. cit.*, p. 19.

roman familial que le Canadien français, déçu par ses parents terrestres, se met à se raconter.

Il a un Père céleste qui l'aime plus que n'importe quel autre père au monde, puisqu'il a donné son fils qui s'est sacrifié à tous ses enfants. Bien évidemment, le *Canadien* n'est pas n'importe lequel des enfants de Dieu. C'est son enfant chéri. Les Canadiens français ne sont-ils pas le «peuple élu» d'Amérique qui a choisi sa demeure sur les rives du Saint-Laurent, nouveau Jourdain où ce peuple, à l'instar de Jean-Baptiste, son saint patron, a baptisé les infidèles? Il a aussi une mère céleste qui, par miracle, sans l'union des sexes, offre au monde son fils chéri. Marie n'a-t-elle pas présidé à la fondation de Ville-Marie, tout au début de la colonie? On aura aussi une pensée spéciale pour Anne, la mère de Marie. On n'oublie certes pas ce brave Joseph qui a aimé sa femme Marie, malgré les doutes insinués par la réalité: le Saint-Esprit est descendu sur Marie. Voilà les éléments à partir desquels le *Canadien* va broder sa deuxième version céleste du *roman familial*.

Quel enfant, devant tant de preuves d'amour céleste — la grâce coule à flot, il suffit d'y croire —, n'adopterait pas d'emblée ce *roman familial* que le clergé a toujours raconté mais que le nouvel orphelin *canadien* qui se cherche de nouveaux parents adoptifs commence maintenant à écouter avec intérêt?

Pourquoi les curés ont-ils subjugué les Canadiens?

Certes, les historiens du Québec ont fait état, à partir de 1837, d'une prise en charge du Québec par le clergé. Encore fallait-il que les *Canadiens* veuillent bien se *laisser* prendre en charge. Autrement dit, les historiens ne nous expliquent pas *pourquoi* les *Canadiens* — peuple, hier, réfractaire à l'orthodoxie, indisciplinés, insoumis encore après la Conquête aux ordres des curés — sont devenus des «moutons» qui rentrent dans le rang, bref, pourquoi l'Église qui, hier encore, luttait presque pour sa propre survie, est devenue une Église triomphante au Canada français. Certes, ils nous parlent d'un regain d'autorité de l'Église *grâce* à l'effondrement du projet politique des Patriotes. Il y a plus: toute une révolution des moeurs.

J.-P. Wallot, qui a brossé un tableau vivant de cette Église *canadienne* après la conquête[2], nous met bien en garde de projeter rétrospectivement sur tout le passé *canadien* l'image de ce que la religion catholique est devenue à partir de 1837. «Les fidèles canadiens ne correspondent guère à l'image légendaire qui les auréole dans notre folklore — et l'histoire — religieux. En général, on décèle au contraire une grande continuité avec les attitudes qui prévalaient sous le Régime français»[3]. Preuve encore, s'il en fallait, que la «Défaite» ne fut pas cette grande faille, dans les attitudes et dans la mentalité des *Canadiens*, que l'historiographie nationaliste l'a fait devenir. L'interrupteur des courants, le grand partage des eaux de la conscience, c'est 1837.

L'étude fouillée de Jean-Pierre Wallot sur les moeurs *canadiennes* après la conquête, fait, par contraste, ressortir d'autant celles de l'après-1837. En effet, il n'est pas rare que les paroissiens *canadiens* maltraitent le curé, qu'ils l'insultent, qu'ils quittent l'église pendant le sermon lorsque le curé les sermonne ou même qu'ils protestent vivement à voix haute, remettant ainsi en question la parole du représentant de Dieu. Un service d'ordre qui expulse les fauteurs de troubles s'imposait donc dans les églises, pratique déjà connue sous le Régime français.

Si l'indocilité des *Canadiens* se limitait au seul service de l'Église! Elle est hélas généralisée. Wallot, en compulsant les témoignages, conclut: «Toutes les sources se recoupent pour nous camper une masse indocile, attachée aux plaisirs de la vie et souvent corrompue»[4]. «Irréligion», «sortie des fidèles de l'église durant le sermon», «ivrognerie», «désordres et scandales publics», «danses», «adultère», «inceste», «fornication»[5] sont quelques-uns des péchés capitaux des *Canadiens* que les évêques relèvent avec insistance dans leurs carnets de visite pastorale du début du XIXe siècle. Ce tableau digne de Sodome et Gomorrhe n'étonne que le spectateur naïf qui ne connaît pas les moeurs des *Canadiens* du Régime français, notamment de ces demi-civilisés (ou demi-sauvages, c'est selon), les *coureurs de bois*, qui avaient déjà frappé les visiteurs français par leur vie de débauche et leurs bacchanales à chaque retour de voyage. Les «noceurs professionnels», dont parle J.-P. Wallot[6],

---

2. Voir notamment «la Religion et les moeurs des Canadiens», *op. cit.*, p. 203 et suivantes.

3. *Ibid.*, p. 203.

4. *Id.*

5. *Ibid.*, p. 205.

6. *Id.*

allant d'une fête à une autre, corrompant la population locale, sont de la race de ces coureurs de bois qui, avec la perte des Pays d'en Haut et le dépérissement de la traite de la fourrure (la mode européenne change, elle n'est plus au feutre!), doivent nécessairement se sédentariser. Mais ils s'adaptent mal à leur nouvelle vie de civilisés, aux moeurs chrétiennes. Pendant plus d'une génération, ils constituent un élément perturbateur, tourbillonnaire, «survenants» sur lesquels l'histoire officielle ferme volontiers les yeux.

Après ce bref retour en arrière, la question se pose donc avec plus d'insistance: pourquoi les *Canadiens*, indociles avant 1837, se soumettent-ils sans murmurer aux autorités de l'Église? Nous avions déjà trouvé un élément de réponse dans ce roman fondateur qu'est *l'Influence d'un livre*, paru justement en 1837. Le curé était intervenu, on s'en souvient, lors d'une fête bruyante, carnavalesque, qui a pour centre Rose Latulipe, «jolie brune» aux moeurs légères, fille «scabreuse pour ne pas dire éventée»[7] pour l'arracher au «survenant», un de ces «noceurs professionnels» qui visite toutes les fêtes. Son «superbe capot de chat sauvage»[8] établit une filiation secrète avec les «coureurs de bois» d'antan. Autre signe de la légèreté de moeurs des *Canadiens* d'avant 1837: le père de la jolie bonne «éventée» n'avait pas hésité à remplir d'eau-de-vie — sacrilège indicible — une bouteille destinée traditionnellement à l'eau bénite. Rappelons que l'auteur du roman, Philippe Aubert de Gaspé fils, était un alcoolique invétéré.

Un univers magique: l'influence du «Petit Albert»

Les *Canadiens*, Wallot le note justement, sont plus «superstitieux que vraiment religieux et pieux»[9]. Univers *magique* dont est imprégné, nous l'avons dit plus haut, le premier roman *canadien*. Ce n'est donc pas un hasard si le livre qui influence ce premier roman *canadien* est un livre de magie: le *Petit Albert*. Influence à tel point écrasante que ce premier roman *canadien* n'a pas d'existence propre, n'ayant pas de titre à lui: il ne se constitue que par ce renvoi au *Petit Albert*, il n'*est* que grâce à cette *influence*. Rappelons que le premier sens d'«influence» (vers 1240) est

7. *L'Influence d'un livre, op. cit.*, p. 63.

8. *Id.*

9. *Op. cit.*, p. 203.

magique, astrologique. Il coïncide avec l'influence secrète qu'a Albert le Grand sur les esprits à la même époque. D'ailleurs, la science astrologique, le «Traité des influences astrales», tiennent une place centrale dans le *Grand Albert*. Mais, à part l'univers magique qui est celui de l'astrologie, on voit mal en quoi l'astrologie aurait pu *influencer* ce premier roman *canadien*. A y regarder de plus près, en effet, ce n'est pas le *Grand*, mais le *Petit Albert* qui subjugue les personnages de ce roman et son auteur. «Près de l'âtre, sur une table, un mauvais encrier, quelques morceaux de papier et un livre ouvert absorbaient une partie de l'attention de l'alchimiste moderne; ce livre était: *les Ouvrages d'Albert le Petit*»[10].

Or, le *Petit Albert*, c'est le «Masters and Johnson» du Moyen Âge. Il répond tant bien que mal aux inquiétantes questions de la génération, de la procréation en général, de l'acte vénérien en particulier. À une époque où la science ne connaît rien des vrais mécanismes de la procréation — la science ne les dominera que vers la fin du XVIIIe siècle — , la sexualité, magie alchimique[11], ne peut être maîtrisée — selon le principe magique par excellence *similia simulibus* — que par la magie elle-même.

Plus concrètement, la question qui hantait les esprits de l'époque d'Albert jusqu'à l'âge moderne: comment nouer l'aiguillette? Comment dénouer l'aiguillette? On ne se méfiera jamais assez des «charmes» que les sorcières jettent aux pauvres hommes qui s'apprêtent à fêter Vénus, car elles les rendent si «impuissants à l'acte de Vénus qu'ils ne le seraient pas davantage s'ils étaient châtrés»[12]. C'est sérieux: on ne badine pas avec l'amour au Moyen Âge. Il ne restait qu'à trouver un autre charme, contre-charme, *pharmakon* qui contrecarre les effets redoutables de l'«aiguillette nouée». Pour la dénouer, le *Petit Albert* recommande le «remède» qui n'a jamais démenti son efficacité: «Si l'homme et la femme sont affligés de ce charme, il faut, pour en être guéri, que l'homme pisse à travers de l'anneau nuptial que la femme tiendra»[13].

D'après ce qui vient d'être dit des moeurs dissolues des Anciens Canadiens, il n'était guère besoin de «dénouer leur aiguillette». Bien au contraire, on s'en doute, le *Petit Albert* contient également les remèdes

---

10. *Ibid.*, p. 28.

11. Voir Gaston Bachelard, *la Psychanalyse du feu*, Paris, Gallimard, 1949, qui montre admirablement la filiation entre l'alchimie et la sexualité.

12. *Les Admirables Secrets de magie naturelle du Grand-Albert et du Petit Albert*, Paris, Albin Michel, 1981, p. 55. Dorénavant nous y renvoyons par le sigle A.

13. A., p. 54.

appelés à modérer, à «nouer» la «Vénus déchaînée». C'est comme modérateur des désirs que le *Petit Albert* a été appelé à la rescousse au *Canada* aux lendemains de la Révolte des Patriotes. Si le désir de l'homme est «naturel», celui de la femme, toujours suspect, doit être tenu en laisse. Pour cela, toutes les recettes sont bonnes: «Pour modérer le trop grand désir de l'action de Vénus dans la femme — réduisez en poudre le membre génital d'un taureau roux, et donnez le poids d'un écu de cette poudre dans un bouillon composé de veau, de pourpier et de laitue, à la femme trop convoiteuse, et on n'en sera plus importuné, mais, au contraire, elle aura aversion de l'action vénérienne»[14].

Comment modérer le désir sexuel immodéré des Canadiennes?
Six cents prostituées à Québec...

Modérer le désir de la femme donc. Car n'est-ce pas elle qui excite le désir de l'homme? Pas besoin de remonter au Paradis ni même au Déluge pour le savoir. Le premier roman *canadien* en dit assez. Cette Rose Latulipe est une fleur bien déflorée, «éventée», un de ces trésors accessibles au premier venu. Aussi Rose Latulipe ouvre-t-elle sans hésiter ses corolles défraîchies au premier étranger.

Or ces «filles légères», ces «Belles Heaulmières» modernes ne sont pas sorties seulement de l'imagination fertile du romancier, elles courent par centaines les rues de Québec. Qui l'eût cru? Québec, la «ville close» de jadis, centre jadis de la pureté missionnaire, devenue un repère de «maisons closes»! Quatre cents à six cents prostituées en 1810 pour treize à quatorze milles habitants (1 prostituée pour 23,33 Québécois!), c'est un beau record par tête d'habitant que Paris, à la même époque, aurait pu envier à Québec! Inutile de dire que, devant une telle débauche publique, l'Église est aux aguets, les moralistes publics aussi, chantres de la «pureté des mœurs». Comme nous sommes loin des femmes pucelles et des hommes fondateurs de Montréal: Ville-Marie! Quelle décadence! Et la *Gazette de Montréal* de «gémir» contre «l'immodestie des femmes et des folles qui prennent plaisir d'étaler aux yeux *du public* leurs parures immodestes. Dans le siècle où nous vivons, l'homme sage ne peut que gémir...», sans parler des parents qui mènent leurs enfants innocents aux bals publics et aux danses, ces «tombeaux de l'innocence et de la

14. A., p. 55.

pudeur»[15]. La scène évoquée de *l'Influence d'un livre* se déroule pré-cisément pendant un bal malfamé.

Un critère infaillible pour distinguer une «bonne mère» d'une «putain»

Sous les apparences loufoques d'un récit fantastique, l'*Influence d'un livre* pose le problème clef de la deuxième phase du *roman familial* devenu aigu dans l'inconscient des *Canadiens* lors de la crise de cons-cience de 1837: comment distinguer la putain de l'honnête femme, autrement dit la «bonne mère»? L'Angleterre, mère adulée, ayant rejoint la France dans la déchéance, le *Canadien* s'interroge plus que jamais sur les critères qui permettraient de faire la part entre la «bonne mère» et la putain. Il n'y en a pas. Comme le dit Valentin à Gretchen, sa soeur:

> «Du bist nun einmal eine Hur'
> ....
> Du fingst mit Einem heimlich an
> Bald kommen ihrer mehre dran,
> Und wenn dich erst ein Dutzend hat,
> So hat dich auch die ganze Stadt.»
> (Tu es tout simplement une putain.
> Tu as commencé en secret avec un,
> Bientôt, c'est le tour de plusieurs,
> Et quand c'est une douzaine qui t'a eue,
> C'est toute la ville qui t'aura eue.)
> *Faust I*

Il n'y a que le premier pas qui compte! Évidemment la maternité, même à l'intérieur de la famille nucléaire moderne, n'est pas une garantie infaillible contre l'infidélité de la femme. En effet, le *Canadien* n'a-t-il pas connu successivement deux mères qui, toutes deux, sont tombées au rang de «putain»?

Après le double échec avec ses mères, le *Canadien* recourt à la seule femme «sûre» qui, par définition, ne risque pas de lui devenir infidèle: la Vierge. Or, dans ce domaine délicat où l'homme est si souvent trompé par les apparences, le *Petit Albert* est d'un grand secours. N'y trouve-t-on pas un chapitre: «À quels signes connaît-on qu'une fille a perdu sa virginité — signes de la chasteté chez la femme»? En effet, le *Petit Albert* répond

15. *La Gazette de Montréal*, 30 avril 1810, cité d'après J.-P. Wallot, *op. cit.*, p. 208.

précisément à la question qui inquiète le *Canadien* à cette époque: comment distinguer une vierge d'une femme dépucelée? Comme chacun sait, «les signes de la chasteté chez les femmes sont la pudeur, la honte, la crainte, un marcher honnête et modeste»[16].

Mais attention, il est des femmes traîtresses qui «observent toutes ces choses en apparence»[17]. Des tests plus approfondis s'imposent donc pour faire la part de l'être et du paraître: «Une fille qui a perdu son pucelage a la vulve si large, qu'un homme peut la connaître, sans souffrir aucune douleur à la verge»[18]. Mais nous voilà dans un beau cercle vicieux: l'homme «détruit», en le cherchant ainsi, son objet désiré: la virginité. Même si Albert n'a pas encore ressenti le tranchant du «rasoir d'Occam», il s'est rendu compte de l'incongruïté de sa proposition. Il accumule donc les «secrets» qui assurent le test de virginité le plus probant. Voilà une des nombreuses recettes: «Prenez de la poudre bien menue qui se trouve entre les fleurs de lys jaune et faites-en manger à celle que vous soupçonnez; soyez assuré que si elle n'est pas pucelle elle ira pisser peu de temps après. Ce secret semble être peu de choses en apparence, mais il a été *expérimenté* souvent avec succès»[19]. Les *Canadiens* peuvent donc l'essayer en toute tranquillité... Tout au long du Moyen Âge des générations entières ont fait la preuve de l'efficatité de la recette albertienne. Et puis, ce sera sous peu aussi l'heure du Moyen Âge au *Canada*. L'influence précisément de ce livre de magie moyenâgeuse sur le premier roman *canadien* n'est-elle pas un signe du «retour au Moyen Âge» qui s'opéra en *Canada* après 1837?

Sans développer ce parallèle entre le Moyen Âge et l'après-1837, retenons seulement que dans ces heures cruciales, au moment même où le *Canadien* s'apprête à élaborer son deuxième *roman familial*, il a recours instinctivement à deux faits culturels qui ont leur origine au Moyen Âge et qui se marient de façon étonnante dans ce petit roman fascinant, miroir culturel du milieu du XIXe siècle *canadien*: *le Petit Albert* et le culte marial de la virginité dont saint Bernard de Clairvaux a été le chantre le plus fervent. Si les deux se trouvent réunis de manière si inattendue, c'est que tous deux, à leur façon, répondent aux questions «familiales» qui

16. A., p. 56.

17. A., p. 56.

18. A., p. 56.

19. A., p. 57; nous soulignons.

inquiètent le *Canadien* à ce moment: comment reconnaître les marques de la virginité et comment devenir mère tout en restant vierge?

Voilà qui explique aussi pourquoi le *Canadien*, tout d'un coup, a été réceptif aux messages évangéliques, pourquoi il a *écouté* (dans tous les sens du terme) le «bon curé» lorsque ce dernier racontait le *roman familial* de Jésus-Christ.

Pourquoi les fées ont eu soif au Québec?

Jésus est fils d'une mère céleste restée vierge. Vierge, mariée à un homme (Joseph) qui ne la jamais «connue». Marie résoud vraiment la quadrature du «cercle vicieux» *canadien*: comment rester vierge tout en devenant mère. Marie a conçu, est devenue mère tout en gardant les «marques» de la virginité. C'est pourquoi le *Canadien* voue à partir de ce moment un culte — retour aussi du refoulé des temps fondateurs — à l'Immaculée Conception et à Joseph, «complice» consentant, pour qui il construit, sur les hauteurs de Montréal, un Oratoire, qui est devenu un lieu de Pèlerinage pour toute l'Amérique du Nord. Saint Joseph, dont l'abstinence sexuelle a rendu possible la maternité virginale de Marie. Marie incarne dans une *même personne* les deux images de la femme que le *Canadien* adorera dorénavant, la Vierge et la Mère. Suite au fiasco amoureux connu avec ses deux mères, inutile de dire que la cote de la Vierge ne cesse de monter en Canada français. Aux yeux du *Canadien* la Vierge Marie est une mère idéale, *parce qu'*elle reste vierge.

Dans cette perspective, on comprend mieux le scandale qu'a provoqué la pièce de Denise Boucher, *les Fées ont soif* (1978): pour la première fois depuis plus de cent cinquante ans une femme a osé contaminer ce qui devait rester strictement séparé dans l'imaginaire *canadien*/québécois: la Vierge/Mère et la putain. Cette dernière, monnaie courante jusqu'en 1837, a été complètement refoulée de l'imaginaire *canadien*/québécois par la suite. *Les Fées ont soif*: le retour scandaleux du refoulé... «La Vierge est une putain», telle est la devise de cette pièce. Le scandale des *Fées ont soif* a certes des tonalités religieuses. Mais dans la perspective qui est la nôtre, il ne convient pas de sous-estimer la part *canadienne* dans ce scandale. En effet, ce qui s'effondre sous la charge des *Fées ont soif*, c'est le *roman familial* auquel plus de quatre générations de *Canadiens* ont cru: qu'ils avaient une «bonne mère» fidèle au ciel, soucieuse du bien-être de son enfant chéri. Dire que cette mère-vierge est une «putain», c'est la rabattre au niveau des deux autres mères tout aussi putains. Ainsi s'écroula définitivement le *roman familial* «céleste» qui commença à se narrer après les affres de 1837.

Mais retournons encore à *l'Influence d'un livre*, et au sort de Rose Latulipe qui est prémonitoire de l'évolution des mentalités dès 1837 et dont nous avons anticipé l'aboutissement. Inutile de dire, qu'après l'intervention du «bon curé», devant lequel tous les noceurs repentants s'agenouillent, Rose Latulipe connaîtra son chemin de Damas. Ancienne «putain», elle se refera une virginité. Impossible? Pas du tout. *Le Petit Albert*, encore une fois, donne des recettes à toute épreuve sous le chapitre bien évocateur «Réparations du Pucelage». «Prenez: terre bénite de Venise, demi-once, un peu de lait provenant des feuilles d'asperge, un quart d'once de cristal minéral infusé dans un jus de citron ou jus de pomme verte, un blanc d'oeuf frais avec un peu de farine d'avoine. De tout cela faites un bolus qui ait un peu de consistance, et vous le mettrez dans la nature de la fille déflorée, après l'avoir seringuée avec du lait de chèvre et ointe de pommade de blanc raisin. Vous n'aurez pas pratiqué ce secret quatre ou cinq fois, que la fille redeviendra en état de tromper la matrone qui la voudrait visiter»[20].

Ainsi, grâce aux charmes du *Petit Albert* sous l'influence duquel se met Philippe Aubert de Gaspé fils, Rose Latulipe, la fleur déflorée, redevient pucelle. Mais grâce aussi à l'intervention énergique du bon curé. Car cet étranger — comme tous ces étrangers, coureurs, «survenants» qui rôdent — n'est nul autre que l'Autre, Satan. Encore fallait-il le flairer, le démasquer, l'exorciser. «Retire-toi, Satan, s'écria le curé en lui frappant le visage de son étole, et en prononçant des mots latins que personne ne put comprendre. Le Diable disparut aussitôt avec un bruit épouvantable et laissant une odeur de soufre qui pensa suffoquer l'assemblée»[21].

Rose Latulipe, comme il se doit, tombe évanouie: nous sommes au XIXe siècle. Lorsqu'elle recouvre ses sens, elle n'a plus d'yeux que pour le bon curé, son sauveur, et, évidemment, pour le «bon Dieu» qui agit à travers lui. La Vierge repentie, sans le savoir, suit les sentiers tracés par les vierges modèles — Marguerite Bourgeois, notamment — dont la stature majestueuse domine toute la fondation de la colonie. Comme elle, Rose ne connaîtra dorénavant qu'un seul époux: Dieu. «Ne m'abandonnez pas, s'écria Rose en se jetant aux pieds de son vénérable pasteur, emmenez-moi avec vous... Vous seul pouvez me protéger... Je me suis

20. A., p. 59.
21. *Op. cit.*, p. 69.

donnée à lui... Je crains toujours qu'il ne revienne... Un couvent! un couvent!

«— Eh bien, pauvre brebis égarée, et maintenant repentante, lui dit le vénérable pasteur, venez chez moi, je veillerai sur vous, je vous entourerai de saintes reliques, et si votre vocation est sincère comme je n'en doute pas après cette terrible épreuve, vous renoncerez à ce monde qui vous a été si funeste»[22].

De façon prophétique, ce texte met à jour les valeurs qui guideront la société canadienne française jusqu'à la Révolution tranquille. Renoncement à soi-même, retrait du monde, ascétisme monacal, esprit de sacrifice, mortification. Le monde possédé par l'Autre (*Mammon* = Argent = Anglais) est habité par Satan. Le chemin du salut se dirige hors du monde: là commence, chez les *Canadiens*, le formidable désinvestissement des affaires séculières (économie, politique...). Ce retrait *volontaire* du monde — prêché et exigé par *leurs* congénères — , les partisans de l'anti-colonialisme québécois, par un «oubli» historique significatif, vont le mettre à la charge d'un Autre. Ils diront: l'Anglais nous a spoliés.

Si les *Canadiens*, pendant deux générations après la Défaite, ont trouvé en Angleterre la mère patrie tutélaire, après 1837 ils tournent leur regard vers Rome, en quête d'un «bon Père»: le Pape, représentant de Dieu sur terre, devient la nouvelle *imago* paternelle qu'ils se mettent à idolâtrer. «Ultra-montanisme» est le nom que les historiens québécois ont choisi de donner à l'idéologie, à la *doxa* qui régnera au Canada dans cet après-1837. Le *Canadien*, comme il l'a déjà fait avec Londres lorsque Paris est tombé dans son estime, trouve une autre capitale où un Père énonce sa loi et sa parole qu'il se met à écouter.

Le Canada français, au moment où le Pape devient la cible malmenée de Garibaldi et des siens, n'envoie-t-il pas aussitôt ses zouaves pour aller à sa rescousse? Ils ne tireront pas une seule balle, mais n'est-ce pas le geste, la symbolique surtout qui compte dorénavant plus que la prise sur le réel?

1837: la véritable Défaite aussi pour les femmes canadiennes

Mais *l'Influence d'un livre* est prophétique, à un autre titre encore. Rose Latulipe ouvre la voie à des milliers de *Canadiennes* qui vont suivre

---

22. *L'Influence d'un livre*, p. 69.

sa vocation, devenir des «épouses de Dieu», sous la houlette du «bon curé» et bon archevêque de Montréal, Mgr Bourget, qui reçoit ses ordres directement de Rome. Les chiffres parlent d'eux-mêmes: «En 1870, il y a dix fois plus de religieuses qu'il y en avait en 1830. Au tournant du XXᵉ siècle, un peu plus d'une Québécoise sur cent âgée au plus de vingt ans a pris le voile»[23]. Dans ces chiffres ne sont pas comptées toutes les filles qui entrent au noviciat sans prendre le voile. Le nombre des novices est considérable, si on calcule jusqu'à 60% d'abandon avant la prise du voile.

Mais cette ruée vers Dieu, époux céleste, cette valorisation de la virginité, si louable en apparence, ne doit pas nous cacher le revers de cet angélisme féminin. Dans un livre instructif[24], Sarah Kofman a bien montré que, par son attitude tant valorisée du *respect de la femme*, l'homme *tient* la femme *en respect*, cherche à la maîtriser sous des dehors trompeurs: «Cette idéalisation des femmes, leur métamorphose en êtres sublimes, ne peut pas ne pas être suspecte car elle a toujours été au cours de l'histoire l'envers de leur rabaissement: les hommes respectent les femmes certes, mais ils cherchent toujours aussi à les tenir en respect. Le respect des femmes, sentiment apparemment très moral, n'est-il pas un masque qui recouvre — et tente aussi de séparer — toute une opération de maîtrise?»[25].

«Opération de maîtrise» des femmes par l'homme, en effet, l'après-1837 n'est rien de moins que cela. Au lieu de s'obnubiler par la pseudo-défaite de 1760, il aurait fallu voir la véritable défaite en celle de 1837 qui consacre «la défaite des anciens droits des femmes». C'est le titre éloquent que le «Collectif Clio» a choisi[26] pour décrire l'impact de l'après-1837 sur les droits des femmes. Les apôtres du nationalisme québécois qui ont dénoncé le colonialisme anglais ont encore «oublié» de nous dire que les femmes *canadiennes*, à partir de 1791, après *la* soi-disant Défaite donc, ont *obtenu* le droit de vote. On ne cesse de s'étonner: en 1791... grâce à cette constitution anglaise «inique», dénoncée par les historiens nationalistes québécois. «Pour quiconque est intéressé à l'histoire des femmes, c'est toujours une source d'étonnement que de voir des

23. Le Collectif Clio, *l'Histoire des femmes au Québec depuis quatre siècles*, Montréal, Édition Quinze, 1982, p. 222. Nous y renvoyons sous l'abréviation de CC.

24. Sarah Kofman, *le Respect des femmes*, Paris, Éd. Galilée, 1982.

25. *Ibid.*, pp. 13-14.

26. CC, *op. cit.*, pp. 149 et suivantes.

femmes parmi nos ancêtres se présenter aux urnes à partir de 1791»[27].

Les *Patriotes*, comme s'appelaient les insurgés de 1837, dévoués à la cause de la Patrie jusqu'à s'y sacrifier, en dernier ressort, ont adulé dans la «patrie» non un idéal féminin, une «matrie», mais la loi du Père, loi du *pater familias*. N'oublions pas que c'est le Parti patriote présidé par Papineau en personne qui, dès 1834, se bat pour l'abolition du droit de vote des femmes, anomalie intolérable. D'ailleurs, une lettre à sa propre femme nous éclaire sur ce que Papineau pensait vraiment des droits des femmes. «Je reçois ce matin ta bonne et admirable lettre. Quoiqu'elle respire un peu trop d'esprit *d'indépendance* contre l'autorité *légitime et absolue de ton mari*, je n'en suis pas aussi surpris qu'affligé. Je vois que cette funeste philosophie gates (sic) toutes les têtes et le contrat social de Rousseau fait oublier l'Évangile de Saint-Paul «Femmes, soyez soumises à vos maris»»[28]. Ceux-là mêmes qui, aspirant à l'*indépendance* politique, s'apprêtant à secouer le joug paternaliste anglais, gourmandent leurs épouses de leur *esprit d'indépendance* parce qu'ils voudraient être obéis en potentats. En 1849, les choses rentrent finalement dans l'ordre: le droit de vote est retiré aux femmes. D'autres droits acquis féminins se perdent également comme le droit de douaire[29].

Aucun doute, la femme est la grande perdante de cette crise de 1837. C'est finalement elle, le bouc émissaire, qui doit payer pour la dépréciation qu'a subie l'image de la femme-mère anglaise, après l'effondrement du premier *roman familial canadien* (qui va donc de 1760 à 1841). L'angélisme virginal est une façon «élégante» de *tenir en respect* les femmes en déniant leur spécificité: leur sexualité. L'angélisme virginal n'est qu'une version édulcorée, euphémisée de la misogynie. Car la misogynie, depuis 1837, marche à pas feutrés au Canada français et au Québec, n'osant pas annoncer franchement ses couleurs.

Effritement du roman de la sainte Famille: Terre Québec demande ses dûs

Il n'est pas du tout étonnant que le nouveau *roman familial* céleste que le *Canadien* se raconte en empruntant ses personnages à la «sainte

27. CC, p. 149.

28. 15 février 1830, cité d'après CC, p. 149; nous soulignons.

29. CC, p. 150.

Famille» (Marie et Joseph, Jésus Christ) soit celui qui a le plus résisté à la dégradation du temps, non soumis, comme le précédent, aux aléas de l'histoire séculière. Dorénavant, le Canadien français se sent imbu d'une mission spirituelle. S'il ne s'identifie pas avec l'enfant de Marie, il le fait tout de même avec la figure qui s'en rapproche le plus: saint Jean-Baptiste, le précurseur de Jésus, le saint national du Canada français. Il est tout à fait significatif de constater que les rites de ce mythe national s'élaboreront parallèlement au *roman familial* céleste.

Or ce *roman familial* céleste dure plus de cent ans, jusqu'au milieu des années cinquante de ce siècle. N'étant pas tributaire de l'histoire politique, sa fin ne se laisse pas, comme le premier *roman*, dater par référence à un événement historique marquant: défaite, révolte, échec des Patriotes. Il ne s'effondre donc pas tout d'un coup comme son premier avatar, mais il s'effrite lentement. Sa vie et sa mort étant liées intimement au sentiment religieux du Canada français, le *roman familial* céleste dépérira *graduellement* au fur et à mesure que cette foi traditionnelle est sapée par la pensée critique moderne qui s'infiltre au Canada français. Un jour Terre Québec a demandé son dû. Le Canadien français qui, après avoir placé son idéal *loin* (France, Angleterre) et *haut* (Ciel), dans un coup de foudre, le découvre, ou plutôt le redécouvre, «ici», dans son pays, que ses premiers ancêtres ont labouré autour de Québec. Il se découvre québécois.

Nous entrons dans une nouvelle phase mentale, prise et crise de conscience du sujet canadien-français, phase critique qui mène le Canada français au Québec. La place nous manque pour tracer jusque dans ses plus infimes méandres le chemin politique considérable que le *Canadien* a parcouru après la Défaite de 1837.

Le Parti patriote se retranche pendant des années dans des attitudes d'une résistance passive qui bloque le système parlementaire sous prétexte que le pouvoir colonial anglais refuse les demandes de participation comme gouvernement responsable. Après l'échec de la Rébellion de 1838, il sort de son isolement idéologique ou de son idéologie de l'isolement. Papineau, toujours aussi fanatique, ayant été désavoué, les plus modérés des anciens patriotes — dont Louis-Hippolyte Lafontaine — vont regarder du côté du Haut-Canada afin de déjouer, par une coalition politique avec la province anglaise, la politique d'assimilation du Canada français visée par l'Angleterre. Coopération, coalition d'où sortira finalement la Confédération canadienne de 1867. Les nationalistes québécois, s'ils exaltent le tribun Papineau — idéalisé grâce à son échec? — ne montrent que de l'indifférence pour L.-H. Lafontaine. Encore un peu, ils verraient en lui un «traître» (encore un!) qui a ouvert le chemin vers la Confédération, vers «Ottawa». La même haine que les nationalistes ont vouée à l'Angleterre, ils la dirigeront dorénavant vers Ottawa, siège des «machinations fédérales». La nouvelle province du Québec fondée dès 1867 a beau avoir plus de pouvoirs que les États américains, que les *Länder* allemands, elle a beau avoir un gouvernement et un Parlement — certes pas souverain, mais avec un pouvoir de taxation que les parlements fantoches des États américains lui envient — pour les idéologues nationalistes, «Ottawa» perpétue la «colonisation» que l'Angleterre avait commencée en 1760. Car les nationalistes, comme tous les idéologues, poursuivent *une* idée avec une admirable continuité. Y déroger — fut-ce sous les coups de semonce de la «réalité» —, c'est de la haute trahison. Voilà pourquoi le débat qui déchire le Parti québécois depuis novembre 1984, opposant «souverainistes» et «affirmationistes» est «interminable»...

Le Canada français parasité: une nouvelle arithmétique

C'est un fait que les Québécois ne se sont jamais complètement défaits de *l'esprit de dépendance* qui régissait jadis les rapports des *Canadiens* (français) avec la France et l'Angleterre. Ottawa devient la capitale tutélaire — comme Paris, Londres et Rome jadis — d'où providentiellement afflue l'aide, l'approvisionnement matériel-maternel. Le Parti québécois a eu beau crier à l'«exploitation», montrer chiffres en main que toutes les «largesses» fédérales ont été prises dans la poche des Québécois, ces derniers — une majorité d'entre eux tout au moins — n'ont cessé de projeter sur Ottawa l'ancienne image de la «bonne mère» secourable. Ils ont trouvé, finalement, un répondant terrestre au *roman familial* céleste, pas vraiment détruit, mais, comme par le passé, simplement déplacé.

D'autre part, la fondation de la Confédération canadienne confirme une tendance qui avait déjà commencé à se dessiner dans les années vingt du XIXe siècle. Le Canada comme entité politique, en suivant les «lois» du parasitisme énoncées par Michel Serres (*Le Parasite*), s'accapare de l'ancienne identité du *Canada* (français). Il occupe le territoire que les *Canadiens* avaient jadis ouvert, exploré les premiers. Jusqu'à l'hymne national canadien («O Canada...») chantant l'ancien *Canada* que le Canada s'est approprié. Sans parler de la feuille d'érable du drapeau canadien, symbole de la Société Saint-Jean-Baptiste, fondée au début du

XIXe siècle. Après 1760, les *Canadiens*, sédentarisés, menacés dans leur survie par l'afflux massif d'immigrants — Anglais et Loyalistes américains — , ont «serré les rangs» autour de leur seigneurie, l'héritage des temps féodaux français voué à disparaître sous le régime démocratique anglais. Les *Canadiens* (français), progressivement, font ainsi partie, deviennent une *part* d'une entité dont ils ont jadis formé la totalité. C'est cette nouvelle arithmétique qu'ils ont de la difficulté à admettre encore aujourd'hui. D'autant plus que les habitants de la nouvelle entité politique, le Canada, fondée lors de la Confédération, s'approprie leur nom en s'appelant «Canadians». Cette «désappropriation» ayant été étudiée sous toutes ses coutures par les essayistes nationalistes, il n'est pas besoin d'insister.

Comme l'a montré admirablement Kaye Holloway, il y a au coeur du Canada une dichotomie, une dualité (bilinguisme, biculturalisme; anglais/français), non reconnue par l'Acte de l'Amérique du Nord britannique qui sanctionne la nouvelle Fédération canadienne de 1867. Si le pacte fédéral a été conclu *formellement*, *de iure*, entre les quatre provinces, dans les faits, *de facto*, il départage deux peuples distincts: l'un, majoritaire, d'origine ethnique diverse, mais adoptant la langue de la puissance coloniale; l'autre, minoritaire, concentrée sur un territoire bien délimité, ayant, contrairement à la majorité anglaise, tous les attributs d'une nation ethnique. Cette dualité, cette biethnie — qui remonte à la fondation des deux Canadas après la Conquête (le Haut-Canada, le Bas-Canada) — , non reconnue, ni par l'Acte de l'Amérique du Nord britannique, ni par la nouvelle Constitution de 1982, a toujours créé des tensions entre le Canada français/ Québec et le Canada anglais.

Depuis son origine donc, le *Canada*, ensuite le Canada français, est frappé du sceau de la dualité, voire même de celui du *double bind*. Nous avons vu comment, grâce à son *roman familial*, le Canada français maintient fantasmatiquement ses liens avec l'instance parentale (parents adoptifs anglais, parents célestes, Ottawa). C'était une façon de nier les coupures, *la* coupure, celle du premier abandon de l'enfant *canadien* par ses parents français. Si des historiens et sociologues québécois ont interprété la Défaite dans la vision apocalyptique que nous venons de mettre à jour, ils l'ont présentée aussi comme une *décapitation*. Or, cette dernière est le résultat encore d'une élaboration après coup (nachträglich), au même titre que *la* Défaite. En effet, la véritable coupure entre la France et le *Canada* coïncide avec le coup de guillotine qui décapite Louis XVI, trente ans plus tard.

Premier «meurtre fondateur» du Canada français dans les termes de René Girard. Si les *Canadiens* croyaient peut-être un temps au retour des Français, depuis le parricide de 1793, ils se détournent avec horreur de la France qui devient *abjecte* au sens où nous avons défini le terme plus haut.

Mais ce «meurtre fondateur» qui définit de loin et quasi négativement le *Canada*, sera relayé par d'autres exécutions capitales qui auront lieu, cette fois, sur le sol *canadien* et qui marquent chacun des régimes politiques depuis la défaite de 1760.

Remontons donc encore une fois à la Conquête pour assister au *déplacement* spectaculaire qui s'y est opéré.

B. Décapitations, pendaisons: «meurtres fondateurs» du Canada français

Le choc opératoire a été fulgurant. Les crânes se sont avérés plus durs que pierre. La salle était jonchée de scies à rubans et d'égoïnes ébréchées. Le sang partout giclait comme dans un abattoir.

Jacques Godbout,
Les Têtes à Papineau.

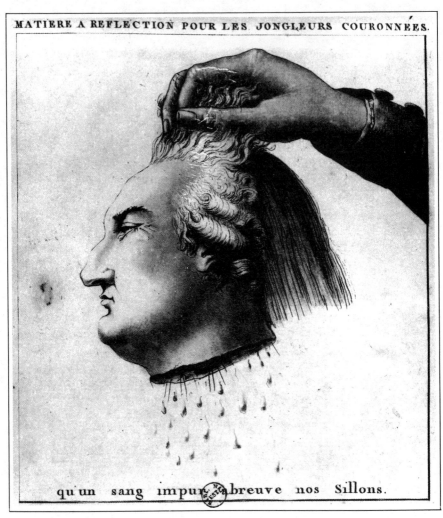

Villeneuve, *Matière à réflexion pour les jongleurs couronnées*, gravure.

Chapitre I

La Défaite fut-elle une décapitation?
Dissection d'une métaphore

Entre la métaphore et la vérité historique

Si des historiens québécois ont présenté la défaite comme une *dé-capitation*, ils ont poussé à fond leur propre logique, faisant de la Défaite un événement «décisif». En effet, la dé-capitation est l'acte *décisif* par excellence, car «décision», comme d'ailleurs «précision», dérive de *cadere*, «couper». Précision, coupe nette, événement tranchant, coupé à la lame effilée de la réalité[1]. La décapitation est la *décision* la plus radicale: «Toute *décision* véritable dans la culture a un caractère sacrificiel (*decidere*, c'est couper la gorge de la victime) et par conséquent remonte à un effet de bouc émissaire non dévoilé, à une représentation persécutrice de type sacré»[2].

Or, les historiens et les sociologues du Québec figurent la cession de la Nouvelle-France à l'Angleterre (le traité de Paris de 1763 scelle *définitivement* la Conquête) comme une «décapitation», sans jamais avoir soumis cette *métaphore* — transportée littéralement d'un domaine à un

---

1. Pour l'évolution sémantique de la précision dans son interaction avec l'anatomie et les sciences, voir notre *Galileo Galilei: de la précision à l'exactitude, op. cit.*

2. René Girard, *le Bouc émissaire*, Paris, Grasset, 1982, p. 165.

autre — à une interrogation. Nous ne prétendons pas avoir fait un relevé exhaustif de cette métaphorisation à travers la littérature historiographique et sociologique du Québec. Que trois exemples suffisent, tirés de trois auteurs représentatifs qui, par l'impact dans le milieu et par le sérieux de leurs écrits, ont pu accréditer cette *métaphore* comme fait historique.

Marcel Rioux, dans sa *Question du Québec*[3], véhicule la métaphore comme s'il s'agissait d'une vérité historique acquise qui pouvait aller de soi: «La cession de la Nouvelle-France à l'Angleterre eut deux résultats immédiats; celui de *décapiter* la classe dirigeante du pays et de pousser les *Québécois* à se concentrer encore davantage dans les paroisses rurales»[4]. Le Québec naît de cette décapitation!

Jean-Pierre Wallot, l'historien de l'après-défaite, s'il est nécessairement plus explicite sur les raisons de cette mutation qui s'opère en *Canada* après 1760, n'en *métaphorise* pas moins cette après-conquête comme une *décapitation*: «La conquête l'a (la société *canadienne*) démantelée, frustrée de l'apport nourricier et indispensable de la métropole, *décapitée* par l'exode inévitable de son élite, spoliée de ses leviers politiques, économiques et culturels *propres*»[5].

Dans une étude fouillée qui démontre la mort à petit feu, la déchéance de la grande bourgeoisie d'affaires, Michel Brunet a recours à la figure de la «décapitation», même si cette métaphore est tout à fait incongrue pour le phénomène analysé: d'un côté, section violente, rupture immédiate, quasi instantanée (*décapitation*); de l'autre, dépérissement lent par le tarissement des canaux d'approvisionnement des marchés métropolitains français: «En une génération, les Canadiens conquis avaient été éliminés des grandes affaires. Il ne faudrait pas attribuer ce fait sociologique à la mauvaise foi du conquérant. Il serait puéril d'y voir le résultat de quelques desseins machiavéliques. Cette *décapitation sociale* et cet asservissement économique des Canadiens maintenant soumis à un pouvoir étranger, s'étaient accomplis tout *naturellement*, *sans violence*, sans difficulté»[6].

---

3. Marcel Rioux, *la Question du Québec*, *op. cit.*

4. *Idem*; p. 49; nous soulignons.

5. *Op. cit.*, p. 135; nous soulignons. Comme si, sous le régime colonial français, le *Canadien* avait manipulé les «leviers politiques et culturels». Plus loin, le Canadien est dit la «victime d'une pareille résection», objet d'une «mutilation».

6. «Déchéance de la bourgeoisie», *op. cit.*, p. 85; nous soulignons.

En fait, dans cette métaphore de la «décapitation», comme dans toute métaphore, se condensent *deux* images, deux référents naturellement éloignés: d'un côté, il y a le départ intempestif et massif de l'aristocratie française, de l'autre, mouvement relativement lent, puisque, après le traité de Paris, les Français loyalistes[7] ont eu un délai de dix-huit mois pour rejoindre leur patrie. Donc, même si le départ des élites françaises avait été massif — en supposant qu'il l'eût été — il se serait échelonné sur un temps relativement long qui lui aurait enlevé son effet de soudaineté intempestive implicite dans la *décapitation* par laquelle *Canadiens* et Québécois figurent la cession de leur pays à l'Angleterre.

Des chiffres et des lettres

De la cession à la décapitation nous ne voyons donc pas par quel chemin cette métaphore a pu filer pour se constituer en métaphore figée. Nous le voyons d'autant moins que les historiens *canadiens*/québécois, pour chiffrer le nombre des Français partis après 1763, montrent le même flottement indécis *entre* deux réalités que pour déterminer le nombre exact des Patriotes. Les chiffres sont gonflés si l'historien veut monter en épingle les effets désolants et dévastateurs de la désertion, ou bien «dégonflés» si, blessé dans son amour-propre, il veut «prouver» que finalement le *Canada* peut se passer de la France. Encore une fois, l'après-conquête est un «révélateur» qui, selon l'idéologie, garde le noir du négatif ou le «développe» en blanc positif.

Les rapports des gouverneurs anglais, hantés par la peur que l'exode des seigneurs français ne gagne par contagion la population toute entière[8], n'ont cessé de relever minutieusement tous les mouvements de bateaux, de chiffrer tous les départs. Or, Murray, à la suite du traité de Paris, le 2 août 1764, fait état de deux cent soixante dix émigrations, notamment des officiers français. En 1767, quatre ans donc après la cession, dans un relevé général de la noblesse *canadienne*, Carlton ne compte pas moins

---

7. Car on fait grand cas des Loyalistes anglais fidèles à la couronne anglaise après la Révolution américaine; il y a eu aussi, moins glorieux, les «loyalistes» français, restés fidèles à la couronne de France.

8. Murray lui-même n'a-t-il pas fait état de ses craintes aux ministres anglais? «L'émigration de ce peuple brave et hardi (les Canadiens — le vainqueur anglais parle ainsi des vaincus!) (...) serait une perte irréparable pour l'empire», cité d'après Lionel Groulx, *Lendemains de conquête*, réédition 10/10, Montréal, Stanké, 1977, p. 82.

de 126 familles nobles et 102 officiers au service de la France en *Canada*. Citant l'étude «classique» de Baby[9], Lionel Groulx établit de façon péremptoire la présence de pas moins de cent trente seigneurs, de gentilshommes et bourgeois, de cent vingt-cinq négociants, de vingt-cinq jurisconsuls et hommes de loi, de vingt-cinq à trente médecins-chirurgiens, et un même nombre de notaires. À n'en pas douter, grand nombre de têtes restent au *Canada*!

Sans mettre ces chiffres à l'épreuve, Michel Brunet évalue l'exode des Français après 1763 à deux mille personnes, ce qui est un nombre exorbitant: émigration d'une élite qui équivaut à une hémorragie. Dans son étude admirable sur les *Lendemains de la Conquête* qui brosse un tableau d'ensemble de l'après-conquête — politique, légale, économique, religieuse — , Lionel Groulx montre que l'émigration après la cession du *Canada* a été insignifiante. Bien plus, chiffres en mains, il prouve non seulement que le *Canada* n'a pas été décapité de ses élites, saigné de son «sang bleu», mais au contraire qu'il aurait bénéficié d'une immigration de nobles français qui, retournés après 1763 en France et déçus de la mère patrie, seraient retournés au *Canada*. «Beaucoup de gentilshommes canadiens n'ayant que faire en France, prirent le parti de s'en revenir en Canada»[10]. Baby chiffre ces retours à au moins trente-quatre âmes. Ce n'est pas beaucoup, certes, mais une preuve suffisante que non seulement il n'y a pas eu d'exode massif qui pourrait accréditer l'idée d'une dé-capitation, mais qu'il y a eu, au contraire, une «re-capitation», remise en place de têtes qui, dans un premier temps, s'étaient séparées du corps *canadien*.

La légende d'un peuple

Bien sûr, Lionel Groulx, historien dans l'âme, pose *la* question qui s'impose: «Comment... la légende de l'émigration en masse a-t-elle pu prendre corps et se maintenir si longtemps?»[11] Ce Michelet québécois tente d'expliquer la persistance de cette légende dans la mémoire col-

---

9. L.F.G. Baby, *l'Exode des classes dirigeantes à la cession du Canada*, The Canadian Antiquarian and Numismatic Journal, 3eme série, 2, 1899. Étude qui, hélas, n'a pas eu beaucoup d'impact parce qu'elle allait à l'encontre d'une «légende d'un peuple».

10. Lionel Groulx, *op. cit.*, p. 46.

11. *Ibid.*, p. 47.

lective des *Canadiens* par la confusion qu'auraient faite les historiens *canadiens* entre la noblesse *canadienne* et la noblesse française: «Il y a de ces scories de l'histoire qui se fondent si bien avec la vérité que la tradition les emporte avec elle et finit par les garder»[12].

L'argument n'est guère convaincant. Il ne suffit pas de constater la prise qu'a eue cette légende de la décapitation sur les historiens, encore faut-il expliquer les raisons de son enracinement dans la conscience populaire. Car la plupart des historiens ont eux-mêmes été victimes de cette «légende» enfouie dans l'«inconscient collectif». Même Lionel Groulx, qui a tout fait pour la combattre, à la fin de son étude, y succombe: «Par ses labeurs, sa constance, ses sacrifices, en moins de trente ans, de ce *peuple décapité*, il fera surgir une nouvelle élite»[13].

12. *Ibid.*, p. 48.
13. *Ibid.*, p. 226; nous soulignons.

Chapitre II

La décapitation du *Canada* a lieu en France

Décapitation du «citoyen Capet»

À force d'«oublier» la (leur) *réalité* française, les historiens québécois n'ont pas pu voir que ce départ figuré, métaphorisé *comme* décapitation a été induit par une décapitation *réelle*: celle du roi Louis XVI. La décollation du roi de France, en ce froid et neigeux 21 janvier 1793, est *l'*événement *décisif*, partage des sangs (plutôt que des eaux) qui fait basculer le *Canadien* sans retour possible du côté anglais, animé qu'il est par le deuil inconsolable à la mort de *son* roi, et une répulsion sans limites devant les monstruosités révolutionnaires. Dès le 21 janvier, la France *est* l'abjection: plus rien de commun entre la «bête» sanguinaire et l'homme *canadien*.

En effet, comme le notent, non sans ironie, Paul et Pierrette Girault de Coursac dans leur *Enquête sur le procès du roi Louis XVI*, en évoquant ce citoyen qui prit des caillots de sang du Roi décapité plein les mains — le mythe du roi «thaumaturge» n'est pas encore mort! — pour en asperger la foule, «tout cela se passait dans un pays civilisé, de culture occidentale et chrétienne, au siècle des lumières, de la sensibilité et des Droits de l'Homme»[1]. Non, les *Canadiens* n'ont que faire d'une Déclaration des

---

1. Paul et Pierrette Girault, *Enquête sur le procès de Louis XVI*, Paris, la Table Ronde, 1982, p. 617.

Droits de l'Homme rédigée par des hommes qui agissent en bestiaux, d'une lumière assombrie par une Révolution qui a perdu la tête.

Philippe Aubert de Gaspé père, témoin privilégié — il a sept ans en 1793 — dit comment la nouvelle de la mort du Roi et de la Reine a été reçue dans sa famille en particulier et au *Canada* en général. Après avoir fait état de l'affection que les *Canadiens*, même après la Conquête, ont conservée pour leurs «anciens princes français», il évoque la sympathie inquiète que les Habitants témoignaient pour le sort de la famille royale durant la Révolution française: «Lorsque mon père recevait son journal à la campagne, les vieux habitants lui demandaient des nouvelles du Roi de France, de la Reine et de leurs enfants. Pendant la révolution, la main du bourreau avait frappé cette malheureuse famille; mon père, et surtout ma mère, leur avaient souvent fait le récit de leur supplice, des souffrances du jeune Dauphin, sous la verge de fer de l'infâme Simon; et, chaque fois, tous les habitants se tenaient la tête en disant que tout cela *était un conte inventé par l'Anglais*»[2]. En effet, la réalité de ces supplices dépasse largement l'imagination des *Canadiens*: leurs ennemis, ennemis traditionnels des Français, les Anglais ont dû *inventer* ces contes sadiques qui cadrent si peu avec l'imaginaire *canadien*.

En passant, Philippe Aubert de Gaspé confirme aussi le *roman familial*, tout au moins les premiers éléments de ce «roman» qui commence à se constituer à partir de ce moment. Jusqu'en 1793, le roi de France, même Louis XV, a été à l'abri des récriminations des *Canadiens*: entouré de son aura royale, paternelle, il demeure tabou. C'est la Pompadour, la «putain» qui, elle seule, «bouc émissaire», sera tenue responsable de l'abandon du *Canada*: «C'est une chose assez remarquable que je n'aie jamais entendu un homme du peuple accuser Louis XV des désastres des *Canadiens*, par la suite de l'abandon de la colonie à ses propres ressources. Si quelqu'un jetait le blâme sur le monarque: bah! bah! ripostait Jean-Baptiste (surnom familier du *Canadien*), c'est la Pompadour qui a vendu le pays à l'Anglais! Et ils se répandaient en reproches contre elle»[3]. Plus tard, une fois la nouvelle loyauté pour le roi d'Angleterre bien enracinée en *Canada*, Louis XV rejoindra la Pompadour dans sa quarantaine pour former un couple royal abject. Mais pour l'instant nous n'en sommes pas encore là!

---

2. Philippe Aubert de Gaspé père. *Mémoires*, 1866; nous citons d'après l'édition Fides, 1971, p. 75; nous soulignons.

3. *Ibid.*, p. 76.

Puis, Philippe Aubert de Gaspé parle des circonstances dans lesquelles il a appris la mort de Louis XVI.

> C'était en l'année 1793. Je n'avais que sept ans, mais une circonstance que
> je vais rapporter me rappelle que nous étions en hiver, et la scène qui eut
> lieu m'est aussi présente à l'esprit que si elle s'était passée ce matin. Ma
> mère, et ma tante, sa soeur Marie-Louise de Lanaudière, causaient assises
> près d'une table. Mon père venait de recevoir son journal, et elles l'interro-
> geaient des yeux avec anxiété, car il n'avait depuis longtemps que de bien
> tristes nouvelles de France. Mon père bondit tout à coup sur sa chaise, ses
> grands yeux lancèrent des flammes, une affreuse pâleur se répandit sur son
> visage, d'ordinaire si coloré, *il se prit la tête à deux mains*, en s'écriant:
> Ah! les infâmes, ils ont guillotiné *leur* Roi!
> Ma mère et sa soeur éclatèrent en sanglots; et je voyais leurs larmes fondre
> l'épais frimas des vitres des deux fenêtres où elles restèrent longtemps *la
> tête appuyée*. Dès ce jour, je compris les horreurs de la révolution
> française.
> À cette nouvelle, un sentiment de profonde tristesse s'empare de toutes les
> âmes sensibles du Bas-Canada; et à l'exception de quelques démocrates
> quand même, la douleur fut générale.[4]

À partir de ce 21 janvier 1793, le roi français décapité a cessé d'être
«leur» Roi, roi des *Canadiens*. Dès de ce moment, les pronoms possessifs
pour les *Canadiens* et les Français interrompent une filiation continue
depuis plus de deux cent cinquante ans et les destins des deux peuples
vont dorénavant se séparer sans plus jamais se rejoindre. Le Roi a été le
trait d'union personnel entre le *tien* français et le *mien canadien*.

Est-il nécessaire de souligner la réaction physique de ces Habitants du
Canada? Le père du jeune Philippe tient sa *tête* entre ses mains. Les deux
femmes appuient leur *tête* contre la vitre. On dirait que leur propre *tête*,
sans l'appui de la tête royale, est prête à tomber, elle aussi...

Objectiver la décapitation du Canada

Pour exorciser ou pousser à son comble l'horreur de la décollation de
leur roi, les *Canadiens* ne pouvaient se contenter des récits imprimés ou
oraux. Ils devaient représenter la décapitation du Roi, pour pouvoir visua-
liser, *objectiver* leur propre décapitation. À preuve, ces «feuilles

---

4. *Id.*; nous soulignons.

volantes», imprimées et diffusées par J. Neilson en ce début de 1793. On y figure et décrit d'abord l'arme du crime: monstre machinique, diabolique, qui n'a d'égal que cette machination démocratique populaire: la guillotine, louée pour ses services humanitaires. Le feuillet «Mort tragique du Roi de France» insiste particulièrement sur ce moment *décisif* qui, en décollant la tête du Roi, décolle le corps du *Canada* de sa tête française: «La tête fut séparée du tronc, et tomba dans le panier préparé pour la recevoir; l'exécuteur la prit par les cheveux, la montra à la populace, et ensuite la mit avec le corps dans un autre panier.» Moment décisif qui donne à la décapitation du Canada français son air d'irréversibilité, d'irrévocabilité. Si jamais il y avait une «nouvelle» tête en *Canada*, cette tête ne serait jamais français.

Tout s'éclaire encore rétrospectivement, après coup (nachträglich), selon une loi de fonctionnement sous-jacente à toute l'histoire du *Canada* depuis la Conquête: l'exode massif figuré comme une saignée exténuante, la décapitation sociale, ont leur origine dans la décapitation du roi de France. Il s'agit là d'un *déplacement* (Verschiebung) bien connu en psychanalyse: le sujet, tout en maintenant *l'opération* critique (castration) la *métaphorise*, donc la transfère à un autre endroit, éloigné du *lieu* et/ou du *temps* critique initial. C'est là le sens de la métaphore de la décapitation en *Canada*. Déplacée vers 1760-63, euphémisée comme un exode, flot de personnes, elle s'est éloignée de son origine macabre, flot de sang, de la décapition de Louis XVI.

En somme, les *Canadiens* ont été des «nouveaux historiens» avant la lettre, qui «noient» l'histoire personnelle des souverains dans l'anonymat statistique des chiffres d'un exode humain...

Volte-face du Québécois

Pourtant l'observateur ne peut manquer d'être frappé par cette rupture dans les mentalités *canadiennes*, véritable paradigme kuhnien (Th.S. Kuhn, *la Structure des révolutions scientifiques, 1972)* coupé à la guillotine, qui s'opère à partir de ce moment là: 1793. Elle ne marque pas un simple changement d'attitude des *Canadiens* mais provoque une *schize* profonde dans le *Canadien* dont la psyché dès lors est menacée par le *double bind*, induit déjà largement, nous l'avons vu, par la situation économique de l'Ancien Canadien, la *double contrainte* au sens où Bateson l'a définie. Français de descendance par sa langue, sa religion, le *Canadien* devient, se *sent* sujet anglais. Français en *privé*, selon la dis-

tinction de Habermas, pour la pratique du culte religieux et de la langue;
anglais en *public* dans sa vie politique et civique (*polis-civitas*). Le
Canadien/Québécois, aimant et haïssant mais pour des raisons différentes
la France et l'Angleterre, afin d'échapper aux tensions insoutenables de
cette *injonction paradoxale*, suivant les conjonctures, exalte l'une des
allégeances tout en refoulant l'autre.

Les volte-face politiques subites et inexplicables des *Canadiens* et des
Québécois qui en ont surpris plus d'un récemment encore prennent leur
origine dans cette coupure historique. Du jour au lendemain, le
Canadien/Québécois peut «changer» radicalement d'opinion, de position
(l'exemple spectaculaire le plus récent étant le revirement du Parti
québécois sur la question de la souveraineté), de parti, sans que ce changement lui paraisse comme un reniement parce qu'il réprime, refoule
dans l'inconscient l'ancienne allégeance politique, écrasée qu'elle est par
sa nouvelle foi, ferveur «néophyte» politique. Refoulement, «oubli» de
l'ancien, et le nouveau devenant vite ancien, ne laissant ainsi jamais
affleurer dans la conscience *canadienne*/québécoise une quelconque contradiction ou opposition dans les termes. À la faveur de cet «oubli»
stratégique, un revirement radical des positions devient possible: l'ancien
proche, ami, adulé selon le processus déjà analysé, se mue en ennemi
abject. Et le *double bind* (double lien) devient un lien unique...

Dès 1793, quasi instantanément, les *Canadiens* cessent d'afficher,
comme ils l'ont fait au début, de la sympathie pour la «glorieuse» Révolution française et ses idéaux de liberté, d'égalité et de fraternité, pour
récriminer contre la maintenant crapuleuse révolte «démocratique».
L'avant et l'après 1793 divisent le *Canada* en deux blocs pro et anti-
révolutionnaires, coupés en deux par la guillotine qui a décapité le roi
français.

Volte-face à propos de Voltaire

Un indice de cette volte-face parmi des centaines des *Canadiens*: la
Gazette littéraire de Montréal, fondée par Mesplet, très favorable à la
Révolution, vire capot dès 1793. Les Français qui, hier encore, portaient
le flambeau de la liberté, sont dits des individus infâmes qui ont conduit

leur roi à l'échafaud et massacré leurs prêtres «au pied des autels»[5]. Voltaire devient l'incarnation même de l'abjection de cette France qui rejette ce que le *Canada* a de plus précieux: la religion et le roi. Pas étonnant que Voltaire joue un rôle clef, nous l'avons vu, dans le *roman familial* tel qu'élaboré pour la première fois par Garneau.

Il est intéressant de noter que Lionel Groulx, dans sa belle étude de l'après-conquête qui traque tant de légendes, tombe aussi dans le piège de la légende voltairienne narré par Garneau. Cette célébration de Voltaire qui fêtait la défaite française en Amérique racontée avec un luxe de détails par Garneau, Groulx la prend textuellement à son compte sans même la citer[6]: preuve encore que la «légende voltairienne», à l'instar de celle de la «décapitation» devenue anonyme, est passée dans le domaine public. Jusqu'à Louis Fréchette qui termine sa *Légende d'un peuple* sur la «voix satanique» de Voltaire:

> Et dis-moi maintenant, de ta voix satanique,
> Qui crut pouvoir *flétrir* par sa verve cynique,
> Dans un libelle atroce, *ignoble*, révoltant,
> L'héroïne que tout bon Français aime tant![7]

Même si, avec le retour de *la Capricieuse*, premier bateau français à accoster officiellement en *Canada*, la haine de la France se retourne soudainement en adoration pour elle, adoration que reflète d'ailleurs la *Légende d'un peuple*, Voltaire reste ce pôle immuable où reflue pour s'y fixer définitivement le sentiment anti-français, l'abjection à l'égard de la France.

Révolution, conquête providentielle, changement d'identité

Plus grave donc qu'une simple saute d'humeur ou d'opinion, la décapitation du Roi en 1793 est le catalyseur qui opère la transmutation des valeurs et des identités en *Canada*. Nous l'avons suggéré à propos du

---

5. Le 6 février 1794, cité d'après Wallot, *op. cit.*, p. 265. *Avant* la décapitation, Voltaire est monté au pinacle par le même journal: «Voltaire a levé le voile qui couvrait les vices et les crimes dont l'homme en général se parait...», cité d'après *Histoire de la littérature française au Québec*, dir. Pierre de Grandpré, Montréal, Beauchemin, 1967, p. 107; voir aussi M. Trudel, *Voltaire en Nouvelle-France, op. cit.;* et G.-A. Vachon, «Une littérature de combat», *Études françaises*, août 1969.

6. *Op. cit.*, pp. 50-51.

7. *La Légende d'un peuple*, Québec, édition 1898, p. 325; nous soulignons.

roman familial canadien. Ce qu'on a appelé euphémiquement la «conquête providentielle» prend son origine là, dans cette période *décisive* où la France a cessé d'être ce qu'elle a toujours été[8].

Dans ses oraisons d'apparat Mgr Joseph-Octave Plessis (1763-1825) ne cesse de remercier la divine Providence d'avoir fait changer le *Canada* d'allégeance *à temps* pour que lui soit épargnées les horreurs sataniques de la Révolution française. Rétrospectivement à partir de 1793, la «Défaite» de 1760 devient une bénédiction du Ciel, l'Anglais, le libérateur, arrache le *Canada* des griffes de l'Archidémon: «Nation exemplaire, qui dans ce moment de crise (Révolution française, *crise* au sens premier du mot, point culminant, révélateur d'une maladie) enseignez à l'univers attentif en quoi consiste cette liberté après laquelle tous les hommes soupirent (...); nation compatissante qui venez de recueillir avec tant d'humanité les sujets les plus fidèles et les plus maltraités de ce royaume auquel nous appartînmes autrefois (...) non, non, *vous n'êtes pas nos ennemis*, ni ceux de nos propriétés, que vos lois protègent, ni ceux de notre sainte Religion que vous respectez»[9].

Non, non, vous n'êtes pas nos ennemis! Encouragé par le coup de tranchant de la guillotine, Mgr Plessis *dénie* ce que pendant plus de deux cents ans tous les *Canadiens* ont cru, pensé du fond de leur coeur: que les Anglais étaient effectivement leurs ennemis. Ne les avaient-ils pas combattus pendant des guerres longues et sanglantes?

C'est plus qu'une simple anglophilie ou anglomanie comme on l'a connue en France au XVIIIe siècle, inaugurée justement par Voltaire en France. Il s'agit d'un changement d'identité: du haut des chaires une prédication dominicale insistante, assortie de mandements et de menaces d'excommunication, veut faire «entendre raison» aux rétifs qui se sentiraient toujours français. Exalter l'Angleterre afin de faire réaliser aux *Canadiens* la grâce d'être sujets anglais au bon moment, Mgr Plessis et les siens n'ont donc aucun scrupule pour répudier leur origine française. La décapitation de Louis XVI vient à point nommé, non seulement pour discréditer la Révolution française, mais pour rejeter (rendre *abject*) en bloc la francité du *Canadien*.

8. Voir encore Lionel Groulx, «la Providence et la conquête anglaise de la Nouvelle France», in *Notre maître le passé, op. cit.*

9. Oraison funèbre de Mgr J.-O. Briand, 27 juin 1794, in *Anthologie de la littérature québécoise. La Patrie littéraire*, éd. R. Dionne, Montréal, La Presse, 1978, p. 32; nous soulignons.

En effet, le tableau d'horreur que Mgr Plessis brosse de la Révolution culmine dans la décapitation de Louis XVI: «Révolution parricide. Le plus religieux, le plus paisible des souverains est devenu à ses yeux (la France) un objet de haine implacable... Falloit-il encore l'arracher avec violence du palais des Rois ses ayeux, le garder à vue aux Thuilleries, l'emprisonner au Temple, lui faire son procès comme à un prisonnier d'état, le conduire à l'échaffaut, le décapiter ignomineusement pour des crimes imaginaires et supposés? ô Louis XVI! ô Roi digne d'une plus longue vie (...)»[10].

Pour les *Canadiens* non encore touchés par le spectacle émouvant de la décapitation de Louis XVI, trop «abstraite», trop lointaine, Mgr Plessis agite le spectre du retour (souhaité encore par le peuple?) des Français: «Hélas! où en serions-nous (...) si ce pays (*Canada*) par un fâcheux revers se tournoit à ses anciens maîtres? maison de Dieu, temple auguste, vous seriez bientôt convertis en une caverne de voleurs! ministres d'une religion sainte, vous seriez déplacés, proscrits et peut-être *décapités*»[11].

Le «peut-être» dubitatif de la fin est d'un machiavélisme calculé. L'orateur fait semblant de cacher une certitude que tout le texte exsude: prêtres, vous seriez sûrement décapités si, par malheur, les Français revenaient au *Canada*.

La décapitation, c'est le coup décisif dans l'argumentation de Mgr Plessis pour faire basculer dans le camp anglais le peuple «stupide» qui ne comprend rien à la métaphore organiciste du corps du roi décapité. Depuis le 21 janvier 1793, la France n'a plus de tête. Et le *Canada* non plus. Quoi de plus naturel que de greffer une «nouvelle» tête royale sur ce corps *canadien* qui se vide de son sang à force de garder ouverte sa plaie béante? On ne se choquera pas tellement du changement d'identité nationale de cette tête — le fait que ce soit une tête anglaise — puisque ce qui importe, c'est que cette nouvelle tête «remplace» précisément l'ancienne: c'est une tête royale comme la première.

Si Mgr Plessis, pour exploiter au maximum le choc électrisant de la décapitation de Louis XVI et le sentiment anti-français qu'elle entraîne, tourne le couteau dans la plaie, ses successeurs, plus modérés, auront certes recours aussi à l'idée de la greffe, mais ils l'euphémiseront en la transférant dans le domaine végétal. Pas d'effusion de sang donc! Car trente ans après la Défaite, plus personne n'a peur que les *Canadiens*

10. *Ibid.*, p. 39.

11. *Ibid.*, p. 44; nous soulignons.

veuillent retourner au «giron» français. Des médecines plus douces que les «cures de cheval» (joual ?) de Mgr Plessis sont redommandées! Dans son discours, prononcé à l'occasion de la Saint-Jean-Baptiste, en 1866, Mgr Laflèche fait état d'une greffe que Dieu en personne aurait opérée afin de prêter une nouvelle vie à cette «jeune branche» canadienne cassée dans la tourmente: «Nous fûmes détachés, comme une jeune branche, de l'arbre français qui nous avait produits, et laissés gisants sur le sol. La Providence eut pitié de cette branche vivace, la releva, et la planta sur le tronc vigoureux de la Constitution 'Britannique'[12].» L'argumentation de Mgr Laflèche est habile parce que, tout en occultant la cause sanglante de la séparation entre la France et le *Canada*, elle prouve que l'essentiel a été préservé lors de cette greffe: à savoir les fruits, la langue et la religion du Canada français. L'arbre nourricier anglais se contentera juste de prêter sa sève sans d'aucune façon changer l'«identité» des fruits. Comme l'idéologie rend toujours la réalité ductile à ses visées! C'est là précisément sa fonction. Occulter ce qui est irreprésentable, insupportable: le spectacle de sa propre décapitation par personne interposée.

12. Cité d'après *la Patrie littéraire, op. cit.*, p. 286.

Chapitre III

Décapitations et pendaisons au *Canada*

Le scalpage: une décapitation à la sauvette

On s'étonnera probablement du choc provoqué par une exécution capitale que le peuple *canadien* n'a même pas vue de ses propres yeux. Certes, la décapitation d'un Roi, c'est la décapitation par excellence: toutes les autres y conduisent et en découlent. C'est le symbole même du «meurtre fondateur», puisque nos institutions religieuses et civiles cachent des meurtres depuis la «fondation du monde». René Girard et Michel Serres l'ont dit. Les révolutionnaires français l'ont bien compris. Mais nous restons perplexes: cette décapitation lointaine n'est pas relayée *immédiatement* par des décapitations sur le territoire *canadien*, la Nouvelle-France n'ayant guère connu d'exécutions capitales, sauf celle quasi canonique de sa fondation en 1608. D'où vient au *Canada* ce traumatisme de la tête coupée, ce complexe de la décollation?

Du fin fond de son histoire, de son histoire «sauvage». Car, pendant les soixante ans que dure la guerre implacable que se livrent Iroquois et *Canadiens*, ces derniers vivent dans la terreur des sévices perpétrés par les Iroquois sur leurs ennemis. Il s'agit, on l'aura reconnu, du «scalpage», non exécuté universellement chez tous les Amérindiens mais bien répandu parmi les tribus du bassin laurentien. On pense même que les

Iroquois ont été le centre rayonnant d'où cette pratique aurait tiré son origine[1].

On s'en souvient, Jacques Cartier a été le premier spectateur français ébahi de ces têtes humaines scalpées, exhibées fièrement par Donnacona: «Et ledit Donnacona montra au capitaine les peaux de cinq tête d'hommes, étendues sur du bois, comme des peaux de parchemin»[2]. Champlain, à Tadoussac (1603) est confronté avec une centaine de ces têtes «préparées».

Les ethnologues sont à peu près sûrs que la pratique du scalpage est associée au culte du crâne, largement répandu chez les peuples primitifs. Suivant ce culte, posséder le crâne signifie posséder l'esprit de l'humain, de l'ennemi dont on convoite la force. Même le christianisme, dans son culte des reliques, s'est incorporé ces croyances païennes. À Québec au début de la colonie, il est précisément question d'une religieuse qui a préparé une «potion magique» dans laquelle elle a mis un morceau du crâne du martyr Brébeuf. Boisson destinée à un Huguenot qui devait être «guéri» ainsi de son hérésie.

Aucun doute, le scalpage *est* une décapitation, décapitation à la sauvette qui donne aux peuples nomades ou semi-nomades d'Amérique du Nord tous les avantages de la décollation sans en avoir les inconvénients. Miniaturisation maximale, on portera les scalps autour de la ceinture, ce qui ne gênera pas un déploiement rapide dans la sylve nord-américaine. L'effet du «mana» de la victime s'en trouve simplement concentré. D'autre part, si la victime ne meurt pas instantanément, comme lors d'une décollation, son «espérance de vie» est quasiment nulle puisque la scepticémie est l'issue fatale de tous les scalpages opérés en dehors de tout souci d'asepsie.

Précisons aussi que la pratique du scalpage est renforcée grâce aux couteaux de métal effilés que les Européens introduisent sur ce continent, couteaux qui facilitent évidemment la prise de scalps. De plus, les Européens, loin de combattre cette coutume «barbare», l'ont encouragée, en mettant des primes sur les trophées des ennemis rapportés. Un moment, dans le feu de la petite guerre franco-anglaise, les Français ont mis la tête de leurs ennemis anglais à prix: 5 livres, le dixième de ce que les Anglais

---

1. Les informations sur le scalpage en Nouvelle-France, nous les devons au livre précieux de C.F. Jaenen, *Friend et Foe, Aspects of French-American Contact in the Sixteenth and Seventeenth Centuries*, Toronto, McClelland and Stewart, 1976; voir aussi Martin Gusinde, «Culte du crâne, têtes-trophées et scalps», in *Revue Ciba*, décembre 1947, pp. 2258-2283.

2. *Op. cit.*, p. 210.

payaient pour les têtes de leurs propres ennemis. Évidemment, les Anglais avaient de quoi être doublement indignés: des pratiques «barbares» tolérées par les Français et du peu de prix que valaient leurs têtes!

Si les exécutions capitales ont été peu nombreuses en Nouvelle-France, elles ont tout de même existé. Rappelons cette tête du faux serrurier québécois qui, du haut de son piquet, surplombe toute l'histoire du Canada français. Il faut évoquer aussi cette exécution brutale à Montréal de plusieurs soldats qui ont tué des sauvages et volé leurs fourrures, risquant par là de déclencher une guerre de vendetta. La tête de ces soldats a été écrasée avec un gros mortier[3].

Évidemment, une question se pose: dans quelle mesure ces exécutions, plus précisément ces modes d'exécution, ont-ils été codés dans l'inconscient collectif, véhiculés par la tradition orale, conservés dans l'imaginaire populaire? Comment ne pas voir dans le meurtre perpétré par Mareuil, décrit avec force détails dans *l'Influence d'un livre* de Philippe Aubert de Gaspé fils l'écho lointain de ces exécutions au marteau? Ce qui est remarquable dans la description de cet assassinat, c'est qu'elle opère un amalgame tout à fait incongru des deux exécutions capitales pratiquées d'une part en Nouvelle-France et de l'autre en France: au marteau qui écrase la tête, à l'épée qui décapite. Soulignons encore que la victime de ce meurtre est le prototype même du *Canada*, du Régime français: le coureur de bois.

> Il (Mareuil, l'assassin) se leva de nouveau, s'avança près d'une armoire et tira un marteau qu'il contempla avec un sourire infernal: le sourire de Shylock, lorsqu'il aiguisait son couteau et qu'il contemplait la balance dans laquelle il devait poser la livre de chair humaine qu'il allait prendre sur le coeur d'Antonio. Il donna un nouvel éclat à sa lumière, puis, le marteau d'une main et enveloppé dans les plis de son immense robe, il alla s'asseoir près du lit du malheureux Guillemette. Il considéra, pendant quelque temps, son sommeil paisible, avant-coureur de la mort qui ouvrait déjà ses bras pour le recevoir (...) il resserra involontairement le marteau, *écarta la chemise du malheureux* étendu devant lui, et, d'un seul coup de l'instrument terrible qu'il tenait à la main, il *coupa* l'artère jugulaire de sa victime. Le sang rejaillit sur lui et éteignit la lumière.[4]

Couper l'artère jugulaire avec un marteau d'un «seul coup»! Nous l'avons compris: subrepticement, dans l'esprit de l'auteur un instrument

---

3. C.F. Jeanen, *op. cit.*, p. 125.

4. *Op. cit.*, pp. 47-48.

contondant, le marteau, se métamorphose en épée aiguisée de bourreau. La scène ne ressemble-t-elle pas plus à une exécution capitale qu'à un vulgaire assassinat? Ce geste de Mareuil qui, au risque de réveiller la victime, précautionneusement, écarte la chemise du «malheureux» supplicié, n'est pas celui d'un assassin. Aucun tueur ne prend le temps de «préparer» ainsi sa victime. En fait, le lit sur lequel repose la victime signifie — comme le marteau a signifié l'épée — l'échafaud, Mareuil: l'exécuteur des hautes oeuvres.

La décapitation de McLane:
ou comment «décoller» le Canadien *du Français*

Même si, sous le régime anglais, le *Canadien* supplicié passe du régime de la décapitation à la pendaison — mort par strangulation — , la décapitation ne disparaît pas pour autant de la scène *canadienne*. Les autorités anglaises, dans le but de frapper l'imagination populaire, une fois encore, ont recours à la décapitation. Il s'agit de l'exécution de David McLane qui a lieu le 21 juillet 1797, quatre ans seulement après celle de Louis XVI. C'est une parodie de la décapitation du roi français en terre *canadienne*. Nous avons déjà mis en exergue le jugement contre McLane. L'exécution de ce dernier ne suit pas à la lettre les volontés du jugement: «McLane fut pendu place des Glacis, hors les murs (...) au milieu d'une grande foule. Il était déjà mort lorsque le bourreau lui trancha la tête et l'éviscéra». Le gouvernement anglais, non content de la foule nombreuse qui assiste à l'exécution de McLane, dans un souci évident de donner le maximum de publicité au procès publie ses minutes à 2 000 exemplaires, ce qui est énorme pour le *Canada*. D'autre part, *la Gazette de Québec*, en plus de faire le compte rendu détaillé du procès, le présente sous forme de deux fascicules séparés en langue française et anglaise. Les brochures, nous dit Claude Galarneau, connurent un succès extraordinaire[5].

---

5. C. Galarneau, *op. cit.* p. 258. Ph. A. De Gaspé père a bien vu la fonction parodique de l'exécution de McLane, double dérisoire de celle de Louis XVI, *op. cit.*, p. 288.

Il vaut la peine qu'on s'arrête sur ce procès retentissant dont l'écho se fit entendre jusqu'en Europe[6].

Au départ, des agents révolutionnaires français venus du «Vermont» (il n'existera qu'en 1791) cherchent à gagner la population *canadienne* à la cause de la Révolution, en l'incitant à la sédition contre l'«oppresseur» anglais. Très actif, Edmond-Charles Genet, ministre de la Convention à Philadelphie, va jusqu'à composer une adresse aux *Canadiens*, leur laissant miroiter l'indépendance: «Cette terre vous appartient. Elle doit être indépendante. Rompez donc avec un gouvernement devenu le plus cruel ennemi de la liberté des peuples»[7]. Évidemment, nous l'avons vu, les *Canadiens* ne l'entendront pas de cette oreille. Pas de soulèvement de masse contre le «conquérant». Mais quelques mouvements locaux d'insubordination, visant moins l'autorité anglaise en tant que telle que les mesures impopulaires qu'elle vient de prendre: notamment la promulgation d'une loi ordonnant la constitution de milices canadiennes (1794). Le gouvernement anglais vit dans une véritable psychose des agents et agents doubles français qui, à l'en croire, risquent à tout moment de jeter le pays dans la gueule de l'ogre Révolution.

Des Français de même culture que les *Canadiens* — tout au moins dans la vision des Anglais — sillonnent le pays semant la confusion. Comment, en effet, distinguer les «bons sujets» loyaux soumis au Roi d'Angleterre des mauvais sujets prêchant la révolte et le régicide? Il faut être vigilant, car chaque citoyen peut cacher un ennemi potentiel. Il faut guetter, épier les conversations, les discours des autres afin d'y détecter les moindres velléités de sédition. Chaque *Canadien* doit devenir l'espion de l'autre. La mise en garde que fait *la Gazette de Québec* (9 mai 1793) est on ne peut plus claire:

> Une autre considération exige en ce moment une vigilance plus qu'ordinaire. Nous avons à soutenir une guerre étrangère dans laquelle la concorde intérieure est d'une indispensable nécessité pour notre sûreté. On ne peut donc avoir un oeil trop attentif sur tous les artifices calculés à causer l'in-

---

6. L'abbé Barruel le cite dans ses *Mémoires pour servir à l'histoire des Jacobins*. Il est étudié comme cas par les juristes d'Amérique et d'Europe; enfin, le correspondant américain de Talleyrand, Létombe, se sert de McLane pour illustrer comment les Anglais se jouent de la vie des hommes. Toutes les informations sur ce procès, nous les devons au travail admirable de C. Galarneau, *op. cit.*

Voir aussi J.-P. Wallot, *Intrigues françaises et américaines au Canada* (1800-1802), Montréal, Leméac, 1965.

7. *Op. cit.*, p. 161.

quiétude et la confusion. L'ennemi parle notre langue... cet ennemi est la bande de Démocrates, qui sous prétexte de donner la liberté à la France, a trouvé moyen de conduire son Roi à l'échafaud, et a inondé son Royaume du sang de plusieurs milliers de ses citoyens.[8]

La propagande anglaise tire habilement avantage du traumatisme qu'a provoqué chez les *Canadiens* la décapitation de leur roi. Elle l'utilise comme *apotrope*, comme repoussoir, contre toute tentative de «décapitation» de leur nouveau roi anglais, Georges III. En *Canada*, l'amour de la royauté, fût-elle celle d'une «autre» nation, l'emporte facilement en cette fin du XVIII siècle sur l'amour du Même, sur l'origine commune des deux races. Rappeler aux *Canadiens* les atrocités de la Révolution française, c'est les mithridatiser, «vacciner» contre «ce poison qui a converti un des plus beaux Royaumes d'Europe en un pays le plus misérable de la terre»[9]. Aucun doute, ce qui a causé la déchéance de la France, c'est l'abolition de la royauté. Voilà *la* cause du «Spectacle d'Horreur» qui se livre à l'observateur. À bon spectateur, à bon entendeur, salut!

Les *Canadiens* ont bien entendu et compris le message, au-delà de toute espérance. Non seulement ils sont aux aguets de ces «étrangers» devenus leurs ennemis jurés depuis le coup tranchant du 21 janvier 1793, mais, dans leur zèle loyaliste au gouvernement du roi d'Angleterre, ils vont jusqu'à dénicher, dénoncer leurs congénères soupçonnés d'agitations séditieuses. Notamment un certain Pierre Chartré, de la Jeune-Lorette, accusé d'avoir voulu embrigader d'autres *Canadiens* dans ses desseins séditieux. Ne les a-t-il pas avertis qu'il «les brûlerait, les tuerait et mettrait leurs têtes au Bout des Bâtons»[10]? Chartré n'a pas peur d'utiliser l'argument le plus tranchant, le plus décisif, à peine trois mois après la décapitation du roi de France. Se rend-il compte qu'il touche le point névralgique du *Canadien*? Louis Dumontier, menuisier, tient des propos similaires, utilisant les mêmes arguments massue qui écrasent la tête de l'Ennemi. N'a-t-il pas qualifié le prince Edouard de «pouillerie d'Angleterre» à qui on devrait «flamber la cervelle»?[11]

La réaction des *Canadiens* ne se fait pas attendre. Ils n'ont pas de sympathie pour ces révolutionnaires en herbe qui brandissent la menace

8. C. Galarneau, *op. cit.*, p. 228.

9. *La Gazette de Québec*, 9 mai 1793, C. Galarneau, *op. cit.*, p. 228.

10. Lettre de Monk à Dorchester, 31 mai 1794, *loc, cit.*, pp. 238-239.

11. *Ibid.*, p. 240.

«capitale». Ils se tournent contre leurs congénères «traîtres» et les livrent aux autorités anglaises. Les annales sont plus éloquentes sur le sort de Pierre Chartré que sur les autres. En effet, comme signe visible de leur loyauté envers le nouveau régime, les habitants de Charlesbourg livrent Pierre Chartré aux autorités judiciaires de Québec «où il est actuellement en prison, ainsi que Jérôme Bédard, et leur procès sera fait pour Haute-Trahison, le plus grans des crimes connus dans la société civile»[12].

Comme les temps ont changé! Les *Canadiens*, tout au moins une bonne partie d'entre eux — qui ont esquivé l'autorité de leur propre roi sous le Régime français —, sous le nouveau régime rendent maintenant hommage au roi d'Angleterre, comme ils ne l'ont jamais fait au roi de France. Le *Canadien* «maître-traducteur» du Régime français n'a jamais été d'un loyalisme à toute épreuve. Depuis la fondation de Québec, des serruriers traîtres ont ouvert le pays à l'ennemi. Lors de la première prise de Québec Jean Duval ne s'est-il pas rendu coupable de haute trahison en évinçant carrément l'autorité royale française incarnée par S. de Champlain?

On dirait que l'électrochoc de la décapitation de Louis XVI[13] qui, pour les *Canadiens*, devient le paradigme des horreurs révolutionnaires, a arrêté net toute velléité contestataire du pouvoir royal. La haute trahison devient le «plus grand des crimes connus dans la société civile». Heureux d'avoir providentiellement — c'est ici, dans la tête, que se situe le noeud de la conquête providentielle — recouvré une nouvelle tête royale, les *Canadiens*, par un zèle compensatoire bien compréhensible, dénoncent tous ceux qui risquent de porter atteinte à un nouveau *chef (caput)* anglais. La loyauté pour le roi anglais transcende les solidarités commandées par l'ethnie, par la race.

Bien plus, les nouveaux sujets font des actes de contrition devant leurs nouveaux maîtres. Les habitants de Charlesbourg qui ont amené Pierre Chartré à Québec, par la bouche du Capitaine de la Milice, demandent humblement pardon aux autorités anglaises pour leurs égarements passés. Est-il preuve plus tangible de la loyauté des nouveaux sujets du Roi que la capture de ce Chartré, aux sombres desseins décollateurs? Les *Canadiens* l'ont bien compris: il en va de leur propre tête. C'est pourquoi

---

12. *La Gazette de Québec*, 31 juillet 1794, *loc. cit.*, p. 247.

13. Mgr Plessis ne compare-t-il pas l'action de la Révolution française à celle de l'électricité lorsqu'il affirme qu'elle a eu le «secret fatal d'électriser en un moment presque tous les esprits?», *op. cit.*, p. 38.

> Jacques Jobin Capitaine de la Milice au nom de Charlesbourg (...) s'adresse avec confiance au noble Représentant du Roi pour lui demander pardon de la conduite qu'ils ont dernièrement tenue. Au nom des habitants, le suppliant vient à Son Excellence pour lui jurer fidélité, allégeance, obéissance, et assurer Son Excellence que les jeunes et les anciens de la Paroisse de Charlesbourg, sont prêts à obéir... Et sous l'auspice de la douceur des Loix, à votre souvenir rappelle les deux prisonniers (dont P. Chartré) de ladite Paroisse, et ils vous supplient d'avoir compassion de leur misère[14].

Le cas de Charlesbourg est loin d'être une exception. Un peu partout au *Canada*, sous l'instigation anglaise, se forment des «associations loyales» qui, tout en jurant obéissance au roi anglais, incarnation du Bien, abjurent le Démon de la Révolution française, synonyme de fourberie et mensonge. Ainsi, les habitants de Beaupré prient le gouverneur anglais d'excuser leurs «égarements» lors de la contestation contre la loi des milices. Que les autorités se rassurent, en aucun cas leurs «fautes» ne doivent être interprétées comme une insoumission à leur roi, «mais qu'elles viennent d'un moment d'erreur et d'égarement occasionné par les pratiques et les mensonges de fourbes infectés de l'esprit des bandits, qui à force de crimes ont rendu un certain pays d'Europe une terre de malédiction»[15]. La France est devenue un pays tabou qu'on n'ose même plus nommer — «un certain pays» — de peur que, par la simple évocation de son nom, ses «malédictions» ne tombent sur le *Canada*. Ses habitants, vus du *Canada*, se sont mués en «bandits» et en «fourbes».

Après 1793, la question la plus brûlante en *Canada* a été: dans la confusion des langues, comment distinguer le *Canadien* du Français? Question qui tenaille évidemment plus l'administration anglaise que l'Habitant *canadien*. Mais en formant leurs «associations loyales» les Anglais aiguisent aussi chez les *Canadiens* l'intérêt pour la différence vitale entre le Français et le *Canadien*. Question de vie ou de mort...

C'est seulement contre l'arrière-fond de cette scène trouble post-révolutionnaire qu'on comprend le choix de McLane comme victime exemplaire. C'est la victime parfaite au sens où René Girard l'entend: innocente, étrangère, marginale, ne pouvant compter sur le secours d'aucune communauté. Or, le choix de David McLane n'est pas loin d'être arbitraire, l'arbitraire étant une autre caractéristique entrant dans la

14. *La Gazette de Québec*, 31 juillet 1794, C. Galarneau, *loc. cit.*, p. 247.

15. *Ibid.*, 15 juillet, pp. 247-248.

désignation de la victime. Évidemment, d'un point de vue idéologique —
dans la perspective de l'autorité anglaise — , un Français aurait été la
victime «idéale»: le coup du tranchant de la décapitation aurait marqué
par le sang la ligne qui doit séparer dorénavant le Français du *Canadien*.
Mais soit que les autorités n'aient pu mettre la main sur un émissaire
révolutionnaire français, soit (ce qui est plus probable) que, craignant de
réveiller par le spectacle de son exécution capitale d'anciennes sympathies pour «leurs gens» (comme les *Canadiens* appellent les Français), les
annales ne font mention d'aucune peine capitale infligée à un ressortissant
français.

Il est aussi remarquable qu'aucun des deux Canadiens français
accusés de haute trahison — Dumontier et Chartré — n'ait été condamné
à mort. La peine capitale peut seule sanctionner ce plus «grand des crimes
connus dans la société civile». De Dumontier arrêté pour «haute trahison», nous ne savons même pas s'il a été condamné. Chartré a été
emprisonné pour un temps indéterminé. Aucun des deux n'est devenu un
cas comme l'a été McLane. La majorité française derrière eux — qui
risque de faire bloc au spectacle de leur exécution — a pour ainsi dire
éliminé ces deux hommes comme «bonnes victimes». À Montréal, la
foule s'est déjà beaucoup émue à la vue d'un des leurs cloué au pilori
pour une faute mineure. La foule s'empare du pilori, libère le pénitent et
jette le pilori à la rivière[16]. On imagine quel tollé, quelle révulsion aurait
provoqué une exécution capitale!...

Décidément, ce McLane est la victime idéale! Américain d'origine,
aucun *Canadien*, ni français ni anglais, ne viendra à son secours. Finalement, son exécution risque d'unir plutôt que de diviser les *deux* nationalités appelées à cohabiter sur le même sol. McLane n'est nul autre que le
«tiers exclu» qui peut, qui *doit* être expulsé. Américain, il incarne, pour
le Canadien anglais loyaliste, cette révolte démocratique contre la royauté
qui a finalement bouté hors du pays Anglais et Américains loyalistes. La
révolution américaine est infectée du même poison démocratique que son
pendant français: pis, du même poison régicide. Décapiter cet Américain,
c'est, d'une part, se servir de ce bouc émissaire pour se venger de l'élimination qu'ont subie les Anglais en Amérique (expulsés, portés littéralement au-delà du seuil de ce pays) et c'est, d'autre part, rappeler aux
Canadiens français, quatre ans après la décapitation de Louis XVI, les
horreurs de cette Révolution régicide. Ce cadavre décapité évoque le

---

16. *Ibid.*, p. 242.

spectacle horrible que les *Canadiens* n'ont vu jusqu'à maintenant que sur des vignettes. «Le bourreau en trancha la tête, la prit par les cheveux et la montrant au peuple, cria: Voilà la tête d'un traître!»[17] Tous les bourreaux saisissent les têtes des décapités d'un même geste: celle de saint Jean-Baptiste, celle de Louis XVI, celle également de McLane.

Les *Canadiens* ont été littéralement médusés, pétrifiés devant la tête de McLane. Plus de quarante ans après, Garneau s'en montre ému, choqué: «Jamais pareil spectacle ne s'était encore vu en Canada. Le but de cet acte barbare était de frapper de terreur l'imagination populaire»[16]. L'historien contemporain conclut dans le même sens: «La cruauté de la sentence et de l'exécution ainsi que la publicité donnée à l'affaire ont certes rempli d'horreur la population»[19]. F. Perrault, témoin et clerc au Palais de justice, impressionné comme les autres *Canadiens*, note, trente-cinq ans après l'exécution: «Ce supplice inouï dans le pays, y fit une vive impression; on n'entendit plus parler d'émissaires ensuite pour soulever le peuple»[20]. Donc, cette exécution a eu les effets désirés.

Elle détache définitivement le *Canadien* hésitant du Français en lui assignant son nouvel espace politique: il doit se définir contre le Français et contre l'Américain, ses ennemis. Et au-delà de toute attente, le *Canadien* obéit à l'injonction de son nouveau maître. Il introjecte inconsciemment la «voix de son maître». Lors de la deuxième invasion du *Canada* par les Américains en 1812 (plus précisément les États-Uniens), tous les Canadiens français sont loyalement derrière le gouvernement anglais pour défendre *leur* pays. Même Papineau, qui sera pourtant l'âme de la Rébellion de 1837.

McLane est le bouc émissaire sur le dos duquel s'entendent les Canadiens, français et anglais, liés malgré eux, par sa mort sacrificielle, en un destin commun. L'entente, sinon l'unanimité, se fait toujours *contre* le membre le plus faible d'une société parce qu'on n'aura pas à craindre la vengeance des «siens».

---

17. F.-X. Garneau, *op. cit.*, tome II, p. 449.

18. *Ibid.*, pp. 449-450.

19. Claude Galarneau, *op. cit.*, p. 259. Le supplice suit celui du rigicide introduit en France par l'exécution de Ravaillac, assassin d'Henri IV.

20. *Ibid.*, p. 259.

La pendaison des Patriotes: la fondation branlante du Canada français

L'exécution de McLane est le «meurtre fondateur» sur lequel s'érige la constitution de 1791 qui, pour la première fois dans l'histoire *canadienne*, donne le droit de vote et la représentation démocratique à la nation qui a rendu habitable la vallée du Saint-Laurent. Mais, reconnaissons-le, la base de ce meurtre est branlante: les liens de solidarité que le sang du traître tisse entre Français et Anglais sont ténus et éphémères. Aucun culte n'entretient son souvenir. Pour cause: son exécution — double de celle de Louis XVI — est trop horrible pour qu'on se souvienne. Elle rejoint le refoulé de l'inconscient collectif...

D'ailleurs, la constitution de 1791 sépare fort heureusement ce qui doit être séparé — Anglais et Français — en deux «provinces» régies par leur propre parlement. Si cette nouvelle constitution donne la majorité aux *Canadiens* du Bas-Canada, elle laisse une minorité anglaise frustrée, agissante, qui n'acceptera jamais «l'inégalité», l'injustice «infâme» de cette constitution. Pour elle, c'est le monde renversé: le gouvernement de la métropole récompense les *Canadiens* conquis, «nouveaux sujets» du Roi, alors qu'il humilie les anciens sujets de Sa Majesté, les conquérants, en les traitant comme des conquis.

La démocratie ne s'arrête pas à mi-chemin. Elle accepte difficilement les compromis. C'est tout ou rien. Entre ce système de l'autocratie absolue et la démocratie absolue, il n'y a guère de moyen terme. C'est ce que le gouvernement anglais commence à réaliser. Les Anglais d'Angleterre ressemblent à des apprentis-sorciers qui perdent le contrôle sur ce qui est pourtant leur invention. Dans l'ivresse des nouveaux droits démocratiques qu'ils ont ignorés sous le Régime français, les *Canadiens* acceptent de plus en plus difficilement les entraves à ces droits. Notamment, ce Conseil législatif, bras droit de l'exécutif et nommé par lui, qui invalide les votes démocratiques de la Chambre. Par la bouche de Papineau, les *Canadiens* proclameront sous peu la souveraineté du peuple. De nouveau, plus qu'en 1789-93, les idées de la Révolution française et celles des États-Unis se sont empacé des esprits du *Canada*. Certes, les «Patriotes» sont les enfants de leur époque. Partout en Europe, la «souveraineté populaire», associée souvent à un libéralisme anticlérical, a été le ferment qui a poussé les minorités à se soulever, à demander l'indépendance. Les *Canadiens* n'ont pas manqué d'être touchés par l'indépendance belge, par le soulèvement de la Pologne et par la révolution de juillet 1830, les Trois Glorieuses. Mais dans son *Histoire des*

Patriotes, G. Filteau nous met en garde d'assimiler les libéraux *canadiens* à leurs pendants européens:

> La doctrine canadienne s'écartait énormément de celle d'Outre-Atlantique, tant par sa nature que par son objet. Le libéralisme européen était un idéal politique et social. Il constituait une rupture avec un passé que l'on méconnaissait et méprisait. Le libéralisme canadien n'était plus du tout un idéal; l'idéal, c'était le conservatisme, le retour aux traditions de la Nouvelle-France; le libéralisme n'était qu'un moyen, ou plutôt un argument radical d'obtenir un affranchissement qui permît au traditionalisme canadien de se développer librement. L'enjeu de la lutte n'a jamais été de renverser les autorités. A aucun instant les Patriotes n'ont été des anarchistes comme les libéraux européens[21].

Les Patriotes marchent vers l'avenir à reculons, en essayant de consolider et d'élargir les privilèges des professions libérales qu'ils représentent essentiellement.

Tout au long de la lutte de suprématie des années trente entre les Patriotes et les «bureaucrates» du parti anglais — gonflés par les *Chouayens*[22], «traîtres» ou «collaborateurs» *canadiens*, inconditionnellement ralliés au gouvernement anglais — , le ton monte, la rhétorique s'emballe, des organisations paramilitaires, le *Doric Club*, les *Fils de la liberté*, se constituent de part et d'autre. Verbale d'abord, armée ensuite, la violence prolifère puisqu'elle a trouvé son climat idéal: provocations mutuelles, qui ne cessent de se multiplier en suivant le schéma girardien de la violence et de la rivalité mimétiques, débouchant fatalement sur une «crise sacrificielle»[23].

Qui a commencé? Question oiseuse. Dans la situation qui est celle du *Canada*, il y aura forcément deux réponses: une réponse anglaise et une réponse française. L'une et l'autre reflètent parfaitement cette crise aiguë où deux rivaux luttent pour la suprématie sur l'autre. En effet, chacun

---

21. Gérard Filteau, *Histoire des Patriotes*, Montréal, 1938; nous citons d'après la rééd. L'Aurore, 1975, p. 107.

Il est évident que nous ne prétendons nullement expliquer les causes des Rébellions de 1837-1838, trop complexes et surtout réfléchies trop diversement par les différentes «idéologies» pour qu'on puisse les résumer en peu d'espace.

Voir le livre éclairant à cet égard de Jean-Paul Bernard, *les Rébellions de 1837-1838. Les Patriotes au Bas-Canada dans la mémoire collective et chez les historiens*, *op. cit.*

22. Terme qui remonte au temps de Montcalm: on appelait ainsi de son temps les soldats qui «avaient flanché à la prise du fort Chouaguen, prononcé Chouayen par le peuple». G. Filteau, *op. cit.*, p. 33.

23. R. Girard, *op. cit.*, pp. 15-28.

répondra: c'est l'autre qui a commencé, à quoi l'autre répondra: c'est l'autre qui a commencé; à quoi... Le cercle est vicieux. Chacun se croit dans ses droits: le parti anglais parce que les *Canadiens*, depuis le refus de voter les subsides à l'exécutif (1836), bloquent la machine gouvernementale; les Patriotes parce que le gouvernement passe outre aux décisions du Parlement, expression de la souveraineté du peuple *canadien*. La crise de 1837-38 doit être comprise dans cette «double contrainte» de deux adversaires rivaux qui, dans leur haine mutuelle, cherchent inconsciemment rien de moins que l'éradication de l'Autre.

Les *Canadiens*/Québécois pourront dire tout le mal du «Rapport Durham», appelé à faire l'autopsie des rébellions — son racisme naturellement prêche la supériorité de la race anglaise — , mais ils ne pourront lui reprocher d'avoir été aveugle à cette crise de la rivalité mimétique qui étreint le *Canada* à ce moment. C'est là son principal mérite. «Les deux races ainsi séparées se sont trouvées dans une même société et dans des circonstances qui devaient nécessairement produire un choc sur eux». Choc qui provoque une haine inextinguible, une lutte à mort entre les deux nations. «L'*hostilité* envahissait ainsi la société; elle *grandissait* au point d'occuper une place proéminente dans la politique du pays. Il était inévitable que ces sentiments devaient déchaîner une *lutte à mort dans l'État*»[24]. Il est tout à fait dans la nature mimétique de ce conflit que Durham, malgré son préjudice très favorable à l'égard de ses congénères anglais, se sente incapable de déterminer avec précision le *début* (*Beginn*) — ne pas confondre avec l'*origine* du conflit.

L'un et l'autre se répondent, tel le jumeau et son double gémellaire. Où commence l'un, où finit l'autre? Comme les actes des rivaux, ils n'existent que dans leur renvoi mutuel: «Quand et par quelle cause particulière l'hostilité entre cette majorité (française) et cette minorité (anglaise), appelées nécessairement à entrer en conflit, a-t-elle pris ce caractère dominant? C'est difficile à préciser»[25].

Si le début *précis* du conflit reste incertain, sa fin, par contre, est d'une précision remarquable, tracée cette fois, non au tranchant de la guillotine, mais par la corde de douze pendus.

Après une victoire éphémère à Saint-Denis, mal préparés, mal équipés, les Patriotes sont écrasés par la force supérieure de leur ennemi à

---

24. *Le Rapport Durham*, édition M.-P. Hamel, éd. du Québec, 1948, p. 197.

25. *Ibid.*, p. 98. Durham donne 1822, année de la première tentative de réunion des deux Canadas, comme point de départ probable des hostilités.

Saint-Eustache. C'est ici à Saint-Eustache, dans une boucherie, que se termine la principale rébellion, celle de 1838 n'étant qu'un sursaut désespéré de «résistants» qui ne veulent pas s'avouer vaincus. C'est à chaud, dans cette crise — qui, soit dit en passant, a lieu dans l'église incendiée du village — que Chénier, autre Dollard qui se sacrifie à la cause du peuple, tombe criblé de balles, en conduisant quelques hommes hors de l'église. En réalité donc, il a eu le destin d'un guerrier, d'un «résistant». Mais le mythe s'est emparé de lui et l'a métamorphosé en parfaite victime.

En effet, selon une tradition orale, «les chirurgiens lui auraient arraché le coeur, l'auraient jeté dans un plat et l'auraient ainsi exposé à la fenêtre. Un soudard s'en serait alors emparé et l'ayant fiché au bout d'une baïonnette l'aurait promené au milieu des blasphèmes et des moqueries»[26] . Comment ne pas faire le rapprochement avec la tête de saint Jean-Baptiste, apportée aussi par un soudard sur un plat? Nous aurons à nous interroger, à propos de saint Jean-Baptiste, sur la signification de ce plat. Ne nous laissons pas tromper par la différence entre les deux «organes»: le coeur et la tête. Pour le mythe, ils ont la *même* fonction. Ils symbolisent, tous deux, la force de l'homme, concentrée dans cette partie détachée de son corps. D'ailleurs, la version de la mort de Chénier que G. Filteau donne comme la plus vraisemblable — parce que consignée sous serment par un témoin oculaire — confirme que les sévices des bourreaux ont visé, à la fois et indifféremment, le coeur *et* la tête: «La poitrine était découverte, dit-il, et le coeur pendait au dehors. Quand un Patriote passait, on lui criait: Viens donc voir ton Chénier comme il avait le coeur pourri... Je remarquai que la tête était couverte de caillots de sang à cause des coups de crosse de fusil»[27] .

On se croirait remonter aux premiers temps «sauvages» de la colonie. Cette tête écrasée ne rappelle-t-elle pas celle de ces condamnés à mort dont on enfonçait aussi la tête à coup de marteau? Le coeur arraché n'évoque-t-il pas les sévices que les Iroquois ont fait subit aux martyrs *canadiens*? Dans sa geste canadienne-française — vrai martyrologue de victimes sacrifiées à l'Idéal — , Louis Fréchette fait naturellement une place importante à Chénier. Fréchette a bien vu cette filiation sauvage dans la mort de Chénier:

26. G. Filteau, *op. cit.*, p. 370.
27. *Ibid.*, p. 37.

Ce qui suivit fait *rougir des cannibales*.
On traîna de Chénier le corps criblé de balles;
Un hideux charcutier l'ouvrit tout palpitant;
Et par les carrefours, ivres, repus, chantant,
Ces fiers triomphateurs, guerriers des temps épiques,
Promenèrent sanglant son coeur au bout de piques...
La légende d'un peuple

Les coeurs au bout de piques ont la même fonction apotropaïque que ces têtes que nous avons rencontrées, dès la fondation même de Québec.

Chénier, sacrifié par des bourreaux à la cause du peuple, devient, *grâce à ce* meurtre sacrificiel, une victime innocente, sacrée. D'ailleurs, toute l'argumentation des Patriotes lors des procès et dans leur correspondance va dans le sens de la «victimisation sacrificielle»: «Nous, écrit O'Callaghan à F.-X. Garneau en 1852, nous fûmes les victimes, non pas les conspirateurs»[28]. Et Papineau, dans son *Histoire de l'insurrection du Canada* (...) (mai 1839) écrite à chaud, proteste haut et fort: «Oui, encore une fois, le pouvoir exécutif a mis en oeuvre, *contre des hommes innocents*, en vue de l'intérêt métropolitain mal entendu, des combinaisons inhumaines qu'il avait reconnu, lui-même, n'avoir pas le droit de se permettre: c'est de lui qu'est venue la *provocation*»[29]. La victime, par définition, est innocente, créée de toute pièce par la «provocation» du bras de son bourreau. Évidemment, le raisonnement aurait été tout autre si les Patriotes avaient gagné...

On imagine que la minorité anglaise qui, pendant quelques mois, vit dans la terreur et tremble pour son sort, à soif de vengeance, pis, soif de sang. «La masse de la population anglaise avait soif de sang»[30]. Il s'agit maintenant de savoir, pour les Anglais du Bas-Canada, comment «terroriser»[31], à leur tour, les *Canadiens*. Bien que Filteau affirme qu'en quelques semaines «plus d'un millier de Patriotes»[32] ont été incarcérés, la plupart sont vite libérés. On n'a voulu garder que les chefs, les têtes. Certes, les plus grosses «têtes à Papineau»: Papineau en personne, chef de la Rébellion, Robert Nelson, O'Callaghan, Ludger Duvernay, le futur fondateur de la Société Saint-Jean-Baptiste, G.-E. Cartier, ont échappé à

---

28. *Ibid.*, p. 295.

29. *Ibid.*, p. 293.

30. *Ibid.*, p. 388.

31. *Le Rapport Durham*, *op. cit.*, p. 105.

32. G. Filteau, *op. cit.*, p. 377.

la «justice» anglaise, en passant aux États-Unis. Mais elle a mis, malgré tout, la main sur huit meneurs, dont le docteur Wolfred Nelson, frère de Robert, Bonaventure Viger, Siméon Marchesseault.

Ils n'ont pas été pendus, comme on aurait dû s'y attendre, car Durham, à son arrivée à Québec, déclare une amnistie générale qui a de quoi impressionner les *Canadiens*, eux qui, comme en 1760, s'attendent au pire: au «vae victis» du vainqueur. Pour satisfaire la soif de vengeance du parti anglais, Durham condamne cependant les huit chefs emprisonnés à l'exil aux Bermudes. Mais, étant donné que le parlement anglais invalide la décision autoritaire de l'amnistie — prise sans l'accord du Parlement — , les exilés sont libérés, et regagnent les États-Unis en 1838. «Le gouvernement anglais, comme le dit Nelson, a prêté l'oreille à l'inspiration de la miséricorde»[33]. Tout semble donc rentrer dans l'ordre.

Mais certains Patriotes, notamment Robert Nelson, frustrés d'action — n'ayant pas participé au soulèvement, contrairement à Wolfred — pensent à une revanche. «Il (Robert Nelson) passa aussitôt aux États-Unis, la tête pleine de projets et bien décidé à organiser une revanche»[34]. Le projet de Nelson, qui a l'aveuglement de l'illuminé politique, est suicidaire: organiser le soulèvement du Bas-Canada, à partir des États-Unis. D'autant plus suicidaire que les États-Unis, malgré de vagues connivences avec les «révolutionnaires», refusent le support logistique aux Patriotes. Moins bien préparé encore que le soulèvement de 1837, celui de 1838 s'avère un fiasco.

C'est évidemment le prétexte attendu par la minorité anglaise pour assouvir enfin sa soif de vengeance, de sang, réprimée depuis si longtemps. Cette fois, après la récidive, la justice anglaise sévit dans toute sa rigueur. Les «bureaucrates» déchaînés ne pardonneraient pas le pardon. La foule anglaise veut des têtes. L'horrible Adam Thorn, dans son *Herald*, donne le ton, implacable, cynique: «Nous avons vu la nouvelle potence faite par M. Brondson (le bourreau), et nous croyons qu'elle sera dressée aujourd'hui en face de la prison, de telle sorte que les rebelles sous verrous jouiront d'une perspective qui, sans doute, aura l'effet de leur procurer un sommeil profond avec d'agréables songes. Six ou sept à la fois seraient tout à fait à l'aise, et un plus grand nombre peut y trouver place dans un cas pressé»[35]. Un grand nombre: pourquoi pas *tous* les

---

33. *Ibid.*, p. 392.

34. *Ibid.*, p. 401.

35. *Le Hérald*, 19 novembre 1838, cité d'après F.-X. Garneau, *op. cit.*, p. 694.

Canadiens? Le fantasme du génocide réprimé dans l'inconscient fait de nouveau son apparition. «Pour avoir la tranquillité, il faut que nous fassions la solitude, balayons les Canadiens de la face de la terre»[36]. Avec l'instauration de la loi martiale, la suspension de l'*habeas corpus*, les choses s'annoncent bien... pour le parti anglais: 1 000 arrestations, 442 procès en cour martiale, 58 condamnations à l'exil. Il y a 99 condamnations à mort. Finalement, douze personnes seront exécutées. Douze «victimes» montent sur l'échafaud du Pied-du-Courant; elles ont été choisies au hasard, ce qui prouve qu'il s'agit de «victimes». Quant à leur innocence, «objectivement», elle est moins sûre qu'en 1837, puisque, cette fois, les Patriotes ne peuvent se prévaloir de la «légitime défense» aux «attaques» et aux provocations du parti anglais: ce sont eux qui, délibérément, ont provoqué l'insurrection de 1838.

Parmi les condamnés à mort, aucune «grosse tête», si ce n'est le notaire De Lorimier. Il est le «vicaire», c'est-à-dire le bouc émissaire de tous les autres. C'est sur lui que la justice s'acharne. C'est lui aussi qui, dans une lettre émouvante écrite avant son exécution, proteste tout haut de son innocence:

> Je meurs sans remords, je ne désirais que le bien de mon pays dans l'insurrection et l'indépendance, mes vues et mes actions étaient sincères et n'ont été entachées d'aucun des crimes qui déshonorent l'humanité... Malgré tant d'infortunes, mon coeur entretient encore du courage et des espérances de meilleurs jours; ils seront libres, un pressentiment certain, ma conscience tranquille me l'assurent.[37]

De Lorimier a bien compris le mécanisme victimaire. Après la crise sacrificielle, le calme s'installe. La mort de la victime fonde un nouvel ordre. Or cette nouvelle société, basée sur la souveraineté populaire, sur l'indépendance du pays, est toujours à venir. Le sang répandu par les patriotes, à tout jamais ensemence le champ de l'indépendance du Québec. Ses germes lèveront-ils un jour?

36. *Le Hérald*, 14 novembre 1838, cité d'après Filteau, *ibid.*, p. 423.
37. Cité d'après Filteau, p. 438.

Chapitre IV

Sacrifices en pure perte

Les Patriotes, des Christs nationaux?

Pour que les Patriotes puissent devenir des héros nationaux reconnus par *tous* les Canadiens français, il aurait fallu qu'une majorité d'eux, spontanément, *se* reconnaissent *en* eux. Ce n'est pas le cas. Les Patriotes eux-mêmes, les chefs notamment, sont profondément divisés quant au sens et à la portée de leur mouvement. Discutée tout au long du XIXe siècle et encore irrésolue, la question de savoir si Papineau, le chef, a lâchement pris la fuite ou agi ainsi contre son gré, sur l'insistance des autres Patriotes, laisse planer le doute sur le «sérieux» des chefs, sur leurs intentions profondes. Le «culte du héros», comme l'appelle M. Carlyle, de même que les mythes nationaux ne tolèrent pas que le doute et la suspicion ne les attaque de leur acide. Loin de mener à la création d'un mythe national qui d'un élan spontané, aurait rassemblé, fait taire les discussions, les événements de 1837-38, bien au contraire, ont divisé l'opinion. Des rebelles excomuniés à qui l'église *canadienne* refuse l'enterrement, peuvent-ils devenir des héros, dans le contexte social du Canada français? Finalement les *Canadiens* n'introjectent-ils par l'opinion publique anglaise qui traite les Patriotes de «scélérats», de «sauvages» qui ne respectent la loi civique (anglaise)? L'opinion *canadienne* les «oublie», les refoule, s'en désintéresse. D'ailleurs, la pendaison de ses «pères» (Patriotes) n'évoque-t-elle pas, encore une fois, le traumatisme de l'exécution capitale du premier Père, du Roi? Mieux vaut oublier!

En 1852, quinze ans après l'insurrection, une souscription pour ériger un monument en l'honneur des Patriotes ne réussit même pas à ramasser les fonds nécessaires. Un contemporain note avec amertume: «Le comité des monuments des victimes de 1837-38 n'a pu collecter depuis cinq ans, après des efforts surhumains, que l'insignifiante bagatelle de 125 livres. Le peuple est tellement apathique qu'il ne veut pas contribuer d'une seule obole pour ériger une modeste pierre tombale à la mémoire de ses défenseurs»[1]. Le monument est finalement érigé, en 1858, au cimetière de la Côte-des-Neiges. Il rappelle le «religieux souvenir».

Seul un groupe marginal oeuvre à la sacralisation du souvenir des Patriotes. Paradoxalement, mais tout aussi logiquement, ce sont des hommes ayant répudié la religion — essentiellement, des membres de l'Institut Canadien et des «radicaux» appelés «Rouges»[2] — qui cherchent une nouvelle religion nationale, avec des martyrs en odeur de sainteté. C'est, sans doute, dans *les Patriotes de 1837-38*, de Laurent-Olivier David (1840-1926), né après les «événements», que cette «sanctification» des Patriotes atteint son point culminant. Le but ultime du livre de David, c'est d'éradiquer les doutes sur la finalité des insurrections de 1837-38, et d'élever les patriotes, morts et sanctifiés, dans le nouveau ciel national.

Pour cela, il faut prouver qu'ils ont été des victimes innocentes. C'est un pléonasme: nous le savons, la victime, par définition, est innocente. Victimes sacrifiées, sanctifiées pour une cause qui, grâce à ce sacrifice indubitable, devient bonne, sainte. L.-O. David n'à qu'à mobiliser sur ces nouveaux martyrs toutes les forces sacrificielles qu'a drainées le pays depuis la fondation du *Canada*: «Le moins que nous puissions faire, nous pour qui ces Patriotes ont combattu et *tout sacrifié*, est bien de défendre leur honneur, et de rendre hommage à leur courage»[3]. Citant De Lorimier: «O ma patrie, à toi, j'offre mon sang comme le plus grand et le dernier des sacrifices», l'auteur conclut: «le seul but de ce livre est de montrer qu'ils (les Patriotes) ont droit à notre reconnaissance, et que nous devons

1. J.-P. Bernard, *op. cit.*, p. 24.

2. Voir là-dessus Jean-Paul Bernard, *les Rouges*, Montréal, Les Presses de l'Université du Québec, 1971.

3. L.-O. David, *les Patriotes de 1837-1838*, Montréal, 1884; nous citons d'après la rééd. de 1981, p. 18.

accepter l'offrande de leurs sacrifices et de leur sang pour l'honneur de notre nationalité et le triomphe de la liberté»[4].

Il importe à David de rallier *tous* les Canadiens français autour du sacrifice des Patriotes. Chose qui aurait dû aller de soi, s'il s'était agi d'un sacrifice «ordinaire» où le partage entre bourreau et victime est non équivoque. Ce qui est loin d'être le cas en *Canada*. Justement, L.-O. David tente de redessiner cette ligne de démarcation, devenue floue notamment depuis l'instauration du régime de l'Union. Ligne de démarcation qui devrait coïncider avec celle des deux nationalités, canadienne-française et canadienne-anglaise.

Mettre en doute cette limite, c'est ébranler les fondements mêmes de l'Histoire de la société de ce pays. Que des Canadiens français insinuent — comme ils l'ont fait — que les Patriotes n'ont pas été des victimes et que les Anglais n'ont pas été des bourreaux, nous voilà dans un monde «monstrueux», un monde à l'envers qui a perdu son sens. «C'est le renversement de l'histoire, la contradiction monstrueuse de toutes les idées reçues, l'anéantissement des traditions les plus populaires. Ce ne sont pas les victimes qui auraient droit à nos sympathies, mais leurs bourreaux!»[5]

On le voit, David pousse jusqu'à l'absurde le raisonnement des «bureaucrates» anglais: «Ce ne sont pas les volontaires et les soldats qui ont brûlé les villages, jeté sur les chemins publics des centaines d'enfants, pillé, tué, et volé; on dirait que ce sont les Patriotes»[6]. Non, les héros, c'est ce «brûlot» Colborne et sa soldatesque qui a maté la rébellion: «C'est à eux qu'on devrait adresser nos hommages, élever nos monuments»[7].

A-t-on vu peuple plus ingrat, plus pusillanime que celui du Canada français, un peuple qui ergote sur les motifs de ses Patriotes, alors que ces derniers se sont offerts gratuitement, généreusement, sans arrière-pensée à leur nation? Est-il sacrilège plus grand que de refuser le sacrifice de ces victimes — de De Lorimier, en particulier — dont la sincérité ne saurait être mise en doute? «Pauvre De Lorimier! Toi qui, à la veille de mourir, ne nous demandais en retour de tes sacrifices, que de croire à la sincérité de ton patriotisme, tu ne t'attendais pas que des Canadiens-français refu-

4. *Ibid.*, p. 20.

5. *Ibid.*, p. 324.

6. *Ibid.*, p. 324.

7. *Id.*

seraient d'écouter ta prière, d'accepter l'offrande de ton sang»[8]. David évoque ensuite tout ce passé sacrificiel du Canada français, le souvenir, notamment, de Dollard Des Ormeaux et de sa poignée de braves qui se sont voués à une mort certaine pour sauver la colonie naissante de Montréal[9]. Lutte insensée, folle, par la disproportion même des forces, mais cela n'a pas empêché ce héros d'entrer dans le saint des saints nationaux. Pourquoi refuser aux Patriotes qui ont soutenu la même lutte inégale, insensée, contre une majorité «sauvage». N'est-ce pas rejeter d'office aussi tout le passé sacrificiel du *Canada*? La révolte des Patriotes, loin d'être une exception honteuse, s'avère parfaitement dans la ligne de l'histoire *canadienne*: «Notre histoire est pleine de ces actes héroïques enfantés par la folie du dévouement, du sacrifice»[10]. Le mouvement des Patriotes ne se «normalise», ne se *canadianise*, qu'une fois contre l'arrière-fond sacrificiel de son histoire: les missionnaires martyrisés, Dollard sacrifié...

L'ultime argument, il faut s'y attendre, c'est le sacrifice du Christ, celui de la croix. «N'appelle-t-on pas le plus grand sacrifice dont le monde et le ciel aient été témoins 'la folie de la Croix'?»[11] Ces Patriotes ne sont-ils pas des Christs modernes, crucifiés pour la sainte nation? «Jésus-Christ a été vaincu, lui aussi, vaincu par le nombre, par les bureaucrates, les soldats de César? Il est le patron, le soutien de tous ceux qui meurent pour une cause qu'ils croient juste, sainte, nationale»[12].

La transposition de David est saisissante: les Patriotes, les nouveaux Jésus sur les bords du Saint-Laurent! Hélas, cette transposition est inopérante. René Girard nous a expliqué pourquoi: le sacrifice du Christ, ayant mis à nu, démythifié, une fois pour toutes, le mécanisme sacrificiel, aucun bourreau ne pourra plus jamais déguiser son «assassinat» en oblation, aucune victime ne pourra jamais plus faire figure de bouc émissaire. Dans ce monde post-christique, il n'y a plus que des assassins, des bourreaux et des assassinés. Le Christ a été le dernier bouc émissaire, la dernière victime.

Reste évidemment l'identification avec saint Jean-Baptiste, le précurseur du Christ. C'est cette identification qui donnera sa cohésion

---

8. *Id.*

9. *Id.*

10. *Ibid.*, p. 325.

11. *Id.*

12. *Id.*

mythique au Canada français pendant plus de cent ans. Mais, avant d'examiner ces fondements mythiques du Canada français, il nous faut évoquer rapidement deux autres exécutions capitales, l'une réelle, l'autre fictive.

Louis Riel: le «meurtre fondateur» de la Confédération canadienne

> La nature semblait fêter l'apothéose
> D'un héros malheureux, d'un saint et d'un martyr!
> Quand la trappe s'ouvrit, le choc dut retentir
> Avec un bruit lugubre en mainte conscience.
> Mais nul besoin d'avoir le don de préscience,
> Pour savoir que, parmi les coupables, beaucoup
> Subiront de ce choc le fatal contre-coup.
> Il aura son écho funèbre dans l'histoire.
> Elle fera subir un interrogatoire
> Terrible, à ceux d'abord dont l'orgueil tout-puissant
> Mit sur notre blason cette tache de sang.

C'est en ces termes que Louis Fréchette chante l'exécution de Louis Riel, qu'il qualifie de «dernier martyr»[13]. Trente ans après la Rébellion des Patriotes, Louis Riel et ses métis, bois-brûlés de l'Ouest canadien, issus du mariage entre coureurs de bois canadiens-français et Amérindiens, mènent une lutte désespérée contre la mainmise du Dominion canadien sur ce qu'ils considèrent comme «leurs» terres. Les Canadiens français virent en Louis Riel un des leurs. Honoré Mercier ne l'a-t-il pas appelé «notre frère»? Frère de sang, il parle le français, il a fait ses études chez les Sulpiciens à Montréal.

La configuration politique de la Rébellion des métis est beaucoup plus claire, plus tranchée que celle de 1837-38, tout au moins dans la perspective du Québec. Une minorité francophone — derniers restes d'un «Empire» français qui s'étendait au-delà de la Rivière-Rouge — est opprimée, écrasée par une majorité anglaise. Patriote illuminé, Riel est sacrifié par cette majorité anglaise. La pendaison de Riel est le «meurtre fondateur» sur lequel est basée la nouvelle Confédération canadienne, constituée en 1867. «Meurtre fondateur» qui, bien loin de cimenter

---

13. Louis Fréchette, op. cit., p. 305.

l'Union, fait apparaître les premières crevasses dans l'édifice confédéral à peine construit.

En effet, Anglais et Français se divisent profondément sur l'interprétation du rôle de Riel dans cette insurrection. Pour les orangistes anglais, Riel est un hors-la-loi qu'il faut pendre. La majorité anglaise met le gouvernement fédéral sous pression, lui laissant croire que «s'il (Riel) n'est pas pendu... dans quelques mois, il y aura une grande rébellion»[14]. Cette fois, des Anglais contre le gouvernement fédéral! Pour les Français du Québec et encore plus pour les Franco-Américains de l'époque, Riel est innocent. Il n'a fait que réagir sous les provocations des Canadiens anglais. Le raisonnement est essentiellement le même que pour les Patriotes de 1837. Mais, cette fois, grâce à l'effet de distance, la victimisation de Riel, en divisant le Canada français et anglais, solidarise *tous* les Québécois (la province de Québec depuis 1867 a un statut constitutionnel) *contre* le reste du Canada. Les Canadiens français voient avec horreur quel sentiment le reste du Canada entretient à l'égard d'un des leurs. Les espoirs qui ont pu se lever avec la naissance de la Confédération sont tués dans l'oeuf. À la vue de ce gibet dressé dans l'Ouest, que peut encore attendre là le Québec du Canada anglais?

La pendaison de Riel, exécuté le 16 novembre 1885, a plus fait pour ensemencer l'idée de l'autonomie du Québec que la rébellion de 1837-38. La mort de Riel, au contraire de celle des Patriotes, ne déchirait pas les Québécois dans une lutte fraticide. Les bourreaux de Riel — tous les Canadiens anglais — sont frappés par des Canadiens français du même «estrangement» (Verfremdung) que ceux de Louis XVI jadis. Il est à noter que l'exécution de Louis Riel, comme celle de Louis XVI (ils portaient le même prénom), est vue de loin, de l'extérieur. Plus rien de commun entre ces bourreaux et les Canadiens français. D'ailleurs, le rassemblement monstre qui a eu lieu le 22 novembre de cette année à Montréal sur le Champ-de-Mars, réunissant plus de 50 000 personnes, ne symbolise-t-il pas concrètement l'effet cohésif qu'a eu l'affaire Riel au Québec? Pour la première fois le Québec se définit *contre* le reste du Canada. Dans ce sens, la mort de Riel a eu le même effet que celle de Louis XVI, dont la décapitation a défini le Canada français *contre* la France. À l'ombre du pendu de Régina, Honoré Mercier en appelle à l'union: «En face de ce crime, en présence de ces défaillances, quel est notre devoir? (...) Nous unir! Voilà vingt ans que je demande l'union de

---

14. E.B. Osler, *L. Riel, un homme à pendre*, Montréal, Éditions du Jour, 1962, p. 285.

toutes les forces vives de la nation. Voilà vingt ans que je dis à mes *frères* de *sacrifier* sur l'autel de la patrie en danger, les haines qui nous aveuglaient et les divisions qui nous tuaient»[15].

Est-ce un hasard si l'exécution de Louis Riel, décrite par Osler, l'est sous le titre évocateur «Une fin digne d'un roi»?

Inutile de dire que, pendant plus de quarante ans, comme Fréchette l'annonce de façon prémonitoire, le parti conservateur «pendard» qui a exécuté Louis Riel subira «de ce choc fatal le contre-coup». C'est seulement cent ans après (le 4 septembre 1984), grâce à Brian Mulroney, Premier ministre conservateur, né au Québec, que les Québécois se sont vraiment réconciliés avec le Parti conservateur. Pour combien de temps?

La tête à Papineau

Il reste à évoquer une dernière décapitation. Elle n'a pas lieu sur une place publique, mais dans une oeuvre contemporaine de fiction, *les Têtes à Papineau*, de Jacques Godbout. D'abord, le titre du livre est significatif. Il s'est cristallisé au Canada français tout un mythe autour de la «tête à Papineau». Tête pensante, mais surtout parlante: grâce à ses dons d'orateur remarquables, Papineau est de son vivant devenu une légende. Après la défaite des insurrections de 1837-38, le peuple le dit revenir d'exil à la tête d'une grande armée de libération. On projette sur Papineau des pouvoirs magiques, compensations surnaturelles aux pertes réelles, qui se concentrent dans sa tête, d'autant plus précieuse qu'elle aurait pu, qu'elle aurait dû tomber à la suite de la rébellion. Par chance, par magie, contrairement à Louis XVI, Papineau a gardé sa tête intacte: il n'a pas été pendu. «Être une tête à Papineau» signifie encore aujourd'hui au Québec «être un génie» (*génie* lui-même vient d'*ingenium*, *esprit* qui travaille avec sa «tête»). Mais c'est surtout la forme négative qui est la plus usitée au Québec, «ne pas être une tête à Papineau». Comme si, pour le Canadien français, Papineau devenait le point de référence absolu du «génie». Le nouveau père du peuple garde physiquement sa tête, même s'il la perd métaphoriquement en prenant la fuite. Fuite vite pardonnée, parce qu'en fait elle sauve «la tête à Papineau».

15. Discours, 22 novembre 1885, cité d'après Joseph Costisella, *l'Esprit révolutionnaire dans la littérature canadienne-française*, Montréal, Beauchemin, 1968, p. 221.

C'est en ayant en tête les insurrections de 1837-38 — qui, elles-mêmes, mettent «en abyme» la Révolution française et notamment, la décapitation de Louis XVI — qu'il faut lire *les Têtes à Papineau*. Mais ce roman s'inspire également de l'actualité politique. On s'en souvient, le livre paraît en 1981, un an après le référendum sur la question de «souveraineté-association»; faut-il se séparer politiquement du Fédéral pour s'y associer économiquement?

Jacques Godbout invente des jumeaux siamois qui expriment, d'une part, la rivalité des rapports entre Ottawa et Québec, et, d'autre part, leur monstruosité: ce *double bind* que nous avons vu à l'oeuvre en *Canada*, presque depuis sa fondation. C'est précisément à l'endroit névralgique, traumatique du Canada français que les jumeaux sont accolés: au cou. «Or, nous sommes condamnés, comme personne au monde, à un perpétuel tête-à-tête: nous n'avons, de naissance, qu'un seul cou (...) Nos deux têtes prennent racine à la hauteur de la trachée-artère, de guingois (...) mais à même le cou. Comme les deux branches d'un V victorieux. Elles sont autonomes. Pas que pour les émotions! La pensée. La voix. Il nous arrive assez souvent, pour cela même, de nous étouffer bruyamment. C'est dangereux une trachée envahie»[16]. En effet, nous avons vu combien le *Canada* a été traumatisé par les trachées «envahies»... d'une épée, d'un échafaud, d'une corde.

Bien sûr, à plus de 140 ans de distance, on peut rire de ce qui a jadis angoissé les *Canadiens*. L'humour occupe une large place dans ce roman, c'est vrai. Mais il ne devrait pas cacher le «sérieux» de l'opération qui, dans son délire même, suit en pointillé — comme dans le roman de Philippe Aubert de Gaspé fils — les deux exécutions capitales courantes au *Canada*: décollation et écrasement de la tête sans oublier le scalpage d'origine sauvage. «Le choc opératoire a été fulgurant. Les crânes se sont avérés plus durs que pierre. La salle était jonchée de scies à rubans et d'égoïnes ébréchées. Le sang giclait comme dans un abattoir.» Étrange opération: là où il faudrait «décoller» le cou des jumeaux, car c'est là qu'ils sont «collés» ensemble, le Dr Northridge s'attaque tout de go aux cerveaux des monstres canadiens. Il va sans dire que le chirurgien-bourreau ne peut être que de nationalité anglaise, pis, canadien français, assimilé, vendu (encore un traître) aux Anglais. Ce sont des Dr Northridge qui ont décapité McLane, comme le sadique Brondson, exécutant

---

16. Jacques Godbout, *les Têtes à Papineau*, Seuil, 1981, pp. 15-16.

sans masque, qui a pendu les Patriotes. Le Dr Northridge n'est-il pas qualifié de «bricoleur sadique»?

Il s'agit en fait de vider un cerveau pour le loger dans la boîte crânienne de l'autre. Première opération, le chirurgien scalpe les jumeaux. Scalpage «en profondeur» qui équivaut à une décapitation, puisqu'il va jusqu'à enlever la calotte crânienne. «Le cerveau à nu s'agita comme le corps d'une méduse effrayée»[17]. Tête coupée qui ressemble à une tête de méduse effrayée, mais surtout effrayante, pétrifiante.

Hélas, le transfert d'un cerveau dans la calotte de l'autre rencontre des obstacles inattendus: un deuxième cerveau se loge difficilement là où il n'y a place que pour un seul cerveau: «Le cerveau amalgamé aurait été écrasé sous ce toit exigu»[18]. Un nouveau «crâne» en verre est soufflé par un souffleur vénitien. Décidément, la tête canadienne est fragile. Attention aux chocs!

Malgré toute sa cocasserie, le sacrifice opératoire — dans la tradition sacrificielle qui est celle du *Canada* — ne manque pas d'appeler celui du Christ: «Ah! Les autres apôtres vont venir tout à l'heure pour la Dernière Cène?» soupire François (un des jumeaux) qui se voit comme le sacrifié. Il a surnommé le Dr Northridge «Assassin du Golgotha». Et Charles (l'autre jumeau) tient le rôle de Judas[19].

Le Christ s'est arrêté à Eboli. Mais il s'est arrêté aussi sur le Saint-Laurent. Bien plus, à certains moments, on dirait que le Saint-Laurent *est* le Jourdain, tellement les deux paysages se ressemblent. Ressemblance vague, métaphorisation? Non, il s'agit bien d'une identité, ou plutôt d'une identification au sens analytique du terme. «Car les rives du Saint-Laurent et les rives du Jourdain se ressemblent comme deux gouttes d'eau»[20]. Par une lente dérive, le Canada français, tout au long du XIXe siècle, ne cesse de se rapprocher de la Galilée. Dans ce processus d'identification qui s'opère tout au long du XIXe siècle entre le peuple canadien français et le peuple élu des rives du Jourdain, le Baptiseur est sans doute la figure clef, le trait d'union qui facilite le rapprochement de deux pays qui semblaient vivre sur deux planètes, tellement ils étaient loin l'un de l'autre.

17. *Ibid.*, p. 144.
18. *Id.*
19. *Ibid.*, p. 146.
20. Paul de Malijay, *Saint Jean-Baptiste, l'Évangile et le Canada*, Montréal, 1874.

Il nous reste à examiner les circonstances qui ont imposé saint Jean-Baptiste comme le Patron en Canada français et, d'autre part, le moment où le *mythe de la Saint-Jean-Baptiste*, comme figuration ritualisée, est entré dans la conscience des Canadiens français. Nous appelons *mythe de la Saint-Jean-Baptiste* tous les fragments, conscients et inconscients, de son histoire nationale et individuelle que le Canadien français intègre dans le *mythos*, fable mimée, mise en scène lors de parades. Il s'agit là d'une *imago* projective qui l'identifie tant qu'il y croit, tant qu'il a la foi. Nous devons donc arpenter ce champ mythique aimanté par la *persona* du Baptiseur, déterminer les bornes qui marquent son début et sa fin, la naissance et la mort du mythe de la Saint-Jean-Baptiste correspondant précisément au début et à la fin du Canada français: 1843 et 1969.

C. La Saint-Jean-Baptiste:
naissance et mort d'un mythe national

Il n'y a qu'un moyen de conjurer les dangers. Le Patron du Canada nous l'indique; c'est faire pénitence, et remarquez qu'il dit: «Un digne fruit de pénitence». Or, si le mal est dans la nation, la pénitence doit être nationale, pour être digne, c'est-à-dire, efficace.

Paul de Malijay,
Saint-Jean-Baptiste, l'Évangile et le Canada.

Chapitre I

Les deux visages du Baptiseur

Feux de joie païens autour des guerriers

La Saint-Jean-Baptiste a toujours été fêtée en *Canada* depuis l'origine de la colonie française. Mais l'esprit qui préside à cette fête sous l'ancien Régime français est tellement différent de celui qui domine la Saint-Jean-Baptiste du Régime anglais qu'on dirait deux fêtes vouées à deux saints différents. La césure qui coupe en deux les institutions politiques, les mentalités, ne laisse pas intacte la conception de saint Jean-Baptiste. Comme nous l'avons démontré plus haut, la grande coupure qui sanctionne finalement la Défaite, ce n'est pas 1760, mais 1837-38. L'évolution de la fête de la Saint-Jean-Baptiste, qui suit essentiellement cette coupure, confirme, encore une fois, ce partage fondamental des eaux *canadiennes*. La fête nationale de saint Jean-Baptiste qui fait du Baptiseur le Patron national ne naît pas avant 1843. On peut penser que son instauration doit être liée d'une manière ou d'une autre à l'insurrection matée de 1837-38.

Pour bien cerner les deux fêtes de la Saint-Jean-Baptiste — reflets de deux régimes, de deux mentalités — faisons d'abord sortir celle du Régime français des limbes de son histoire. Elle remonte à des temps immémoriaux...

En effet, la Saint-Jean-Baptiste des Anciens Canadiens puise à des sources lointaines, avatar païen de cette fête. Le 24 juin, solstice d'été, est célébré joyeusement dans la plupart des sociétés préchrétiennes, notamment chez les peuples nordiques. C'est le moment tant attendu dans ces régions privées de soleil et de chaleur durant le long hiver, de la victoire finale de la Lumière sur les forces de l'Ombre, sur la Nuit hivernale. Il convient de fêter cette victoire avec éclat en portant la lumière jusqu'au fond de la nuit.

Comme souvent dans l'histoire chrétienne, un saint chrétien, loin de les évincer, s'incorpore les croyances païennes qui le précèdent. Or, Jean-Baptiste signifie, *est* cette lumière. C'est l'évangéliste Jean qui, d'emblée, fait voir Jean-Baptiste dans la gloire de cette lumière dont il est le témoin: «Et la lumière brille dans les ténèbres, et les ténèbres ne l'ont pas arrêtée. Parut un homme envoyé de Dieu; son nom était Jean. Il vient en témoignage, pour témoigner au sujet de la lumière, afin que tous crussent par lui. Celui-là n'était pas la lumière, mais il devait témoigner au sujet de la lumière». (Jean, 5-8)

C'est ce Jean igné, lumineux, proche encore de l'origine païenne, que les Anciens Canadiens vénèrent la nuit du 24 juin. Philippe Aubert de Gaspé père, dans son roman *les Anciens Canadiens*, évoque les moeurs des *Canadiens* d'avant la Défaite. Il y décrit longuement une fête de la Saint-Jean-Baptiste à Saint-Jean-Port-Joli, doublement célébrée à cet endroit, puisqu'il s'agit de la fête de la paroisse.

> Les Canadiens de la campagne avaient consacré une cérémonie bien touchante de leurs ancêtres normands: c'était le feu, à la tombée du jour, la veille de la Saint-Jean-Baptiste. Une pyramide octogone, d'une dizaine de pieds de haut, s'érigeait en face de la porte principale de l'église (...) La flamme s'élevait aussitôt pétillante, au milieu des cris de joie, des coups de fusil des assistants qui ne se dispersaient que lorsque le tout était entièrement consumé.[1]

De Gaspé fait remonter cette fête aux «ancêtres normands». Inconsciemment, l'auteur ouvre ici une perspective historique étourdissante: ces «Normands», descendants des Norsemen-Vikings venus au «Vinland» au tournant du premier millénaire, ont peut-être déjà allumé des feux sur les mêmes terres. (Hypothèse sans fondement historique certes, mais fascinante...).

Nous avons laissé un blanc dans la citation de Ph. Aubert de Gaspé au moment même où le bûcher est allumé. Dans la description de l'auteur, c'est le curé, venu de l'église, qui met le feu au bûcher. Nous prenons

---

1. Philippe Aubert de Gaspé père, *les Anciens Canadiens*, *op. cit.*, pp. 122-123.

Philippe Augert de Gaspé en flagrant délit d'affabulation. Car ce n'est pas l'autorité religieuse, mais l'autorité civile ou militaire qui procède à la mise à feu du bûcher. Dans la «réhabilitation historique» de la Saint-Jean-Baptiste, Victor Morin parle du «bûcher, du feu de joie que le gouverneur allumait et autour duquel le peuple dansait en signe d'allégresse; on tirait des coups d'arquebuse et, lorsque le bûcher s'éteignait faute d'aliment, un coup de canon annonçait le couvre-feu»[2]. Ph. A. de Gaspé a sans doute chargé la Saint-Jean-Baptiste de traits qu'elle a accusés après l'insurrection avorté de 1837-38.

Contrairement à ce qui se passe sous le Régime anglais, la fête de la Saint-Jean-Baptiste dans la Nouvelle-France est, en effet, sous la coupe de l'autorité militaire. La présence du gouverneur, chef militaire de la colonie, les coups de mousquets tirés en témoignent. De Gaspé se «corrige» lorsque, plus loin, il affirme que le «personnage le plus important» était «mon oncle Raoul». «Ancien guerrier, épée à la main, on aurait dit avec la lumière spectrale du bûcher empourprant ses traits, un avatar de Vulcain, martelant son arme dans le feu. Le christianisme n'a pas encore réussi à monopoliser pour ses fins exclusives la fête de la Saint-Jean-Baptiste. Un critique malicieux, en contemplant le cher oncle appuyé sur son épée, un peu en avant de la foule, aurait peut-être été tenté de lui trouver quelque ressemblance avec le fier Vulcain, de boîteuse mémoire, lorsque la lueur du bûcher enluminant toute sa personne d'un reflet pourpre: ce qui n'empêchait pas mon oncle Raoul de se considérer comme le personnage le plus important de la fête»[3].

Au centre de la messe du 24 juin a lieu la distribution non des hosties (qui ne nourrissent pas leur homme), mais du pain bénit. Ce dernier est offert à la foule par l'autre représentant civil, le seigneur! «Ce n'était pas petite besogne que la confection de ce pain bénit et de ses accessoires de cousins, pour la multitude qui se pressait...»[4]. Autre signe de ce décentrement de la Saint-Jean-Baptiste des Anciens Canadiens par rapport à celui des «nouveaux sujets» de sa Majesté anglaise, c'est que la fête populaire non seulement ne choisit pas l'église comme emplacement, mais s'en tient le plus loin possible. En effet, les Habitants se rassemblent à l'écart du centre de civilisation qu'a toujours été le lieu du culte en Nouvelle-France: dans un «bois de cèdre», de sapin, forêt traditionnel-

2. Victor Morin, *Cent vingt-cinq ans d'oeuvres sociales et économiques*, Montréal, 1859.
3. *Op. cit.*, p. 123.
4. *Op. cit.*, p. 122.

lement lieu de l'«inculture», de la sauvagerie. On dirait que ces *paysans* dans l'environnement «sauvage» qu'ils ont tant combattu, prennent congé de leur «culture» le temps d'un dimanche, d'un «déjeuner sur l'herbe» pour devenir des *païens* qui mangent, chantent, rient: «Un grand nombre d'habitants (...) prenaient leur repas dans le petit bois de cèdres, de sapins, et d'épinettes qui couvrait le vallon, entre l'église et le Saint-Laurent. Rien de plus gai, de plus pittoresque que ces groupes assis sur la mousse ou sur l'herbe fraîche, autour de nappes éclatantes de blancheur, étendues sur ces tapis de verdure»[5].

Certes, ce ne sont pas là les danseurs extatiques qui, au Moyen Âge, selon Nietzsche, ont envahi les rues à l'occasion de la Saint-Jean: «Au Moyen Âge, en Allemagne, des foules toujours croissantes erraient ainsi de lieu en lieu, chantant et dansant: dans ces danseurs de la Saint-Jean et de la Saint-Guy nous reconnaissons les choeurs bachiques des Grecs»[6]. Mais ce ne sont pas non plus les pénitents que deviendront les *Canadiens* le 24 juin, après 1837. Même sous le régime chrétien, l'élément païen a conservé une place, grâce à la danse et au chant, surveillés, il est vrai, d'un oeil sourcilleux par l'Église.

Or, le Canada français, lors de la Saint-Jean-Baptiste post-insurrectionnelle viendra à bout des moindres traces qui rappellent la source païenne de cette fête. Les feux de joie se transforment en holocauste, les chants d'allégresse en chants de pénitents. La manifestation de la Saint-Jean-Baptiste *canadienne* est tellement particulière, tellement différente de ses variantes transatlantiques qu'on est en droit de se demander si elle est bien vouée au même saint.

L'autre visage de Jean-Baptiste

Il ne s'agit pas d'un autre saint, mais de *l'autre* visage d'un même saint. Car Jean-Baptiste est plus que tout autre saint *bifrons*, à deux visages: le premier, souriant, l'autre triste, émacié sous l'effet du jeûne et de la pénitence. Jean qui pleure et Jean qui rit. Selon qu'on regarde son enfance insouciante ou sa fin tragique, on regarde l'un ou l'autre visage de Jean-Baptiste. La décapitation du Baptiseur n'est-elle pas l'expression réelle de cette *dichotomie* — littéralement, «section en deux» — de ce

5. *Id.*

6. F. Nietzsche, *la Naissance de la tragédie*, Gallimard, 1970, p. 25.

saint qui vit selon deux modes? Sa tête décollée figure le masque repoussant que cache l'autre visage, souriant.

Aussi n'est-il que naturel que l'Église, en enfreignant le rite de commémoration canonique de tous les autres saints, donne un statut particulier à Jean-Baptiste. Il est le seul dont la fête célèbre la naissance et non la mort. Car la représentation de cette mort par décapitation (sous l'instigation d'une femme) est tellement horrible, médusante, qu'elle est restée longtemps tabou. D'ailleurs, Salomé n'est pas nommée dans les textes bibliques, parce qu'elle *est* l'innommable. L'Église préfère laisser ses fidèles regarder du côté de l'enfance de Jean.

Et lorsque, depuis la Renaissance, l'homme occidental ose affronter l'image même de son morcellement, de sa fragmentation fétichiste, la femme qui a causé cette décollation enfin nommée et montrée, Salomé, détourne sa tête de cette scène d'horreur, devant le plat qui porte la tête du Baptiseur. Comme si elle ne voulait pas être complice du geste horrible qu'elle a pourtant inspiré. Tous les peintres qui ont figuré Salomé sont unanimes quant à son attitude: Roger van der Weyden, Titien, Bernardo Luini et même Le Caravage, pour ne parler que des plus importants, montrent une «madonna» tendre, au-dessus de tout soupçon d'instigation et de complicité au meurtre. Dans le tableau de Bernardino Luini (Musée du Louvre), la tête du bourreau est invisible parce que non regardable: juste une main tendue. Le bourreau, est-ce autre chose qu'une main qui exécute l'ordre des autres?

Dans toute l'iconographie de la Renaissance représentant Salomé et le saint Jean-Baptiste décollé (tous les tableaux se situent *après* l'acte) il est évident que la figuration traditionnelle de Jean-Baptiste, léguée par le Moyen Âge se perpétue. En effet, elle montre un Jean-Baptiste jeune, dans des idylles de l'enfance, en compagnie du «bambino», sous le regard bienveillant d'une «madonna», bonne mère. A n'en pas douter, la Salomé de l'iconographie renaissante, pour atténuer l'image de l'horreur de la tête décapitée, a conservé un peu de suavité angélique de la Madone. Il s'agit rien de moins que d'innocenter Salomé. Car quel observateur du tableau de Bernardino Luini pourrait deviner que *cette* douce Salomé a donné l'ordre au bourreau de livrer la tête de Jean sur un plat? Ce qui est inavouable, c'est moins la décapitation d'un homme que le fait qu'elle ait été inspiré par le *désir* d'une femme.

Il faut attendre la fin du XIXe siècle pour que Salomé/Hérodiade ose arracher son masque madonesque — elle a deux visages, comme Jean-Baptiste — pour laisser apparaître son désir mortel dans toute sa cruauté. Cette Salomé — qui fait cohabiter Eros et Thanatos — , Gustave

Flaubert, Gustave Moreau, Oscar Wilde et Richard Strauss l'ont mise en scène. Pourquoi l'indicible, irregardable, peut-il enfin être regardé? Comme l'a bien montré Christine Buci-Glucksmann[7] à la suite de Baudelaire et de W. Benjamin, la femme, dans l'urbanisation et la prolétarisation poussée du XIXe siècle — devenue «valeur d'échange», objet d'achat, dans la prostitution, — a perdu à tout jamais son aura de Madone. Salomé, femme fatale de la fin du XIXe siècle — tout en perpétuant la tradition de ces «Dames sans merci» du romantisme, des Cléopâtres, des Lady Macbeth d'autres époques — , pour la première fois, fait parler le désir de l'Autre: le désir de la femme. Libido qui cherche aussitôt à faire disparaître, à happer son Autre: l'homme. Penthésilée, Carmen, la Judith de Klimt, Lulu, la Salomé de Gustave Moreau et de Wilde-Strauss ne peuvent réaliser leur désir autrement que dans la mort, dans la mutilation de l'Autre, de l'homme.

Salomé a cessé d'être le désir mimétique de sa mère Hérodiade, admirablement analysée par René Girard[8]. «Je voudrais immédiatement dans un plat d'argent... la tête de Iokanaan... Je n'écoute pas la voix de ma mère... *C'est pour mon propre plaisir* que je veux la tête de Iokanaan dans un bassin d'argent»[9]. Salomé n'est plus la «voix de son maître», ni de sa maîtresse, elle assume son propre désir jusque dans l'abjection. Certes, on peut penser qu'elle se venge de Jean parce que ce dernier n'accède pas à son désir. Pour s'être refusé corps et âme, elle lui retranche la partie de son corps, cette tête qui aurait dû consentir, cette bouche qui aurait dû embrasser. Mais, au fond, telle Penthésilée, vierge endurcie, le refus de Jean ne la fait-il pas plutôt jubiler, puisqu'il lui permet de jouir de son désir pervers, hystérique: désir nécrophile et cannibale? «Ah! Tu n'as pas voulu me laisser baiser ta bouche Iokanaan. Eh bien, je la baiserai maintenant. Je la mordrai avec mes dents comme un fruit mûr»[10].

C'est seulement dans ce contexte cannibale qu'on expliquera la présence du plat, seul ajout «personnel» au désir de sa mère comme l'a justement noté René Girard. Mais l'explication qu'en donne Girard nous paraît irrecevable. Selon lui, «fillette» qu'elle est dans la Bible, elle ne saurait distinguer entre les mots et les choses. Elle ne ferait que répercuter

7. C. Buci-Glucksmann, *la Raison baroque*, Paris, Éd. Galilée, 1984.

8. R. Girard, *le Bouc émissaire*, Grasset, 1982, pp. 181-210.

9. *Salomé*, livret de l'opéra de Strauss d'après la pièce d'Oscar Wilde. *Salomé*, in *Oeuvres*, tome II, Stock, 1977, pp. 497-498. Trad. légèrement modifiée.

10. O. Wilde, *op. cit.*, p. 503.

l'ordre d'Hérodiade et se trouverait surprise avec une tête réelle sur les bras. «Salomé s'interroge sur la meilleure façon de s'en débarrasser. Cette tête fraîchement coupée il faudra bien la déposer quelque part et le plus raisonnable est de la poser sur un plat. C'est la platitude même que cette idée, c'est un réflexe de bonne ménagère»[11].

Non, Salomé ne cherche pas un plat pour se débarrasser le plus commodément de la tête de Jean. *D'emblée*, elle *désire* cette tête sur un plat. Le désir de Salomé est un désir cannibale qui se repaît de la tête, qui voudrait se l'incorporer par ingestion. Fillette (*korasion/puella*), elle ne connaît encore que le désir du«stade oral». Éveillant par sa danse la libido des convives, notamment celle de son père d'adoption Hérode, son désir en régression sur celui des convives se «satisfait» oralement. Comment en serait-il autrement pour elle qui voit les autres boire et manger? Car la scène a lieu lors d'un banquet. Le désir mimétique de Salomé, s'il existe, se place ici, au niveau de l'oralité: «J'ai faim à ton corps. Et ni le vin ni les fruits ne peuvent apaiser mon désir»[12].

Il est enfin un troisième visage de saint Jean-Baptiste qui se situe entre les deux pôles extrêmes de sa vie, le plus rare. Il représente Jean-Baptiste adolescent. Le modèle en est le Jean de Raphael, aux Uffici. On pense évidemment aussi au Jean-Baptiste de Léonard de Vinci au Louvre. Mais c'est surtout Le Caravage qui s'est attaché à ce Jean-Baptiste «adonis» imberbe. Caravage en fait un solitaire replié sur lui-même[13]. Comme son contemporain Hamlet, c'est un mélancolique rendu malade par l'inaction et la pâle pensée de la rumination. Évidemment, entre les deux visages extrêmes de Jean, celui qui le réduit unidimensionnellement, celui qui correspond à sa «fonction» de baptiseur du Christ dans le Jourdain paraît le plus rassurant. Personnage complexe, contradictoire, contesté, il signifie bien plus que son nom de baptême et son surnom... Il est le saint idéal pour le Canada français, exprimant bien son extrême complexité.

11. *Op. cit.*, p. 196.

12. O. Wilde, *op. cit.*, p. 504.

13. Alfred Moir, *Caravage*, Éd. Cercle d'Art, Paris, 1983; notamment le «Saint Jean-Baptiste» du Atkins Museum de Kansas City, planche 31. Exposé à la rétrospective du Caravage. *The Age of Carravaggio*, au Metropolitan Museum of Art de New York, du 6 février au 14 avril 1985.

Chapitre II

Le saint Jean-Baptiste *canadien*:
l'enfant abandonné

Quand commence et finit le Canada français

Cette (trop brève) mise en perspective des différentes représentations de Jean-Baptiste et de Salomé a été nécessaire pour que se dégage le rôle spécifique joué par ces deux protagonistes dans le mythe national canadien français.

Le mythe de la Saint-Jean-Baptiste au *Canada*, comme tout mythe selon Lévi-Strauss, a une «structure feuilletée». Il est constitué de différentes strates conscientes et inconscientes, correspondant à des événements cruciaux, souvent traumatiques, de l'histoire nationale *canadienne*. Si la Saint-Jean-Baptiste a toujours été fêtée au *Canada*, et même si les *Canadiens* ont été surnommés «Jean-Baptiste», c'est seulement depuis la Défaite de 1760 que le *mythe de la Saint-Jean-Baptiste* commence à germer au *Canada*. Sa formation «souterraine», inconsciente, est relativement longue, puisque ce n'est qu'à partir de 1843 qu'il se sédimente en un rituel canonique comprenant des actants déterminés. Son temps de latence a donc été de plus de quatre-vingts ans. Une fois constitué, ce mythe domine et définit le Canada français — de même que le Canada français *se* définit à travers lui — pour s'effriter pendant la période de sécularisation des années soixante de notre siècle. Le 24 juin 1969 marque la contestation bruyante de la grande parade, pièce maîtresse du rituel traditionnel de la Saint-Jean-Baptiste et signifie l'effondrement du mythe. Cette date peut donc être considérée comme la fin, le terme ultime du Canada français. Le Canada français en gestation depuis la Défaite trouve sa pleine expression, une fois les bases statutaires de la Société Saint-Jean-Baptiste jetées et son rituel élaboré, une fois donc saint Jean-Baptiste déclaré patron officiel du Canada français. Les dates de 1843 et 1969 figurent donc les termes extrêmes, début et fin du Canada français.

Je vous salue Elisabeth!

Ces deux bornes temporelles établies, il s'agit maintenant de voir comment les différentes strates tout d'abord inconscientes du mythe de la Saint-Jean-Baptiste se superposent, s'imbriquent dans sa «structure feuilletée».

Le premier élément, du point de vue chronologique, lui vient du *roman familial* canadien-français qui, nous l'avons vu, commence à s'élaborer à partir de la Défaite de 1760. Ce *roman familial* touche essentiellement la relation enfant-parent: l'enfant se sentant abandonné s'invente d'autres parents. Jean-Baptiste, dans sa phase infantile, n'est-il pas l'image même de l'enfance choyée, entouré qu'il est de deux «bonnes mères», Elisabeth et Marie? D'ailleurs, l'annonciation faite à Marie est la réplique, décalée de six mois, de celle faite à Elisabeth. Les conditions de la conception de Jean et de Jésus sont trop identiques pour que ce rapprochement soit le fruit d'un simple hasard. Elisabeth, parce que stérile, conçoit du Saint-Esprit comme Marie.

L'enfance de Jean-Baptiste et celle du Canadien français ont en commun qu'elles ont été choyées par deux femmes aimantes, à ceci près que le *Canadien* a été abandonné par elles, la française et l'anglaise. Les événements de 1837-38 constituent la rupture traumatique où la bonne mère anglaise abandonne, elle aussi, l'enfant *canadien*.

Ce n'est donc pas un hasard si la Saint-Jean-Baptiste naît officiellement *après*1837. À ce moment crucial de son histoire, le Canadien français doit repenser son rapport parental. L'enfance de saint Jean-Baptiste, avec qui le Canadien français s'identifie, s'avère alors être d'une consolation psychologique énorme. Ce qui favorise l'identification avec saint Jean-Baptiste, c'est la fascination que le *Canadien* commence à éprouver pour la virginité, preuve irréfutable de la «fidélité» de la mère. Or, Elisabeth n'ouvre-t-elle pas le chemin à l'Immaculée Conception de Marie comme Jean-Baptiste fraie le chemin à Jésus? Sa conception est à mi-chemin entre une conception naturelle et celle, contre nature, de Marie. Contrairement à Marie, elle a «connu» un autre homme, Zacharie.

De la lutte de concurrence dans laquelle sont engagés le *roman familial* et l'image infantile de saint Jean-Baptiste léguée par une longue tradition iconographique, finalement, le *roman familial* sortira gagnant. Cette prédominance du *roman familial* provoquera nécessairement une refonte en profondeur de l'image de Jean-Baptiste au *Canada*. Le Canada français aura vraiment modelé *son* Jean-Baptiste, reflet de *son* histoire.

C'est relativement tard que l'enfant représentant saint Jean-Baptiste est introduit dans le rituel de la Saint-Jean-Baptiste. En effet, c'est lors de la création de la Confédération canadienne (1866-67 seulement) qu'il est question, à l'instar d'une coutume vénitienne, de faire figurer l'enfant et le mouton dans la parade publique. L'innovation remporte aussitôt un très vif succès, si bien que l'enfant et le mouton deviennent vite le centre symbolique rayonnant des fêtes de la Saint-Jean-Baptiste au Canada français. Forcément, puisqu'il ne s'agit pas vraiment d'«innovation», mais plutôt d'actualisations, de configurations de «complexes» latents depuis longtemps (au moins depuis 1760) dans la mentalité canadienne-française. Elles arrivent donc sur un sol bien préparé. Les Canadiens français collectivement, d'emblée, s'y reconnaissant, s'y identifient.

Car cet enfant de quatre ans, couvert d'une peau de mouton (il n'y a pas de chameaux au Canada!) tenant une petite croix enrubannée, n'*est*-il pas le Canadien français lui-même? Cet être «hilflos», comme Freud a défini l'enfant (dépendant, ayant vitalement besoin pour survivre de l'«aide» de ses parents), abandonné à son sort, ne provoque-t-il pas la pitié de tout spectateur canadien-français? À l'encontre de toute la figuration traditionnelle de Jean-Baptiste, représenté avec Marie, la mère des mères, et son arrière-cousin Jésus, le Jean-Baptiste *canadien* est seul, accompagné du seul mouton.

Or, ce mouton si paisible et si idyllique, de façon brutale, nous fait entrevoir l'autre face de Jean-Baptiste que son infantilisation, justement, était censée nous cacher.

Le sacrifice de saint Jean-Baptiste: le désir mimétique

Cette autre face, à savoir la fin tragique, sacrificielle, la décollation de saint Jean-Baptiste, face cachée, longtemps tabouisée. Le premier à l'avoir représentée en acte a sans doute été Le Caravage dans son tableau

418   DU CANADA AU QUÉBEC

intitulé précisément «La décollation de saint Jean-Baptiste»[1]. Cette toile est d'une force poignante. Le bourreau au torse nu qui recueille toute la lumière vient d'achever sa besogne sanglante. Entre ses jambes, comme un trophée, le corps de Jean-Baptiste. Il a déposé son épée, saisit sa dague avec la main droite tandis qu'il empoigne de sa main gauche les cheveux de Jean-Baptiste. Comme un boucher, il termine son travail «proprement»: il détache complètement la tête de la victime. Directement en face, Salomé, qui avance son plat avec précipitation afin de recueillir la tête convoitée. C'est la première fois dans l'iconographie occidentale que Salomé sort de son rôle de témoin passif, réprouvant la décollation pour devenir une force agissante, une actante. C'est *elle* qui a désiré la tête de Jean-Baptiste sur un plat.

C'est dire que Le Caravage a compris l'essentiel du drame sacrificiel qui se joue lors de ce banquet au palais d'Hérode, où sont conviés les grands, les «notables» de la Galilée. Saint Marc dans son Évangile nous en donne la version la plus élaborée (Mc 6, 14-28), magistralement interprétée par René Girard dans la perspective qui est la sienne, à savoir le désir mimétique.

Au début donc, est une crise mimétique. Hérode a épousé la femme de son demi-frère, Philippe. Or, le vrai nom de Philippe — Marc le «change», pour ne pas confondre le lecteur — est aussi Hérode. Hérodiade qui n'a pas de nom propre se trouve donc prise entre deux Hérodes, entre deux frères ennemis. Hérode désire ce que désire son frère: Hérodiade. Désir mimétique qui désire ce qui empêche le désir, qui désire l'obstacle au désir. Finalement, Hérode obtient Hérodiade. À partir de ce moment, Hérodiade perd son empire sur Hérode: «Elle ne peut même pas obtenir de lui qu'il fasse mourir un insignifiant petit prophète»[2]. Dorénavant, les deux désirs d'Hérodiade et d'Hérode s'aiguisent sur l'obstacle qui les divise: Jean qui reproche à Hérode d'avoir épousé la femme de son frère. «Plus la résistance s'accroît de part et d'autre, plus le désir se renforce, plus le modèle se fait obstacle, plus l'obstacle se fait modèle, si bien qu'en fin de compte, le désir ne s'intéresse plus qu'à ce qui le contre-

---

1. Il se trouve actuellement à la cathédrale Saint-Jean-de-la-Valette, à Malte. «La Décollation de saint Jean-Baptiste», qui date de 1607-1608, est d'ailleurs la plus grande toile du Caravage. C'est aussi la seule qu'il ait signée. *Caravage, op. cit.*, p. 150.

2. *Op. cit.*, p. 187. Dans ce qui suit, nous nous inspirons de René Girard, *le Bouc émissaire, op. cit.*

carre. Il ne s'éprend que des obstacles par lui-même suscités»[3]. Jean-Baptiste est cet obstacle qui ne cède pas.

Pour arriver à ses fins, Hérodiade doit recréer une configuration triangulaire qui, jadis, a «assuré son emprise sur Hérode en faisant d'elle un enjeu entre les frères ennemis»[4].

Et la fille de ladite Hérodiade entra, dansa et plut à Hérode et à ses convives. Le roi dit à la *fillette*: «Demande-moi tout ce que tu veux, et je te le donnerai». Et il lui fit ce serment: «Tout ce que tu demanderas, je te le donnerai, fût-ce la moitié de mon royaume». Et elle sortit et dit à sa mère: «Que dois-je réclamer?» Celle-ci dit: «La tête de Jean le Baptiseur». Et, rentrant *aussitôt* en *hâte* auprès du roi, elle fit sa réclamation: «Je veux qu'*à l'instant* tu me donnes sur un plat la tête de Jean le Baptiste. (Mc 6, 22-28)

Cessons de voir dans la Salomé biblique la «professionnelle de la séduction» qu'elle est devenue au XIXᵉ siècle, dans un décor orientalisant, chez Flaubert et Moreau! C'est une «fillette», le texte, grec et latin, de la Bible ne laisse aucun doute. Alors, comment cette fillette innocente se métamorphose-t-elle, quasi instantanément, en ce monstre qui demande la tête du Baptiseur? «Bien qu'enfantine encore ou plutôt parce qu'elle est encore enfant, Salomé passa presque instantanément de l'innocence au paroxysme de la violence mimétique»[5]. René Girard ne saurait trouver meilleur exemple à sa thèse du «désir mimétique». En effet, suite à l'offre exorbitante d'Hérode, Salomé se tourne vers sa mère pour lui demander conseil. «Salomé», qui n'a pas de nom (c'est l'historien Flavius Josephus qui la «baptise»), n'a pas de désir qui lui soit propre. Elle épouse *instantanément et violemment* le désir de sa mère. Nous avons souligné dans le texte les qualificatifs qui marquent la précipitation, la hâte que Salomé «ajoute» au désir de sa mère. Le désir de Salomé se fait d'autant plus urgent, violent, qu'il n'est pas le sien. L'autre adjonction personnelle de Salomé: le plat. Nous n'y reviendrons pas.

3. *Ibid.*, p. 187.
4. *Id.*
5. *Ibid.*, p. 189.

Voilà qu'à la faveur de la danse étourdissante, à la faveur aussi du vin qui coule[6], le désir d'Hérodiade/Salomé «saute» parmi les convives et y prolifère à vue d'oeil. À la fin, ce sont les convives qui *désirent* la tête du Baptiseur.

L'unanimité se fait sur la tête de Jean-Baptiste, sur sa décapitation. Jean meurt pour avoir dévoilé cette violence fondatrice du désir mimétique qui doit rester cachée. L'homme ne peut s'entendre que sur ce qu'il veut détruire. «C'est la vérité de toutes les fondations religieuses qui se lit à livre ouvert dans ce texte, la vérité des mythes, des rites et des interdits»[7]. Jean-Baptiste, précurseur du Christ, par son sacrifice, découvre les fondations du religieux, de tout processus de sacralisation. Au fond du sacré se cache le meurtre collectif d'une bande d'assassins qui se font fort d'avoir amené «miraculeusement» la paix sociale grâce à ce meurtre assumé collectivement. Le sacré naît d'une crise qui se résout par le sacrifice d'un bouc émissaire. On adore, on divinise cette victime *parce que* sa mort a instauré la paix dans la société. Les assassins en divinisant leur victime, en faisant d'elle un bouc émissaire sacrificiel, effacent les origines meurtrières de leur acte. Les lyncheurs «ne peuvent pas croire en la mort définitive de la victime qui les rassemble»[8].

Par un *flash-back* saisissant, avant même de décrire la mise à mort de Jean-Baptiste, saint Marc évoque les effets miraculeux provoqués un peu partout dans le pays. C'est donc parce que Hérode *croit* dans le bénéfice miraculeux de son assassinat qu'il fait tuer le Baptiseur. Hérode met les miracles produits effectivement par le Christ sur le dos de Jean: «Et le roi Hérode l'apprit; car son nom (Jésus) était devenu célèbre et on disait: 'C'est Jean le Baptiseur qui s'est relevé d'entre les morts, et voilà pourquoi agissent en lui les miracles'; d'autres disaient: 'C'est Elie'; d'autres disaient: 'C'est un prophète comme l'un des prophètes'. Mais en l'apprenant, Hérode disait: 'Celui que moi j'ai fait décapiter, Jean, c'est lui qui s'est relevé'»(Mc 6, 14-16).

Les Évangiles tentent précisément de dé-mythifier la mystification des assassins qui voudraient nous faire croire au bienfait de leur geste. Car la nouveauté «révolutionnaire» des Évangiles, c'est de présenter le meurtre

---

6. La Salomé de Wilde/Strauss dit de la bouche de Jean: «Ta bouche est plus rouge que les pieds des hommes qui foulent le vin dans le pressoir,» *op. cit.*, p. 475.

7. *Ibid.*, p. 220.

8. *Ibid.*, p. 209. Voir notre article «les Fondements des sciences de l'homme», in *le Devoir*, 5 juin 1982.

collectif non plus du point de vue des lyncheurs, mais de celui de la victime. C'est seulement le Christ ressuscité de Pâques qui nous libère définitivement de toutes ces mystifications des assassins: «La résurrection pascale ne triomphe vraiment que sur les crimes de toutes les religions fondées sur le meurtre collectif»[9].

Précurseur de Jésus, conçu comme lui, Jean-Baptiste lui ouvre le chemin jusque dans sa mort. Est-ce un hasard si c'est le mouton qui les symbolise tous deux? Agneau pascal immolé une dernière fois un Vendredi Saint.

Depuis, grâce aux révélations fondatrices de l'Évangile, il n'y a plus que des assassins et des victimes. Le ressort du mécanisme victimaire qui produit du sacré est définitivement cassé. Dès lors, toutes les victimes sont des innocents et tous les sacrificateurs, des bourreaux qui cachent mal leurs désirs assassins sous un crépuscule des dieux douteux.

Sacrifice au Canada français: cherchez la femme!

Paradoxalement, le sacrifice de saint Jean-Baptiste, plutôt que de le révéler, cache le meurtre fondateur du Canada français. C'est pour cela que le *Canada* ne montre que le visage serein de la jeunesse du Jean-Baptiste. Il n'y a que le mouton qui, symboliquement, témoigne de cette fin sacrificielle. Saint Jean-Baptiste est un *souvenir-écran (Deckerinnerung)* qui masque le meurtre fondateur du Canada français: celui de Louis XVI, décapité par une meute, une populace, exacerbée, elle aussi, par le désir mimétique. Ce traumatisme de la décapitation de Louis XVI, fortement refoulé et en même temps relayé par d'autres décapitations/ pendaisons, sera finalement réactivé par la pendaison des Patriotes. Ce qui explique que le mythe de la Saint-Jean-Baptiste ne sorte de l'inconscient qu'après 1837: l'idée insoutenable de la décapitation du roi a perdu de son tranchant avec le temps. Elle se manifeste, euphémisée, de façon «déplacée» (verschieben) à l'occasion de la pendaison des Patriotes. Peu importe la différence du mode d'exécution: dans les deux cas, les *Canadiens* éprouvent la même douleur parce qu'un des leurs, victime innocente, bouc émissaire, est jeté aux mains du bourreau.

Livré à l'échafaud par la faute d'une femme. Si la leçon sacrificielle de saint Jean-Baptiste est fortement refoulée au Canada français, c'est sur

9. *Op. cit.*, p. 209.

la responsabilité féminine que va se transférer — avec un zèle surcompen-
satoire — son intérêt conscient. Salomé cristallisera toute la rancune
accumulée — relayée par le *roman familial* — contre la «mauvaise mère»
française. Elle qui a causé — dans la perspective des *Canadiens* — la
perte, la «décapitation» du Canada, n'est-elle pas une séductrice, pis une
«putain» qui, à l'instar de Salomé, a enjôlé le bon roi avec ses danses
excitantes? Le «bon» Louis XVI lui-même est devenu la victime innocente d'une autre Salomé dansante et batifolante. La populace révolutionnaire n'a-t-elle pas assez clamé dans les rues de Paris que
Marie-Antoinette est une femme volage, dépensière? C'est à cause de
cette étrangère[10] qui a allumé les convoitises du roi que sa tête est tombée.

Les malheurs collectifs du Canada français se résument donc dans un
«cherchez la femme» désespéré. En effet, le *Canada* eut beau «oublier»
avec le temps ce qu'il avait subi de la main de la Salomé française, cette
décapitation du roi Louis XVI signifiant sa propre décapitation, une autre
Salomé, anglaise cette fois, est venue confirmer encore ses préventions à
l'égard de la femme captatrice/castratrice. L'Angleterre, femme aimante,
bonne mère, s'est métamorphosée quasi instantanément comme Salomé
s'est muée en Hérodiade sous l'effet du désir mimétique en Salomé mortifère. N'est-ce pas *elle* qui fait pendre ces douze boucs émissaires, saint
Jean-Baptistes sacrifiés à la vindicte d'une femme?

Paul de Malijay, dans son *Saint-Jean-Baptiste, l'Évangile et le
Canada*, vaste parallèle psycho-historique entre le destin du Canada
français et celui de saint Jean-Baptiste, confirme largement ces visées
misogynes que le *mythe de la Saint-Jean-Baptiste* véhicule en *Canada*.
Dans ces «vies parallèles», l'auteur suit rigoureusement les grands étapes
de Jean-Baptiste de sa naissance jusqu'à sa mort pour les comparer avec
celles du Canada français. Or, à propos de «La mort» de saint Jean-
Baptiste, il n'est pas question une seule fois de sa décapitation. Censure
normale.

Alors de quoi cet auteur entretient-il le lecteur dans son chapitre «La
mort», de loin le plus long de tout le livre? De la femme, d'une certaine
femme dont Hérodiade et Salomé sont l'incarnation. Au *Canada*, la
femme devient le bouc émissaire du bouc émissariat de Jean-Baptiste. Si
la décapitation de saint Jean-Baptiste a été invisible au *Canada*, c'est que

---

10. Sur la victimisation de Marie-Antoinette, victime idéale parce qu'étrangère, voir R. Girard,
op. cit., p. 33.

ses hagiographes se sont fixés sur la scène de séduction d'*avant* le sacrifice. La danse de Salomé les a complètement obnubilés.

Hérodiade-Salomé contre Esther-Judith

Il faut donc se méfier de cette femme captatrice, séductrice, incarnée par Hérodiade/Salomé. Si on n'y prend garde, ce genre de femme vicie «l'exercice de l'autorité civile». C'est une loi naturelle, «l'exercice est une tension, tout à part des forces vitales et spiritualistes de l'homme»[11]. Pour ceux qui auraient encore des doutes sur le sens de ces phrases, l'auteur rappelle une circulaire de Mgr Bourget, «la femme religieuse suit l'homme apostolique»[12]. S'affirme ici, sous le couvert du saint patron du *Canada*, le «patriocentrisme» (pour ne pas dire «phallocentrisme») qu'on a vu à l'oeuvre chez les Patriotes. Ces derniers ne pouvaient choisir meilleure dénomination!

Selon P. de Malijay, notre ex-zouave pontifical, l'homme doit bien veiller à ce que cette femme de mauvaise vie ne mine pas son autorité naturelle. Sa présence signifie la fin de l'autorité mâle, pis, la fin de l'homme. «L'ingérance de l'action de la femme produira nécessairement — soit un appoint de vigueur et de vibrations sonores pour le bien — soit, par contrepartie, dans le domaine du mal, un relâchement, un (sic!) atonie, un (sic!) aphonie d'une extrême sensibilité»[13]. D'un côté, les femmes de bien, les Judith, les Esther; de l'autre, les femmes mauvaises: les Dalila, les Aspasie, les Cléopâtre, et évidemment les Hédoriade et les Salomé.

On peut se demander en quoi Judith et Esther, tant louées, parangons de la femme idéale, sont différentes d'Hérodiade et de Salomé. Esther n'est-elle pas une réplique de Salomé? Même banquet, où le roi offre à Esther de formuler un voeu, exactement dans les mêmes termes qu'Hérode le fera pour Salomé: «Quelle est ta demande? Quand ce serait la moitié du royaume, elle te sera accordée» (Esther, 5, 3). Enfin, Esther et Judith séduisent chacune leur roi pendant un festin comme Salomé. À côté de la séduction d'une Judith, celle de Salomé paraît puérile. (C'est une fillette!) D'ailleurs, à part la danse (la tradition en a fait une danse du

11. Paul de Malijay, *op. cit.*, p. 209.
12. *Id.*
13. *Id.*

ventre!), les textes bibliques ne font aucune mention d'un acte de séduction délibéré. Salomé séduit *malgré* elle. Tandis que Judith *veut* séduire. Elle déploie consciemment les attraits de sa féminité pour séduire Holopherne. «Elle se leva, se para de ses vêtements et de toute sa parure féminine (...) Judith entra (dans la tente d'Holopherne) et s'étendit (...). Le coeur d'Holopherne fut transporté vers elle» (Judith 12, 15-16).

Une fois Holopherne soûl et endormi, Judith s'approche de son lit, «s'avançant alors vers la traverse du lit qui était à la tête d'Holopherne, elle en retira son cimeterre et, s'approchant du lit, elle saisit sa chevelure et dit: 'Fortifie-moi, Seigneur, Dieu d'Israël, en ce jour!' Elle le frappa au cou par deux fois de toute sa force et lui coupa la tête» (Judith 13, 6-8). Comment cette femme, bourreau sadique, a-t-elle pu devenir une femme-modèle que toute une longue tradition jusqu'au Canada français, cite en exemple? Pire que Salomé qui s'est contentée de proférer un désir, Judith empoigne l'épée, exécute elle-même la décapitation d'Holopherne. En tenant la tête d'Holopherne par sa chevelure, elle l'exhibe fièrement à son peuple en criant: «Voici la tête d'Holopherne»!

La cote de Judith est tellement bonne, même au *Canada*, que Mgr Octave Plessis dans ses oraisons n'hésite pas à louer ses exploits. Il le fait, chose étonnante, dans l'oraison funèbre de Mgr J.-O. Briand, mort en 1794. Un an donc après la décapitation de Louis XVI. On aurait pu penser que le geste de Judith, dans le contexte traumatique de la décapitation du roi, aurait dû provoquer plutôt la répulsion, la censure. Non, dans le «Sermon à l'occasion de la victoire d'Aboukir» (10 janvier 1799), Judith est nommée en toutes lettres, de même Holopherne dont il est dit que «les troupes... se retirent honteusement de devant Béthulie»[14], ville assiégée par Holopherne, général de Nabuchodonosor.

Ce qui rachète finalement la cruauté sadique de Judith, c'est qu'elle se fait pour la *bonne cause*. J.-O. Plessis le dit clairement: «Ce n'est ni à Moïse, ni à Ezéchias, ni à Judith que l'on doit rapporter ces événements heureux. La main de Dieu seule opère tous ces prodiges: *dextera tua, Domine, percussit inimicum*»[15]. Il s'agit là d'une citation contenue dans le «Cantique de Moïse», reprise presque textuellement par Judith elle-même! «Louez Dieu... qui cette nuit, a écrasé nos ennemis par ma main» (Exode, 15,6).

14. Cit. d'après *la Patrie littéraire, op. cit.*, p. 37.
15. *Id.*

Judith agit *au nom du Père*. Sans volonté propre, elle ne fait qu'exécuter les voeux du Père. La main de Judith est guidée par celle de Yahvé. Judith reste foncièrement une «femme-adjuvante»[16] au service du Père, au service du Patriarcat.

Et puis — deuxième différence d'avec Salomé —, Judith, comme d'ailleurs Esther, n'agit pas seulement au nom du Père, elle le fait aussi pour le bien de *son* peuple. Les deux actions coïncident forcément puisque le peuple juif est élu par Dieu. Le geste de Judith et d'Esther est bon *parce qu*'il est bon pour le peuple juif. Le *Bonum* de Judith et d'Esther l'est par pur génocentrisme. L'Autre peut être, doit être décapité parce qu'il est l'Ennemi. Pis, le génocide est possible, nécessaire, parce que c'est un *génos* ennemi qui veut lui-même «liquider» le peuple juif. Grâce au désir formulé d'Esther, qui est en fait celui de Yahvé et de son peuple, les ennemis sont «anéantis». «Les juifs se rassemblent dans leurs villes, dans toutes les provinces du roi Assuérus, pour porter la main sur ceux qui leur voulaient du mal (...) Les juifs frappèrent parmi tous les ennemis à coup de glaive: ce fut un massacre, un anéantissement (Esther, 9, 2-5).

Au contraire de Judith et d'Esther, Salomé n'est mandatée ni par un Père, ni par un peuple. Elle ne fait qu'exprimer le désir d'une autre, d'une femme: Hérodiade. Donc, si «objectivement» le couple Hérodiade-Salomé est moins féroce que celui de Judith-Esther, il est plus menaçant, non tellement parce qu'il décapite le pouvoir mâle — Judith le fait aussi — mais parce qu'il décolle un mâle du *même génos* que Judith et Esther, tandis que les deux femmes-modèles décapitent le pouvoir de l'Autre, de l'Ennemi.

Comme nous l'avons suggéré plus haut, au XIXe siècle, l'aspect ethnocentrique et patriocentrique du méfait d'Hérodiade-Salomé, qui a dominé très longtemps, cède le pas à l'autonomisation du désir de la Femme. Salomé désire Jean de son plein gré, elle n'a plus besoin de femme-adjuvante, même plus besoin de l'aide de sa mère. C'est chez Flaubert, dans un de ses *Trois contes* intitulé paradoxalement «Hérodiade» (1877) que Salomé formule pour la première fois «son» désir sans qu'il soit soufflé par sa mère.

---

16. Voir cette catégorie de femmes que nous avons dégagée dans l'article déjà cité «l'Orestie d'Eschyle: le tragique au féminin ou masculin?», *Études françaises*, 15/3-4, p. 60.

Comme la Penthésilée de Kleist, Salomé ne désire pas, ne veut pas vaincre seulement l'homme, elle veut la tête de l'Homme *qua* homme, de l'homme générique (*Mann*).

Au Canada français, l'autonomisation du désir de la femme n'est pas avancée au point que Salomé puisse être considérée comme pour Flaubert, Wilde et Strauss en tant que *persona* à part entière. Bien au contraire, pour notre ex-zouave *canadien*, le «mal» réside dans la conjugaison des désirs de deux femmes: Hérodiade et Salomé. «Hérodiade et sa fille Salomé sont, pour le mal, des types de cette universelle notion»[17]. La première représente l'«immoralité», l'autre le «sensualisme». De cette immoralité, le «cas d'Hérodiade et de saint Jean (...) est une invincible attestation. Héraut de la force de Dieu, de ses institutions, de ses sacrements et de son Église, il subit par la peine d'une captivité (...) les hardiesses de son langage à revendiquer l'honneur du lit nuptial — *Non licet*»[18]. Le «non licet» de Jean-Baptiste est le rocher granitique contre lequel butent les transgressions de l'immoralité. Et l'auteur de fustiger les «unions illégitimes», même entre «frères ennemis». Que sont-elles en *Canada*, sinon les unions entre anglais et français condamnées aussi par Lionel Groulx? Nous reviendrons sur cette leçon particulière du *mythe de la Saint-Jean-Baptiste*.

Après avoir donné libre cours à sa misogynie, non sans appeler à la rescousse la Bible «citée» à tort et à travers, Malijay fait enfin intervenir Salomé, incarnation du sensualisme. Ce dernier découle nécessairement de l'immoralité: «Là où Hérodiade a longtemps et toujours échoué, Salomé intervient, et c'est fait. Elle entre; elle n'a qu'à danser (...) tout cède à la griserie morale qu'inspire cette vierge des salons»[19]. L'exégète *canadien* a bien deviné l'instantanéité du désir mimétique qui, partant d'Hérodiade, de proche en proche embrase Salomé, Hérode, les convives et aujourd'hui... le Canada français: «Or, s'il y a un peuple qui doive, en cette matière (immoralité et sensualisme), se montrer vraiment intraitable et modèle entre tous, c'est bien le Peuple canadien, dont le Protecteur surnaturel et Ange Tutélaire... a souffert persécution pour la défense de cette inviolable doctrine (la pureté de la morale)»[20].

17. *Op. cit.*, p. 91.
18. *Ibid.*, pp. 91-92.
19. *Ibid.*, p. 93.
20. *Ibid.*, p. 92.

On aura sans doute remarqué que l'auteur confond «sensualité» et «sensualisme». À travers la sensualité de «Mère Salomé», Malijay flétrit les «maux» aussi «séducteurs, hallucinatifs et caressants»[21] que la danse de Salomé telle la démocratie, qualifiée de «mortifère», l'exode des campagnes vers les villes, lieu où le Diable, le Séducteur a choisi résidence en permanence: «La moralité des Campagnes en Canada se trouve donc, pour ainsi dire, empoignée par ses extrémités vitales, entre les dents d'acier d'une des machines industrielles qui étirent le fer; d'un côté par le *citadinisme*, de l'autre, par le *Yankeeisme*, avec l'*Européisme* qui martelle le tout de ses coups sensuels»[22]. Salomé incarne la *modernité* envahissante que le coup d'épée infligé à saint Jean-Baptiste voudrait arrêter. Le conservatisme *canadien* français du XIXᵉ siècle se retranche derrière le «non licet», même inconsciemment, derrière la tête coupée: c'est l'*apotrope* contre le progrès.

Les antidotes que le Canada français mobilise aussi contre ces fléaux modernes ne doivent pas nous tromper sur l'origine féminine du Mal: «Pour ces campagnes, une sauvegarde d'origine, c'est-à-dire que la mère du Sensualisme, l'Immoralité du lien matrimonial, cette vieille usée, mais non abdiquante Hérodiade de l'humanité faiseuse d'enfants, se trouve bannie de ces terres bénies et purifiées par le sang de saint Jean. Cette portion de la *France Nouvelle* est donc restée vieille France en son foyer national»[23]. L'auteur confirme la «découverte» de Tocqueville lors de son voyage au *Canada*: la Nouvelle-France depuis la Révolution a changé de lieu. Bien plus, depuis 1793, par une sorte d'inversion, de chassé-croisé, la vieille France s'est réfugiée en Nouvelle-France, tandis que la France nouvelle s'est reconstituée sur le vieux continent. Cette Hérodiade, mère du sensualisme matérialiste — issu de la philosophie dite des «lumières» — , femme des cités par excellence, a excité les esprits de la populace avec ses idées démocratiques et est à l'origine de la Révolution française. Elle doit donc être tenue responsable de la décapitation de Louis XVI comme de celle de saint Jean-Baptiste. Hérodiade et sa fille Salomé sont des femmes françaises, *sont la France*. La décollation des deux têtes coupe le *Canada* de la France et de son influence pernicieuse. C'est là le bénéfice secondaire du sacrifice de Louis XVI et de Jean-Baptiste. De plus, *le mythe de la Saint-Jean* a recours à l'agricul-

21. *Ibid.*, p. 98.
22. *Ibid.*, p. 120.
23. *Ibid.*, p. 118.

turalisme qui devient le cheval de bataille du conservatisme régnant en maître au *Canada* pendant le XIXe siècle et une bonne partie du XXe siècle avec sa devise: «Restez retranchés dans votre campagne». C'est là seulement que vous pouvez vous protéger contre l'influence de ces femmes pernicieuses, séductrices, qui pratiquent leur métier éhonté sur les trottoirs des villes. Ah! «pourquoi ne bâtirait-on pas les villes à la campagne; l'air y est si bon!»[24]

Mais, au fond, il n'y a qu'un remède à un «aussi grand mal» qu'est le sensualisme: la «dévotion à la Conception Immaculée de la Bienheureuse Vierge Marie»[25]. L'auteur, d'habitude si conservateur, n'a pas peur d'une métaphore «moderniste» lorsqu'il s'agit d'expliquer les bienfaits de l'Immaculée Conception: «La définition du Dogme de l'Immaculée Conception de la Vierge Marie est le paratonnerre surhumain du Sensualisme»[26]. Nous voilà arrivés, à l'idée de la Vierge Marie, par un tout autre cheminement qu'au début de cette partie.

La Vierge Marie, une autre de ces femmes-adjuvantes qui écoutent les volontés de Dieu, qui disent leur «fiat». La Vierge appelle tout naturellement Joseph: «Saint Joseph est bien, en effet, et le représentant dans l'honneur de la Rédemption, et le *respect* vivant, extérieur, sensible et animé de la femme dans sa réputation»[27]. Il n'est pas étonnant que cette Vierge Marie et saint Joseph se soient affirmés au même moment que se met en place au Canada français la fête de la Saint-Jean-Baptiste. La Vierge Marie et saint Joseph sont en quelque sorte des antidotes contre le mal sécrété par Salomé. La Vierge Marie est une anti-Salomé.

Car il faut comprendre qu'historiquement, la Salomé moderne telle que représentée pour la première fois par Flaubert dans Hérodiade est une réponse négative, une provocation au dogme de l'Immaculée Conception, proclamé en 1854 et qui a remué beaucoup les esprits de l'époque, des deux côtés de l'Atlantique. Stéphane Michaud a bien mis en lumière les dessous de cette bataille pour et contre l'Immaculée Conception qui divise profondément jusqu'aux évêques de l'Église[28], bataille qui, en France, remonte aux affres de la Révolution qui a «décapité» les ordres,

24. *Ibid.*, p. 120.

25. *Ibid.*, p. 122.

26. *Ibid.*, p. 41.

27. *Ibid.*, pp. 124-125; nous soulignons.

28. Stéphane Michaud, *Muse et Madone. Visages de la femme de la Révolution française aux apparitions de Lourdes*, Paris, Seuil, 1985.

l'Église. Avec la Restauration, une ferveur missionnaire et messianique ayant pour foyer le culte virginal et celui du Sacré-Coeur s'empare de la France dans le but évident de réparer les torts de cette Révolution sacrilège. La Vierge Marie est le *pharmakon* mobilisé contre la Salomé-Raison qui a été adulée sur les autels, à la place de Dieu le Père. Femme obéissante qui se soumet aux ordres du Père.

Le culte virginal va de pair, au Canada français comme en France, avec une «infernalisation» du progrès, de la modernité: «L'Église blessée, loin de faire face à la situation nouvelle, se retranche du monde et le condamne. Marie lui sert de citadelle et d'alibi pour éviter toute remise en cause d'elle-même et de sa ligne politique et sociale»[29]. L'abbé Jean-Joseph Gaume, avec *le Ver rongeur des sociétés modernes* (1851), par son seul titre, incarne bien cet anti-modernisme qui se retranche derrière le culte marial pour ne rien céder au monde. Ne nous y trompons pas: le culte de la Vierge Marie et de l'Immaculée Conception, comme déjà souligné, sous les dehors du respect des femmes, est l'expression voilée du mépris de la femme «incarnée», charnelle, d'un antiféminisme viscéral. Le brave abbé Gaume ne s'en cache pas: «Corrompue et corruptrice, la femme donc se précipite tête levée dans la fange, et, avec une fureur qui tient de la vengeance et de la rage, elle use de tous ses moyens pour y entraîner avec elle l'homme, son corrupteur et son tyran. Araignée immonde, elle étend, comme un vaste filet, sa puissance sur toute l'étendue de la terre»[30]. La peur de la femme captatrice-castratrice se cristallise comme chez Lautréamont dans l'image de la femme-araignée.

Est-ce un hasard si le *Syllabus* papal qui flétrit tous les maux modernes est publié juste trois ans après la proclamation du dogme de l'Immaculée Conception (1857)? D'ailleurs, dans son projet initial, le *Syllabus* a été associé au dogme de l'Immaculée Conception. Notre exégète canadien-français du mythe de la *Saint-Jean-Baptiste* l'a compris, car il marie bien son anti-modernisme — résumé du Syllabus — avec le dogme de l'Immaculée Conception[31].

---

29. *Ibid.*, p. 42.

30. Cité d'après S. Michaud, *op. cit.*, p. 45.

31. On comprend mieux ici le scandale du film de Jean-Luc Godard, *Je vous salue Marie*! Doublement scandaleux, parce qu'il démonte le «mythe» de l'Immaculée Conception, après avoir démonté — avec les mêmes moyens — , celui de Carmen, dans *Prénom, Carmen*. Carmen, dans l'histoire de l'Occident, est la réponse négative et négatrice à la Vierge Marie. Godard démythifie le dogme de l'Immaculée Conception en le plaçant dans le contexte même que ce dogme était censé combattre: la modernité. Joseph devient un chauffeur de taxi en Toyota qui se croit cocu; Marie, une «mère porteuse» du Saint-Esprit.

Au Canada français, Joseph est un saint Jean-Baptiste heureux qui a gardé sa tête parce qu'il n'a pas touché à la femme. Mais Jean-Baptiste lui-même est resté «Joseph». C'est à la femme seule qu'incombe de trancher la question du sort de saint Jean-Baptiste et de saint Joseph: fin tragique lorsque l'homme tombe sous la coupe d'une Salomé, «happy end» lorsqu'il a la chance de rencontrer une Marie.

En ce milieu de XIXᵉ siècle, le pouvoir réel et symbolique de la femme s'est accru à un point tel que l'homme, se sentant dans une position de faiblesse, pour sauver son propre pouvoir, doit nier une partie *essentielle* de la femme: sa corporité, sa sexualité. Aussi, le dogme de l'infaillibilité du Pape doit-il être considéré comme la suite logique du dogme de l'Immaculée Conception. Grâce au dogme de l'infaillibilité, le saint Père réduit d'office au silence tous ceux qui, nombreux dans la hiérarchie, ne sont pas encore soumis inconditionnellement à l'Immaculée Conception. Cercle vicieux? Non, puisque l'infaillibilité du *Pater*, du Père, dépend de la soumission inconditionnelle de la Femme à l'Homme (*Mann*).

Si nous avons évoqué un tant soit peu la scène française, c'est pour aller à l'encontre d'une opinion largement répandue au Canada français qui, à force de ne voir l'ultramontanisme que dans le contexte canadien local, le prend pour un mouvement typiquement canadien-français. Le *mythe de la Saint-Jean-Baptiste* a aussi ses ramifications internationales.

Justement, on est en droit de se demander pourquoi ce mythe s'est imposé avec une telle force au Canada français, au point même de voler la vedette à Joseph et à Marie et de focaliser tout l'imaginaire du Canada français sur lui. Nous avons commencé à dégager les strates inconscientes de la «structure feuilletée» du *mythe de la Saint-Jean-Baptiste*. Évidemment, si ce mythe s'était réduit à ces seules couches inconscientes, jamais il n'aurait percé le niveau de la conscience. Avant d'aborder la fondation de la Société Saint-Jean-Baptiste, il nous reste donc à mettre en évidence les strates du mythe qui affleurent à la conscience du Canadien français.

Chapitre III

La fondation de la Société Saint-Jean Baptiste

Saint Jean-Baptiste, un Canadien *modèle*

À un des moments les plus critiques de sa crise d'identité, le Canadien français se tourne vers saint Jean-Baptiste comme modèle identificatoire. Le Baptiseur, médiateur entre l'Ancien et le Nouveau Testament, est la personne nommée pour faire le pont entre l'Ancien et le Nouveau Régime. «La Loi et les Prophètes vont jusqu'à Jean; depuis lors la bonne nouvelle du royaume de Dieu est annoncée» (Luc, 16, 16). Médiateur par excellence, Jean-Baptiste n'est rien par lui-même. Précurseur, il prépare la voie, il fraie le chemin à un Autre. Nous l'avons dit, Jean-Baptiste n'est pas lumière lui-même, mais témoin de cette lumière d'un Autre.

Jean-Baptiste devient donc naturellement le catalyseur qui facilite la fusion des traits d'identité de l'Ancien Canadien avec ceux du Canadien français. Fusion qui se fait sous le signe de la mission. L'Ancien Canadien a été «missionnaire» à un double titre: d'une part, il a porté la bonne parole aux Amérindiens pour les convertir, d'autre part, le coureur de bois, «missionnaire laïque», a porté les marchandises européennes aux confins de ce continent afin de les «convertir» en denrées sauvages (pelleteries). Dans les deux cas, le *Canadien* n'a été que le médiateur qui, au sacrifice de sa propre vie, «marchait» pour le bénéfice d'un Autre (Dieu, Roi, bourgeoisie française).

L'Ancien Canadien avait pour ainsi dire déjà été prédisposé à la fonction de Jean-Baptiste. C'est par l'intermédiaire de saint Jean-Baptiste que le Canada français retrouve son ancienne image, son ancienne identité irrémédiablement perdue depuis 1837-38. Dès 1866, dans un discours de la Saint-Jean-Baptiste déjà évoqué, Mgr Laflèche fait explicitement le lien entre l'Ancien et le Nouveau par saint Jean-Baptiste interposé:

> Ne voyez-vous pas, maintenant, le rapport qu'il y a entre la mission du *Précurseur du Christ* et celle de nos pères? Il me semble entendre Zacharie dire à nos ancêtres par la bouche de leurs souverains, comme à Jean-Baptiste: «Et toi, petit peuple, *tu iras préparer la voie du Seigneur* sur les bords lointains de l'Amérique. Va *éclairer* les tribus sauvages qui s'y trouvent assises à l'*ombre* de la mort et dans les *ténèbres* de l'infidélité.» Nos pères, à l'exemple du *Précurseur du Messie* avaient été préparés à cette noble mission. Ils étaient un petit peuple choisi, formé de familles les plus pures de la vieille France (...) Ils vinrent ici, d'après l'instruction du Roi de France, *non pour s'y enrichir* et *y faire des conquêtes*, mais comme des missionnaires pour y établir le royaume de Dieu (...) Ils pénétrèrent avec leurs missionnaires jusque dans les plus extrêmes solitudes de l'Ouest, et cet endroit même fut *témoin* de leur *passage*.[1]

Toutes les caractéristiques de Jean-Baptiste (missionnaire, baptiseur, médiateur, précurseur, éclaireur, témoin) se trouvent projetées dans un premier temps sur l'Ancien Canadien, pour être reportées ensuite sur le présent grâce à l'identification que le Canadien français opère avec ce dernier. On l'aura noté, la mission de l'Ancien Canadien se trouve tronquée de sa partie réelle: coureur de bois, «mission» marchande, conquête militaire. Il ne reste que la mission spirituelle, dénuée de son support matériel, charnel. De même que saint Jean-Baptiste ranime ce passé lointain, révolu, espoir réintégré dans le présent, de même il projette l'image d'un présent idéalisé pour l'intégrer au passé, au risque de le falsifier. Saint Jean-Baptiste *est* cet idéal vers lequel le haut clergé essaiera de faire tendre le peuple canadien-français.

Idéal de pénitence d'abord. Joseph-Octave Plessis, dans son oraison funèbre pour Mgr J.-O. Briand, évêque de Québec, le 27 juin 1794,

1. Cit. d'après *la Patrie littéraire, op. cit.*, pp. 487-488; nous soulignons.

évoque un des premiers cet idéal de mortification, personnifié par Jean-Baptiste: «Représentez-vous-le (l'évêque décédé), messieurs, sur les bords du fleuve qui arrose ce pays, comme Jean-Baptiste sur les bords du Jourdain, *prêchant la pénitence* aux peuples de la campagne... *jeûnant tous les jours*, annonçant le royaume de Dieu et la rémission des péchés»[2].

Anachorète pénitent, Jean-Baptiste se retire dans le désert, vivant en «sauvage», se nourissant de sauterelles et de miel sauvage. Désert qui symbolise dans l'idéologie du clergé canadien-français de l'après-Révolte le retrait des affaires du monde. Le *Canadien,* à l'instar de saint Jean-Baptiste, par une ascèse pénitentielle, doit renoncer au monde économique et politique pour se consacrer à sa seule mission spirituelle. Jean-Baptiste, par sa vie ascétique, n'a-t-il pas montré le chemin au Canada français? Pour gagner le royaume céleste, il faut perdre le royaume terrestre, lieu des Ténèbres et des péchés. Que le *Canadien* se réjouisse! Il a perdu l'empire réel sur l'Amérique, sur son pays: c'est précisément ce qu'il faut pour mériter l'autre royaume, essentiel... dans l'au-delà. Il faut bien sûr aussi que le Canadien français renonce à toute velléité de conquête ou de reconquête de son ancien empire ou même de toute prise en main de son pays rogné après la Conquête. Il doit tuer dans l'oeuf tout esprit de revendication ou même de vengeance après la Défaite de 1837. Saint Jean-Baptiste indique la voie d'une résignation pacifique, seule réponse au régime inique de l'Union. Certes, le *Canadien* a déjà été un guerrier farouche, mais, à suivre l'exemple de Jean-Baptiste, mieux vaut l'oublier. Aux soldats qui lui demandent «que faire» dans leur état de guerrier, le Baptiseur répond: «Ne faites ni violence, ni tort à personne, et contentez-vous de votre solde»[3].

Jusqu'à l'*habitant*-défricheur dont la cognée a éclairci la forêt sauvage pour cultiver le pays, qui peut se réclamer de saint Jean-Baptiste. Jean-Baptiste, le premier bûcheron biblique! «Déjà même la cognée se trouve posée à la racine des arbres: tout arbre donc qui ne fait pas de bon fruit va être coupé et jeté au feu» (Luc, 3, 9). Arbre, comme le royaume, plus symbolique que réel. Les exégètes canadiens-français l'ont bien compris: «Les arbres, n'est-ce pas la richesse primordiale et légendaire des colonisateurs canadiens, dans les voies de la nature terrestre? Ah! dans la nature

---

2. *Op. cit.*, p. 35; voir aussi Mgr Laflèche. «Après une vie si mortifiée, Jean-Baptiste sort du désert en vrai Précurseur et prêche à tous la pénitence», *op. cit.*, p. 487.

3. Luc, 3-14.

des voies célestes, qui sont les fruits; les fruits d'humilité de conscience (...) pour tout ce qui est pur, plaise à saint Jean-Baptiste, le défenseur du Canada, devant le tribunal de l'Infaillible Justice, de désarmer le bras du divin bûcheron, dans la poursuite de ses coups»[4].

Il va sans dire que la tempérance de saint Jean-Baptiste, dont il est dit avant sa naissance qu'il «ne boira ni vin ni boisson forte»[5], servira d'exemple pour combattre le fléau national du Canada français, l'ivrognerie. L'Église, avec toute son autorité croissante — par le biais des prédications, de mandements et de lettres pastorales — , tente d'en venir à bout. Dans une circulaire au clergé du 23 septembre 1841, Mgr Bourget, évêque de Montréal qualifie l'ivrognerie de «mal capital de ce pays menaçant de miner la fortune comme la religion de beaucoup de nos compatriotes». L'abbé Chiniquy qui prêche la tempérance à Québec depuis belle lurette, trouve en Mgr Bourget un appui inconditionnel. L'évêque de Montréal met tout en oeuvre pour fonder une société de tempérance dans le diocèse de Montréal.

Sa fondation coïncide presque avec celle de la Société Saint-Jean-Baptiste. D'ailleurs, cette société de tempérance est étroitement associée aux fêtes de la Saint-Jean-Baptiste de Montréal. Aux banquets de la Saint-Jean-Baptiste, là où chez les Anciens Canadiens, cinquante ans encore après la Défaite de 1760, le vin coulait à flot, coule maintenant librement... la limonade. À en croire le *Canadien*, ce changement de régime n'a pas trop affecté son humeur: «Nous nous sommes amusés aussi bien, peut-être mieux que si le vin eût ruisselé sur la table»[6]. Preuve que la propagande du clergé commence à porter ses fruits.

Une Société Saint-Jean-Baptiste, deux fondations

Comme pour se conformer au double visage de saint Jean-Baptiste, à la dualité dont le *Canada* a été pétri dès son origine, la Société Saint-Jean-Baptiste, vouée officiellement au Patron national du Canada français, sera fondée deux fois. Comme le *Canada* qui a connu l'esquisse d'une fondation avortée (Cartier) et une fondation définitive (Champlain), la

---

4. *Saint-Jean, l'Évangile et le Canada*, op. cit., p. 42.

5. Luc, 1-15.

6. R. Rumilly, *Histoire de la Société Saint-Jean-Baptiste de Montréal*, op. cit., p. 45. Pour la suite, nous devons beaucoup à cet ouvrage.

Société Saint-Jean-Baptiste (S.S.J.B.) est passée par un «essai précurseur»[7] avant d'être fondée statutairement.

Bien que les premiers membres de la S.S.J.B. insistent sur la filiation directe entre la première fête de la Saint-Jean-Baptiste, le 24 juin 1834, et la fondation de l'Association Saint-Jean-Baptiste, en 1843, l'observateur détaché ne manque pas d'être frappé par une faille qui sépare irrémédiablement les deux fêtes de la Saint-Jean-Baptiste. Ainsi, même la fête nationale du Canada français est marquée par cette césure des Révoltes de 1837-38 qui divise le pays, les mentalités. Ce qui a pu donner le change sur la continuité des fêtes avant et après 1837, c'est que les mêmes personnes ont participé aux deux. Or, ces personnes — et, notamment, l'âme vive de ces fêtes, Ludger Duvernay, exilé de 1837 à 1842, emprisonné déjà en 1832 et en 1836 — ne sont pas les *mêmes* avant et après 1837. Nous l'avons souligné, le pays, les mentalités se sont transformés dans le creuset des événements de 1837.

La manifestation du 24 juin 1834, qui passe pour la date de fondation de la S.S.J.B. (qui d'ailleurs a fêté en 1984 le cent cinquantième anniversaire de sa fondation), s'inscrit encore dans l'esprit qui a marqué les fêtes de la Saint-Jean-Baptiste du Régime français. Fête laïque plus que religieuse où fusent les rires, où le bon vin accompagne la bonne chère. Ce n'est donc pas un hasard si le 24 juin 1834 est commémoré par un banquet. Dans ces temps troubles où les esprits des Patriotes sont chauffés à blanc par les 92 Résolutions, la Saint-Jean-Baptiste est pour les réformistes l'occasion rêvée d'affirmer et de consolider leur solidarité lors d'une fête conviviale. Rien d'officiel, tout est laissé à la spontanéité, jusqu'à la convocation qui se fait de vive voix. Soixante personnes se réunissent ainsi autour d'une table dans le jardin de l'avocat John McDonnel qui a une belle propriété près de l'actuelle gare Windsor. Parmi ces convives, mentionnons Duvernay, O'Callaghan, Louis-Hyppolyte Lafontaine, Ovide Perreault, tué à Saint-Denis, T.S. Brown, commandant les Patriotes à Saint-Charles. Le maire Viger préside. L'orientation politique de cette fête ne laisse pas de doute: elle se situe dans la suite des 92 Résolutions, revendique la souveraineté populaire. D'ailleurs les toasts, les chants et les discours font bon ménage pendant cette fête. Les toasts consignés dans la *Minerve*, journal de Duvernay, donnent une idée de l'esprit dont est imprégné ce banquet: «Le peuple source primitive de toute autorité légitime», «le Gouvernement des États-Unis qu'il excite l'admi-

---

7. *Ibid.*, p. 22.

ration et l'envie de l'univers», «Le Général Lafayette»[8]. Le maire Viger entonne la chanson d'un auteur anonyme, où il est question des «Français dont nous descendons»:

> Ils ont frappé la tyrannie
> Nous saurons l'abattre comme eux
> Si le sort désignait une race ennemie
> Veille sur nous, Saint-Jean, fais-nous victorieux.[9]

De toute évidence, les deux Révolutions, la française et l'américaine, sont présentes dans l'esprit des fêtards. L'esprit de revendication et la brise révolutionnaire qui soufflent sur ce 24 juin, transforment l'image même de la Saint-Jean-Baptiste. Malgré son pacifisme biblique, le saint patron est embrigadé tout de go dans les rangs de la révolution future au *Canada*. Aussi *le Canadien* qui rend compte de cette réunion n'hésite-t-il pas à faire de lui le champion de la Liberté, de l'Égalité et de la Fraternité.

> C'est d'un bon augure pour les Patriotes Canadiens que d'avoir pour patron le précurseur de l'Homme-Dieu, qui est venu prêcher l'égalité des hommes aux yeux du Créateur, et délivrer le monde de l'exclavage des puissances ennemies d'un autre monde[10].

Pendant trois ans, saint Jean-Baptiste affublé d'une «tuque» se fait Patriote. Des banquets similaires se tiennent jusqu'au 1837. Il s'agit toujours de fêtes informelles. À aucun moment, elles ne donnent lieu à un rituel qui pourrait s'apparenter à une fondation.

Fêtes conviviales qui s'arrêtent brutalement et tragiquement au milieu des révoltes de 1837-38 et des pendaisons. À la faveur de cette métamorphose profonde que traversent les mentalités *canadiennes* après 1837-41, le visage de la Saint-Jean-Baptiste changera aussi radicalement. Dorénavant, saint Jean ne montre plus que son visage sacrificiel.

C'est dans ce climat nouveau qu'est véritablement fondée l'Association Saint-Jean-Baptiste, premier avatar de la S.S.J.B. Elle l'est dans un esprit d'entraide et de bienfaisance. Les archives de la S.S.J.B. remontent au 9 juin 1843 et font état à cette date d'une résolution qui

---

8. *Ibid.*, p. 19.
9. *Ibid.*, p. 20.
10. *Id.*

stipule qu'une «société de bienfaisance dans la cité et la paroise de Montréal, soit formée sous le nom de 'Association Saint-Jean-Baptiste' se mettant pour la prospérité et l'efficacité de ses travaux sous la protection du grand saint qu'elle choisit pour patron»[11].

La grande nouveauté qui distingue clairement cette fête de son premier avatar de 1834, c'est la messe qui dorénavant en devient le centre rayonnant. Dès 1844, la messe entre pour ainsi dire dans le rituel canonique de la fête de la Saint-Jean-Baptiste: «Que pour perpétuer la célébration de la fête nationale des Canadiens une messe solennelle soit chantée dans l'église de cette ville (Montréal), lundi des 24 du courant, en l'honneur du Patron de cette Société et qu'un pain béni (sic) convenable y soit offert»[12]. On se souvient que, lors des fêtes de la Saint-Jean-Baptiste sous le Régime français, le Seigneur a été chargé de la distribution de ce pain bénit. Une fois le Seigneur dépouillé de son pouvoir, le seul personnage dont l'autorité n'est entamée — bien au contraire — ni par les Défaites, ni par la Révolte, le curé, devient maintenant la figure clef de la fête nationale. La distribution du pain bénit n'est alors que le pâle reflet de cet autre pain eucharistique distribué à la communion. À n'en pas douter, la véritable «fête» de la Saint-Jean-Baptiste se joue dorénavant autour de l'autel, autour du sacrifice eucharistique. La Saint-Jean-Baptiste vaut bien aussi une messe...

Certes, dès 1843, on a prévu une procession qui ouvre et ferme le service eucharistique. Au cours des années, cette procession prend de plus en plus d'ampleur. La première année, elle a été préparée à la hâte: deux bannières, l'une représentant saint Jean-Baptiste, l'autre un *habitant*, une fanfare, le président Viger, le maire Bourret, une centaine de membres et, ne l'oublions pas, la Société de Tempérance qui fait bon ménage avec la Société Saint-Jean-Baptiste nouvellement fondée, parce qu'elle est vouée au même saint.

La plupart des membres fondateurs de la S.S.J.B. ayant connu les joyeux banquets d'avant 1837, ont insisté pour qu'on en perpétue la tradition. Le banquet est déjà organisé. Voilà qu'un événement imprévu qui, mettant à l'épreuve le nouvel esprit de cette Association, le fait annuler. Un incendie ravage le village de Boucherville. Spontanément, les sociétaires pratiquant l'idéal d'entraide et de bienfaisance qui préside à leur

---

11. *Archives de la Société Saint-Jean-Baptiste*. Ce n'est qu'en 1914 que la dénomination *Société* Saint-Jean-Baptiste se subsitue à l'ancienne *Association* Saint-Jean-Baptiste.

12. *Archives*, 18 juin 1844.

Association, renoncent à leur banquet et versent du secours aux sinistrés. Que font-ils sinon *sacrifier* leur ancienne fête animée par les discours politiques, les toats et les rires au nouveau Patron du pays: saint Jean-Baptiste prêchant le renoncement au monde, le sacrifice de soi pour l'Idée, pour la Mission au service d'un Autre?

Sacrifice symbolisé par le mouton qui accompagne l'enfant, représentant saint Jean-Baptiste lors des processions qui se développent en grandes parades. Ce mouton est aussi le symbole de ce grand sacrifice célébré pendant la messe lors du service eucharistique: «Comparez (...) la manifestation politique de 1834 et la grand-messe de 1843! Rien n'illustre mieux les changements dans la situation et dans les esprits»[13]. Rumilly est l'historien le mieux placé pour apprécier le changement intervenu dans les deux façons de fêter la Saint-Jean-Baptiste au Canada français. L'année 1843 inaugure une *autre* fête.

Comment faire fraterniser les frères ennemis?

Le rôle marginal que joue aujourd'hui la S.S.J.B. dans la société moderne du Québec ne doit pas nous faire oublier la fonction essentielle, *centrale* qu'elle a remplie tout an long du XIXe siecle et, notamment, dans les temps difficiles du régime de l'Union.

À ce moment hautement critique de l'histoire *canadienne* où le conquérant veut assimiler les Canadiens français à la masse anglophone, le but premier de la Société Saint-Jean-Baptiste est de rassembler la race *canadienne*, de la garder homogène pour qu'elle ne s'effrite pas dans la fusion, dans la confusion avec l'Autre. L'acte d'incorporation de l'Association du 30 mai 1849 fixe bien cet objectif de l'union de la *même* race, de la même ethnie, qui doit se démarquer de l'*autre* ethnie, anglaise, à laquelle elle est censée s'assimiler: «L'Association Saint-Jean-Baptiste de Montréal (...) a été établie dans le but d'aider et de secourir les personnes en cette province, d'*origine française*, soit du côté de leur père ou de leur mère, ou celles de toute autre origine, qui se sont mariées *à des personnes d'origine française*, et se trouvent dans la nécessité de recourir à l'assistance de leurs concitoyens (...) pour répandre l'éducation parmi elles

---

13. Rumilly, *op. cit.*, p. 53.

(personnes), et contribuer à leurs progrès moral et social, et par d'autres objets de bienfaisance»[14].

Saint Jean-Baptiste, sous le patronnage duquel se place cette association des Canadiens d'origine française, n'est-il pas le symbole de cette intégrité morale — tout au moins dans l'interprétation du XIXe siècle —, roc qui n'a pas voulu se laisser entamer? Jean-Baptiste s'est même fait décapiter pour garder son intégrité morale.

L'autre objectif de la S.S.J.B., lui aussi vital, est de modérer les luttes fratricides, les règlements de compte entre semblables après la Grande Crise de 1837-38. Le pire est en effet à craindre: d'une part, que le Canada français, meurtri par l'échec, en s'isolant du reste du Canada, reste bloqué par son passé non surmonté; d'autre part, que ceux des *Canadiens* qui préconisent l'ouverture sur l'autre Canada soient taxés de traîtres et qu'une guerre fratricide continue d'entre-déchirer le Canada français.

Certes, l'ennemi anglais est dans le pays, plus que jamais prêt à mettre le grappin sur le Canada français. Mais, justement, suivant une longue tradition dont nous avons fait état, l'ennemi intérieur, le Même, bien que moins visible, a toujours été une plus grande menace pour le *Canada* que l'ennemi extérieur. Dans un des discours de la Saint-Jean-Baptiste, pour lesquels les Canadiens français se passionnent, Honoré Mercier met en garde contre ce danger intérieur qui guette le Canada français: «N'oublions pas que les pires ennemis de notre race ne sont pas les Anglais, ni les Écossais, ni les Irlandais, mais nous-mêmes, avec cette ligne de démarcation qui sépare rouges et bleus, conservateurs et libéraux»[15]. Et il exhorte tous les Canadiens français à l'union dans un cri de ralliement retentissant: «Cessons nos luttes fratricides; unissons-nous»[16].

La S.S.J.B. est à la source même de la naissance des *rouges* et des *bleus*, des libéraux et des conservateurs. Car elle a son versant rouge et son versant bleu. Son versant rouge (libéral) trouve son origine dans le célèbre banquet de 1834, réunissant les Patriotes qui ont préparé la Révolte de 1837-38. Son versant bleu (conservateur), qui prédominera par la suite, intégrera sans trop de heurts et sans qu'ils passent pas l'ordalie de la «traitrise», les anciens combattants patriotes prêts à «collaborer» avec

---

14. *Archives de la Société Saint-Jean-Baptiste.*

15. Rumilly, p. 165.

16. *Ibid.*, p. 152.

l'ancien ennemi. Hyppolite Lafontaine, par un coup de maître, déjoue le piège de l'assimilation tendu par l'Angleterre en s'associant avec les «réformateurs» du Haut-Canada.

Dès sa première année de fondation (1843), l'Association Saint-Jean-Baptiste fait preuve d'efficacité en modérant les tensions intestines entre Canadiens français. Le 27 novembre 1843, Hyppolite Lafontaine démissionne, parce qu'en conflit avec Metcalf, successeur de Charles Bagot. Voilà que Denis-Benjamin Viger accepte sa succession. Les purs et les durs (comme aujourd'hui au Québec) crient à la «trahison», à la «collaboration». Ce «vieux Nestor» qui est, par dessus le marché, président de l'Association Saint-Jean-Baptiste, comment ose-t-il s'acoquiner avec l'«ennemi»? Hyppolite Lafontaine a ses partisans fervents, notamment Georges-Étienne Cartier, ancien Patriote, qui aura un avenir politique brillant, D.-B. Viger les siens, Édouard-Raymond Fabre entre autres. Tous se combattent férocement. Or, il se trouve que Lafontaine, Cartier, Viger, Fabre et leurs clans respectifs opposés sont tous membres de l'Association Saint-Jean-Baptiste. L'association accomplit cette tâche inestimable, pas encore assez remarquée, pour le Canada français: maintenir l'opposition des idées tout en permettant le dialogue des hommes. Car, trop volontiers, l'homme, au Canada français/Québec, est frappé d'inexistence, ostracisé dès que ses opinion ne coïncident pas avec celles de l'«idéologie» dominante. La S.S.J.B. remplit strictement l'*Aufhebung* hégélienne qui ne supprime pas l'Autre (fût-il le Même de l'ethnie canadienne française) mais le «relève» à un autre niveau de conscience, plus élevé, comme le note bien l'historien de la Saint-Jean-Baptiste: «Cette divergence politique n'influence pas les élections de la société nationale, qui doit unir les Canadiens français de tout les partis»[17]. L'union fraternelle, premier but de la S.S.J.B., doit toujours primer sur les dissensions, les divisions intestines. En effet, malgré les reproches de traitrise que ses ennemis sociétaires lui font, Viger est reconduit dans sa fonction de président.

Il est impossible, ici, d'évoquer tous les moments de crise au XIXe siècle où la S.S.J.B. a joué un rôle de conciliation et de modération. Dans le domaine politique, aussi bien que dans le domaine économique. C'est un aspect de la S.S.J.B. qu'on a tendance à oublier aujourd'hui, à cause des préjugés, certes justifiés, voulant que le Canadien français, au XIXe siècle, ait vécu en retrait de la vie économique.

17. *Ibid.*, p. 53.

La Société Saint-Jean-Baptiste du XIXe siècle — outre qu'elle constitue la pépinière des hommes politiques, des maires de Montréal, des ministres de la Conférédation et du Québec, entre autres P.-J.-O. Chauveau, Premier ministre provincial, qu'elle rassemble tous les francophones, non seulement du Canada, mais de tout le continent nord-américain — cherche aussi des assises communes dans le domaine économique. Ainsi, François-Albert-Charles Larocque préside à la fondation de la Banque d'Épargne; Charles-Séraphin Rodier, menuisier au départ, crée une industrie de batteuses mécaniques; Jean-Baptiste Rolland, apprenti à la *Minerve*, a fondé sa propre librairie en plein essor. À l'intérieur de la S.S.J.B., germe même l'idée d'écoles techniques et commerciales axées sur un enseignement beaucoup plus «pratique» que celui des collèges classiques traditionnels.

D'ailleurs, le mouvement mutuel qui se développe à la fin du XIXe siècle participe du même esprit d'entraide qui anime la Société Saint-Jean-Baptiste. Coopération agricole, coopératives d'épargnes fondées par Alphonse Desjardins. On connaît le succès des Caisses Desjardins aujourd'hui.

Même les épouses des Sociétaires de la S.S.J.B., à l'instar de ces derniers, forment une association, la Fédération nationale Saint-Jean-Baptiste (1907), qui vise à rassembler les femmes du Canada français dans ce qu'on peut appeler le premier mouvement féministe *canadien*. Caroline Béique et Marie Gérin-Lajoie sont à la tête de ce mouvement. Paradoxe savoureux: le Patron du Canada français, qui a mis en garde contre une «certaine» femme, favorise malgré tout, finalement, l'émancipation de la femme. Caroline Béique et Marie Gérin-Lajoie ne sont pas des suffragettes, ni des Salomé! Ce sont des «épouses légitimes» qui combattent l'injustice du Code civil à l'égard de la femme. Comme leur mari, elles cherchent à améliorer la situation par la «voie de réconciliation de la recherche des droits des femmes et de la religion»[18]. Faire en sorte que la femme dont le mari meurt sans testament ne succède pas à son mari qu'au treizième(!) degré. Ces femmes fondent aussi les premières associations professionnelles: des employées de magasin, des employées de manufactures et des employées de bureau. Proto-syndicats qui voient aux intérêts des professions typiquement féminines.

---

18. CC, p. 329. Voir sur Marie Gérin-Lajoie, le beau livre d'Hélène Pelletier-Baillargeon, *Marie Gérin-Lajoie*, Montréal, Boréal Express, 1985.

On est donc en droit de dire qu'après la crise sacrificielle de 1837-38, contre toute attente, de nouvelles solidarités se tissent sous le patronage de saint Jean-Baptiste, des solidarités politiques et économiques qui vont arracher finalement le Canada français au traditionalisme rétrograde dans lequel l'ont tenu prisonnier ses élites spirituelles et séculaires depuis la Conquête jusqu'en 1837. Après le choc psychologique de 1837, le Canada français s'ouvre à l'Autre, à la Confédération et, plus lentement, à la modernité. Certes, les forces réactionnaires, le poids des traditions se font sentir toujours lourdement chez le haut clergé qui voit son seul salut venir de Rome. Mgr Bourget est évidemment le centre de cette force d'inertie. Mais ce qui est paradoxal encore, c'est que le mythe national de la Saint-Jean-Baptiste, comme un boomerang, se retourne contre ses auteurs cléricaux. Non pas directement par une révolte, mais indirectement, lentement, par un long travail de sape, par une «révolution tranquille» qui prend conscience des contradictions inhérentes au mythe national.

Nous voulons montrer maintenant, arrivés presque au terme de notre parcours à travers le temps et l'espace des *Canadas*, comment la première prise de conscience d'un nouveau Soi canadien-français, qui sera relayé par le Moi québécois, se fait à travers, *contre* le mythe de la Saint-Jean-Baptiste. Le degré de contestation de ce mythe et de tout ce qu'il incarne est un indicateur indirect du degré de conscience d'un Moi national qui s'affirme. Voyons et écoutons surtout comment ce mythe s'effondre d'un seul coup, dans un gigantesque éclat de verre, en 1969! Mais avant, prêtons nos oreilles chastes aux jurons d'un peuple qui en est prodigue!

Chapitre IV

Des hosties aux éclats de verre ou la mort de la Saint-Jean-Baptiste

Au Canada français, écrire autre chose qu'une ordonnance de suppositoires de beurre de cacao, ce n'est pas sérieux: la preuve en est que la littérature émolliente de nos proto-notaires et de nos archi-prêtres est légalement à notre image et à notre ressemblance. Sacrons au moins ces chieurs officiels de mots/morts qui sont sacralisés en tant qu'agents émollients et aussi en tant qu'ennemis redou-tables du blasphème et du sacré! Rendons-leur au moins cet hommage (posthume) qu'ils méritent pour la bonne raison qu'ils ont vécu de l'attendre. Christ dopé à la thalidomide, hourra pro nobis, frère untel, ora pro nobis; père O'Neil ora pour les petits nègres... Je bascule dans le sur-blasphème avec la ferveur des premiers apôtres: je me sens investi par six chars de Christ, six par banc, et par des barges de vierges poudrées qui découpent l'annexe-gueule de Paul-hors-les-murs en hosties pour donner la com-munion aux fifis. Je ne charge pas, saint-crême fouetté, je décharge à plein ciboires, j'actionne mes injecteurs de calice à plein régime et je sens bien qu'au fond de cette folle bandade, je retrouve, dans sa pureté de violence, la langue désaintciboirisée de mes ancêtres.

L'hostie de petit christ tant attendu par les pauvres que nous sommes, est couvert d'avance par une pluie radioactive de saintes interjections qui, dans nos bouches à langues maternelles à feu, sont pure incantation, psaumes à femmes, stances rauques des primipares.

Hubert Aquin,
Trou de mémoire.

Des «hosties» et des «chriss»: pourquoi sacre-t-on au Québec?

«Quand on a le Saint Baptiste pour Patron, blasphémer (...) est une habitude qui peut à peine se concevoir»[1]. Pourtant, même sous le haut patronage de Jean-Baptiste, le peuple canadien-français/québécois blasphème plus et autrement que tout autre peuple. Justement, le «blasphème par le baptême», comme le constate douleureusement Paul de Malijay, «c'est un blasphème à la langue canadienne-française»[2]. Blasphème, on s'en doute, qui vise directement le Baptiseur, «grand patron» du Canada français.

On s'est contenté jusqu'ici de faire le relevé des blasphèmes québécois qui remplissent des dictionnaires. Mais à aucun moment on n'a essayé de cerner la cause profonde de cette logorrhée blasphématoire qui parcourt le Québec. Certes, tous les peuples qui ont un sacré connaissent le blasphème. D'ailleurs, le terme *sacré* fait partie de ces mots primitifs relevés par Freud[3], mots qui signifient une chose *et* leur contraire. Ainsi, *sacrer* contient à la fois l'acte de sanctification *et* l'acte désacralisant, sacrilège.

C'est donc la quantité du débit blasphématoire qui étonne d'abord l'auditeur-observateur. On attend évidemment toujours la grande étude socio-linguistique comparée qui fasse le relevé statistique exact et qui calcule la moyenne des blasphèmes que le Français et le Québécois moyen prononcent dans une conversation moyenne! Débit probablement aussi difficile à calculer que celui des Chutes du Niagara. Pourtant, Michel Butor a déjà accompli ce calcul herculéen quasi incommensurable...

Bien sûr, les blasphèmes n'ont pas été absents du Régime français, mais ils se gonflent vers le milieu du XIXe siècle en une vague de fond qui balaie dans notre siècle la «Belle province» du Québec. Les mandements des évêques, indirectement, nous renseignent sur l'état de la situation. Mais l'évêque de Montréal a beau avertir ses ouailles que les blasphèmes ne sont pas que des mots «en l'air», mais un crime «injurieux au ciel et excécrable à la terre»[4], rien n'arrête ce flot blasphématoire.

---

1. *Saint Jean-Baptiste, l'Évangile et le Canada, op. cit.*, p. 49.

2. *Ibid.*, p. 49.

3. *S. Freud*, «Des sens opposés dans les mots primitifs», in *Essais de psychanalyse appliquée*, Paris, Gallimard, pp. 59-67.

4. Mandement du 6 mai 1853.

S'il nous est difficile de quantifier le débit blasphématoire, nous sommes mieux à même de cerner la «spécificité» du sacre québécois qui le distingue de celui des autres peuples. Les blasphèmes québécois, contrairement à ceux des autres nationalités (française, allemande ou anglaise), qui se disséminent au hasard dans le champ du sacré, ont cette particularité de se concentrer *tous* autour du sacrifice eucharistique. Dans la plupart des autres langues, c'est Dieu, la divinité suprême, qui reçoit la charge maximale de blasphèmes.

Le Canadien français d'abord, le Québécois aujourd'hui, à travers ses blasphèmes, désacralise la messe et ce qu'elle a de plus sacrée: l'eucharistie. Si bien que dans son quotidien, le Québécois dit toute une «messe noire». Tous les objets du culte, de près ou de loin liés à l'eucharistie, sont convertis en blasphèmes. *Hostie!* sans aucun doute tient la vedette étant le «sacre» le plus «populaire» au Québec. Si commun, qu'un simple sifflement fricatif entre les dents le suggère... «sti». Centre du mystère eucharistique, l'«hostie» subit la charge maximale de l'assaut blasphématoire au Québec. *Chriss* (Christ) et *kâlisse!* (calice) viennent bons deuxièmes dans la faveur populaire des blasphèmes avec probablement une légère préférence pour le premier à cause de sa brièveté (une seule voyelle) et de son crissement carrément expectorant, moins contenu qu'*hostie! Chriss* évidemment désacralise celui qui s'est transsubstantié dans l'hostie, le Christ sacrifié. Le calice contient le vin transformé en sang[5]. Viennent ensuite ce qu'on pourrait appeler les objets périphériques du culte et qui, de ce fait, contiennent moins de charge blasphématoire: *tabarnâk!* (tabernacle) et *ciboire!* Convenons que, rendus à *sacristie!*, nous n'avons pas encore quitté le lieu du culte, mais nous sommes loin de l'autel, lieu privilégié de l'eucharistie. Ce qui rend *sacristie!* malgré tout populaire, c'est que son parallèle homophonique avec *hostie!* (le sifflement des fricatives) donne l'avantage d'un blasphème sans avoir son inconvénient: idéal pour tous ceux qui ont peur du châtiment! Hâtons-nous d'ajouter que *sacrifice!*, malgré son abstraction, a aussi une très bonne cote blasphématoire au Québec.

Tout se joue donc autour du corps du Christ et de sa transsubstantiation lors du sacrifice eucharistique. Cette dernière — littéralement action de grâce — à travers l'hostie et le vin commémore le sacrifice rédempteur du Christ. L'évolution sémantique du mot *hostie* (latin:

---

5. Il est intéressant de noter que le sang lui-même, comme en France («bon sang»), n'est pas l'objet de blasphème au Québec.

hostia) à elle seule en dit long sur le changement radical de perspective qui s'est opéré dans le monde chrétien par rapport à l'antiquité romaine. *Hostia*, pour les Romains, veut dire «victime offerte aux dieux comme offrande expiatoire pour apaiser leur courroux»[6]. *Hostia* s'oppose ainsi à *victime*, offerte en remerciement de faveurs reçues. Or, l'*hostie* chrétienne, par un renversement total de sens, ne signifie plus l'immolation d'un *Autre* au courroux d'un Dieu, mais l'auto-immolation, l'autosacrifice librement consenti pour le tout Autre, Dieu et pour les autres même pour les *hostes*, les ennemis. Si Jésus a rendu dérisoire toute autre immolation, il n'a pas aboli l'idée autosacrificielle (faire mourir le «vieil homme») qui est à la base même du christianisme.

Le Canada français, nous l'avons vu, est un pays sursaturé par l'esprit sacrificiel. Tout d'abord, il a le passé de ses martyrs que tout bon catéchisme proposait en modèle suprême de l'autosacrifice. Puis, il y a le culte de saint Jean-Baptiste, centré lui aussi sur l'ascèse, la pénitence et le sacrifice de soi pour le tout Autre: la fondation de la Société Saint-Jean-Baptiste en 1843 se fait sur l'autel, autour du sacrifice eucharistique.

Ce qui aggrave la situation du Canada français, déjà passablement chargée de sacrifices, c'est qu'à deux occasions cruciales, lors de la Conquête de 1760, mais surtout lors de celle de 1837-38, le haut clergé se sert de son autorité morale pour réprimer énergiquement tout mouvement d'insoumission contre le nouveau maître, l'Autre. Répression brutale parce qu'elle va jusqu'à brandir l'excommunication et le refus d'inhumer dans un cimetière chrétien tout ceux qui montreraient des velléités de sédition. Bien plus, des hommes comme Mgr Plessis, non contents de prêcher dans l'esprit de saint Paul la soumission à l'autorité civile établie, présentent l'Autre, non comme un étranger, encore moins comme un ennemi, mais comme ami, comme messie rédempteur. À la suite de cette propagande ecclésiastique a pu s'accréditer largement l'idée de la «conquête providentielle».

Un des premiers effets de cette prédication est de perturber le système immunitaire, d'abaisser son seuil de résistance à l'Autre. Car le haut clergé ne demande-t-il pas au *Canadien* de recevoir l'Ennemi (*hostes*) en

---

6. Ernout et Meillet, *Dictionnaire étymologique de la langue latine*, p. 301.

hôte accueillant (*hospes*)[7]. Au nom du sacrifice christique, eucharistique, l'«hospitalité» chrétienne veut que l'Autre ne soit pas traité en Étranger, en Ennemi (*hostis*), mais comme un Même, *mieux* qu'un Même. À l'instar du Christ, victime immolée, *hostia*, commémorée dans le sacrifice eucharistique, le *Canadien*, en victime soumise, doit sacrifier sa révolte et sa rébellion à l'Autre.

Certes, le *Canadien*, dans sa vie quotidienne, n'entre pas dans ces subtilités théologiques. Cela n'empêche qu'il sent confusément cet enchevêtrement du politique et du religieux, ce rapport secret entre le sacrifice eucharistique et le sacrifice civique, politique que l'Église *canadienne* lui extorque. Ce n'est pas par hasard qu'un mouton accompagne saint Jean-Baptiste: c'est le bouc émissaire. Saint Jean-Baptiste est le bouc «précurseur» du bouc émissaire qu'est Jésus. Le Canadien français se résigne au rôle de bouc émissaire que le clergé lui demande de jouer.

Il se résigne, non sans maugréer. Nous avons déjà constaté que, très ostensiblement, la protestation des Canadiens français vise les lieux du culte: recrudescence, depuis la Conquête de 1760, de l'indiscipline pendant la messe, protestations bruyantes contre la parole venant de la chaire. Mgr Plessis fait état de cette révolte sourde qui gronde pendant la messe, dirigée contre le prêtre.

> Néanmoins lorsque nous vous exposons quelquefois vos obligations sur cet article («toute âme doit être soumise aux autorités établies»)... celui qui résiste à la puissance, résiste à Dieu même et que *par cette résistance il mérite la damnation*), vous murmurez contre nous, vous vous plaignez avec amertume, vous nous accusez de vues intéressées et politiques et croyez que nous passons les bornes de notre ministère. Ah! mes frères, quelle injustice! Avez-vous jamais lu que les premiers fidèles fissent de tels reproches aux apôtres ou ceux-ci au Sauveur du Monde lorsqu'il leur développait la même doctrine?[8]

---

7. Pour l'articulation des deux termes *hostis* et *hospes*, voir Michel Serres, *Rome...*, *op. cit.*, pp. 48 et 148.

L'étymologie des termes *hospes* et *hostis* montre qu'à l'origine le sens des deux mots était très proche, sinon identique. Le rôle traditionnel de l'hospitalité n'est-il pas d'accueillir l'Autre, l'étranger (*hostis, inimicus*) en ami? Identité qui se trouve encore dans *l'hôte* français, signifiant à la fois celui qui reçoit et celui qui est reçu.

8. Oraison funèbre de Mgr J.-O. Briand, *op. cit.*, p. 36.

Le Christ, Sauveur du Monde, nouveau Sauveur du Canada français doit devenir son modèle *politique*[9]. C'est au nom du sacrifice du Christ que tout murmure, toute velléité d'insoumission sera réprimée. À cause de la confusion du politique et du religieux, l'eucharistie au Canada français est grevée d'une lourde hypothèque politique qui ne sera levée définitivement qu'une fois que l'État québécois sera laïcisé dans les années soixante de notre siècle.

Mais tant que le curé n'occupe pas encore cette place centrale qui sera la sienne après les événements de 1837-38, tant qu'il n'est pas cette autorité quasi intouchable, la protestation des Canadiens français se dirige directement contre les auteurs du chantage qui extorque le sacrifice politique au nom du sacrifice du Christ. Après 1841, étant donné que le pouvoir de l'Église devient exorbitant, l'indignation du *Canadien* contre son clergé ne pouvant plus se ventiler directement, elle sera refoulée et s'exprimera de façon détournée, biaisée: par le blasphème. Le blasphème, au Québec, est la révolte verbale de gens qui désacralisent ce au nom de quoi le clergé a demandé de se soumettre politiquement, de se sacrifier: l'hostie. Il est donc normal que ce soit la victime incarnée dans l'hostie qui reçoive la charge «optimale» du blasphémateur canadien-français. Il blasphème le Christ victimisé, parce qu'il n'a pas accepté totalement de se laisser réduire à l'état de victime politique.

Dans la logique de ce comportement, il est intéressant de noter que le premier grondement d'une révolte à l'intérieur même de la S.S.J.B. se fait contre le mouton et tout ce qu'il représente comme esprit de sacrifice.

Que le mouton meure! Fini le «saint-jean-baptisme»!

Pour situer l'événements, il faut préciser que, malgré ses symboles qui la vouent au sacrifice — sacrifice de ce monde à l'autre — , la S.S.J.B. du XIXe siècle, contrairement à celle d'aujourd'hui, se distingue

---

9. Nous ne pouvons, hélas, développer la perspective passionnante ouverte par Julien Freud à la suite de C. Schmitt dans *l'Essence du politique*, Paris, Sirey 1965, sur la dialectique de l'ami et de l'ennemi. Le clergé *canadien* joue délibérément sur l'ambiguïté du terme «ennemi» et sur l'amour de l'ennemi auquel nous exhorte l'Évangile (Math., 5-44; Luc, 6, 27). Or, l'Évangile — comme les Grecs et les Romains, d'ailleurs — a fait une distinction entre l'ennemi public (*hostis*) et l'ennemi privé (*inimicus, polemios*). Le texte évangélique ne demande nullement d'aimer l'*hostis*, l'ennemi public, politique, «diligite *inimicos* vostros». Au *Canada*, le clergé non seulement demande qu'on aime l'ennemi politique, mais il abolit l'*idée* même d'ennemi, puisqu'il le transfigure en ami. Freund, *op. cit.*, p. 444 et suivantes.

par un très grand sens des réalités politiques et économiques. Justement, plus la crise de conscience de la valeur intrinsèque du Canadien français se fait aiguë, plus l'esprit sacrificiel de la Société Saint-Jean-Baptiste qui a présidé à sa fondation va être senti comme un obstacle à l'essor de cette conscience nationale. Saint Jean-Baptiste, précurseur d'un Autre, est la négation de Soi, il se sacrifie à l'Autre, gratuitement, sans gagner par son sacrifice aucun rachat. Comment, en effet, concilier ce renoncement *à soi* et l'affirmation *de soi* qu'implique le nationalisme naissant ou renaissant puisqu'il a existé avant 1837?

Une jeune génération qui n'a pas vécu les événements de 1837 arrive à maturité au tournant du siècle. Même si le Canada français a connu un sursaut de fierté à l'élection d'un des siens comme Premier ministre du Canada en la personne de Laurier (1896) — élection ressentie psychologiquement comme une revanche des défaites de 1760 et de 1837 —, de jeunes loups, tels Henri Bourassa, tolèrent de moins en moins l'esprit de compromission qui a accompagné la prise de pouvoir de Laurier: l'acceptation du fait minoritaire du Québec français à l'intérieur de la Confédération. L'expérience ultérieure le prouvera: le Canada français n'est pas toujours très bien servi par les siens quand ils occupent les fonctions de Premier ministre au gouvernement fédéral. Le paradoxe s'explique par la loi du mimétisme qui crée les pires hostilités entre mêmes.

Jeune génération qui, entrée activement en politique, incite à l'action par le verbe et par des gestes spectaculaires. Ainsi Henri Bourassa fonde en 1910 son journal *le Devoir*, appelé à promouvoir ses idées et celles de ses amis. Cette même année, le 10 septembre, à lieu un grand événement, préparé de longue main par l'archevêque de Montréal, Mgr Bruchési: le Congrès eucharistique. La fête du Canada français par excellence! Il va sans dire qu'elle a lieu dans l'enceinte d'une église. Or, l'assistance est mécontente de l'accueil chaleureux que Mgr Bruchési fait à l'archevêque de Westminster, Mgr Bourne. Ce dernier n'a-t-il pas prêché pour la suprématie de la langue anglaise en Amérique, impliquant l'abandon de la langue française[10]? Henri Bourassa, renouant avec la bonne tradition canadienne-française d'avant 1837, tient tête à l'autorité ecclésiastique dans un discours improvisé qui réfute point par point l'argumentation de Mgr Bourne. Il dénonce, en fait, cet assujettissement du politique au religieux qui est en cours au Canada français depuis 1837-38. L'homme politique conscient de cette confusion ne doit pas hésiter à la dénoncer au lieu

---

10. Rumilly, *op. cit.*, p. 213.

même où elle se manifeste, *dans l'Église*, à l'occasion justement d'un Congrès eucharistique qui honore plus particulièrement ce que les Canadiens français blasphèment, de façon détournée.

L'autre incident significatif, plus connu, dont nous voulons faire état pour montrer l'effritement de l'esprit sacrificiel à la base même de la Société Saint-Jean-Baptiste, se situe à la même époque. Il a comme instigateur un autre de ces jeunes hommes en colère, qui dit de lui-même qu'il a «le scandale dans les moelles»[11]: Olivar Asselin. Il est de ceux qui pensent que les grands parades de la Saint-Jean-Baptiste qui font défiler un passé révolu détournent des problèmes politiques du présent. Il propose la réorganisation de la S.S.J.B. pour la transformer en une association de combat politique, notamment pour lutter contre ce Règlement 17 qui abolit en Ontario l'enseignement en français. Le journal auquel il collabore donne bien le ton: *l'Action*. Comme Bourassa, O. Asselin sent que l'affirmation politique de sa province passe par la disjonction du religieux et du politique, par la répudiation du symbole qui incarne le sacrifice, la sujétion: le mouton.

Depuis 1912, Asselin ne cesse de se moquer de ce qu'il appelle le «saint-jean-baptisme», à savoir tout le fatras symbolique — processions, discours, feux d'artifice, le «goût des mascarades et des pétarades» — qui s'est vidé de son contenu. Finalement, il s'en prend au «mouton national» et à l'autorité ecclésiastique qui défend «l'intangibilité du mouton»[12]. O. Asselin dit sans ambages qu'il «veut faire rager les crétins». L'archevêque a compris qu'il devait se compter parmi eux. Nous sommes en 1913: trois ans avant Dada. Olivar Asselin, un dada québécois avant la lettre.

La presse «rouge», libérale du *Pays*, enthousiasmée par les idées sacrilèges d'Olivar Asselin, fête déjà la mort du «mouton national». Mais les forces de réaction à l'intérieur de la S.S.J.B. — la section réactionnaire de la ville de Québec — se mobilisent. Mgr Bruchési fait une mise au point qui défend le mouton et tout ce qu'il représente: saint Jean-Baptiste et le sacrifice et, finalement, l'inféodation du politique au religieux: «Quoi de plus édifiant que de voir, au milieu de nos fêtes, un enfant gracieux et pur symbolisant le Précurseur, et à ses côtés le doux agneau, image du Rédempteur? Certains hommes parmi nous se moquent de tout cela. Ils parlent de notre attachement au «mouton». Il faut qu'ils

11. *Ibid.*, p. 213.
12. *L'Action*, 26 juillet 1913.

cessent un langage aussi insultant pour des croyances vénérables et pour
de chères traditions. Notre symbole vaut infiniment mieux que d'autres
que je ne veux pas nommer. Nous le garderons donc. Ceux qui le dédai-
gnent et le méprisent font voir qu'ils n'ont pas de sens chrétien»[13].

Olivar Asselin, dans un article célèbre de l'*Action* (26 juillet 1913),
s'en prend à Mgr Bruchési par «mouton national» interposé. Certes,
Asselin doit prendre des gants, biaiser, puisqu'il ne peut attaquer de front
l'autorité ecclésiastique, trop puissante. Mais le lecteur subtil l'aura
compris: cette attaque contre l'agneau est *aussi* une attaque contre une
Église autocratique qui demande soumission à *toute* autorité.

L'article d'Asselin est le grondement prémonitoire d'une crise de
l'autorité spirituelle qui, cinquante ans avant la lettre, annonce la Révolution tranquille. Événement sporadique, elle témoigne d'une faille
profonde dans la représentation de soi du Canadien français, faille qui ira
en s'élargissant jusqu'au jour où tous les soubassements symboliques ver-
moulus s'effondreront le 24 juin 1969.

Il s'agit donc d'abord d'une crise de la symbolicité, de la représentation de soi. *Symbolon*: deux bâtons qui doivent se rejoindre. Un
signifiant matériel renvoie à son signifié idéel: «Il y a dans les Écritures et
dans la lithurgie catholique des passages où le Messie-Rédempteur est
comparé à l'agneau sacré des Sacrifices»[14]. Bien sûr, Asselin n'a rien
contre l'idée du «mouton» comme animal sacrificiel, mais plutôt contre
l'identification de l'Église canadienne-française avec le symbole, tellement qu'attaquer le mouton implique attaquer l'autorité ecclésiastique.
Animal tabouisé, surdéterminé symboliquement, politiquement, qu'Asselin cherche à *banaliser*, à désacraliser. Le poisson n'est-il pas aussi
valable que l'agneau comme symbole sacrificiel? En effet, «les premiers
chrétiens se reconnaissent au signe du poisson; s'ensuit-il qu'on ne pourra
plus, sans manquer de respect à l'Église, dire du mal du maquereau?
Faudra-t-il désormais éviter de qualifier de requin un usurier et de petit
poisson un malhonnête homme?» Pourquoi ce qui est vrai pour le poisson
ne le serait-il pas pour l'agneau? Il y a bien des maquereaux et des
requins, pourquoi n'y aurait-il pas aussi des «moutons noirs»?

Asselin s'attaque ensuite au fond de la symbolicité de l'agneau au
Canada français: son enchevêtrement politico-religieux. Il en a contre

---

13. *Ibid.*, p. 237.

14. *L'Action*, 26 juillet 1913. Nous citons d'après Olivar Asselin, «Pensée française», in *Pages
choisies*, Montréal, 1937, p. 80.

l'agneau «devenu chez-nous, bien moins qu'un symbole religieux, l'emblème de la soumission passive et stupide à toutes les tyrannies»[15]. La première de ces «tyrannies», celle qui à deux reprises (1760 et 1839) a prêché la soumission au vainqueur, c'est bien l'Église canadienne.

Bien sûr, Asselin ne montre pas du doigt Mgr Bruchési. À bon entendeur salut! Comme s'il s'était trop avancé, le pamphlétaire bat en retraite: il ne veut nullement s'attaquer au symbole lui-même, à son signifié visible, mais simplement à son «mode de figuration», à son signifiant matériel. Asselin admet bien qu'en matière patriotique il faille tenir compte de la signification traditionnelle des symboles, «que Saint Jean-Baptiste et son agneau représente(nt), semble-t-il, le rôle de précurseur de la foi joué en Amérique par le peuple canadien-français»[16]. La fuite est de bonne guerre: David devra toujours ruser pour abattre Goliath! Sans aucun doute, c'est précisément cette «signification traditionnelle des symboles» que le jeune loup québécois, dévoreur d'agneaux, met en cause. Seulement, étant donné l'«intangibilité de l'agneau» au Canada français, l'auteur ose s'en prendre uniquement au signifiant dans l'espoir, bien sûr, de couper le lien vivant, le *relatum* qui donne le sens au symbole.

Dans ce but, le pamphléaire suggère qu'on supprime purement et simplement la figuration matérielle de l'agneau et du bambin lors des parades du 24 juin. Qu'on se contente de porter l'agneau sur les bannières, comme on le fait pour le castor, autre «emblème national»[17]. Car personne n'a jamais eu l'idée de trimbaler un 24 juin des castors dans la rue. «Serions-nous plus patriotiques, et ne serions-nous pas au contraire plus ridicules, en exhibant le 24 juin par les rues un de ces quadrupèdes?»[18]

La critique qu'opère Olivar Asselin du signifiant, du *sacrifice*, vise bien les trois instances de tout sacrifice: victime humaine (enfant), bouc émissaire animal (mouton), instance supérieure qui reçoit l'immolation (le père).

Mais quand pour satisfaire la volonté philistine d'un président ou d'un secrétaire de section, on promène toute une matinée sous un soleil brûlant, au risque de le rendre idiot pour la vie, un joli petit enfant qui n'a fait de

15. *Id.*
16. *Id.* p. 435.
17. *Idem*, p. 81.
18. *Id.*

mal à personne et à qui, neuf fois sur dix, la tête tournera de toute manière; quand, à cet enfant, l'on adjoint un agneau qui, se fichant de son rôle comme le poisson, en pareille occurrence, se ficherait du sien, lève la queue, se soulage et fait bê; et que derrière cet enfant et cet agneau, on permet à un papa bouffi d'orgueil d'étaler sa gloire d'engendreur en ayant l'air de dire à chaque coup de chapeau: «L'agneau le voilà; mais le bélier, c'est moi». — Si je veux bien ne pas mettre en doute la sincérité de ceux qui m'invitent à saluer, au nom du patriotisme, ce triste bouffon spectacle, je veux aussi, sans manquer de respect ni à la Religion ni à la Patrie, pouvoir m'écrier: Ce gosse qui fourre nerveusement ses doigts dans son nez et qui, pour des raisons faciles à deviner, ne demande qu'à retourner au plus tôt à la maison, ce n'est pas Saint Jean-Baptiste, c'est l'enfant d'un épicier de Sainte-Cunégonde.[19]

Ce passage capital se devait d'être cité *in extenso*. Très évidemment, il s'agit d'arracher l'enfant innocent — figure centrale du *roman familial* et du mythe de la Saint-Jean-Baptiste — «qui n'a fait de mal à personne», sur lequel se concentre toute la sympathie de l'auteur, à un rituel sacrificiel, fût-il symbolique. Pour cela, il coupe les signifiants de leur relation transcendantale qui déborderaient tout ce qu'ils *sont* dans leur en-soi naturel. C'est, en effet, cette nature humaine, cette animalité bestiale, ou mieux, les deux confondues, qu'il faut mettre en évidence. Tout ce rituel, comme l'eucharistie, se fait au nom du Père. Père sacrificateur, castrateur. En effet, Freud, dans un petit article intitulé «Une relation entre un symbole et un symptôme»[20], a établi que le chapeau est le «symbole» du «pénis»[21]. Freud a raison d'affirmer que ce symbole n'est pas des plus compréhensibles. Le père de la psychanalyse essaie de rendre plausible ce symbole en inférant que la «signification symbolique du chapeau dérive de la tête, en ce sens que le chapeau peut être considéré comme un prolongement de la tête, amovible»[22]. Le chapeau qu'on enlève symboliserait donc ainsi la décapitation, de même que la décapitation est un «ersatz» de la castration[23]. Figuration bien exprimée par le «*coup* de chapeau» coupant.

Dans ce drame satyrique où les animaux ont pris la place des humains, la situation «naturelle» du Canada — comme dans toute satyre

19. *Id.*

20. *Gesammelte Werke*, Francfort, Suhrkamp, t. XI, *op. cit.*, pp. 394-395.

21. *Ibid.*, p. 394.

22. *Ibid.*, p. 395.

23. *Ibid.*, p. 394.

— est inversée. L'arroseur arrosé, le décapiteur décapité, le castrateur castré. Quelle meilleure joie pour la victime! *Schadenfreude* dit-on en allemand. Avec son *coup* de chapeau, le «papa bouffi d'orgueil» indique l'agneau, victime sacrificielle, bouc émissaire, symbole de l'enfant immolé. «Mais le bélier c'est moi!» Le père est réduit à un bélier, bouc lubrique, et à un bouc émissaire sacrifié à la dérision d'un de ses fils. On croirait assister à la fois à la naissance de la tragédie et à celle de la satyre: la tragédie originant dans le «saut du bouc».

Évidemment, toute cette mise en scène de notre satiriste a pour but d'arracher l'enfant innocent, le Canadien français, au sacrifice auquel le Canada français officiel le voue, puisqu'il ne veut pas démordre de l'agneau. Ce «gosse» subit le même sort que l'agneau et le père: il est rabaissé à ses fonctions naturelles: il «fourre nerveusement les doigts dans son nez». Voyez «ceci n'est pas saint Jean», annonce le célèbre «ceci n'est pas une pipe» interprété magistralement par Michel Foucault.

Si le sacrifice du Canada français a consisté, sous la caution de l'Église, à immoler la réalité au Père invisible, Olivar Asselin inverse par dérision cette relation en immolant cette fois l'invisible au-delà à la nature organique, voire même scatologique. C'est ainsi qu'Olivar Asselin, par un acte très courageux, parce que solitaire, en pleine période d'angélisme, tue l'agneau, sacrifie le sacrifice. C'est lui qui a compris le sens profond du christianisme. Mieux que Mgr Bruchési.

Certes, même après 1913, l'agneau et l'enfant continueront de figurer dans les parades de la Saint-Jean-Baptiste. Les forces réactionnaires d'opposition, à l'intérieur même de la Société Saint-Jean-Baptiste, se liguent contre le «blasphémateur» de l'agneau. Mais, dorénavant, depuis que les Canadiens ont entr'aperçu «les choses sacrificielles cachées depuis la fondation» du Canada français, depuis que le doute s'est infiltré dans sa symbolicité, l'agneau n'est qu'un animal bêlant et l'enfant, le fils d'un brave épicier du quartier Saint-Henri.

Même si le ressort de la symbolicité canadienne-française est cassé, à savoir que sa transcendance s'avère être de plus en plus aveugle, le peuple, avec la complicité des gouvernants, aime à perpétuer le spectacle de son auto-sacrifice. Après tout, qui se souvient encore en 1920 du geste attentatoire d'Asselin? Il a été trop marginal, trop «intempestif» pour infléchir immédiatement le cours des parades. Ces dernières survivent plus de cinquante ans encore, jusqu'en 1969.

D'ailleurs, Asselin n'en a pas contre les parades, occasion unique de «faire entrer dans le peuple l'échec de l'union»[24], mais plutôt contre ce patriotisme «à panache et à ferblanterie» qui, au lieu de faire prendre conscience de l'histoire du Canada français, «contribue à l'abaissement de la conscience nationale, et à l'affaiblissement de la pensée française»[25]. «En faisant, une fois par année, admirer à la plèbe (...) le trappeur qui, trahi par ses étriers, s'entaille le bas du dos sur son couteau de chasse, l'Indien qui éperonne son cheval avec son tomahawk (à propos, combien y avait-il de cavaliers parmi les guerriers sauvages du Canada?), Montcalm qui porte l'épée à droite, et ainsi de suite, non seulement on contribue à développer (le) goût barbare (...) mais l'on fait à peu près autant pour l'éducation patriotique du peuple que les barnums du Sohmer Park et du Dominion Park»[26]. Ces «singeries» du cirque plébéien, loin de ressourcer le peuple dans son histoire, l'en aliènent, en lui faisant accroire que ce bric-à-brac puéril *est* son histoire. Les thèmes autour desquels ces parades rassemblent le peuple témoignent de cette «inconscience» qui se fêtait, selon Asselin, lors du 24 juin. Évidemment, lorsqu'en 1947 on en arrive à glorifier le patriotisme sous la devise «Le patriotisme, c'est ça», on peut être sûr que la Saint-Jean-Baptiste s'est vidée de toute substance.

La parade reste le dernier vestige du Canada français qui ne sera rejeté comme un cocon vide que lorsque la chrysalide se sera métamorphosée en papillon: une fois que la transmutation du Canada français en Québec se sera accomplie. Cette métamorphose, préparée de longue main par des gestes comme ceux d'Asselin, se joue entre septembre 1959 (mort de Duplessis) et le 24 juin 1969 (dernière grande parade de la Saint-Jean-Baptiste). Avec l'avènement du Parti libéral en 1960, le Canada français connaît un chambardement des plus profonds qui, pour une fois encore, s'est accompli sans effusion de sang et sans décapitation. Le fait vaut d'être retenu. C'est pourquoi le Québec s'y réfère sous le signe de «Révolution tranquille»; c'est la «Révolution glorieuse» du Québec.

En quatre ans, en effet, le gouvernement libéral, sous Lesage, a doté le Québec de ses institutions modernes, et créé notamment les grands ministères (ministère de l'Éducation, ministère des Affaires culturelles, ministère des Richesses naturelles, ministère du Commerce et de l'In-

---

24. Asselin, *Ibid.*, p. 77.

25. *Id.*

26. *Ibid.*, pp. 76-77.

dustrie, ministère des Affaires fédérales-provinciales, etc.) qui prennent en charge les activités et les ressources laissées en jachère par les gouvernements provinciaux précédents: notamment l'éducation et l'industrie. La nationalisation d'Hydro-Québec devient le symbole moderne de ce nouveau «courant» québécois qui traverse maintenant tout le pays. Courant aussi d'un nationalisme qui se reconnaît de moins en moins dans le patriotisme angélique et sacrificiel du Canada français.

Nous ne revenons plus sur ce rejet violent (*abjection*) dont le nouveau sujet québécois qui émerge de cette «Révolution tranquille», frappe son ancien avatar, le Canadien français, tellement qu'on croirait qu'il veut discréditer toute filiation de l'un à l'autre. Comme si le Québécois était né par parthénogénèse, ou mieux (puisqu'il faut encore une mère!) par mutation spontanée. Le Québécois est un mutant, qui, échaudé par les mauvaises expériences parentales de son histoire, se croit produit de ses seules oeuvres.

On peut dire que, dès 1968, cet avènement de la «spécificité» québécoise est acquise de façon irréversible. À preuve le «Manifeste souverainiste» de la même année qui s'ouvre sur la phrase programmatique «Nous sommes des Québécois». Manifeste qui débouche, le 11 octobre 1968, sur la fondation du Parti québécois. Si le «Manifeste souverainiste» se veut l'héritier d'une part de cette société de cultivateurs issue de «notre père et de notre grand-père» et d'«autre part de cette fantastique aventure que fut une Amérique d'abord presque entièrement française»[27], il n'en rejette pas moins radicalement «ce refus de soi-même», ce «masochisme» sacrificiel qui caractérisait le Canada français. «Interminablement, avec une insistance qui tient du masochisme, nous faisons et refaisons le tableau de nos insuffisances»[28]. Fini aussi le temps des alibis faciles de la première phase de *Parti pris* où il suffisait juste de pointer du doigt un Autre, grand responsable de l'infériorisation politique et économique du Canadien français. «Et si jamais nous devions, lamentablement, abandonner cette personnalité qui fait ce que nous sommes, ce n'est pas «les autres» qu'il faudrait en blâmer, mais notre propre impuissance et le découragement qui s'ensuivrait»[29].

27. Cité d'après *le Manuel de la parole: manifestes québécois recueillis et commentés par* Daniel Latouche et Diane Poliquin-Bourassa, Montréal, Boréal Express, 1979.

28. *Ibid.*, p. 99.

29. *Id.*

Ce n'est donc pas un hasard si le dernier vestige symbolique du Canada français s'écroule, un peu comme l'Empire français de l'Amérique s'est effondré sous son propre poids, vidé de l'intérieur. Les jeunes contestataires de la Saint-Jean-Baptiste, inconsciemment, trouveront le symbole pour tuer, une fois pour toutes, le «jean-baptisme» du Canada français. Le soir de la Saint-Jean-Baptiste, ils font voler en éclats une cinquantaine de vitres des magasins et des banques de la rue Sainte-Catherine. Véritable *Kristallnacht* à la québécoise.

En effet, Jean-Baptiste ne figure-t-il pas cette vitre, rien par elle-même, d'autant plus parfaite qu'elle se fait invisible, verre qui laisse filtrer la lumière? Nous l'avons dit, saint Jean-Baptiste n'est pas la lumière, mais seulement le messager, le médium qui rend visible la lumière. D'ailleurs, les Pères de l'Église ont expliqué aussi l'Immaculée Conception par l'Esprit qui traverse la vitre sans laisser de trace de son passage.

Le Québec, qui a pris suffisamment conscience de son ego national, ne se reconnaît plus dans son rôle de missionnaire, de précurseur au service d'un Autre. Il veut être lui-même, être reconnu pour ce qu'il est: être opaque qui ne se laisse plus traverser par la lumière de l'Autre. C'est pourquoi, cette nuit du 24 juin, les vitres de la rue Sainte-Catherine sont tombées en éclats.

Épilogue

La fondation du Québec

La boucle est bouclée. Nous sommes arrivés à la fin de notre trajet. Commencé sur la fondation *de* Québec, il se termine sur la fondation *du* Québec.

Nous avons vu que toutes les fondations du *Canada*, depuis celle de la ville de Québec par Champlain, ont été ponctuées de «meurtres fondateurs». La fondation *du* Québec, exceptionnellement, en aurait-elle fait l'économie? Est-ce parce que le mécanisme sacrificiel avait été mis à jour dans ce dernier coup d'éclat du 24 juin 1969? On pourrait le penser.

Tout d'abord, entre 1960 et 1969 — temps de l'incubation du Québec —, aucune date décisive ne s'offre à l'observateur, date marquant de façon irrévocable la fin d'une époque et le début d'une autre. Dans cette «Révolution tranquille», au début des années soixante, tout évolue tellement «tranquillement», qu'à part la prise de pouvoir du Parti libéral, rien n'indique de façon ostensible la césure où commence le Québec.

Certes, nous avons repéré, dans le 24 juin 1969, le *terminus ad quem* du Canada français, commencé aux lendemains de 1838, son *terminus a quo*. Si notre périodisation est juste, le début du Québec doit intervenir après le coup d'éclat du 24 juin 1969. Il coïncide pour nous avec ce qu'il a été convenu d'appeler «la crise d'octobre 1970».

La *crise*, c'est le moment culminant, le paroxysme où se déclare vraiment une maladie. La «crise d'octobre», c'est l'instant paroxystique d'une des pires confusions de l'histoire québécoise moderne. Encore aujourd'hui, cette crise d'octobre reste voilée dans les brouillards du tohu-bohu originel. Il ne nous appartient nullement de dévoiler les «dessous» des événements d'octobre, comme d'aucuns l'on fait, mais de les mettre en relation avec les autres moments de crise au *Canada*, notamment avec la fondation de Québec.

En effet, comment ne pas penser à la première crise qui a accompagné la fondation de Québec? Là aussi, l'Habitation de Champlain a été plongée dans le chaos total, provoqué par la confusion du principe d'ouverture et de fermeture de la porte de Québec. On se souvient, que le mauvais «serrurier» Jean Duval avait voulu assassiner Champlain afin de laisser la place à l'ennemi. Crise confusionnelle qui prend fin avec le châtiment du coupable, pendu et décapité, sa tête montée sur un piquet.

La «crise d'octobre», bien que née dans de toutes autres conditions a, fondamentalement, les mêmes enjeux que celle de 1608: dans l'une et dans l'autre, l'ordre social a été gravement perturbé parce qu'un ennemi non identifié, travaillant dans l'ombre, le sapait. Dans la crise fondatrice *de* Québec et *du* Québec, il s'agissait de discerner l'ennemi de l'ami, de savoir qui était ce *Petrus* (Pierre) ayant l'autorité d'«ouvrir» et de «fermer» la ville et la province. Est-ce un hasard si la victime «choisie» dans la «crise d'octobre» s'appelle Pierre *Laporte*, ministre du Travail, exécuté dans des circonstances restées mystérieuses?

Depuis la fondation de Québec, certaines questions essentielles du Québec, malgré leurs formulations changeantes, restent les mêmes. Si la «crise d'octobre», pour être saisie dans toute sa profondeur — le symptôme d'un drame fondateur — doit être reliée à toutes les autres crises fondatrices du *Canada*, une des causes immédiates qui l'ont introduite est sans aucun doute l'élection provinciale du 29 avril 1970. Pour la première fois, le Parti québécois fait son entrée au Parlement de Québec. Malgré tout, c'est la déception dans les milieux indépendantistes: avec 24% des voix récoltées, ce parti n'a gagné que sept sièges.

Les mouvements indépendantistes radicaux, dont *le Front de Libération du Québec* (F.L.Q.) qui, un moment, ont mis leurs espoirs dans l'avènement de l'indépendance au Québec par voie démocratique, grâce au Parti québécois, après l'élection du 29 avril, vont être confirmés dans leur idée première que seule la lutte armée peut faire atteindre le but de l'indépendance. Le Manifeste du F.L.Q. diffusé le 9 octobre 1970, en citant les mots amers de René Lévesque prononcés la nuit du 29 avril, montre qu'il se solidarise encore avec ce parti. «Les puissances d'argent du statu quo, la plupart des tuteurs traditionnels de notre peuple, ont obtenu la réaction qu'ils espéraient, le recul plutôt qu'un changement pour lequel nous avons travaillé comme jamais»[1]. Seulement, depuis le 29 avril, les masques sont tombés, les espoirs évanouis. «Nous avons cru un moment qu'il valait la peine de canaliser nos énergies, nos impatiences comme le dit si bien René Lévesque, dans le Parti québécois, mais la victoire libérale montre bien que ce qu'on appelle démocratie au Québec n'est en fait et depuis toujours que la «democracy» des riches»[2]. La preuve est faite maintenant que seule la lutte armée peut venir à bout des injustices inhérentes au «parlementarisme britannique».

C'est pourquoi, après un premier essai manqué au mois de juin, le 5 octobre le F.L.Q. passe à l'action avec l'enlèvement du diplomate anglais James Richard Cross. L'otage n'est pas choisi au hasard: ressortissant britannique, il incarne ce «parlementarisme» dénoncé dans le Manifeste. La cellule qui s'est donnée pour nom «Libération» demande justement la libération des prisonniers politiques.

Le 10 octobre, nouveau coup d'éclat, une autre cellule qui s'appelle «Chénier», enlève Pierre Laporte, ministre du Travail et de l'Immigration. Depuis ce jour, il ne saurait plus faire de doute que la crise d'octobre plonge ses racines jusqu'à cette autre grande crise du Canada français: la Rébellion des Patriotes. D'ailleurs, le Manifeste du F.L.Q. ne manque jamais de citer la lutte armée des Patriotes en exemple de la guerilla présente. «Il nous faut lutter, non plus un à un, mais en s'unissant, jusqu'à la victoire, avec tous les moyens que l'on possède comme l'ont fait les Patriotes de 1837-38, ceux que Notre sainte mère l'Église s'est empressée d'excommunier pour mieux se vendre aux intérêts britanniques»[3]. Jusqu'à la complicité collaboratrice de «notre sainte mère l'Église» qui est rappelée avec une ironie teintée d'amertume.

La cellule du F.L.Q. qui a enlevé Pierre Laporte se réclame donc précisément du Dr Chénier, célèbre Patriote, tombé lors de la bataille de Saint-Eustache. On s'en souvient, son cadavre avait été profané, son coeur arraché. Le cadavre de Pierre Laporte, trouvé, le 17 octobre, dans des conditions mystérieuses sur la base militaire de Saint-Hubert, territoire surveillé de près par l'armée canadienne, porte les marques de

1. *Le Manuel de la parole*, *op. cit.*, pp. 127-128.
2. *Ibid.*, p. 128.
3. *Ibid.*, p. 130.

sévices combinés des douze Patriotes exécutés par pendaison et du Dr Chénier, blessé «au coeur». En effet, le rapport final de l'autopsie du 6 novembre constate sur le cadavre un «sillon de strangulation» d'une profondeur de 2 à 3 mm et conclut donc qu'il est évident que le décès devait être attribué à un processus «d'asphyxie aiguë par strangulation au lien»[4]. Le «lien» était en l'occurrence la chaînette scapulaire que la victime portait au cou. Pierre Laporte est mort asphyxié, par strangulation, comme les Patriotes.

D'autre part, sa poitrine présentait une «plaie ouverte provoquée par un objet coupant» qui «avait pénétré tangentiellement vers le haut de l'épaule droite, sur une profondeur de 4 cm»[5]. Blessure sur la poitrine, près du coeur, qui simulait celle infligée par les bourreaux du Dr Chénier. Pierre Laporte passe par le même mode d'exécution que les victimes fondatrices du Canada français. Victimes qui, elles-mêmes, évoquent ce choc initial qu'a été pour le Canada français la décapitation du roi Louis XVI, la victime par excellence. La mise à mort de Pierre Laporte doit se comprendre dans la cascade d'exécutions capitales qui remonte à l'*Ur-Hinrichtung*, l'exécution «archéïque» du roi français. Chacun de ces événements *décisifs* de façon tranchée marquait le début d'un nouveau régime, fondation d'un nouveal état (dans le double sens du terme).

Mais, avant d'en arriver là, on passait par une période trouble de chaos, de confusion des valeurs, des identités. Transition où les nouvelles valeurs et idéologies nécessairement vont côtoyer les anciennes, où les anciens sujets vont voisiner avec les nouveaux. Ce qui a été vrai en 1760, en 1793, en 1837, l'est aussi en 1970. À chaque fois, c'est le coup décisif de l'exécution sacrificielle d'une ou de plusieurs victimes qui a tiré un trait entre un ancien régime révolu et un nouveau régime qui s'annonce. Ainsi, l'exécution de Pierre Laporte sanctionne la fin irrévocable du Canada français, annoncée l'année précédente dans le coup d'éclat du 24 juin, pour fonder le Québec. Le Québec commence donc «précisément» un 17 octobre 1970 entre 15 h 10 et 21 h 00, heure de l'exécution de Pierre Laporte, selon le rapport d'autopsie.

L'exécution de Pierre Laporte, outre qu'elle se fait dans la clandestinité, se démarque encore sur d'autres points de celles que le Canada français a connues dans le passé. En effet, jusqu'à maintenant, le

---

4. Rapport final de l'autopsie, 6 novembre 1970, cité in Pierre Vallières, *l'Exécution de Pierre Laporte*, Montréal, Québec/Amérique, 1977, p. 197.

5. *Ibid.*, p. 194.

Canadien français s'est vu réduit par un Autre, Ennemi, au rôle passif de victime pour devenir actant. De victime, il se mue en bourreau et attente à ce qui a été tabou au Canada: au pouvoir paternel, immunisé pour ainsi dire depuis l'exécution de Louis XVI. Il n'ose pas viser tout à fait le pouvoir premier, puisque Pierre Laporte est «Vice-Premier ministre» ou Premier ministre intérimaire.

Or, loin de s'identifier avec les auteurs de cette exécution qui, on aurait pu le penser, les vengerait des «hontes bues» du passé, les Québécois se sentent solidaires de la victime. Son sang passé victimaire leur colle à la peau. Si bien que les ravisseurs de Pierre Laporte, moins que des bourreaux — qui exécutent au nom d'une autorité — , sont de vulgaires assassins *contre* lesquels se refait l'unanimité des Québécois, au nom de la *victime*.

Ainsi donc, l'enlèvement du diplomate anglais et l'exécution de Pierre Laporte ont eu les effets contraires à ceux escomptés par leurs auteurs: ils ont renforcé l'autorité établie, musclée, non entamée encore par la crise: celle du gouvernement fédéral. Les trois colombes du «French Power» à Ottawa (Pierre Trudeau, Gérard Pelletier et Jean Marchand) en l'occurence se muent en faucons. L'occasion est trop belle: Pierre Trudeau peut enfin administrer à ses compatriotes, Canadiens français comme lui, une leçon sur le danger de l'indépendance. C'est lui le nouveau *Petrus* qui ouvre et ferme les portes de la province... et des prisons.

En effet, par une action d'éclat, le gouvernement fédéral donne l'impression que le pays est au bord d'une révolution, d'une insurrection. La veille de la mort de Pierre Laporte, le gouvernement Trudeau met en vigueur la «Loi des mesures de guerre» qui suspend toutes les garanties constitutionnelles. L'armée patrouille les rues de Montréal et prend position devant les édifices «stratégiques». La presse écrite et électronique se met de la partie et amplifie les événements ou les pseudo-événements au son du tam-tam tribal, pour parler avec McLuhan. D'ailleurs, ce dernier a très justement qualifié la crise d'octobre de «première révolution électronique de l'histoire»[6].

Commence alors un ratissage sauvage de tous ceux qui ont des accointances nationalistes, indépendantistes, «terroristes». Car comment distinguer, à chaud, en temps de crise? De toute façon, tout nationaliste réputé passe alors pour «terroriste». Dans ces rafles, bien des bavures: le

6. *Ibid.*, p. 21.

poète Gaston Miron est emprisonné, qui publie cette même année son *Homme rapaillé*, somme qui rassemble toute une expérience individuelle et collective des vingt dernières années. Autre signe que 1970 est une année charnière.

Comme les autres crises fondatrices et mutationnelles du Canada français, celle d'octobre 1970, après un chaos, un temps de confusion, tire des lignes de partage, opère des discernements. Car, à long terme, la crise d'octobre a eu des effets «contre-productifs» qui sont allés à l'encontre de ceux visés et escomptés par les gouvernements en place: compromettre, discréditer une fois pour toutes le mouvement nationaliste au Québec, en le confondant délibérément avec le terrorisme.

C'est justement le contraire qui s'est passé: pendant le feu de la crise d'octobre, le mouvement nationaliste québécois, en l'occurence le Parti québécois, s'est vu obligé de se démarquer nettement de tous ces groupes et groupuscules qui rêvaient encore d'atteindre l'indépendance par voie de Révolution, de désavouer toutes les complicités passées avec des personnes et des groupes qui n'ont pas choisi les moyens démocratiques pour en venir à l'indépendance. Même si, dans l'immédiat, la crise d'octobre renforce les gouvernements en place (gouvernement du maire Drapeau, de Robert Bourassa à Québec, et celui de Pierre Trudeau à Ottawa), dans un long terme, elle ouvre au Parti québécois les portes du pouvoir, en novembre 1976.

Probablement que, sans cette crise, l'accès au pouvoir du Parti québécois ne se serait pas faite du tout ou, tout au moins, ne se serait pas fait dans de si brefs délais. Car le temps ordinaire n'aurait jamais formé une définition aussi radicalement antiradicale de ce Parti. Ainsi Pierre Trudeau a beau évoquer le «martyre» de Pierre Laporte pour cimenter l'union du Canada — «pour tous les Canadiens partisans de la démocratie, Pierre Laporte est un martyr. Sa mort ne doit pas être une tragédie inutile. Nous devons faire en sorte qu'elle marquera un jalon dans la lutte pour l'unité canadienne»[7] — la mort de Pierre Laporte, comme celle des Patriotes, d'ailleurs, ne fait qu'exacerber la division, la dualité du Québec.

Dualité, nous l'avons vu, inscrite dans la géographie et dans la constitution même de l'Amérique française depuis sa fondation. Dualité ou mieux *double bind*, *double lien*, au sens premier du mot, qui a déterminé le *Canada* par ce qui le constitue en tant que pays dans son pour soi *et* par

---

7. *Ibid.*, p. 15.

un lien à un pays autre, puissance tutélaire (mère patrie française, conquérant anglais, confédération canadienne) dont le pouvoir dépendait. C'est ce dernier lien que le Canada français et le Québec n'a jamais osé couper.

Cette dualité du Canada français a trouvé sa réciprocité pour ainsi dire au Canada anglais depuis la fondation du Haut-Canada, le futur Ontario. C'est justement en conjuguant leurs deux forces que ces dualités coloniales antagonistes ont pu contrer les visées impérialistes et assimilatrices de leur mère patrie anglaise. Réaction autonomiste des deux pays colonisés qui mène tout droit à la Confédération canadienne de 1867.

Or, cette dernière change radicalement la donne première des deux Canadas, la dualité *canadienne* des temps fondateurs s'étant perpétuée finalement jusqu'en 1867: en introduisant d'autres partenaires, d'autres provinces, toutes anglaises, elle débalançait complètement l'équilibre certes instable, mais possible entre les *deux* nations fondatrices. À neuf provinces contre une, le statut du Québec devient dangereusement précaire. On comprend alors que le Québec insiste auprès du Canada anglais pour que ce dernier reconnaisse sa spécificité, déposée dans la Constitution, la spécificité des *deux* nations fondatrices (évidemment, les nations autochtones sont le tiers exclus!)

Quiconque oublie cette dualité du Canada, d'une part, du Québec, d'autre part, se prive à tout jamais de les comprendre dans leur spécificité fondamentale, fondatrice, et, par là, empêche la «convivialité» de l'un et de l'autre.

Le Canada anglais qui veut «gleichschalten» le Québec, le mettre au rang des autres provinces, exacerbera les pulsions autonomistes du Québec puisqu'il prouve par son attitude que, pour garder son caractère unique, français, en Amérique du Nord, il doit gagner le plus de souveraineté possible.

Mais, d'autre part, le gouvernement québécois qui se propose directement ou par des voies détournées (étapisme) de réaliser la souveraineté du Québec se heurtera à une résistance de la majorité de la population québécoise, parce qu'elle se reconnaît encore, comme elle s'est toujours reconnue, dans cette dualité d'une double appartenance. D'ailleurs, le Parti québécois n'a pu être élu qu'en mettant en veilleuse son option souverainiste. Son référendum de mai 1980, s'il avait posé la question décisive (Êtes-vous pour ou contre la souveraineté du Québec?) aurait reçu un «non» encore plus décisif.

En répudiant publiquement son option indépendantiste en novembre 1984, le Parti québécois a certes trahi son objectif premier, la souveraineté, pour jouer la carte de la dualité québéco-canadienne. Aussitôt, des «orthodoxes» s'en sont séparés en formant un nouveau parti indépendantiste: le R.D.I. (Rassemblement démocratique pour l'indépendance), qui va recommencer la lutte pour l'indépendance à zéro, car le «peuple québécois» depuis vingt ans qu'on lui en parle n'est pas encore, dit-on, assez «sensibilisé» à la question...

Après la démission de René Lévesque, Guy Bertrand, le seul candidat à défendre l'idée jadis — il y a à peine un an — sacro-sainte de la Souveraineté, prêche devant des salles vides, tellement l'opinion des militants s'est retournée...

Ainsi le pendule de l'histoire du Québec va, imperturbablement, dans un rythme lent, de 30 à 60 ans (d'une ou de deux générations approximativement) de l'acceptation globale collective de la dualité, de *sa* dualité, jusqu'au refus global, jusqu'à la lutte acharnée par une couche de la société québécoise (les Patriotes en 1837, la «upper middle class» du Parti québécois) pour nier cette dualité.

Car au fond, l'idée d'indépendance du Québec, qu'est-elle sinon le rejet pur et simple de cette dualité *constitutive* du Canada français par le sujet québécois tout en oubliant, d'une part, sa propre dépendance du Canada français, son premier avatar et d'autre part, cet Autre tutélaire (Mère patrie, Paris, Rome, Ottawa), dont il n'a jamais coupé définitivement les liens symbiotiques? La révolte de 1837 et le référendum du 20 mai 1980 ont montré que foncièrement la «question du Québec», de la souveraineté du Québec, n'a pas évolué: elle n'arrive pas à mordre sur la majorité de la population québécoise. Soumise à l'arbitrage populaire par le suffrage des armes (1837) ou des urnes (1980), immanquablement elle est rejetée, reléguée aux calendes grecques, au prochain rendez-vous avec l'Histoire, dans une ou deux générations. Et tout commence comme si de rien n'avait été, avec la fondation d'un «nouveau» parti indépendantiste, le Parti des Patriotes, le R.I.N., le Parti québécois hier, le R.D.I., P.I. aujourd'hui...

L'idée d'indépendance, jamais morte, renaît ainsi de ses cendres, tel le phénix. Tant que le Québec ne prendra pas conscience de la généalogie du *Canada* et du Québec, tant que le Québec ne se souviendra pas que la réponse à la «question du Québec» a déjà été donnée par l'Histoire du *Canada* et du Québec, il tournera en rond, répétant obsessionnellement les mêmes gestes, exténuant ses forces. Là où les militants de l'indépendance, dans la méconnaissance de leur histoire, ne voient qu'incomplétude, inachèvement, la généalogie profonde de l'Histoire du Canada et du Québec nous dit que c'est là que réside la «vraie nature du Québec et du Canada».

Pour cela, évidemment, il faudrait que le Québec se souvienne. Ce n'est pas le moindre paradoxe du Québec que sa devise est «je me souviens». Pour vraiment qu'il se souvienne, il faudrait qu'il perce d'abord ses «souvenirs-écrans» (Deckerinnerungen). C'est ce que nous avons essayé de faire pour lui.

Autrement, il faut donner raison à l'auteur québécois qui a dit, non sans humour, de sa patrie: «ce pays dont la devise est je m'oublie».

Bibliographie

N.B. Pour ne pas rallonger indûment cet essai au-delà des limites acceptables, nous nous sommes contentés de ne mentionner, sauf exception, que les ouvrages cités dans ce livre. Elle ne constitue nullement un quelconque «état présent» des sujets abordés. Pour faciliter l'accès du lecteur, nous avons préféré, à chaque fois qu'elle existait (dans le cas notamment des récits de voyage), l'édition de poche à l'édition d'époque. La date de l'édition originale se trouve alors entre parenthèses.

ALBERT LE GRAND, *les Admirables Secrets de magie naturelle du Grand Albert et du Petit Albert*, Albin Michel, Paris, 1981.

ALDEN, J.R., *Georges Washington*, University Press, Louisiana 1984.

ANONYME, *Voyage au Canada fait depuis l'an 1751 à 1761 par J.C.B.*, Aubier, Paris, 1978.

ARIÈS, PH., *l'Enfant et la Vie familiale*, Seuil, Paris, 1973.

ARIÈS, PH., *l'Homme devant la mort*, Seuil, Paris, 1977.

ASSELIN, O., *Pages choisies*, Montréal, 1937.

ASSOUN, P.-L., *l'Entendement freudien. Logos et Anankè*, Gallimard, Paris, 1984.

ATKINSON, G., *la Littérature géographique française de la Renaissance; répertoire bibliographique*, Paris, 1927.

ATKINSON, G., *les Nouveaux Horizons de la Renaissance*, Droz, Paris, 1935.

AUTRAND, F., *Charles VI. La folie du roi*, Fayard, Paris, 1986.

AXTELL, J., *The European and the Indian: Essays in Ethnohistory of Colonial North America*, Oxford Press, New York, 1981.

AXTELL, J., *The Invasion within. The Contest of Cultures in Colonial North America*, New York, Oxford University Press, 1985.

BABY, L.F.G., «l'Exode des classes dirigeantes à la cession du Canada», *The Canadian Antiquarian and Numismatic Journal*, 3e série, 2, 1899.

BACHELARD, G., *la Psychanalyse du feu*, Gallimard, Paris, 1949.

BACON, F., «Nova Atlantis» (1627), in *The Philosophical Works of Francis Bacon*, Londres, 1905.

BACQUEVILLE DE LA POTHERIE, *Histoire de l'Amérique*, Paris, 1722.

BADIE, B., *Culture et politique*, Economica, Paris, 1983.

BARRÉ, G., GIROUARD, L., «la Plaine laurentienne, les Iroquois: premiers agriculteurs», *Recherches amérindiennes au Québec*, vol. 7, no 1-2, 1978.

BARTHES, R., *Mythologies*, Seuil, Paris, 1957.

BARTHES, R., *la Chambre claire*, Seuil, Paris, 1980.

BATESON, G., *Vers une écologie de l'esprit*, tomes I et II, Seuil, Paris, 1977.

BATESON, G., *la Nature et la pensée*, Seuil, Paris, 1984.

BÉGON, E., *Lettres au cher fils* (1748-1753), HMH, Montréal, 1972.

BENVENISTE, E., *Problèmes de linguistique générale*, Gallimard, Paris, 1966.

BERGERON, G., *Notre Miroir à deux faces, Trudeau-Lévesque*, Québec/Amérique, Montréal, 1985.

BERKHOFER, R.F., *Salvation and the Savage: An Analysis of Protestant Missions and the American Indian Response (1787-1862)*, Athaneum, New York, 1972.

BERNARD, J.-P., *les Rouges*, Presses de l'Université du Québec, Montréal, 1971.

BERNARD, J.-P., *les Rébellions de 1837-1838*, Boréal Express, Montréal, 1983.

BERTHIAUME, A., *la Découverte ambiguë: essai sur les récits de voyage de J. Cartier et leur fortune littéraire*, P. Tisseyre, Montréal, 1976.

BIGGAR, H.-P., *The Early Trading Companies of New France; A Contribution to the History of Commerce and Discovery in North America*, University of Toronto Library, Toronto, 1901.

BIGGAR, H.-P., *The Precursors of Jacques Cartier 1497-1534*, Publication des Archives Canadiennes, Ottawa, 1911, trad. française, 1913.

BIGGAR, H.-P., *A Collection of Documents Relating to Jacques Cartier and the Sieur Roberval*, Publication des Archives Canadiennes, Ottawa, 1930.

BILODEAU, R., et Al., *Histoire des Canadas*, Hurtubise, H.M.H., Montréal, 1971.

BLOCH, E., *le Principe Espérance*, tomes I et II, Gallimard, Paris, 1976 et 1982.

BLOCH, M., *les Rois thaumaturges*, Paris, 1924; rééd. Gallimard, Paris, 1983.

BOORSTIN, D., *The Discoverers*, Vintage Books, New York, 1985.

BORNEMAN, E., *le Patriarcat*, Les Presses de l'Université de France, Paris, 1978.

BOUCHER, P., *Histoire véritable et naturelle des moeurs et productions de Nouvelle-France vulgairement dite le Canada* (1664), Société historique de Boucherville, 1964.

BOUGAINVILLE, L.A. DE, *Voyage autour du monde* (1771), «La Découverte», F. Maspero, Paris, 1980.

BOURQUE, G., *Classes sociales et Question nationale au Québec 1760-1840*, Éditions Parti pris, Montréal, 1970.

BOURQUE, G., LÉGARÉ, A., *le Québec. La question nationale*, Maspero, Paris, 1970.

BOUTHILLETTE, F., *le Canadien français et son double*, L'Hexagone, Montréal, 1972.

BRAUDEL, F., *la Méditerranée et le Monde méditerranéen à l'époque de Philippe II*, 1949, réed. A. Colin, Paris, 1966.

BRAUDEL, F., dir. *le Monde de Jacques Cartier*, Berger-Levrault, Libre Expression, Paris/Montréal, 1984.

BRUNET, M., *la Présence anglaise et les Canadiens. Études sur l'histoire et la pensée des deux Canadas*. Montréal, Beauchemin, 1958.

BRUNET, M., *Canadians et Canadiens. Études sur l'histoire et la pensée des deux Canadas*, Fides, Montréal, 1954.

BRUNET, M., *Québec-Canada; deux itinéraires, un affrontement*, Hurtubise, HMH, Montréal, 1968.

BUCI-GLUCKSMANN, C., *la Raison baroque*, Les Éditions Galilée, Paris, 1984.

BUREAU, L., *Entre l'Éden et l'Utopie*, Québec/Amérique, Montréal, 1984.

BURT, A.L., «The Frontier in the Historiy of New-France», in Riddel ed., *The Canadian Historical Association*, University of Toronto Press, Toronto, 1940.

CAILLOIS, R., *l'Homme et le Sacré*, Gallimard, Paris, 1950.

CAMPEAU, L., *la Première mission d'Acadie (1602-1616)*, Presses de l'Université de Laval, Québec, 1967.

CARTIER, J., *Voyages au Canada*, «La Découverte», F. Maspero, Paris, 1981.

CERTEAU, M. DE, *l'Écriture de l'histoire*, Gallimard, Paris, 1975.

CHALIAND, G., RAGEAU, P., *l'Atlas de la découverte du monde*, Fayard, Paris/Boréal Express, Montréal, 1985.

CHAMPLAIN, S. DE, *Oeuvres de Champlain*, Les Éditions du jour, Montréal, 1973.

CHAMPLAIN, S. DE, *Nouveaux Documents sur Champlain et son époque*, Publications des Archives publiques du Canada, Ottawa, 1967.

CHARBONNEAU, A., et AL., *Québec, ville fortifiée du 17e au 18e siècles*, Ottawa, 1981.

CHARLEVOIX, F.-X. DE, *Histoire et Description de la Nouvelle-France*, Paris, 1744.

CHATEAUBRIAND, F.R. DE, *Mémoires d'outre-tombe*, La Pléiade, Paris, 1951.

CHAUNU, P., *Séville et l'Atlantique*, Sevpen, Paris, 1959-1960.

CHAUNU, P., *l'Amérique et les Amériques*, Armand Colin, Paris, 1964.

CHAUNU, P., *l'Expansion européenne du XIIIe au XVIe siècles*, Les Presses de l'Université de France, Paris, 1969.

CHAUNU, P., *Conquête et Exploitation des nouveaux mondes*, Les Presses de l'Université de France, Paris, 1969.

CHINARD, G., *l'Exotisme américain dans la littérature française du XVIe siècle*, Paris, 1913.

CHINARD, G., *l'Amérique et le Rêve exotique. La littérature française au XVIIe et au XVIIIe siècles*, Droz, Paris, 1934.

CLASTRES, P., *la Société contre l'État*, Éd. de Minuit, Paris, 1974.

CLERMONT, N., CHAPDELAINE, C., «la Sédentarisation des groupes non-agriculteurs dans la plaine de Montréal», *Recherches amérindiennes au Québec*, vol. 10, no 3, 1980.

COLLECTIF CLIO, *l'Histoire des femmes au Québec depuis quatre siècles*, Les Quinze, Montréal, 1982.

COLOMB, C., *la Découverte de l'Amérique*, I. *Journal de bord (1492-1493)*, «La Découverte», F. Maspero, Paris, 1980.

COLOMB, C., *la Découverte de l'Amérique*, II. *Relations de voyage (1493-1504)*, «La Découverte», F. Maspero, Paris, 1980.

CORBIN, A., *le Miasme et la Jonquille*, Aubier, Paris, 1982.

CORTEZ, H., *la Conquête du Mexique (Cartas de relacion, 1519-1526)*, «La Découverte», F. Maspero, Paris, 1979.

COSTISELLA, J., *l'Esprit révolutionnaire dans la littérature canadienne-française*, Beauchemin, Montréal, 1968.

COUTAU-BÉGARIE, H., *le Phénomène «Nouvelle Histoire», stratégie et idéologie des nouveaux historiens*, Economica, Paris, 1983.

CRONON, W., *Changes in the Land. Indians, Colonists and the Ecology of New England*, Hill and Wang, New York, 1984.

DAVID, L.-O., *les Patriotes de 1837-1838* (1884), Montréal, 1981.

DECHÊNE, L., *Habitants et Marchands de Montréal au 18e siècle*, Plon, Paris/Montréal, 1974.

DELACAMPAGNE, C., *l'Invention du racisme*, Fayard, Paris, 1983.

DELÂGE, D., *le Pays renversé. Amérindiens et Européens en Amérique du Nord-Est*, Boréal Express, Montréal, 1985.

DELANOË, N., *la Faute à Voltaire*, Seuil, Paris, 1974.

DELANOË, N., *l'Entaille rouge, terres indiennes et démocratie américaine*, F. Maspero, Paris, 1982.

DESROSIERS, L.-P., *Iroquoisie*, I. (1534-1646), Institut d'histoire de l'Amérique française, Montréal, 1947.

DIAMOND, S., «le Canada français au XVIIe siècle: une société préfabriquée», *Annales E.S.C.*, vol. 16, no 2, 1961.

DIONNE, N.E., *la «Petite Hermine» de Jacques Cartier*, Québec, 1913.

DIONNE, R., *Anthologie de la littérature québécoise*, vol. II. *La Patrie littéraire (1760-1895)*, La Presse, Montréal, 1978.

DOUGLAS, J., *New England and New France. Contrasts and Parallels in colonial History*, W. Briggs and Putnam's Sons, Toronto/New York, 1913.

DOUVILLE, R., CASANOVA, J.-D., *la Vie quotidienne en Nouvelle-France*, Hachette, Paris, 1964.

DOUVILLE, R., CASANOVA, J.-D., *la Vie quotidienne des Indiens du Canada à l'époque de la colonisation française*, Hachette, Paris, 1967.

DUBY, G., *les Trois ordres ou l'imaginaire du féodalisme*, Gallimard, Paris, 1978.

DUMÉZIL, G., *Mythe et Épopée*, III, *Histoires romaines*, Gallimard, Paris, 1973.

ECCLES, W.-J., *The Canadian Frontier*, 1534-1760, Holt, Rinehart and Winston, Toronto, 1969.

ELIADE, M., *le Mythe de l'éternel retour*, Gallimard, Paris, 1969.

EMMANUEL, A., *l'Échange inégal*, Maspero, Paris, 1969.

FELMAN, S., *la Folie et la Chose littéraire*, Seuil, Paris, 1978.

FILTEAU, G., *Histoire des Patriotes* (1938), L'Aurore, Montréal, 1975.

FOUCAULT, M., *Folie et Déraison. Histoire de la folie à l'âge classique*, Gallimard, Paris, 1961.

FOUCAULT, M., *les Mots et les Choses*, Gallimard, Paris, 1966.

FRÉCHETTE, L., *la Légende d'un peuple*, Québec, 1890.

FRÉGAULT, G., *la Civilisation de la Nouvelle-France (1713-1744)*, Montréal, 1944.

FRÉGAULT, G., *la Société canadienne sous le régime français*, Ottawa, 1954.

FRÉGAULT, G., *la Guerre de la Conquête, 1754-1760*, Fides, Montréal, 1955.

FREUD, S., *Gesammelte Werke*, Suhrkamp, Frankfurt, depuis 1960.

FREUD, S., *Métapsychologie*, Gallimard, Paris, 1968.

FREUD, S., *Essais de psychanalyse appliquée*, Gallimard, Paris, 1971.

FREUD, S., *l'Inquiétante Étrangeté et autres essais*, Gallimard, Paris, 1985.

FREUND, J., *l'Essence du politique*, Sirey, Paris, 1965.

FURET, F., *Penser la Révolution française*, Gallimard, Paris, 1978.

GAGNON, F.-M., *la Conversion par l'image. Un aspect de la mission des Jésuites auprès des Indiens du Canada au XVIIe siècle*, Bellarmin, Montréal, 1975.

GAGNON, F.-M., *les Hommes dits sauvages*, Libre Expression, Montréal, 1984.

GAGNON, F.-M., PETEL, D., *Hommes effarables et bestes sauvages*, Boréal Express, Montréal, 1986.

GALARNEAU, C., *la France devant l'opinion canadienne 1760-1815*, Presses de l'Université de Laval, Québec/Armand Colin, Paris, 1970.

GALILEI, G., *l'Essayeur de Galilée*, Les Presses de l'Université de Besançon, Besançon, 1979.

GANONG, W.-F., *Crucial Maps in Early Cartographie and Place-Nomenclature of the Atlantic Coast of Canada*, University of Toronto Press, Toronto, 1964.

GARNEAU, F.-X., *Histoire du Canada*, tome I (1845), tome III (1848), rééd. Alcan, Paris, 1920.

GIRARD, R., *Des choses cachées depuis la fondation du monde*, Grasset, Paris, 1978.

GIRARD, R., *le Bouc émissaire*, Grasset, Paris, 1982.

GIRARD, R., *la Route antique des hommes pervers*, Grasset, Paris, 1985.

GIRAULT, P. et P., *Enquête sur le procès de Louis XVI*, La Table Ronde, Paris, 1982.

GIRAUD, M., *le Métis canadien, son rôle dans les provinces de l'Ouest*, Institut d'ethnologie, Paris, 1945.

GLUCKSMANN, A., *les Maîtres penseurs*, Grasset, Paris, 1977.

GODBOUT, J., *les Têtes à Papineau*, Seuil, Paris, 1981.

GROULX, L., *Naissance d'une race*, Bibliothèque de l'Action française, Montréal, 1919.

GROULX, L., *Lendemains de conquête*, Bibliothèque de l'Action française, Montréal, 1920; rééd. Stanké, 10/10, 1977.

GROULX, L., *l'Appel de la race*, Montréal, 1922.

GROULX, L., *la Découverte du Canada — Jacques Cartier*, Granger Frères, Montréal, 1934.

GROULX, L., *Notre Maître le passé*, Granger Frères, Montréal, 1936; rééd. Stanké, 10/10, 1977.

GUILLERM, A., *la Pierre et le Vent. Fortifications et marine en Occident*, Préf. de F. Braudel, Arthaud, Paris, 1985.

HABERMAS, J., *Espace public*, Payot, Paris, 1978.

HAKLUYT, R., *The Principall Navigations, Voiages and Discoveries of the English Nation*, Londres, 1559.

HARRISSE, H., *The Discovery of North America. A Critical Documentary and Historical Investigation*, Stevens and Son, Londres, 1892.

HÉBERT, J.-C., *le Siège de Québec par trois témoins*, Ministère des Affaires culturelles, Québec, 1972.

HEERS, J., *Christophe Colomb*, Hachette, Paris, 1981.

HEIDEGGER, M., *Was heisst denken*, Tübingen, 1971.

HEIDENREICH, C.E., RAY, A.J., *The Early Furtrade. A Study of Cultural Interaction*, McClelland and Stewart, Toronto, 1976.

HOLAND, H.R., *Explorations in America before Columbus*, New York, 1958.

HOLLOWAY, K., *le Canada, pourquoi l'impasse?* Nouvelle Optique, Montréal, Librairie Générale de Droit et de Jurisprudence, Paris, 1983.

INNIS, H.-A., *The Furtrade in Canada, An Introduction to Canadian Economic History*, (1930), University of Toronto Press, Toronto, 1970.

JAENEN, C.-F., *Friend and Foe. Aspects of French-Amerindian Contact in the Sixteenth and Seventeenth Centuries*, Toronto, McClelland and Stewart, 1976.

JARDIN, A., *Alexis de Tocqueville, 1805-1859*, Hachette, Paris, 1984.

JAUSS, H.-R., *Pour une esthétique de la réception*, Gallimard, Paris, 1978.

JONES, G., *A History of the Vikings*, Oxford University Press, New York, 1968; rééd. 1984.

JULIEN, C.-A., *Les voyages de la découverte et les premiers établissements (XVe-XVIe siècles)*, Les Presses de l'Université de France, Paris, 1948.

KALM, P., *Voyage de Pehr Kalm au Canada en 1749*, P. Tisseyre, Montréal, 1977.

KOFMAN, S., *le Respect des femmes*, Les Éditions Galilée, Paris, 1982.

KRISTEVA, J., *Pouvoirs de l'horreur. Essai sur l'abjection*, Seuil, Paris, 1980.

KUHN, T.S., *la Structure des révolutions scientifiques*, Flammarion, Paris, 1972.

LAFITAU, J.-F., *Moeurs des sauvages américains comparés aux moeurs des premiers temps* (1724), «La Découverte», F. Maspero, Paris, 1983.

LAFLÈCHE, G., *Relation de 1634 de Paul Lejeune. Le missionnaire, l'apostat, le sorcier*, Presses de l'Université de Montréal, Montréal, 1973.

LAGRAVE, J.-P. DE, *Fleury Mesplet (1734-1794)*, Patenaude éd., Montréal, 1985.

LAHONTAN, L.-A. DE, *Nouveaux voyages en Amérique septentrionale* (1703), L'Hexagone/Minerve, Montréal, 1983.

LAHONTAN, L.-A. DE, *Suite du voyage en Amérique ou dialogues de Monsieur Baron de Lahontan et d'un Sauvage dans l'Amérique*, La Haye, 1703.

LA RONCIÈRE, CH. DE, *Histoire de la marine française*, tome III, Plon, Paris, 1923.

LAS CASAS, B. DE, *Très brève relation de la destruction des Indes*, «La Découverte», F. Maspero, Paris, 1979.

LATOUCHE, D., et POLIQUIN-BOURASSA D., *le Manuel de la parole: manifestes recueillis et commentés par D. Latouche et D. Poliquin-Bourassa*, Boréal Express, Montréal, 1979.

LEACH, D.E., *The Northern Colonial Frontier 1607-1763*, Rinehart and Winston, New York, 1966.

LEBLANC, L., *Anthologie de la littérature québécoise, I. Écrits de la Nouvelle-France*, La Presse, Montréal, 1978.

LECLERCQ, CH., *Nouvelle relation de Gaspésie*, Paris, 1691.

LEFRANC, A., *les Navigations de Pantagruel, étude sur la géographie rabelaisienne*, Paris (1905); Slatkine Reprints, 1967.

LEJEUNE, P., «Brève Relation du voyage en la Nouvelle-France fait au mois d'avril 1632», in *Relations des Jésuites*, Québec, 1858.

LE ROY LADURIE, E., *Histoire du climat depuis l'an mil*, 1967; rééd. Flammarion, Paris, 1983.

LESCARBOT, M., *Histoire de la Nouvelle-France suivie des Muses de la Nouvelle-France* (1609), éd. Tross, Paris, 1866.

LÉVESQUE, C., VANCE, CH., *l'Oreille de l'autre, otobiographies, transferts, traductions, textes et débats avec J. Derrida*, VLB, Montréal, 1982.

LEVIN, H., *The Myth of the Golden Age in the Renaissance*, Indiana University Press, 1969.

LINTEAU, P.-A., DUROCHER, R., ROBERT, J.-C., *Histoire du Québec contemporain 1867-1929*, Boréal Express, Montréal, 1979.

MAGNUSSON, M., PALSSON, H., *The Vinland Sagas, The Norse Discovery of America*, The Penguin Books, Londres, 1965.

MAHIEU, J. DE, *l'Imposture de Christophe Colomb*, Copernic, Paris, 1979.

MALIJAY, P. DE, *Saint Jean-Baptiste, l'Évangile et le Canada*, Montréal, 1874.

MANNONI, M., *D'un impossible à l'autre*, Seuil, Paris, 1982.

MANN TROFIMENKOFF, S., *The Dream of Nation, A Social and Intellectual History of Quebec*, Gage, Toronto, 1983. Trad. française, *Visions nationales du Québec*, Éd. du Trécarré, Montréal, 1986.

MARCEL, J., *le Joual de Troie*, Les Éditions du Jour, Montréal, 1973.

MARIENSTRAS, E., *la Résistance indienne aux États-Unis du XVIe au XXe siècles*, Gallimard/Julliard, Paris, 1980.

MAUSS M., *Sociologie et Anthropologie*, Les Presses de l'Université de France, Paris, 1983.

MICHAUD, S., *Muse et Madone. Visages de la femme de la Révolution française aux apparitions de Lourdes*, Seuil, Paris, 1985.

MIRON, G., *l'Homme rapaillé*, Les Presses de l'Université de Montréal, Montréal, 1970.

MOIR, A., *Caravage*, Cercle d'Art, Paris, 1983.

MOLLAT, M., ADAM, P., éd., *Actes du 5e Colloque International de l'Histoire Maritime. Les aspects internationaux de la découverte océanique au XVe et XVIe siècles*, Paris, 1966.

MOLLAT, M., *Explorations du XIIe au XVIe siècles. Essai sur la découverte de l'altérité*, Lattès, Paris, 1984.

MONIÈRE, D., *le Développement des idéologies au Québec des origines à nos jours*, Québec/Amérique, Montréal, 1972.

MORANDIÈRE, CH. DE LA, *Histoire de la pêche française dans l'Amérique septentrionale des origines à 1789*, 3 vol., Paris, G.P. Maisonneuve et Larose, 1962-1966.

MORIN, E., *la Méthode*, I. *La nature de la nature*, Seuil, Paris, 1977.

MORIN, E., *la Méthode*, II. *La vie de la vie*, Seuil, Paris, 1980.

MORIN, E., *Pour sortir du XXe siècle*, F. Nathan, Paris, 1981.

MORIN, E., *Sociologie*, Fayard, Paris, 1984.

MORIN, M., *Annales de l'Hôtel-Dieu de Montréal*, Mémoires de la Société historique de Montréal, Montréal, 1921.

MORIN, V., *Cent vingt-cinq ans d'oeuvres sociales et économiques*, Montréal, 1859.

MORISON, S.-E., *Admiral of the Ocean Sea. A Life of Christopher Columbus*, 2 vol., Boston, 1942.

MORISON, S.-E., *Christopher Columbus Mariner*, Londres, 1956.

MORISON, S.-E., *The European Discovery of America. The Northern Voyages A.D. 500-1600*, Oxford University Press, New York, 1971.

NISH, C., *les Bourgeois-gentilshommes de la Nouvelle-France 1729-1748*, Fides, Montréal, 1968.

NIETZSCHE, P., *Sämtliche Werke*, éd. G. Colli et M. Montinari, Deutscher Taschenbuch Verlag, Muñchen, 1980.

OSLER, E.-B., *Louis Riel, un homme à pendre*, Les Éditions du Jour, Montréal, 1962.

OUELLET, F., *Histoire économique et sociale du Québec 1760-1860*, Fides, Montréal, 1966.

PAINE, TH., *Le sens commun/Common sense*, éd. bilingue, Aubier, Paris, 1983.

PARKMAN, F., *The Conspiracy of Pontiac. The Indian War after the Conquest*, (1851) rééd. Boston, 1922.

PASCAL, B., *Pensées, in Les oeuvres complètes*, Seuil, Paris, 1963.

PELLETIER-BAILLARGEON, H., *Marie Gérin-Lajoie*, Boréal Express, Montréal, 1985.

PERROT, N., *Mémoire sur les moeurs, coustumes et relligion des sauvages de l'Amérique septentrionale*, Leipzig, 1864.

PEYREFITTE, A., *le Mal français*, Plon, Paris, 1976.

POLO, MARCO, *le Devisement du monde*, «La Découverte», F. Maspero, Paris, 1980.

RABELAIS, F., *le Quart Livre, le Cinquième Livre*, éd. J. Boulanger, La Pléiade, Paris, 1955.

RADISSON, P.-E., *Journal 1682-1683. Les débuts de la Nouvelle-France*, Stanké, Montréal, 1979.

RAMUSIO, G.-B., *Terzo volume delle navigationi et viaggi...*, Venise, 1556.

RANK, O., *le Mythe de la naissance du héros*, Payot, Paris, rééd. 1983.

RIOUX, M., *la Question du Québec*, l'Hexagone, Montréal 1987.

RIOUX, M., *les Québécois*, Seuil, Paris, 1974.

ROBERT, M., *Roman des origines et origines du roman*, Grasset, Paris, 1972.

ROBERTS, M., POSTGATE, K. et D., *Développement et Modernisation au Québec*, Boréal Express, Montréal, 1983.

ROUSSEAU, J., «l'Annedda et arbre de vie», in *R.H.A.F.*, septembre 1954.

RUFFIÉ, J., SOURNIA, J.-C., *les Épidémies dans l'histoire de l'homme*, Flammarion, Paris, 1984.

RUMILLY, R., *Histoire de la Société Saint-Jean-Baptiste de Montréal*, Montréal, l'Aurore, 1975.

RYERSON, S.-B., *The Foundation of Canada, Beginning to 1815*, Progress Books, Toronto, 1963.

SAGARD, G., *Histoire du Canada et voyages que les Fréres Mineurs y ont faicts pour la conversion des Infidelles*, Paris 1636.

SAGARD, G., *le Grand voyage au pays des Hurons*, Hurtubise, HMH, Montréal, 1976.

SÉGUIN, R.-L., *La Civilisation traditionnelle de l'«habitant» aux XVIIe et XVIIIe siècles*, Fides, Montréal, 1967.

SÉGUIN, R.-L., «l'Esprit d'indépendance en Nouvelle-France et au Québec au XVIIe et XVIIIe siècles», *l'Académie des Sciences d'Outre-Mer*, tome XXXIII, no 4, 1973.

SERRES, M., *la Distribution, Hermès IV*, Les Éditions de Minuit, Paris, 1977.

SERRES, M., *le Parasite*, Grasset, Paris, 1980.

SERRES, M., *le Passage du Nord-Ouest*, Les Éditions de Minuit, Paris, 1980.

SERRES, M., *Rome, le livre des fondations*, Grasset, Paris, 1983.

STAROBINSKI, J., «le Mot civilisation», in *le Temps de la réflexion*, Gallimard, Paris, 1983.

STRAYER, J.-R., *les Origines médiévales de l'État moderne*, Payot, Paris, 1979.

THÉVET, A., *les Singularités de la France antarctique autrement nommée Amérique*, Paris, 1557.

THÉVET, A., *Cosmographie universelle*, Paris, 1575.

THOREAU, H., *Un Yankee au Canada*, Les Éditions de l'Homme, Montréal, 1962.

THWAITES, R.-G., *The Jesuit Relations and Allied Documents*, Cleveland, 1896-1901.

TINLAND, F., *l'Homme sauvage*, Paris, 1968.

TOCQUEVILLE, A. DE, *De la démocratie en Amérique*, Gallimard, Paris, 1951.

TODOROV, T., *la Conquête de l'Amérique. La question de l'autre*. Seuil, Paris, 1982.

TRUDEL, M., *l'Influence de Voltaire au Canada*, 2 vol. Montréal, 1945.

TRUDEL, M., *l'Esclavage au Canada français*, Presses de l'Université de Laval, Québec, 1960.

TRUDEL, M., *Histoire de la Nouvelle-France. I. Les vaines tentatives*, Fides, Montréal, 1963.

TRUDEL, M., *Histoire de la Nouvelle-France*, II. *Le comptoir (1604-1627)*, Fides, Montréal, 1966.

TRUDEL, M., *Histoire de la Nouvelle-France*, III. *La seigneurie des Cent-Associées*, Fides, Montréal, 1979.

TRUDEL, M., *la Révolution américaine, 1775-1783. Pourquoi la France refuse le Canada*, Boréal Express, Montréal, 1976.

VACHON, A., *Rêves d'empire. Le Canada avant 1700*, Archives publiques du Canada, Ottawa, 1982.

VALLIÈRES, P., *l'Exécution de Pierre Laporte*, Québec/Amérique, Montréal, 1977.

VAUGEOIS, D., LACOURSIÈRE, J., *Canada-Québec, synthèse historique*, Renouveau Pédagogique, Montréal, 1983.

VESPUCCI, A., *Il «Mundo nuovo» di Amerigo Vespucci»*, Serra e Riva Editori, Milano, 1984.

VIGARELLO, G., *le Propre et le sale*, Seuil, Paris, 1985.

VOLTAIRE, *Oeuvres complètes*, éd. Moland, Paris, 1877-1883.

WADE, M., *les Canadiens français de 1760 à nos jours*, tome I, *1760-1914*, Montréal, Cercle du Livre de France, 1963.

WALLOT, J.-P., *Intrigues françaises et américaines au Canada (1800-1802)*, Leméac, Montréal, 1965.

WALLOT, J.-P., *Un Québec qui bougeait, trame socio-politique du XIXe siècle*, Boréal Express, Montréal, 1973.

WEINMANN, H., «le Nomade et le sédentaire. Une définition comparée», in *Critère*, no 10, janvier 1974.

WEINMANN, H., «Narcisse et l'Autre. Pour un ethnotype québécois» in *Voix et Images*, vol. III, no 2, 1977.

WEINMANN, H., «Menaud, fils de Perrault ou de Savard?», in *Voix et Images*, vol. III, no 3, 1978.

WEINMANN, H., «l'Orestie d'Eschyle: le tragique au féminin ou au masculin?», in *Études françaises*, Septembre 1979, 15/3-4.

WEINMANN, H., «Galileo Galilei: de la précision à l'exactitude» in *Études françaises*, 19/2, janvier 1984.

WILDE, O., *Oeuvres*, 2 vol., Stock, Paris, 1977.

WILLS, G., *Cincinnatus, George Washington and the Enlightenment*, New York, Doubleday, 1984.

WINTEMBERG, «The Probable location of Cartier's Stadacona», in *Mémoires et comptes rendus de la Société Royale du Canada*, 3e série, vol. XXX, 2e section, 1936.

Table des matières

CHAPITRE IV

Le *Canada*: du paradis subtropical à l'enfer polaire

CHAPITRE V

Le premier abandon du *Canada*

DEUXIÈME PARTIE

FONDATIONS

A. Québec: ville française d'Amérique et son destin unique

CHAPITRE I

Les îles infortunées: de la périphérie au centre

CHAPITRE II

Une archéologie de la fortification québécoise

CHAPITRE III

Et Québec fut fondé...

CHAPITRE IV

Le syndrome du Cheval de Troie

B. *Canada*-Québec: naissance de deux pays

CHAPITRE I

Du Kanada sauvage au Canada français

CHAPITRE II

Dépendance économique, indépendance politique: le pouvoir et sa représentation

C. L'Habitant et le guerrier à l'ombre de Rome

CHAPITRE I

Tocqueville au *Canada*: un voyage prémonitoire

CHAPITRE II

Comment le paysan français devient Habitant?

CHAPITRE III

Un continent sans «paysan»

CHAPITRE IV

Cincinnatus: entre le soc et le mousquet

TROISIÈME PARTIE

DÉCAPITATIONS

A. Psychanalyser la Défaite de 1760

CHAPITRE I

La Défaite: «apocalypse now» ou machination après coup?

CHAPITRE II

Le roman familial *canadien*

CHAPITRE III

L'abjection de soi

CHAPITRE IV

Comment désaliéner les historiens aliénés par leur propre histoire?

CHAPITRE V

Après le déficit... les bénéfices de la Conquête

CHAPITRE VI

Mon Dieu, vite un autre «roman familial»!

B. Décapitations, pendaisons: «meurtres fondateurs» du Canada français

CHAPITRE I

La Défaite fut-elle une décapitation? Dissection d'une métaphore

CHAPITRE II

La décapitation du *Canada* a lieu en France

CHAPITRE III

Décapitations et pendaisons au *Canada*

CHAPITRE IV

Sacrifices en pure perte

C. La Saint-Jean-Baptiste: naissance et mort d'un mythe national

CHAPITRE I

Les deux visages du Baptiseur

CHAPITRE II

Le saint Jean-Baptiste *canadien*: l'enfant abandonné

COLLECTION POSITIONS PHILOSOPHIQUES

GILLES LANE
Si les marionnettes pouvaient choisir

RENÉ PELLERIN
Théories et pratiques de la désaliénation

YVON JOHANNISSE
Vers une subjectivité constructive

JOSEPH PESTIEAU
Guerres et paix sans État

PIERRE GRAVEL
D'un miroir et de quelques éclats

JOCELYNE SIMARD
Sentir, se sentir, consentir

PIERRE BERTRAND
L'artiste

MICHEL GERMAIN
L'intelligence artificieuse

COLLECTION POSITIONS ANTHROPOLOGIQUES

RÉMI SAVARD
La voix des autres

JEAN-MARIE THERRIEN
Parole et pouvoir

COLLECTION POLITIQUE ET SOCIÉTÉ

LOUIS BALTHAZAR
Le bilan du nationalisme au Québec

COLLECTION DE POCHE TYPO

Cet ouvrage composé en Times corps 11 sur 13
a été achevé d'imprimer sur les presses
de l'imprimerie Gagné à Louiseville
en janvier mil neuf cent quatre-vingt-treize
pour le compte des Éditions
de l'Hexagone.

Imprimé au Québec (Canada)